해결의 법칙

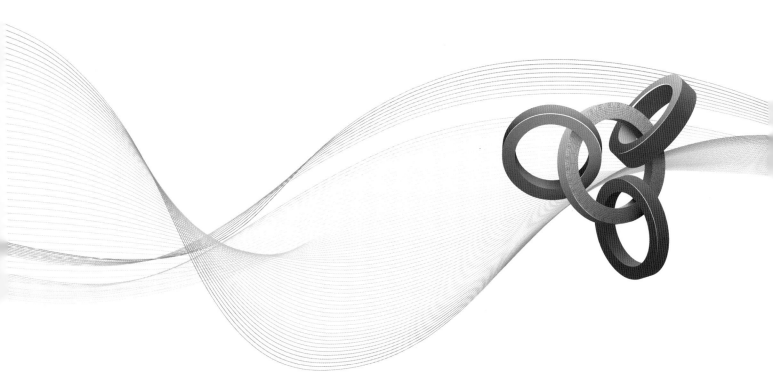

중학 수학 **2**-1

유형 해결의 법칙

이 책을 기획·검토해 주신 245명의 선생님들께 감사드립니다.

기획에 참여하신 선생님

강지훈	권은경	고수환	공경식	김정태	김지인	서정택	신준우	안우영
위성옥	윤인영	이경은	이동훈	이슬비	이재욱	전은술	정태식	황선영

검토에 참여하신 선생님

서울

강연희	고혜련	기한성	김길수	김명후	김미애	김보미	김슬희	김연수
김용진	김재훈	김정문	김주현	김진위	김진희	김현아	김형수	나종학
박명호	박수견	박용진	박지견	박진선	박진수	서동욱	성은수	손현희
안은해	윤석태	윤혜영	이누리	이명숙	이수아	이영미	이윤배	이정희
이창기	장기헌	장성민	조세환	지은희	채미진	채진영	최송이	

경기

강원우	곽효희	권수빈	권용운	기샛별	김경아	김 란	김세정	김연경
김재빈	김정연	김지송	김지윤	김태현	김혜림	김효진	김희정	맹주현
민동건	박민서	박용철	박재곤	방은선	배수남	백남흥	서정희	신수경
신지영	엄준호	오경미	유기정	유상현	윤금숙	윤혜선	이나경	이다영
이명선	이보미	이보형	이봉주	이신영	이은경	이은지	이재영	이지훈
이진경	이희숙	이희정	임인기	장도훈	정광현	정문숙	정필규	조성민
조은영	조진희	최경희	최다혜	최문정	최선민	최영미	홍가영	

충청

강태원	권경희	권기윤	권용운	김근래	김미정	김선경	김영철	김장훈
김 진	김현진	남궁찬	남철희	라정흠	류현숙	박대권	박영락	박재춘
박진영	박찬웅	방승현	백용현	변애란	신상미	신옥주	안용기	이금수
이문석	이태영	정구환	정선우	정소영	정지영	천은경	최도환	최미선
최종권	최진욱	한미숙	허진형	황용하	황은숙			

경상

강대희	구본희	구영모	권기현	금은희	김미숙	김보영	김수정	김현경
노정은	류민숙	문준호	민희영	박상만	박순정	박승배	박현숙	배두현
배홍재	심경숙	심영란	양선애	오창희	이상준	이언주	이유경	이현준
장수민	전선미	전진철	조현주	추명석	하미애	하희정	한창희	한혜경

전라

고미나	김경남	김대화	김돈오	김 련	김선주	김세현	김우신	김원미
김정희	김지현	나희정	류 민	박명숙	박성미	박성태	박정미	백성주
선재연	성준우	송정권	위효영	유현수	유혜정	이경묵	이상용	이수정
이은순	이재윤	임주미	장민경	장원익	전선재	정명숙	정미경	정연일
정은성	조창영	최상호	홍귀숙					

강원

박상윤	신현숙

제주

이승환

유형 해결의
법칙

개념과 문제를 유형화하여 공부하는 것은
수학 실력 향상의 밑거름입니다.
가장 효율적으로 유형을 나누어 연습하는

최고의 유형 문제집!

STRUCTURE

구성과 특징

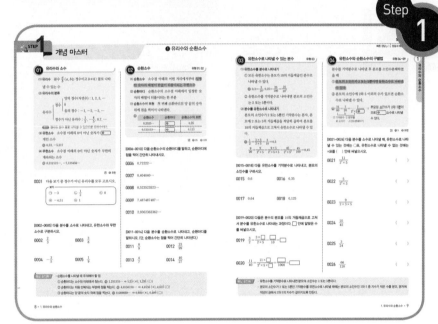

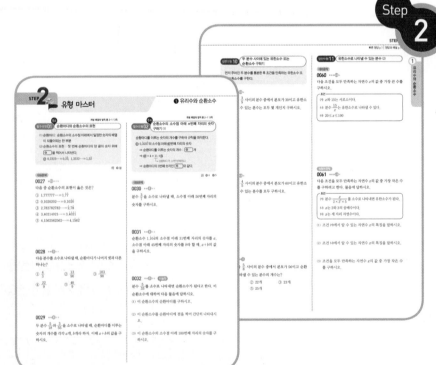

Step 1 개념 마스터

● **개념 정리**
교과서의 핵심 개념 및 기본 공식, 정의 등을 정리하고 예, 참고 등의 부가 설명을 통해 보다 쉽게 개념을 이해할 수 있도록 하였습니다.

● **기본 문제**
개념과 공식을 바로 적용하여 해결할 수 있는 기본적인 문제를 다루어 개념을 확실하게 익힐 수 있도록 하였습니다.

Step 2 유형 마스터

● **필수 유형 & 핵심 개념 정리**
중단원의 기출 필수 유형을 선정하고, 그 유형 학습에 필요한 개념 및 대표 문제를 제시하였습니다.

중요
내신 출제율이 높고 꼭 알아두어야 할 유형에 중요 표시를 하였습니다.

대표문제
각 유형에서 시험에 자주 출제되는 문제를 대표문제로 지정하였습니다.

발전유형
발전 유형을 필수 유형과 다른 색으로 표시하여 수준별 학습이 가능하도록 하였습니다.

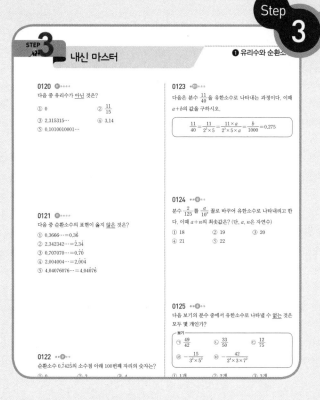

Step 3 **내신 마스터**

학교 시험에서 잘 나오는 문제들로 구성하
여 실력을 확인해 볼 수 있도록 하였습니다.

STEP 3 **내신 마스터**　❶ 유리수와 순환소수

0120 ⬤＊＊＊＊
다음 중 유리수가 <u>아닌</u> 것은?
① 0　　　　② $\dfrac{11}{15}$
③ 2.315315…　④ 3.14
⑤ 0.1010010001…

0121 ⬤＊＊＊＊
다음 중 순환소수의 표현이 옳지 <u>않은</u> 것은?
① $0.3666\cdots=0.3\dot{6}$
② $2.342342\cdots=2.\dot{3}\dot{4}$
③ $0.707070\cdots=0.\dot{7}\dot{0}$
④ $2.004004\cdots=2.\dot{0}0\dot{4}$
⑤ $4.04076076\cdots=4.04\dot{0}7\dot{6}$

0122 ＊＊⬤＊＊
순환소수 $0.7\dot{4}2\dot{5}$의 소수점 아래 100번째 자리의 숫자는?

0123 ＊⬤＊＊
다음은 분수 $\dfrac{11}{40}$ 을 유한소수로 나타내는 과정이다. 이때 $a+b$의 값을 구하시오.

$$\dfrac{11}{40}=\dfrac{11}{2^3\times 5}=\dfrac{11\times a}{2^3\times 5\times a}=\dfrac{b}{1000}=0.275$$

0124 ＊＊⬤＊＊
분수 $\dfrac{2}{125}$ 를 $\dfrac{a}{10^n}$ 꼴로 바꾸어 유한소수로 나타내려고 한다. 이때 $a+n$의 최솟값은? (단, a, n은 자연수)
① 18　　② 19　　③ 20
④ 21　　⑤ 22

0125 ＊＊⬤＊＊
다음 보기의 분수 중에서 유한소수로 나타낼 수 <u>없는</u> 것은 모두 몇 개인가?
- 보기
㉠ $\dfrac{49}{42}$　㉡ $\dfrac{33}{50}$　㉢ $\dfrac{12}{75}$
㉣ $-\dfrac{15}{3^2\times 5^2}$　㉤ $\dfrac{42}{2^4\times 3\times 7^3}$

정답과 해설

자세하고 친절한 해설을 수록하였습니다.

전략
문제에 접근할 수 있는 실마리를 제공하였습니다.

Lecture
풀이를 이해하는데 도움이 되는 내용, 풀이 과정에서 범할 수 있는 실수, 주의할 내용들을 짚어줍니다.

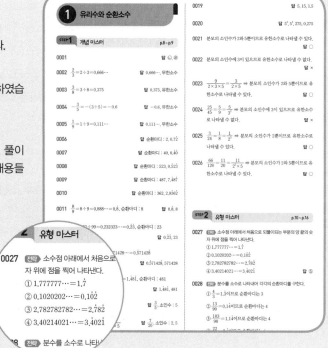

1 유리수와 순환소수

STEP 1 **개념 마스터** p.8~p.9

0001　답 ㉡, ㉢

0002 $\dfrac{2}{3}=2\div 3=0.666\cdots$　답 0.666…, 무한소수

0003 $\dfrac{3}{8}=3\div 8=0.375$　답 0.375, 유한소수

0004 $-\dfrac{3}{5}=-(3\div 5)=-0.6$　답 −0.6, 유한소수

0005 $\dfrac{1}{9}=1\div 9=0.111\cdots$　답 0.111…, 무한소수

0006　답 순환마디 : 2, $0.7\dot{2}$

0007　답 순환마디 : 40, $0.\dot{4}\dot{0}$

0008　답 순환마디 : 523, $0.\dot{5}2\dot{3}$

0009　답 순환마디 : 487, $7.4\dot{8}\dot{7}$

0010　답 순환마디 : 362, $2.9\dot{3}6\dot{2}$

0011 $\dfrac{8}{9}=8\div 9=0.888\cdots=0.\dot{8}$, 순환마디 : 8　답 $0.\dot{8}$, 8

0012 … $\div 99=0.232323\cdots=0.\dot{2}\dot{3}$, 순환마디 : 23　답 $0.\dot{2}\dot{3}$, 23

…7142\dot{8}\cdots=0.57142\dot{8}　답 0.57142\dot{8}, 571428

…$1.48\dot{1}$, 순환마디 : 481　답 $1.48\dot{1}$, 481

답 $\dfrac{3}{5}$, 소인수 : 5

답 $\dfrac{7}{20}$, 소인수 : 2, 5

0019　답 5, 15, 1.5

0020　답 5^2, 5^2, 275, 0.275

0021 분모의 소인수가 2와 5뿐이므로 유한소수로 나타낼 수 있다.

0022 분모의 소인수에 3이 있으므로 유한소수로 나타낼 수 없다.　답 ×

0023 $\dfrac{9}{2\times 3\times 5}=\dfrac{3}{2\times 5}$ ➡ 분모의 소인수가 2와 5뿐이므로 유한소수로 나타낼 수 있다.　답 ○

0024 $\dfrac{25}{45}=\dfrac{5}{9}=\dfrac{5}{3^2}$ ➡ 분모의 소인수에 3이 있으므로 유한소수로 나타낼 수 없다.　답 ×

0025 $\dfrac{3}{24}=\dfrac{1}{8}=\dfrac{1}{2^3}$ ➡ 분모의 소인수가 2뿐이므로 유한소수로 나타낼 수 있다.　답 ○

0026 $\dfrac{66}{120}=\dfrac{11}{20}=\dfrac{11}{2^2\times 5}$ ➡ 분모의 소인수가 2와 5뿐이므로 유한소수로 나타낼 수 있다.　답 ○

STEP 2 **유형 마스터** p.10~p.16

0027 전략 소수점 아래에서 처음으로 되풀이되는 부분의 양 끝의 숫자 위에 점을 찍어 나타낸다.
① $1.777777\cdots=1.\dot{7}$
② $0.1020202\cdots=0.1\dot{0}\dot{2}$
③ $2.782782782\cdots=2.\dot{7}8\dot{2}$
④ $3.40214021\cdots=3.\dot{4}02\dot{1}$　답 ⑤

0028 전략 분수를 소수로 나타내어 각각의 순환마디를 구한다.
① $\dfrac{4}{3}=1.\dot{3}$이므로 순환마디는 3
② $\dfrac{13}{90}=0.1\dot{4}$이므로 순환마디는 4
③ $\dfrac{103}{90}=1.1\dot{4}$이므로 순환마디는 4

유형 마스터

0027 전략 소수점 아래에서 처음으로…
자 위에 점을 찍어 나타낸다.
① $1.777777\cdots=1.\dot{7}$
② $0.1020202\cdots=0.1\dot{0}\dot{2}$
③ $2.782782782\cdots=2.\dot{7}8\dot{2}$
④ $3.40214021\cdots=3.\dot{4}02\dot{1}$

0028 전략 분수를 소수로 나타…

유형 해결의 법칙의 특장과 활용법

특장

1 수학의 모든 유형의 문제를 한 권에 담았습니다.

전국 중학교의 내신 기출 문제를 수집, 분석하여 유형별로 수록하였습니다.

2 내신을 완벽하게 대비하기 위하여 유형을 세분화하였습니다.

놓치는 유형 문제가 없도록 유형을 세분화하고 필수유형부터 발전유형까지 유형 문제를 단계별로 체계적으로 학습할 수 있도록 구성하였습니다.

3 전략을 통한 문제 해결 방법 제시

유형별 해결 전략을 제시하여 핵심 유형을 마스터하고 해결 능력을 스스로 향상시킬 수 있도록 하였습니다.

나만의 오답노트 활용법

오답노트 이제 쓰지 말고 찍어 보자!
(주)천재교육에서 출시된 교재와 연동된 오답노트입니다.
교재의 오답노트 QR을 통해서만 교재를 등록하고 사용할 수 있습니다.
해당 QR이 없는 교재는 연동되어 있지 않으니 참고하세요~

● **오답노트 App 사용법**

1. 표지에 있는 QR을 스캔하여 앱을 설치합니다.
2. 앱을 실행시킨 후 로그인하여 교재를 등록합니다. (천재교육 사이트 회원이 아니면 회원가입을 합니다.)
3. 등록된 교재의 오답 문항을 선택하여 등록합니다.
4. 등록된 오답노트를 언제든 열어보고 확인, 인쇄 가능합니다.

● 참고사항 ● wifi 또는 4G, LTE의 무선 네트워크가 연결되어 있어야 실행됩니다.
안드로이드폰에서만 실행됩니다.

CONTENTS
차례

1 유리수와 순환소수

개념 마스터

01 유리수와 소수

(1) **유리수** 분수 $\dfrac{a}{b}$ (a, b는 정수이고 $b \neq 0$) 꼴로 나타낼 수 있는 수

(2) **유리수의 분류**

$$
\text{유리수}
\begin{cases}
\text{정수}
\begin{cases}
\text{양의 정수(자연수)} : 1, 2, 3, \cdots \\
0 \\
\text{음의 정수} : -1, -2, -3, \cdots
\end{cases} \\
\text{정수가 아닌 유리수} : \dfrac{1}{2}, -\dfrac{4}{5}, 0.7, \cdots
\end{cases}
$$

참고 정수도 분수 꼴로 나타낼 수 있으므로 유리수이다.

(3) **유한소수** 소수점 아래의 0이 아닌 숫자가 ❶ [　] 개인 소수

예 0.23, -5.217

(4) **무한소수** 소수점 아래의 0이 아닌 숫자가 무한히 계속되는 소수

예 8.212121⋯, -7.123456⋯

답 ❶ 유한

0001 다음 보기 중 정수가 아닌 유리수를 모두 고르시오.

보기
㉠ -3　　㉡ $\dfrac{1}{2}$　　㉢ 0
㉣ -4.51　　㉤ 1

[0002~0005] 다음 분수를 소수로 나타내고, 유한소수와 무한소수로 구분하시오.

0002 $\dfrac{2}{3}$　　　　**0003** $\dfrac{3}{8}$

0004 $-\dfrac{3}{5}$　　　　**0005** $\dfrac{1}{9}$

02 순환소수

유형 01, 02

(1) **순환소수** 소수점 아래의 어떤 자리에서부터 일정한 숫자의 배열이 한없이 되풀이되는 무한소수

(2) **순환마디** 순환소수의 소수점 아래에서 일정한 숫자의 배열이 되풀이되는 한 부분

(3) **순환소수의 표현** 첫 번째 순환마디의 양 끝의 숫자 위에 점을 찍어서 나타낸다.

예

순환소수	순환마디	순환소수의 표현
0.2525⋯	❶ [　]	$0.\dot{2}\dot{5}$
0.123123⋯	❷ [　]	$0.\dot{1}2\dot{3}$

답 ❶ 25 ❷ 123

[0006~0010] 다음 순환소수의 순환마디를 말하고, 순환마디에 점을 찍어 간단히 나타내시오.

0006 0.72222⋯

0007 0.404040⋯

0008 0.523523523⋯

0009 7.487487487⋯

0010 2.9362362362⋯

[0011~0014] 다음 분수를 순환소수로 나타내고, 순환마디를 말하시오. (단, 순환소수는 점을 찍어 간단히 나타낸다.)

0011 $\dfrac{8}{9}$　　　　**0012** $\dfrac{23}{99}$

0013 $\dfrac{4}{7}$　　　　**0014** $\dfrac{40}{27}$

핵심 포인트! · 순환소수를 나타낼 때 주의해야 할 점
① 순환마디는 소수점 아래에서 찾는다. 예 1.231231⋯ ➡ $\dot{1}.2\dot{3}$ (×), $1.\dot{2}3\dot{1}$ (○)
② 순환마디는 처음 반복되는 부분에 점을 찍는다. 예 4.0150150⋯ ➡ $4.0\dot{1}5\dot{0}$ (×), $4.0\dot{1}\dot{5}$ (○)
③ 순환마디는 양 끝의 숫자 위에 점을 찍는다. 예 0.689689⋯ ➡ $0.\dot{6}8\dot{9}$ (×), $0.\dot{6}8\dot{9}$ (○)

03 유한소수로 나타낼 수 있는 분수

유형 03

(1) 유한소수를 분수로 나타내기

① 모든 유한소수는 분모가 10의 거듭제곱인 분수로 나타낼 수 있다.

예 $0.3 = \dfrac{3}{10}$, $0.25 = \dfrac{25}{100} = \dfrac{25}{10^2}$

② 유한소수를 기약분수로 나타내면 분모의 소인수는 2 또는 5뿐이다.

(2) 분수를 유한소수로 나타내기

분모의 소인수가 2 또는 5뿐인 기약분수는 분자, 분모에 2 또는 5의 거듭제곱을 적당히 곱하여 분모를 10의 거듭제곱으로 고쳐서 유한소수로 나타낼 수 있다.

예 $\dfrac{1}{2} = \dfrac{1 \times 5}{2 \times 5} = \dfrac{5}{10} = 0.5$

$\dfrac{9}{20} = \dfrac{9}{2^2 \times 5} = \dfrac{9 \times 5}{2^2 \times 5 \times 5} = \dfrac{45}{2^2 \times 5^2} = \dfrac{45}{100} = 0.45$

[0015~0018] 다음 유한소수를 기약분수로 나타내고, 분모의 소인수를 구하시오.

0015 0.6

0016 0.35

0017 0.64

0018 0.125

[0019~0020] 다음은 분수의 분모를 10의 거듭제곱으로 고쳐서 분수를 유한소수로 나타내는 과정이다. ☐ 안에 알맞은 수를 써넣으시오.

0019 $\dfrac{3}{2} = \dfrac{3 \times \boxed{}}{2 \times 5} = \dfrac{\boxed{}}{10} = \boxed{}$

0020 $\dfrac{17}{40} = \dfrac{17 \times \boxed{}}{2^3 \times 5 \times \boxed{}} = \dfrac{\boxed{}}{1000} = \boxed{}$

04 유한소수와 순환소수의 구별법

유형 04~09

분수를 기약분수로 나타낸 후 분모를 소인수분해하였을 때

① 분모의 소인수가 2 또는 5뿐이면 유한소수로 나타낼 수 있다.

② 분모의 소인수에 2와 5 이외의 수가 있으면 순환소수로 나타낼 수 있다.

예 $\dfrac{21}{60} = \dfrac{7}{20} = \dfrac{7}{2^2 \times \boxed{①}}$ ➡ 분모의 소인수가 2와 5뿐이므로 $\boxed{②}$ 소수로 나타낼 수 있다.

① 기약분수로 고치기 ② 분모를 소인수분해하기

답 ① 5 ② 유한

[0021~0026] 다음 분수를 소수로 나타낼 때, 유한소수로 나타낼 수 있는 것에는 ○표, 유한소수로 나타낼 수 없는 것에는 ×표를 ( ) 안에 써넣으시오.

0021 $\dfrac{11}{2^2 \times 5}$ ( )

0022 $\dfrac{5}{2^2 \times 3}$ ( )

0023 $\dfrac{9}{2 \times 3 \times 5}$ ( )

0024 $\dfrac{25}{45}$ ( )

0025 $\dfrac{3}{24}$ ( )

0026 $\dfrac{66}{120}$ ( )

핵심 포인트!
- 유한소수를 기약분수로 나타내면 분모의 소인수는 2 또는 5뿐이다.
- 분모의 소인수가 2 또는 5뿐인 기약분수를 유한소수로 나타낼 때에는 분모의 소인수인 2와 5 중 지수가 작은 수를 분모, 분자에 적당히 곱해서 2와 5의 지수가 같아지도록 만든다.

개념 해결의 법칙 중 2-1 13쪽

필수유형 01 중요 **순환마디와 순환소수의 표현**

(1) 순환마디 : 순환소수의 소수점 아래에서 일정한 숫자의 배열이 되풀이되는 한 부분

(2) 순환소수의 표현 : 첫 번째 순환마디의 양 끝의 숫자 위에 ❶ 을 찍어서 나타낸다.

예 $0.2323\cdots=0.\dot{2}\dot{3}$, $1.3222\cdots=1.3\dot{2}$

답 ❶ 점

대표문제

0027 ●중하●●●

다음 중 순환소수의 표현이 옳은 것은?

① $1.777777\cdots=1.7\dot{7}$

② $0.1020202\cdots=0.10\dot{2}\dot{0}$

③ $2.782782782\cdots=\dot{2}.7\dot{8}$

④ $3.40214021\cdots=3.\dot{4}0\dot{2}1$

⑤ $4.1562562562\cdots=4.1\dot{5}6\dot{2}$

0028 ●●중●●

다음 분수를 소수로 나타낼 때, 순환마디가 나머지 넷과 다른 하나는?

① $\dfrac{4}{3}$ ② $\dfrac{13}{90}$ ③ $\dfrac{103}{90}$

④ $\dfrac{22}{9}$ ⑤ $\dfrac{40}{9}$

0029 ●●중●●

두 분수 $\dfrac{5}{18}$ 와 $\dfrac{3}{55}$ 을 소수로 나타낼 때, 순환마디를 이루는 숫자의 개수를 각각 a개, b개라 하자. 이때 $a+b$의 값을 구하시오.

개념 해결의 법칙 중 2-1 13쪽

필수유형 02 중요 **순환소수의 소수점 아래 n번째 자리의 숫자 구하기 (1)**

순환마디를 이루는 숫자의 개수를 구하여 규칙을 파악한다.

예 $0.\dot{3}25\dot{7}$의 소수점 아래 47번째 자리의 숫자

➡ 순환마디를 이루는 숫자의 개수 : ❶ 개

➡ $47=4\times11+3$
    └ 순환마디가 11번 반복된다.

➡ 순환마디의 3번째 숫자인 ❷ 와 같다.

답 ❶ 4 ❷ 5

대표문제

0030 ●●중●●●

분수 $\dfrac{3}{7}$ 을 소수로 나타낼 때, 소수점 아래 50번째 자리의 숫자를 구하시오.

0031 ●●중●●●

순환소수 $1.\dot{1}0\dot{4}$의 소수점 아래 31번째 자리의 숫자를 a, 소수점 아래 45번째 자리의 숫자를 b라 할 때, $a+b$의 값을 구하시오.

0032 ●●중●●● 서술형

분수 $\dfrac{5}{33}$ 를 소수로 나타내면 순환소수가 된다고 한다. 이 순환소수에 대하여 다음 물음에 답하시오.

(1) 이 순환소수의 순환마디를 구하시오.

(2) 이 순환소수를 순환마디에 점을 찍어 간단히 나타내시오.

(3) 이 순환소수의 소수점 아래 100번째 자리의 숫자를 구하시오.

0033 ●●●상중●

분수 $\dfrac{11}{13}$ 을 소수로 나타낼 때, 소수점 아래 a번째 자리의 숫자를 $f(a)$라 하자. 이때 $f(100)+f(200)$의 값을 구하시오.

필수유형 03 **10의 거듭제곱을 이용하여 분수를 유한소수로 나타내기**

분수를 분모가 10의 거듭제곱 꼴이 되도록 고치면 유한소수로 나타낼 수 있다.

➡ 기약분수의 분모를 소인수분해하였을 때, 소인수 2와 5의 지수가 같아지도록 분모, 분자에 적당한 수를 곱하여 분모를 ❶ ☐ 의 거듭제곱 꼴로 나타낸다.

답 ❶ 10

대표문제

0036 하●●●●

다음은 분수 $\dfrac{6}{160}$ 을 유한소수로 나타내는 과정이다. ①~⑤에 들어갈 수로 옳지 <u>않은</u> 것은?

$$\frac{6}{160}=\frac{3}{①}=\frac{3}{②\times 5}=\frac{3\times ③}{10^4}=\frac{④}{10000}=⑤$$

① 80　　　② 2^4　　　③ 5^3
④ 375　　　⑤ 0.375

0034~0035

소수점 아래 n번째 자리의 숫자를 구할 때, 소수점 아래 순환하지 않는 부분이 있는 경우에는 {$n-$(순환하지 않는 부분의 숫자의 개수)}번째 숫자를 구한다.

0034 ●●중●●

순환소수 $4.26\dot{3}\dot{5}$에서 소수점 아래 111번째 자리의 숫자를 구하시오.

0037 ●중하●●●

다음은 분수 $\dfrac{3}{200}$의 분모를 10의 거듭제곱 꼴로 바꾸어 분수를 유한소수로 나타내는 과정이다. 이때 $A+B+C$의 값을 구하시오.

$$\frac{3}{200}=\frac{3}{2^3\times 5^2}=\frac{3\times A}{2^3\times 5^3}=\frac{B}{1000}=C$$

0035 ●●●상중● 〔잘 틀리는 문제〕

두 순환소수 $4.5\dot{7}\dot{1}$과 $0.24\dot{7}8\dot{1}$의 소수점 아래 70번째 자리의 숫자를 각각 a, b라 할 때, $a+b$의 값을 구하시오.

0038 ●●중●●

분수 $\dfrac{7}{250}$ 을 $\dfrac{a}{10^n}$ 꼴로 바꾸어 유한소수로 나타내려고 한다. 이때 $a+n$의 최솟값을 구하시오. (단, a, n은 자연수)

필수유형 04 유한소수로 나타낼 수 있는 분수 (1)

① 주어진 분수를 기약분수로 나타낸다.

② 분모를 소인수분해한다.

③ 분모의 소인수가 2 또는 ❶⬜️ 뿐이면 유한소수이고,

분모의 소인수에 2와 5 이외의 수가 있으면 ❷⬜️ 이다.

답 ❶ 5 ❷ 무한소수

대표문제

0039 ••중••

다음 분수 중 유한소수로 나타낼 수 있는 것을 모두 고르면? (정답 2개)

① $\dfrac{14}{2 \times 3 \times 7}$ ② $\dfrac{21}{75}$ ③ $\dfrac{5}{12}$

④ $\dfrac{100}{21}$ ⑤ $\dfrac{15}{2^2 \times 3}$

0040 ••중••

다음 분수 중 유한소수로 나타낼 수 없는 것은?

① $\dfrac{5}{32}$ ② $\dfrac{22}{12}$ ③ $\dfrac{27}{5 \times 3^2}$

④ $\dfrac{91}{35}$ ⑤ $\dfrac{21}{2^3 \times 7}$

0041 ••중••

다음 보기의 분수 중 유한소수로 나타낼 수 있는 것은 모두 몇 개인지 구하시오.

┌ 보기 ─────────────────
ㄱ $\dfrac{11}{12}$ ㄴ $\dfrac{6}{2^2 \times 3^2 \times 5}$ ㄷ $\dfrac{5}{6}$

ㄹ $\dfrac{21}{2^2 \times 5 \times 7}$ ㅁ $\dfrac{21}{48}$
└─────────────────────

필수유형 05 유한소수가 되도록 하는 미지수의 값 구하기 (1)

$\dfrac{B}{A} \times x$가 유한소수가 되도록 하려면

① 분수 $\dfrac{B}{A}$를 ❶⬜️ 로 나타낸다.

② 분모를 소인수분해한다.

③ 분모의 소인수가 2 또는 5만 남아야 하므로 x는 분모의 소인수 중 2와 5 이외의 소인수들의 곱의 배수이다.

답 ❶ 기약분수

대표문제

0042 ••중••

$\dfrac{21}{180} \times a$를 소수로 나타내면 유한소수가 될 때, a의 값이 될 수 있는 가장 작은 자연수를 구하시오.

0043 ••중••

분수 $\dfrac{3x}{5 \times 7 \times 18}$가 유한소수로 나타내어질 때, 다음 중 x의 값이 될 수 있는 것은?

① 7 ② 14 ③ 18

④ 21 ⑤ 28

0044 ••중••

분수 $\dfrac{x}{140}$를 소수로 나타내면 유한소수가 된다. x의 값이 될 수 있는 가장 작은 두 자리 자연수를 a, 가장 큰 두 자리 자연수를 b라 할 때, $a+b$의 값을 구하시오.

필수유형 06 두 분수를 모두 유한소수가 되도록 하는 미지수의 값 구하기

① 두 분수를 기약분수로 나타낸다.
② 분모를 소인수분해한다.
③ 두 분수의 분모의 소인수가 모두 **❶** 또는 5로만 이루어지도록 적당한 수를 곱한다.

답 **❶** 2

대표문제

0045 ●●중●●

두 분수 $\dfrac{13}{390}$ 과 $\dfrac{7}{245}$ 에 각각 A를 곱하면 모두 유한소수로 나타내어진다고 한다. 이때 A의 값이 될 수 있는 가장 작은 자연수를 구하시오.

0046 ●●중●● 서술형

두 분수 $\dfrac{5}{12}$ 와 $\dfrac{7}{22}$ 에 각각 어떤 자연수 A를 곱하여 모두 유한소수로 나타내어지도록 하려고 한다. 이때 A의 값이 될 수 있는 가장 큰 두 자리 자연수를 구하시오.

0047 ●●●상중●

두 분수 $\dfrac{17 \times x}{280}$ 와 $\dfrac{5 \times x}{176}$ 를 각각 소수로 나타내면 모두 유한소수가 된다. 이를 만족하는 x의 값 중 세 자리 자연수의 개수를 구하시오.

필수유형 07 유한소수가 되도록 하는 미지수의 값 구하기 (2)

$\dfrac{B}{A \times x}$ 가 유한소수로 나타내어질 때, 미지수 x가 될 수 있는 수는

(ⅰ) 소인수가 2 또는 **❶** 로만 이루어진 수
(ⅱ) 분자의 약수
(ⅲ) (ⅰ)과 (ⅱ)의 곱으로 이루어진 수

답 **❶** 5

대표문제

0048 ●●중●●

분수 $\dfrac{7}{2^2 \times x}$ 이 유한소수로 나타내어질 때, 15 미만의 자연수 x의 값은 모두 몇 개인지 구하시오.

0049 ●●중●●

분수 $\dfrac{15}{2^2 \times 5 \times a}$ 를 소수로 나타내면 유한소수가 될 때, 다음 중 a의 값이 될 수 없는 것은?

① 3　　　　② 4　　　　③ 5
④ 6　　　　⑤ 9

0050 ●●중●●

분수 $\dfrac{3}{5 \times x}$ 을 소수로 나타내면 유한소수가 된다. x가 $1 \leq x < 10$ 인 자연수일 때, 모든 x의 값의 합을 구하시오.

필수유형 08 순환소수가 되도록 하는 미지수의 값 구하기

순환소수가 된다.

➡ 무한소수이다.

➡ 유한소수가 아니다.

➡ 기약분수로 나타내었을 때, ❶ ____ 의 소인수에 2와 5 이외의 수가 있다.

답 ❶ 분모

대표문제

0051 ••중••

분수 $\dfrac{21}{2^3 \times a}$ 을 소수로 나타내었을 때, 순환소수가 되도록 하는 가장 작은 자연수 a의 값을 구하시오.

0052 ••중••

분수 $\dfrac{7}{2^2 \times 5^3 \times a}$ 을 소수로 나타내면 순환소수가 될 때, 다음 중 자연수 a의 값이 될 수 있는 것은?

① 7   ② 14   ③ 21

④ 35   ⑤ 70

0053 ••중•• （잘 틀리는 문제）

분수 $\dfrac{33}{2^2 \times a \times 5}$ 을 소수로 나타내면 순환소수가 될 때, 자연수 a의 값은 모두 몇 개인지 구하시오. (단, $1 < a < 20$)

필수유형 09 유한소수가 되도록 하는 미지수의 값을 찾고 기약분수로 나타내기

분수 $\dfrac{x}{A}$ 를 소수로 나타내면 유한소수가 되고, 기약분수로 나타내면 $\dfrac{B}{y}$ 가 될 때

① x는 A의 소인수 중 2와 5 이외의 소인수들의 곱의 배수이다.

② ①에서 구한 x의 값을 각각 대입한 후 약분하여 분자가 B가 되도록 하는 y의 값을 구한다.

대표문제

0054 ••중••

분수 $\dfrac{a}{90}$ 를 소수로 나타내면 유한소수이고, 이 분수를 기약분수로 나타내면 $\dfrac{1}{b}$ 이 된다. a가 $10 < a < 20$인 자연수일 때, $a+b$의 값을 구하시오.

0055 ••중•• （서술형）

분수 $\dfrac{x}{120}$ 를 소수로 나타내면 유한소수이고, 이 분수를 기약분수로 나타내면 $\dfrac{1}{y}$ 이 된다. x가 $20 < x < 30$인 자연수일 때, $x-3y$의 값을 구하시오.

0056 •••상중• （잘 틀리는 문제）

분수 $\dfrac{a}{180}$ 를 소수로 나타내면 유한소수이고, 이 분수를 기약분수로 나타내면 $\dfrac{7}{b}$ 이 된다. a가 100 이하의 자연수일 때, $a+b$의 값을 구하시오.

발전유형 **10** 두 분수 사이에 있는 유한소수 또는
순환소수 구하기

먼저 주어진 두 분수를 통분한 후 조건을 만족하는 유한소수 또
는 순환소수를 구한다.

0057 ●●●상중●

두 분수 $\dfrac{1}{6}$ 과 $\dfrac{3}{5}$ 사이의 분수 중에서 분모가 30이고 유한소
수로 나타낼 수 있는 분수는 모두 몇 개인지 구하시오.

쌍둥이 문제
0058 ●●●상중●

두 분수 $\dfrac{2}{3}$ 와 $\dfrac{4}{5}$ 사이의 분수 중에서 분모가 60이고 유한소
수로 나타낼 수 있는 분수를 모두 구하시오.

0059 ●●●●상●

두 분수 $\dfrac{1}{7}$ 과 $\dfrac{5}{8}$ 사이의 분수 중에서 분모가 56이고 순환
소수로만 나타낼 수 있는 분수의 개수는?

① 21개 　　② 22개 　　③ 23개
④ 24개 　　⑤ 25개

발전유형 **11** 유한소수로 나타낼 수 있는 분수 (2)

대표문제
0060 ●●●상중●

다음 조건을 모두 만족하는 자연수 x의 값 중 가장 큰 수를
구하시오.

조건
㈎ x와 15는 서로소이다.

㈏ 분수 $\dfrac{15}{x}$ 는 유한소수로 나타낼 수 있다.

㈐ $20 \le x \le 100$

쌍둥이 문제
0061 ●●●상중●

다음 조건을 모두 만족하는 자연수 x의 값 중 가장 작은 수
를 구하려고 한다. 물음에 답하시오.

조건
㈎ 분수 $\dfrac{x}{2 \times 3^2 \times 5}$ 를 소수로 나타내면 유한소수가 된다.

㈏ x는 2와 3의 공배수이다.

㈐ x는 세 자리 자연수이다.

(1) 조건 ㈎에서 알 수 있는 자연수 x의 특징을 말하시오.

(2) 조건 ㈏에서 알 수 있는 자연수 x의 특징을 말하시오.

(3) 조건을 모두 만족하는 자연수 x의 값 중 가장 작은 수
를 구하시오.

0062 ●●●상중●

다음 조건을 모두 만족하는 자연수 n의 값의 개수는?

조건
(가) $1 \leq n \leq 200$

(나) 분수 $\dfrac{n}{30}$은 정수가 아니다.

(다) 분수 $\dfrac{n}{30}$을 소수로 나타내면 유한소수이다.

① 60개   ② 63개   ③ 66개
④ 70개   ⑤ 72개

0063 ●●●상중●

수직선 위에서 두 수 0, 1을 나타내는 두 점 사이에 11개의 점을 찍어 12 등분할 때, 11개의 점에 대응하는 유리수 중 유한소수로 나타낼 수 있는 수를 모두 구하시오.

(단, 기약분수로 답한다.)

0064 ●●●●상

분수 $\dfrac{1}{2}, \dfrac{1}{3}, \dfrac{1}{4}, \cdots, \dfrac{1}{100}$ 중에서 소수로 나타내었을 때, 유한소수가 아닌 분수는 모두 몇 개인지 구하시오.

발전유형 **12** 순환소수의 소수점 아래 n번째 자리의 숫자 구하기 (2)

대표문제
0065 ●●●상중●

분수 $\dfrac{2}{7}$를 소수로 나타내었을 때, 소수점 아래 n번째 자리의 숫자를 x_n이라 하자. 이때 $x_1 + x_2 + \cdots + x_{50}$의 값을 구하시오.

쌍둥이 문제
0066 ●●●상중●

분수 $\dfrac{3}{14}$을 소수로 나타내면 순환소수 $0.2\dot{1}4285\dot{7}$이다. 이때 소수점 아래 첫 번째 자리의 숫자부터 소수점 아래 52번째 자리의 숫자까지의 합은?

① 223   ② 225   ③ 229
④ 231   ⑤ 235

0067 ●●●●상

분수 $\dfrac{7}{13}$을 소수로 나타내었을 때, 소수점 아래 n번째 자리의 숫자를 a_n이라 하자. 이때 $a_1 - a_2 + a_3 - a_4 + \cdots + a_{17} - a_{18}$의 값을 구하시오.

0068 ●●●●상

$\dfrac{3}{13} = \dfrac{a_1}{10} + \dfrac{a_2}{10^2} + \dfrac{a_3}{10^3} + \cdots + \dfrac{a_{30}}{10^{30}} + \cdots$일 때, $a_1 + a_2 + a_3 + \cdots + a_{30}$의 값을 구하시오.
(단, $a_1, a_2, a_3, \cdots, a_{30}, \cdots$은 0 또는 한 자리 자연수이다.)

개념 마스터

05 순환소수를 분수로 나타내기 유형 13~19

(1) 순환소수를 분수로 나타내는 원리

① 순환소수를 x로 놓는다.

② 양변에 10의 거듭제곱을 곱하여 소수 부분이 같은 두 식을 만든다.

③ 두 식을 변끼리 빼서 x의 값을 구한다.

(2) 순환소수를 분수로 나타내는 공식

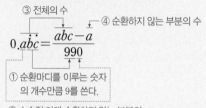

$$0.\dot{a}b\dot{c} = \frac{abc - a}{990}$$

③ 전체의 수
④ 순환하지 않는 부분의 수

① 순환마디를 이루는 숫자의 개수만큼 9를 쓴다.

② 소수점 아래 순환하지 않는 부분의 숫자의 개수만큼 0을 쓴다.

[0069~0070] 다음은 순환소수를 분수로 나타내는 과정이다. ☐ 안에 알맞은 수를 써넣으시오.

0069 $0.\dot{1}\dot{2}$

$0.\dot{1}\dot{2}$를 x로 놓으면 $x = 0.121212\cdots$

$100x = \boxed{}$

$-) \qquad x = 0.121212\cdots$

$\boxed{}x = \boxed{}$

$\therefore x = \dfrac{\boxed{}}{99} = \dfrac{4}{\boxed{}}$

0070 $0.2\dot{8}$

$0.2\dot{8}$을 x로 놓으면 $x = 0.2888\cdots$

$100x = \boxed{}$

$-) \boxed{}x = 2.888\cdots$

$\boxed{}x = \boxed{}$

$\therefore x = \dfrac{26}{\boxed{}} = \boxed{}$

[0071~0074] 다음 ☐ 안에 알맞은 수를 써넣으시오.

0071 $0.\dot{5} = \dfrac{5}{\boxed{}}$

0072 $0.\dot{3}\dot{7} = \dfrac{\boxed{}}{99}$

0073 $1.4\dot{7} = \dfrac{\boxed{} - 14}{90}$

0074 $2.5\dot{1}\dot{3} = \dfrac{2513 - \boxed{}}{990}$

[0075~0078] 다음 순환소수를 분수로 나타내시오.

0075 $0.\dot{4}\dot{9}$

0076 $1.\dot{3}$

0077 $1.2\dot{8}$

0078 $0.4\dot{3}\dot{2}$

06 유리수와 소수의 관계 유형 20

(1) 정수가 아닌 유리수는 유한소수 또는 순환소수로 나타낼 수 있다.

(2) 유한소수와 순환소수는 분수로 나타낼 수 있으므로 모두 유리수이다.

참고 소수 {
유한소수 ─ 유리수이다.
무한소수 {
순환소수 ─ 유리수이다.
순환하지 않는 무한소수 ─ 유리수가 ❶ .
}

답 ❶ 아니다

[0079~0081] 다음 중 옳은 것에는 ○표, 옳지 않은 것에는 ×표를 ( ) 안에 써넣으시오.

0079 유한소수는 모두 유리수이다. ( )

0080 순환소수는 모두 유리수이다. ( )

0081 무한소수는 모두 유리수이다. ( )

핵심 포인트! · 순환소수를 분수로 나타내는 원리에서 소수 부분이 같은 두 식을 만들기 위하여 양변에 10의 거듭제곱을 곱할 때, 첫 순환마디의 앞뒤로 소수점이 오도록 10의 거듭제곱을 곱한다.

개념 해결의 법칙 중 2-1 27쪽

중요
필수유형 **13** 순환소수를 분수로 나타내는 방법 (1)
－ 등식의 성질을 이용

① 순환소수를 x로 놓는다.
② 양변에 ❶ ⬚ 의 거듭제곱을 곱하여 소수 부분이 같은 두 식을 만든다.
③ 두 식을 변끼리 빼서 x의 값을 구한다.

🔲 ❶ 10

대표문제
0082 하••••

순환소수 $x=0.2\dot{3}\dot{6}$을 분수로 나타낼 때, 다음 중 가장 편리한 식은?

① $10x-x$
② $100x-x$
③ $100x-10x$
④ $1000x-x$
⑤ $1000x-10x$

0083 하••••

다음은 순환소수 $2.5\dot{1}$을 기약분수로 고치는 과정이다. ⬚ 안에 들어갈 수나 식으로 알맞지 <u>않은</u> 것은?

$2.5\dot{1}$을 x로 놓으면 $x=2.515151\cdots$ ⋯⋯ ㉠
㉠의 양변에 ⬚(가)⬚ 을 곱하면
⬚(나)⬚ $=251.515151\cdots$ ⋯⋯ ㉡
㉡－㉠을 하면 ⬚(다)⬚ $x=$ ⬚(라)⬚
$\therefore x=$ ⬚(마)⬚

① (가) 100
② (나) $100x$
③ (다) 99
④ (라) 251
⑤ (마) $\dfrac{83}{33}$

0084 하••••

순환소수 $x=0.34555\cdots$를 분수로 나타낼 때, 다음 중 가장 편리한 식은?

① $10x-x$
② $100x-10x$
③ $1000x-x$
④ $1000x-10x$
⑤ $1000x-100x$

0085 ••중••

다음 중 각 순환소수를 x라 할 때, 분수로 나타내는 과정에서 이용되는 가장 편리한 식으로 옳지 <u>않은</u> 것은?

① $0.\dot{6}$ ➡ $10x-x$
② $2.0\dot{5}$ ➡ $100x-10x$
③ $3.11\dot{5}$ ➡ $1000x-10x$
④ $1.\dot{7}0\dot{3}$ ➡ $1000x-x$
⑤ $0.09\dot{2}$ ➡ $1000x-10x$

0086 ••중•• 서술형

순환소수 $1.3\dot{6}$을 기약분수로 나타내는 과정을 다음 조건에 맞추어 설명하시오.

조건
(가) 순환소수 $1.3\dot{6}$을 x로 놓는다.
(나) 소수 부분이 같은 두 식의 차를 이용하여 계산한다.

0087 •••상중•

$0.26+0.006+0.0006+0.00006+0.000006+\cdots$을 계산하여 기약분수로 나타내면 $\dfrac{a}{b}$일 때, $a+b$의 값을 구하시오.

개념 해결의 법칙 중 2-1 27쪽

필수유형 14 순환소수를 분수로 나타내는 방법 (2)
– 공식을 이용

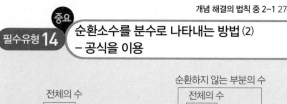

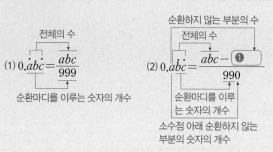

답 **①** a

대표문제

0088 ●●중●●

다음 중 순환소수를 분수로 나타낸 것으로 옳은 것은?

① $0.0\dot{4} = \dfrac{4}{9}$

② $1.\dot{0}\dot{1} = \dfrac{101}{990}$

③ $0.5\dot{9} = \dfrac{59}{90}$

④ $1.\dot{2}2\dot{0} = \dfrac{1219}{999}$

⑤ $1.2\dot{0}\dot{3} = \dfrac{397}{33}$

0089 ●중하●●●

다음 중 순환소수를 분수로 나타내는 과정으로 옳지 않은 것은?

① $0.4\dot{3} = \dfrac{43-4}{90}$

② $3.\dot{4}\dot{9} = \dfrac{349-34}{900}$

③ $0.5\dot{3}\dot{6} = \dfrac{536-53}{900}$

④ $1.2\dot{3}\dot{5} = \dfrac{1235-12}{990}$

⑤ $2.1\dot{2}\dot{3} = \dfrac{2123-21}{990}$

0090 ●●중●●

분수 $\dfrac{x}{6}$ 를 소수로 나타내면 $0.8\dot{3}$일 때, 자연수 x의 값을 구하시오.

0091 ●●중●●

다음 중 순환소수 $x = 3.705705705\cdots$에 대한 설명으로 옳지 않은 것은?

① 순환마디는 705이다.

② $x = 3.\dot{7}0\dot{5}$로 나타낸다.

③ $1000x - x = 3702$

④ $x = 3 + 0.\dot{7}0\dot{5}$

⑤ $x = \dfrac{3705-705}{999}$

0092 ●●중●●

$0.\dot{5}\dot{4} = \dfrac{A}{11}$, $0.3\dot{2}\dot{7} = \dfrac{18}{B}$일 때, $\dfrac{B}{A}$를 순환소수로 나타내시오. (단, A, B는 자연수)

0093 ●●중●●

순환소수 $0.\dot{3}$의 역수를 a, $1.\dot{6}$의 역수를 b라 할 때, $\dfrac{a}{b}$의 값을 구하시오.

0094 ●●●상중● 〔잘 틀리는 문제〕

$2 + \dfrac{4}{10^2} + \dfrac{4}{10^3} + \dfrac{4}{10^4} + \cdots = \dfrac{a}{b}$일 때, $a+b$의 값을 구하시오. (단, a, b는 서로소)

필수유형 **15** (순환소수)×x가 유한소수가 되도록 하는 미지수의 값 구하기

① 주어진 순환소수를 ❶ [   ]로 나타낸다.
② 분모를 소인수분해한다.
➡ x는 분모의 소인수 중 ❷ [ ]와 5 이외의 소인수들의 곱의 배수이다.

🗒 ❶ 기약분수 ❷ 2

대표문제

0095 ••중••

$0.1\dot{3}\times a$가 유한소수일 때, a의 값이 될 수 있는 가장 작은 자연수를 구하시오.

0096 ••중••

$0.3\dot{5}\times x$가 유한소수가 되도록 하는 자연수 x의 값 중 가장 작은 자연수를 a라 하고, 가장 큰 두 자리 자연수를 b라 하자. 이때 $b-3a$의 값을 구하시오.

0097 ••중•• 서술형

두 순환소수 $0.2\dot{3}\dot{6}$과 $0.19\dot{4}$에 각각 어떤 자연수 a를 곱하면 모두 유한소수가 된다고 한다. 이때 a의 값 중 가장 작은 세 자리 자연수를 구하시오.

중요 필수유형 **16** 순환소수로 잘못 나타낸 기약분수

기약분수를 소수로 나타낼 때
(1) 분모를 잘못 보았다. ➡ ❶ [   ]는 제대로 보았다.
(2) 분자를 잘못 보았다. ➡ ❷ [   ]는 제대로 보았다.

🗒 ❶ 분자 ❷ 분모

대표문제

0098 ••중••

어떤 기약분수를 소수로 나타내는데 준수는 분모를 잘못 보아 $0.7\dot{8}$로 나타내었고, 태양이는 분자를 잘못 보아 $0.7\dot{6}$으로 나타내었다. 처음 기약분수를 순환소수로 나타내시오.

0099 ••중•• 서술형

어떤 기약분수를 소수로 나타내는데 주리는 분자를 잘못 보아 $0.2\dot{6}$으로 나타내었고, 인수는 분모를 잘못 보아 $0.58\dot{3}$으로 나타내었다. 다음 물음에 답하시오.

(1) 주리가 잘못 본 기약분수를 구하시오.

(2) 인수가 잘못 본 기약분수를 구하시오.

(3) 처음 기약분수를 구하시오.

(4) 처음 기약분수를 순환소수로 나타내시오.

0100 ••중••

어떤 기약분수 $\dfrac{a}{b}$를 소수로 나타내는데 원석이는 분모를 잘못 보아 $2.\dot{5}$로 나타내었고, 수준이는 분자를 잘못 보아 $0.5\dot{2}$로 나타내었다. 이때 $\dfrac{a}{b}$를 순환소수로 나타내시오.

필수유형 17 순환소수의 대소 관계

방법1 순환소수의 순환마디를 풀어 쓴 후 앞자리부터 각 자리의 숫자의 크기를 비교한다.

방법2 순환소수를 분수로 나타낸 후 통분하여 두 분수의 크기를 비교한다.

대표문제

0101 ●●중●●

다음 중 두 수의 대소 관계가 옳은 것은?

① $1.\dot{3}\dot{2}<1.3\dot{2}$
② $0.\dot{6}=0.7$
③ $\frac{1}{2}>0.\dot{5}$
④ $0.3\dot{5}<0.\dot{3}\dot{5}$
⑤ $1.2\dot{5}\dot{3}>1.25\dot{3}$

0102 ●●중●●

다음 중 두 수의 대소 관계가 옳은 것은?

① $0.1\dot{8}<0.\dot{1}\dot{8}$
② $0.\dot{5}=0.5\dot{0}$
③ $0.1\dot{2}\dot{3}>0.\dot{1}2\dot{3}$
④ $0.3\dot{7}<\frac{37}{99}$
⑤ $3.\dot{4}=3.5$

0103 ●●중●●

다음 중 가장 큰 수는?

① $0.14\dot{1}$
② $0.1\dot{4}\dot{2}$
③ $0.14\dot{2}$
④ $0.1\dot{4}2$
⑤ 0.1423

필수유형 18 순환소수를 포함한 식의 계산

순환소수를 포함한 식의 덧셈, 뺄셈, 곱셈, 나눗셈은 순환소수를 ① [   ]로 나타내어 계산한다.

답 ❶ 분수

대표문제

0104 ●●중●●

$4.\dot{9}+2.\dot{3}$을 계산하여 기약분수로 나타내면 $\frac{b}{a}$일 때, $a+b$의 값을 구하시오.

0105 ●●중●●

$0.\dot{8}\dot{4}+0.\dot{3}\dot{8}$을 계산하면?

① $1.\dot{2}$
② $1.\dot{2}\dot{3}$
③ $1.2\dot{3}$
④ $1.23\dot{2}$
⑤ $1.\dot{2}3\dot{2}$

0106 ●●중●●

$x=0.\dot{3}\dot{6}$일 때, $1+\frac{1}{x}$의 값은?

① $\frac{9}{4}$
② $\frac{15}{4}$
③ $\frac{23}{4}$
④ $\frac{25}{4}$
⑤ $\frac{37}{4}$

0107 ●●중●●

$\frac{1}{90}\times(3+0.3+0.03+0.003+\cdots)=\frac{1}{x}$일 때, x의 값을 구하시오.

필수유형 19 순환소수를 포함한 방정식의 풀이

순환소수를 분수로 나타낸 후 방정식을 푼다.

대표문제

0108 ●●중●●

다음 등식을 만족하는 x의 값을 순환소수로 나타내시오.

$$\frac{17}{30}=x+0.2\dot{4}$$

0109 ●●중●●

일차방정식 $0.\dot{3}x+2=3.\dot{2}$의 해를 순환소수로 나타내면?

① $x=2.\dot{4}$ ② $x=2.\dot{8}$ ③ $x=3.\dot{1}$

④ $x=3.\dot{6}$ ⑤ $x=4.\dot{6}$

0110 ●●중●● 서술형

일차방정식 $0.1\dot{2}x+0.0\dot{4}=1.\dot{5}$의 해를 순환소수로 나타내시오.

필수유형 20 중요 소수의 이해

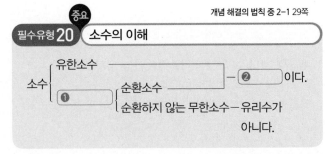

📝 **①** 무한소수 **②** 유리수

대표문제

0111 ●●중●●

다음 중 옳지 <u>않은</u> 것을 모두 고르면? (정답 2개)

① 기약분수로 나타내었을 때 분모의 소인수가 2 또는 5뿐 이면 유한소수로 나타낼 수 있다.

② 정수가 아닌 유리수는 유한소수 또는 순환소수로 나타 낼 수 있다.

③ 순환소수 중에는 유리수가 아닌 것도 있다.

④ 무한소수는 모두 순환소수로 나타낼 수 있다.

⑤ 모든 유한소수는 유리수이다.

0112 하●●●●●

다음 중 유리수는 모두 몇 개인지 구하시오.

$$\frac{1}{4}, \qquad 0.23514\cdots, \qquad -\frac{5}{6}, \qquad -\frac{13}{27}, \qquad 1.6\dot{5}$$

0113 ●중하●●●

두 정수 a, $b(b\neq0)$에 대하여 a를 b로 나눌 때, 다음 보기 중에서 그 계산 결과가 될 수 있는 것을 모두 고르시오.

┌ **보기** ─────────────────────

㉠ 정수   ㉡ 자연수   ㉢ 유한소수

㉣ 순환소수   ㉤ 순환하지 않는 무한소수

└──────────────────────────

0114 ●●중●●

다음 중 옳은 것은?

① 정수는 유리수가 아니다.
② 모든 무한소수는 유리수이다.
③ 분수를 소수로 나타내면 유한소수가 된다.
④ 정수가 아닌 유리수는 모두 유한소수로 나타내어진다.
⑤ 분모를 10의 거듭제곱 꼴로 고칠 수 있는 분수는 유한소수로 나타낼 수 있다.

0115 ●●중●●

다음 중 옳지 <u>않은</u> 것은?

① 모든 순환소수는 무한소수이다.
② 모든 무한소수는 순환소수이다.
③ 순환소수 5.312312…의 순환마디는 312이다.
④ 정수가 아닌 유리수 중에서 유한소수로 나타낼 수 없는 수는 순환소수로 나타낼 수 있다.
⑤ 유한소수 또는 순환소수로 나타낼 수 있는 수는 모두 유리수이다.

0116 ●●중●●

다음 보기 중 옳은 것을 모두 고르시오.

보기
㉠ 0은 유리수가 아니다.
㉡ 모든 순환소수는 유리수이다.
㉢ 유한소수 중에는 유리수가 아닌 것도 있다.
㉣ 유한소수로 나타낼 수 없는 기약분수는 모두 순환소수로 나타낼 수 있다.
㉤ 순환소수가 아닌 무한소수는 $\frac{a}{b}$ (a, b는 정수, $b \neq 0$) 꼴로 나타낼 수 없다.

발전유형 **21** 순환소수의 연산의 활용

순환소수를 분수로 나타낸 후 계산한다. 이때

$$0.\dot{a}\dot{b} = \frac{10a+b}{99}, \quad 0.\dot{b}\dot{a} = \frac{10b+a}{99}$$

임을 이용한다.

대표문제
0117 ●●●●상

$a > b$이고 소수인 두 자연수 a, b에 대하여 $0.\dot{a}\dot{b} + 0.\dot{b}\dot{a} = 0.\dot{5}$일 때, 두 순환소수 $0.\dot{a}\dot{b}$와 $0.\dot{b}\dot{a}$의 차를 구하려고 한다. 다음 물음에 답하시오.

(단, a, b는 한 자리 자연수)

(1) $a+b$의 값을 구하시오.

(2) a, b의 값을 각각 구하시오.

(3) $0.\dot{a}\dot{b}$와 $0.\dot{b}\dot{a}$의 차를 순환소수로 나타내시오.

쌍둥이문제
0118 ●●●●상

9보다 작은 두 자연수 a, b에 대하여 두 순환소수 $0.\dot{a}\dot{b}$와 $0.\dot{b}\dot{a}$의 차가 $0.\dot{6}\dot{3}$일 때, a, b의 값을 각각 구하시오.

(단, $a > b$)

0119 ●●●●상

한 자리 자연수 a, b에 대하여 $0.\dot{a}\dot{b} - 0.\dot{b}\dot{a} = 0.\dot{4}$가 성립할 때, $a-b$의 값을 구하시오.

내신 마스터

0120 하••••
다음 중 유리수가 <u>아닌</u> 것은?

① 0   ② $\dfrac{11}{15}$

③ $2.315315\cdots$ ④ 3.14

⑤ $0.1010010001\cdots$

0121 하••••
다음 중 순환소수의 표현이 옳지 <u>않은</u> 것은?

① $0.3666\cdots=0.3\dot{6}$

② $2.342342\cdots=2.\dot{3}4\dot{2}$

③ $0.707070\cdots=0.\dot{7}0$

④ $2.004004\cdots=2.\dot{0}0\dot{4}$

⑤ $4.04076076\cdots=4.04\dot{0}7\dot{6}$

0122 ••중••
순환소수 $0.\dot{7}42\dot{5}$의 소수점 아래 100번째 자리의 숫자는?

① 0   ② 2   ③ 4

④ 5   ⑤ 7

0123 중하•••
다음은 분수 $\dfrac{11}{40}$을 유한소수로 나타내는 과정이다. 이때 $a+b$의 값을 구하시오.

$$\frac{11}{40}=\frac{11}{2^3\times 5}=\frac{11\times a}{2^3\times 5\times a}=\frac{b}{1000}=0.275$$

0124 ••중••
분수 $\dfrac{2}{125}$를 $\dfrac{a}{10^n}$ 꼴로 바꾸어 유한소수로 나타내려고 한다. 이때 $a+n$의 최솟값은? (단, a, n은 자연수)

① 18   ② 19   ③ 20

④ 21   ⑤ 22

0125 ••중••
다음 보기의 분수 중에서 유한소수로 나타낼 수 <u>없는</u> 것은 모두 몇 개인가?

┌─ 보기 ─
   ㉠ $\dfrac{49}{42}$ ㉡ $\dfrac{33}{50}$ ㉢ $\dfrac{12}{75}$

   ㉣ $-\dfrac{15}{3^2\times 5^2}$ ㉤ $-\dfrac{42}{2^4\times 3\times 7^2}$
└─

① 1개   ② 2개   ③ 3개

④ 4개   ⑤ 5개

0126 ●●충●●

분수 $\dfrac{x}{42}$를 소수로 나타내면 유한소수가 될 때, x의 값 중 가장 작은 두 자리 자연수는?

① 14 ② 21 ③ 42

④ 84 ⑤ 96

0127 ●●중●● 서술형

두 분수 $\dfrac{13}{90}$과 $\dfrac{3}{140}$에 각각 어떤 자연수 n을 곱하여 모두 유한소수로 나타낼 수 있도록 하려고 한다. 다음 물음에 답하시오.

(1) 분수 $\dfrac{13}{90}$에 곱해야 할 자연수 n의 조건을 말하시오.

(2) 분수 $\dfrac{3}{140}$에 곱해야 할 자연수 n의 조건을 말하시오.

(3) n의 값이 될 수 있는 가장 작은 자연수를 구하시오.

0128 ●●중●●

분수 $\dfrac{21}{2^3 \times 7 \times a}$을 소수로 나타내면 유한소수가 된다고 할 때, 다음 중 a의 값이 될 수 <u>없는</u> 것은?

① 3 ② 6 ③ 9

④ 12 ⑤ 15

0129 ●●●상중●

분수 $\dfrac{x}{150}$를 기약분수로 나타내면 $\dfrac{3}{y}$이고, 이 분수를 소수로 나타내면 유한소수가 된다. x가 $40 < x < 50$인 자연수일 때, $x+y$의 값을 구하시오.

0130 ●●●상중●

두 분수 $\dfrac{1}{5}$과 $\dfrac{4}{3}$ 사이의 분수 중에서 분모가 15이고 정수가 아닌 유한소수로 나타낼 수 있는 분수는 모두 몇 개인가?

① 3개 ② 4개 ③ 5개

④ 6개 ⑤ 7개

0131 ●하●●●●

순환소수 $x = 2.5\dot{7}$을 분수로 나타낼 때, 다음 중 가장 편리한 식은?

① $10x - x$ ② $100x - x$

③ $100x - 10x$ ④ $1000x - x$

⑤ $1000x - 10x$

0132 ●중하●●●

다음 중 순환소수를 분수로 나타내는 과정으로 옳지 <u>않은</u> 것은?

① $0.\dot{5}=\dfrac{5}{9}$

② $2.1\dot{5}=\dfrac{215-21}{900}$

③ $2.\dot{3}\dot{4}=\dfrac{234-2}{99}$

④ $0.4\dot{8}=\dfrac{48-4}{90}$

⑤ $1.0\dot{4}=\dfrac{104-10}{90}$

0133 ●●중●●

다음 중 순환소수 $0.3525252\cdots$에 대한 설명으로 옳지 <u>않은</u> 것은?

① 유리수이다.

② 순환마디는 52이다.

③ $0.3\dot{5}\dot{2}$로 나타낼 수 있다.

④ 분수로 나타내면 $\dfrac{349}{900}$이다.

⑤ $0.35\dot{2}$보다 크다.

0134 ●●중●●

$0.5\dot{6}=\dfrac{a}{30}$, $1.2\dot{3}=\dfrac{37}{b}$일 때, $a+b$의 값을 구하시오.

(단, a, b는 자연수)

0135 ●●중●●

$0.5\dot{7}\times a$가 유한소수가 되도록 하는 가장 작은 자연수 a의 값을 구하시오.

0136 ●●중●● 서술형

어떤 기약분수를 소수로 나타내는데 지윤이는 분모를 잘못 보아 $1.3\dot{5}$로 나타내었고, 서준이는 분자를 잘못 보아 $0.\dot{3}\dot{4}$로 나타내었다. 처음 기약분수를 순환소수로 나타내시오.

0137 ●●중●●

다음 중 두 수의 대소 관계가 옳은 것은?

① $0.\dot{3}\dot{0}=0.\dot{3}$

② $1.\dot{9}\dot{0}>1.\dot{9}$

③ $0.\dot{7}=\dfrac{7}{10}$

④ $1.\dot{2}=\dfrac{111}{90}$

⑤ $0.43<0.4\dot{3}$

0138 ●●중●●

서로소인 두 자연수 a, b에 대하여 $1.2\dot{7}\times\dfrac{b}{a}=0.\dot{5}$일 때, $a+b$의 값을 구하시오.

0139 ●●중●●

다음 등식을 만족하는 x의 값을 순환소수로 나타내면?

$$\frac{8}{11} = x + 0.\dot{3}\dot{2}$$

① $0.\dot{4}\dot{0}$　　② $0.\dot{4}$　　③ $1.\dot{0}\dot{4}$

④ $1.\dot{0}5$　　⑤ $1.0\dot{5}$

0140 ●●중●●

어떤 수 a에 $1.\dot{5}$를 곱한 것은 a에 1.5를 곱한 것보다 $0.\dot{3}$만큼 크다고 한다. 이때 어떤 수 a를 구하시오.

0141 ●●중●●

다음 보기 중 옳은 것을 모두 고르시오.

보기
ㄱ. 모든 정수는 유리수이다.
ㄴ. 순환소수 중에는 유리수가 아닌 것도 있다.
ㄷ. 유한소수로 나타낼 수 없는 수는 유리수가 아니다.
ㄹ. 모든 기약분수는 유한소수로 나타낼 수 있다.
ㅁ. 정수가 아닌 유리수는 유한소수 또는 순환소수로 나타낼 수 있다.

0142 ●●●상중 융합형 + 서술형

아래 그림은 오선지에 8개의 음을 사분음표로 그리고, 1부터 8까지의 수를 대응시킨 것이다. 다음 물음에 답하시오.

도 레 미 파 솔 라 시 도
1　2　3　4　5　6　7　8

(1) 다음 악보의 3개의 음에 대응되는 숫자들을 순서대로 나열하였을 때, 이를 순환마디로 하는 0보다 크고 1보다 작은 순환소수를 구하시오. (단, 순환마디는 소수점 아래 첫째 자리부터 시작되며, 순환소수는 순환마디의 양 끝의 숫자 위에 점을 찍어 나타낸다.)

(2) (1)에서 구한 순환소수를 기약분수로 나타내시오.

0143 ●●●●상 창의력

분수 $\frac{5}{11}$를 $\frac{5}{11} = \frac{a_1}{10} + \frac{a_2}{10^2} + \frac{a_3}{10^3} + \cdots$로 나타내었을 때, $x = a_1 + a_2 + a_3 + \cdots + a_{41}$이라 하자. 아래 그림과 같이 각 칸에 0부터 9까지의 숫자가 적혀 있는 숫자판의 바늘이 0에서 출발하여 시계 방향으로 x칸 회전하였을 때, 바늘이 가리키는 숫자를 구하시오.

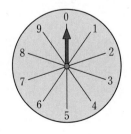

2 단항식의 계산

개념 마스터

❷ 단항식의 계산

01 거듭제곱과 지수

(1) **거듭제곱** 같은 수나 문자를 거듭하여 곱한 것을 간단히 나타낸 것

(2) **밑** 거듭제곱에서 거듭하여 곱한 수나 문자

(3) **지수** 거듭제곱에서 거듭하여 곱한 횟수

$$a^n \quad \underset{\text{밑}}{\overset{\text{지수}}{}}$$

참고 $a=a^1$이므로 a의 지수는 ⓵ 이다.

답 ⓵ 1

[0144~0146] 다음을 거듭제곱으로 나타내시오.

0144 $2 \times 2 \times 2 \times 2$

0145 $2 \times 2 \times 5 \times 5 \times 5 \times 5 \times 5$

0146 $a \times a \times a \times a \times b \times b$

02 지수법칙 (1)

유형 01~12

m, n이 자연수일 때

(1) **거듭제곱의 곱셈** $a^m \times a^n = a^{m+n}$

예 $a^2 \times a^3 = (a \times a) \times (a \times a \times a) = a \times a \times a \times a \times a = a^5$

➡ $a^2 \times a^3 = a^{2+3} = $ ⓵

(2) **거듭제곱의 거듭제곱** $(a^m)^n = a^{mn}$

예 $(a^2)^3 = a^2 \times a^2 \times a^2 = a^{2+2+2} = a^6$

➡ $(a^2)^3 = a^{2 \times 3} = $ ⓶

답 ⓵ a^5 ⓶ a^6

핵심 포인트! · m, n이 자연수일 때

$a^m \times a^n = a^{m+n}$, $(a^m)^n = a^{mn}$

[0147~0151] 다음 식을 간단히 하시오.

0147 $2^4 \times 2^5$

0148 $x^5 \times x^3$

0149 $x^2 \times x \times x^3$

0150 $5^2 \times 5^3 \times 3^2 \times 3^4$

0151 $a^3 \times b \times a \times b^2$

[0152~0156] 다음 식을 간단히 하시오.

0152 $(2^3)^4$

0153 $(a^5)^2$

0154 $(a^2)^3 \times (a^4)^2$

0155 $(x^2)^3 \times y^3 \times (y^4)^3$

0156 $a^2 \times b^2 \times (a^2)^2 \times (b^2)^3$

03 지수법칙 (2) 유형 03~12

(1) **거듭제곱의 나눗셈** $a \neq 0$ 이고 m, n 이 자연수일 때

$$a^m \div a^n = \begin{cases} a^{m-n} & (m>n) \\ 1 & (m=n) \\ \dfrac{1}{a^{n-m}} & (m<n) \end{cases}$$

예 $a^3 \div a^2 = \dfrac{a \times a \times a}{a \times a} = a \Rightarrow a^3 \div a^2 = a^{3-2} = \boxed{①}$

$a^3 \div a^3 = \dfrac{a \times a \times a}{a \times a \times a} = 1 \Rightarrow a^3 \div a^3 = 1$

$a^2 \div a^3 = \dfrac{a \times a}{a \times a \times a} = \dfrac{1}{a} \Rightarrow a^2 \div a^3 = \dfrac{1}{a^{3-2}} = \boxed{②}$

(2) **곱 또는 몫의 거듭제곱** l, m, n 이 자연수일 때

① $(ab)^n = a^n b^n$, $(a^m b^n)^l = a^{ml} b^{nl}$

② $\left(\dfrac{a}{b}\right)^n = \dfrac{a^n}{b^n}$, $\left(\dfrac{a^m}{b^n}\right)^l = \dfrac{a^{ml}}{b^{nl}}$ (단, $b \neq 0$)

예 $(ab)^3 = ab \times ab \times ab = a \times a \times a \times b \times b \times b = a^3 b^3$

$\Rightarrow (ab)^3 = a^3 b^3$

참고 $a>0$ 일 때, $(-a)^n = \begin{cases} a^n & (n \text{이 짝수}) \\ -a^n & (n \text{이 홀수}) \end{cases}$

답 ① a ② $\dfrac{1}{a}$

[0157~0161] 다음 식을 간단히 하시오.

0157 $x^5 \div x$

0158 $x^{10} \div x^2$

0159 $y^5 \div y^5$

0160 $a^2 \div a^7$

0161 $y^8 \div y^{10}$

[0162~0170] 다음 식을 간단히 하시오.

0162 $(x^3 y)^2$

0163 $(3xy^2)^4$

0164 $(-2a^2 b^3)^3$

0165 $(-a^3 b^2 c)^4$

0166 $(-3x^2 y^5)^3$

0167 $\left(\dfrac{x}{y^2}\right)^3$

0168 $\left(\dfrac{5y^2}{x}\right)^2$

0169 $\left(-\dfrac{x^3}{2y^2}\right)^4$

0170 $\left(-\dfrac{2x^2}{5y}\right)^2$

2

단항식의 계산

핵심 포인트 !

• $a \neq 0$ 이고 m, n 이 자연수일 때, $a^m \div a^n = \begin{cases} a^{m-n} & (m>n) \\ 1 & (m=n) \\ \dfrac{1}{a^{n-m}} & (m<n) \end{cases}$, $(ab)^n = a^n b^n$, $\left(\dfrac{a}{b}\right)^n = \dfrac{a^n}{b^n}$ (단, $b \neq 0$)

개념 해결의 법칙 중 2-1 38쪽

필수유형 **01** 지수법칙 (1) – 거듭제곱의 곱셈

m, n이 자연수일 때

$a^m \times a^n = a^{m+n}$

➡ 밑이 같을 때의 거듭제곱의 곱셈은 지수끼리 **❶** .

탭 **❶** 더한다

대표문제

0171 •중하•••
$3 \times 3^4 \times 3^a = 3^{12}$일 때, 자연수 a의 값을 구하시오.

0172 하••••
$a^2 \times b^2 \times a^3 \times b$를 간단히 하시오.

0173 •중하•••
$x^{3a} \times x^3 = x^{27}$일 때, 자연수 a의 값을 구하시오.

0174 ••중••
$2^6 \times 2^a \times 2 = 512$일 때, 자연수 a의 값을 구하시오.

개념 해결의 법칙 중 2-1 38쪽

필수유형 **02** 지수법칙 (2) – 거듭제곱의 거듭제곱

m, n이 자연수일 때

$(a^m)^n = a^{mn}$

➡ 거듭제곱의 거듭제곱에서 지수는 두 지수의 **❶** 과 같다.

탭 **❶** 곱

대표문제

0175 ••중••
다음 중 옳은 것은?

① $(x^4)^2 = x^6$

② $x^4 + x^5 = x^9$

③ $x \times x^2 \times x^5 = x^7$

④ $x \times x^4 \times y^3 \times y^2 \times x = x^6 y^5$

⑤ $(x^3)^3 \times (y^5)^2 \times x^2 \times y^3 = x^8 y^{10}$

0176 •중하•••
$(x^3)^2 \times y^2 \times (y^2)^3$을 간단히 하시오.

0177 ~ 0178

지수법칙을 이용하여 지수를 같게 한 후 밑을 비교한다.

0177 •••상중•
다음 □ 안에 알맞은 수를 써넣으시오.

2^{300}은 $(2^\square)^{100}$이므로 $\square^{100}$이고, 3^{200}은 $(3^\square)^{100}$이므로 $\square^{100}$이다. 이때 두 수 중에서 밑은 $\square^{100}$이 더 크고 지수는 같으므로 $\square$이 $\square$보다 더 크다.

0178 ••••상
다음 중 가장 큰 수는?

① 2^{30} ② 3^{20} ③ 4^{15}

④ 5^{10} ⑤ 9^5

필수유형03 지수법칙 (3) – 거듭제곱의 나눗셈

$a \neq 0$이고 m, n이 자연수일 때

$$a^m \div a^n = \begin{cases} a^{m-n} & (m > n) \\ \boxed{①} & (m = n) \\ \dfrac{1}{a^{n-m}} & (m < n) \end{cases}$$

답 ① 1

대표문제

0179 ●●중●●

다음 중 □ 안에 들어갈 수가 가장 작은 것은?

① $x^9 \div x^4 = x^{\square}$

② $x^{12} \div x^9 = x^{\square}$

③ $x^3 \div x^6 = \dfrac{1}{x^{\square}}$

④ $x^3 \times x^5 \div x^4 = x^{\square}$

⑤ $(x^3)^2 \div x^4 = x^{\square}$

0180 ●●중하●●

$(a^2)^4 \div (a^3)^2 \div a^2$을 간단히 하면?

① 0

② $\dfrac{1}{a}$

③ 1

④ a

⑤ a^2

0181 ●●중●● (잘 틀리는 문제)

다음 중 $a^{10} \div a^4 \div a^3$과 계산 결과가 같은 것은?

① $a^{10} \div (a^4 \div a^3)$

② $a^{10} \div a^4 \times a^3$

③ $a^{10} \div (a^4 \times a^3)$

④ $a^{10} \times a^4 \div a^3$

⑤ $a^{10} \times (a^4 \div a^3)$

필수유형04 지수법칙 (4) – 곱 또는 몫의 거듭제곱

l, m, n이 자연수일 때

① $(ab)^n = a^n \boxed{①}$, $(a^m b^n)^l = a^{ml} b^{nl}$

② $\left(\dfrac{a}{b}\right)^n = \dfrac{a^n}{b^n}$, $\left(\dfrac{a^m}{b^n}\right)^l = \dfrac{\boxed{②}}{b^{nl}}$ (단, $b \neq 0$)

답 ① b^n ② a^{ml}

대표문제

0182 ●●중●●

다음 중 옳은 것은?

① $(4xy^4)^3 = 12x^3 y^{12}$

② $(-2x^2 y^3)^5 = -32x^7 y^8$

③ $(-3x^3 y^5)^4 = -81x^{12} y^{20}$

④ $\left(\dfrac{2b}{a^2}\right)^6 = \dfrac{64b}{a^{12}}$

⑤ $\left(-\dfrac{a^3}{b^4}\right)^5 = -\dfrac{a^{15}}{b^{20}}$

0183 ●●중●●

다음 보기 중 옳은 것을 모두 고르시오.

┌ **보기** ┐

㉠ $(x^3 y)^4 = x^{12} y^4$

㉡ $(-3a^3)^2 = 9a^6$

㉢ $(3xy^2)^3 = 3x^3 y^6$

㉣ $\left(\dfrac{2x^2}{y}\right)^4 = \dfrac{16x^8}{y^4}$

㉤ $\left(-\dfrac{xy}{2}\right)^4 = -\dfrac{x^4 y^4}{16}$

0184 ●●중●●

$\left(\dfrac{2x^3 y}{z^5}\right)^4 = \dfrac{16x^a y^b}{z^c}$일 때, $a + b + c$의 값을 구하시오.

(단, a, b, c는 상수)

필수유형 05 (중요) 지수법칙 종합

m, n이 자연수일 때

① $a^m \times a^n = a^{m+n}$

② $(a^m)^n = $ ❶

③ $a^m \div a^n = \begin{cases} ❷ & (m>n) \\ 1 & (m=n) \ (단, a \neq 0) \\ \dfrac{1}{a^{n-m}} & (m<n) \end{cases}$

④ $(ab)^n = a^n b^n$, $\left(\dfrac{a}{b}\right)^n = \dfrac{a^n}{b^n}$ (단, $b \neq 0$)

답 ❶ a^{mn} ❷ a^{m-n}

대표문제

0185 ••중••

다음 중 옳은 것을 모두 고르면? (정답 2개)

① $x^8 \div x^4 = x^2$

② $x^2 \times x^2 \times x^2 = 3x^2$

③ $\left(\dfrac{x^3}{-2y^2}\right)^3 = -\dfrac{x^9}{8y^6}$

④ $(x^3)^5 \div (x^2)^4 \div (x^5)^3 = x^8$

⑤ $(y^3)^2 \times (x^5)^2 \times (y^4)^2 = x^{10}y^{14}$

0186 ••중••

다음 중 계산 결과가 나머지 넷과 다른 하나는?

① $(x^4)^2$
② $x^2 \times x^6$

③ $x^{10} \div x^2$
④ $x^{10} \div x^5 \div x^3$

⑤ $\dfrac{(x^4 y^4)^2}{(y^2)^4}$

0187 ••중••

다음 중 옳은 것은?

① $x^2 \times (x^3 \times x^4) = x^{24}$
② $a^2 \div (a \times a^5) = a^6$

③ $\left(-\dfrac{a^2}{b^5}\right)^5 = -\dfrac{a^{10}}{b^{25}}$
④ $(3x^2 y)^3 = 9x^6 y^3$

⑤ $x^4 \div (x^5 \div x^3) = \dfrac{1}{x^4}$

필수유형 06 (중요) 지수법칙을 이용하여 ☐ 안에 알맞은 수 또는 미지수의 값 구하기

지수법칙을 이용하여 좌변을 간단히 한 후 $a^m = a^n$이면 $m = $ ❶ 임을 이용한다.

답 ❶ n

대표문제

0188 ••중••

다음 중 ☐ 안에 들어갈 수가 가장 작은 것은?

① $a^5 \div a^{\square} = \dfrac{1}{a}$
② $(a^2)^{\square} \div a^6 = 1$

③ $(xy^{\square})^3 = x^3 y^6$
④ $\left(\dfrac{y^{\square}}{x^2}\right)^2 = \dfrac{y^8}{x^4}$

⑤ $x^3 \times (x^2)^3 \div x^{\square} = x^5$

0189 ••중••

$(a^3)^x \times (b^4)^y \times a \times b^6 = a^{10}b^{18}$일 때, $x+y$의 값을 구하시오.
(단, x, y는 자연수)

0190 ••중•• 서술형

다음 식을 만족하는 자연수 x, y에 대하여 $x-y$의 값을 구하시오.

$$(a^3)^2 \times a^x = a^{10}, \ (b^2)^y \div b^8 = \dfrac{1}{b^2}$$

0191 ••중••

$\left(-\dfrac{2x^a}{y^3}\right)^b = \dfrac{cx^{21}}{y^9}$일 때, 상수 a, b, c에 대하여 $a+b+c$의 값을 구하시오.

필수유형 07 지수법칙의 확대 (1) – 밑이 같은 경우

밑이 같은 경우

➡ 지수법칙을 이용하여 좌변을 정리한 후 ❶ ⃞ 끼리 비교한다.

답 ❶지수

대표문제

0192 ••중••

$3^{14} \div 3^x \times 3^2 = 3^5$일 때, 자연수 x의 값을 구하시오.

0193 ••중••

다음 식을 만족하는 자연수 x, y에 대하여 $x+y$의 값을 구하시오.

$$(3^3)^x \times (3^2)^4 = 3^{23}, \ 5^{20} \div (5^2)^y = 5^4$$

0194 ••중••

$\dfrac{3^{3a-1}}{3^{a+1}} = 81$일 때, 자연수 a의 값은?

① 1   ② 2   ③ 3

④ 4   ⑤ 5

0195 •••상중•

$(x^a y^b z^c)^d = x^{15} y^9 z^{21}$을 만족하는 네 자연수 a, b, c, d에 대하여 d의 값이 가장 클 때, $a+b+c+d$의 값을 구하시오.

중요
필수유형 08 지수법칙의 확대 (2) – 밑이 다른 경우

밑이 다른 경우

➡ 밑을 소인수분해한 후 지수법칙을 이용하여 ❶ ⃞ 이 같아지도록 한다.

답 ❶밑

대표문제

0196 ••중••

$4^x \times 8^{x-1} = 128$일 때, 자연수 x의 값을 구하시오.

0197 ••중•• 서술형

다음 식을 만족하는 자연수 a, b에 대하여 물음에 답하시오. (단, $b < 4$)

$$2^a \times 4^2 \times 32 = 2^{11}, \ 27^2 \div (9^2 \div 3^b) = 81$$

(1) a의 값을 구하시오.

(2) b의 값을 구하시오.

(3) ab의 값을 구하시오.

0198 ••중••

$8^{2x-1} \times 16^{x+2} = 32^{x+6}$일 때, 자연수 x의 값을 구하시오.

필수유형 **09** 지수법칙의 확대 (3)

a^x에서 a를 소인수분해하였을 때, $a=p\times q$이면
$a^x=(p\times q)^x=p^x\times$ **❶**

답 **❶** q^x

중요
필수유형 **10** 지수법칙의 응용 (1) – 같은 수의 덧셈식

같은 수의 덧셈식을 곱셈식으로 바꾼다.

예 $3^2+3^2+3^2=3\times 3^2=$ **❶**
↳ 3^2이 3개

답 **❶** 3^3

대표문제

0199 ••중••

$108^3=2^m\times 3^n$일 때, $m+n$의 값을 구하시오.

대표문제

0202 ••중••

$9^4+9^4+9^4=3^a$, $5^3+5^3+5^3+5^3+5^3=5^b$일 때, $a+b$의 값을 구하시오.

0203 •중하•••

$6^6+6^6+6^6+6^6+6^6+6^6$을 간단히 하면?

① 6^6 ② 6^7 ③ 6^{36}
④ 36^6 ⑤ 36^{36}

0200 ••중••

$144^3=(2^x\times 3^2)^3=2^{12}\times 3^y$일 때, $x+y$의 값을 구하시오.

0204 ••중•• 서술형

$2^4+2^4+2^4+2^4=2^a$, $3^b+3^b+3^b=3^5$, $(7^2)^3=7^c$일 때, $a+b-c$의 값을 구하시오. (단, b는 자연수)

0201 •••상중• 잘 틀리는 문제

다음 등식을 만족하는 a, b, c, d에 대하여 $a+b+c+d$의 값을 구하시오.

$1\times 2\times 3\times 4\times 5\times 6\times 7\times 8\times 9\times 10=2^a\times 3^b\times 5^c\times 7^d$

0205 •••상중•

$\dfrac{2^3+2^3}{3^6+3^6+3^6}\times\dfrac{9^4+9^4}{8^2+8^2+8^2+8^2}$을 지수법칙을 이용하여 계산하시오.

개념 해결의 법칙 중 2-1 41쪽

필수유형 11 지수법칙의 응용 (2)
– 문자를 사용하여 나타내기

$a^n = A$일 때, a^{mn}을 A를 사용하여 나타내면
$a^{mn} = (a^n)^m = $ ⓵

답 ⓵ A^m

대표문제

0206 ••중••

$3^5 = A$라 할 때, 27^{10}을 A를 사용하여 나타내시오.

0207 ••중••

$2^3 = A$라 할 때, 32^3을 A를 사용하여 나타내면?

① $16A$ ② $32A$ ③ A^3

④ A^4 ⑤ A^5

0208 ••중••

$2^3 = A$, $3^2 = B$라 할 때, 24^2을 A, B를 사용하여 나타내시오.

0209 •••상중•

$2^x = A$, $3^x = B$, $5^x = C$라 할 때, 180^x을 A, B, C를 사용하여 나타내시오. (단, x는 자연수)

중요
필수유형 12 자릿수 구하기

주어진 수의 자릿수는 수를 $a \times 10^n$ 꼴로 나타내어 구한다.

➡ $10^n = (2 \times 5)^n = 2^n \times 5^n$이므로
주어진 수의 소인수분해에서 소인수 2와 5를 ⓵ 가 같게 묶는다.

➡ 주어진 수의 자릿수는 (a의 자릿수)$+n$

답 ⓵ 지수

대표문제

0210 ••중••

$2^{16} \times 5^{20}$이 n자리 자연수일 때, n의 값을 구하시오.

0211 ••중••

$5^4 \times 20^6 = a \times 10^b$을 만족하는 두 자연수 a, b에 대하여 다음을 구하시오. (단, a는 한 자리 자연수)

(1) a, b의 값을 각각 구하시오.

(2) $5^4 \times 20^6$이 n자리 자연수일 때, n의 값을 구하시오.

0212 •••상중•

$A = \dfrac{2^{43} \times 35^{20}}{14^{20}}$일 때, A는 몇 자리 자연수인지 구하시오.

0213 ••••상

$(5^5 + 5^5 + 5^5 + 5^5)(2^6 + 2^6 + 2^6 + 2^6 + 2^6)$은 몇 자리 자연수인지 구하시오.

2
단항식의 계산

발전유형 13 지수법칙의 응용 (3)

$a^m = A$일 때, a^{m+n}을 A를 사용하여 나타내면
$a^{m+n} = a^m \times a^n = a^n A$

대표문제

0214 ●●●상중●

$a = 2^{x-1}$, $b = 3^{x+1}$일 때, 6^x을 a, b를 사용하여 나타내시오.

쌍둥이 문제

0215 ●●●상중●

$a = 2^x$, $b = 3^{x-1}$일 때, 72^x을 a, b를 사용하여 나타내시오.

0216 ●●중●●

$a = 2^{x+2}$일 때, 8^x을 a를 사용하여 나타내시오.

0217 ●●●●상

$a = 3^{x-1}$일 때, $27^{2x} \times \left(\dfrac{1}{9}\right)^{x+3}$을 a를 사용하여 나타내시오.

발전유형 14 지수법칙을 이용한 실생활 문제

단위를 변환할 때 지수법칙을 이용한다.

대표문제

0218 ●●●상중●

1미터(m)의 100분의 1을 1센티미터(cm), 1000분의 1을 1밀리미터(mm), 100만분의 1을 1마이크로미터(μm), 10억분의 1을 1나노미터(nm)라 할 때, 100 m는 몇 나노미터(nm)인지 10의 거듭제곱을 이용하여 나타내시오.

쌍둥이 문제

0219 ●●●상중●

컴퓨터에서 정보를 처리하는 가장 작은 단위는 비트(bit)이고 8비트를 1바이트(byte)라 한다. 보통 컴퓨터

단위	저장 용량
킬로바이트(KB)	2^{10}바이트
메가바이트(MB)	2^{20}바이트
기가바이트(GB)	2^{30}바이트

의 정보 저장 용량을 나타낼 때 위의 표와 같은 단위를 사용한다. 용량이 4 GB인 메모리 카드에 용량이 8 MB인 사진을 몇 장까지 저장할 수 있는지 2의 거듭제곱으로 나타내시오.

0220 ●●●상중●

우유 2×10^5 L를 한 병에 400 mL씩 담아서 학생들에게 한 병씩 나누어 주려고 한다. $a \times 10^n$명의 학생에게 나누어 줄 수 있다고 할 때, 자연수 a, n의 값을 각각 구하시오.
(단, a는 한 자리 자연수이다.)

개념 마스터

04 단항식의 곱셈　　　유형 15, 20, 21

① 계수는 계수끼리, 문자는 문자끼리 곱한다.

② 같은 문자끼리의 곱셈은 지수법칙을 이용한다.

계수끼리의 곱

예 $-2x \times 3xy = \boxed{①} \, x^2y$

문자끼리의 곱

답 **①** -6

[0221~0224] 다음 식을 간단히 하시오.

0221　$-4ab \times 6b^2$

0222　$a^2b^3 \times (-6a^3b^2) \times 3ab$

0223　$(-3x)^2 \times (-5xy)$

0224　$(2a^2)^2 \times \left(-\dfrac{1}{3}a^3\right)^2$

05 단항식의 나눗셈　　　유형 16, 20, 21

방법1　분수로 바꾸어 계산한다.

➡ $A \div B = \dfrac{A}{B}$

방법2　나눗셈을 역수의 곱셈으로 바꾸어 계산한다.

➡ $A \div B = A \times \dfrac{1}{B} = \dfrac{A}{B}$

예 방법1　$9a^2b \div 3a = \dfrac{9a^2b}{3a} = \boxed{①}$

역수

방법2　$9a^2b \div 3a = 9a^2b \times \dfrac{1}{3a} = \boxed{②}$

÷를 ×로

답 **①** $3ab$　**②** $3ab$

[0225~0228] 다음 식을 간단히 하시오.

0225　$6a^4 \div 3ab$

0226　$\dfrac{2}{3}x^2y \div \dfrac{1}{6}xy^2$

0227　$(-2x^3y)^3 \div (4xy^3)^2$

0228　$(10xy^2)^2 \div (-2x^2y)^3 \div 5xy$

06 단항식의 곱셈과 나눗셈의 혼합 계산　유형 17~19

① 지수법칙을 이용하여 괄호를 푼다.

② 나눗셈은 분수 또는 역수의 곱셈으로 바꾼다.

③ 계수는 계수끼리, 문자는 문자끼리 계산한다.

① 지수법칙을 이용하여 괄호를 푼다.

예 $(-2a)^3 \times 3b \div 3ab = (-8a^3) \times 3b \div 3ab$

② 나눗셈을 분수로 바꾼다.

$= \dfrac{-8a^3 \times 3b}{3ab}$

$= \dfrac{-8 \times 3 \times a^3 \times b}{3 \times a \times b}$　③ 계수는 계수끼리, 문자는 문자끼리 계산한다.

$= \boxed{①}$

답 **①** $-8a^2$

[0229~0231] 다음 식을 간단히 하시오.

0229　$-4a^2 \times \dfrac{9}{4}a \div 9a$

0230　$12x^2y \div (-4xy) \times 3y^2$

0231　$(2x^3y^4)^2 \times (3x^2y)^2 \div x^4y^2$

핵심 포인트!　· $\times$, $\div$ 기호가 혼합된 계산은 앞에서부터 순서대로 계산해야 한다.

$A \div B \times C = A \times \dfrac{1}{B} \times C = \dfrac{AC}{B}$ (○), $A \div B \times C = A \div BC = \dfrac{A}{BC}$ (×)

개념 해결의 법칙 중 2-1 48쪽

필수유형**15** 단항식의 곱셈

단항식의 곱셈은 계수는 ❶◻◻끼리, 문자는 ❷◻◻끼리 곱한다.

이때 거듭제곱 ➡ 계수의 곱 ➡ 문자의 곱의 순서로 계산한다.

답 ❶계수 ❷문자

대표문제

0232 ●●충●●

다음 식을 간단히 하시오.

$$(a^2b)^2 \times (-ab^3)^2 \times (-2ab)^3$$

0233 ●●충●●

다음 중 옳지 <u>않은</u> 것은?

① $-x^3y^2 \times x^2y^4 = -x^5y^6$

② $(-2ab)^2 \times 4b = 16a^2b^3$

③ $(-a^2b)^3 \times 2ab^2 = 2a^7b^5$

④ $-5x \times (-2xy)^3 = 40x^4y^3$

⑤ $(-3x^2y)^3 \times (-xy)^2 = -27x^8y^5$

0234 ●●충●●

$3ab \times (-2a)^2 \times (-3ab^2)^3$을 간단히 하시오.

개념 해결의 법칙 중 2-1 48쪽

필수유형**16** 단항식의 나눗셈

방법1 분수로 바꾸어 계산한다.

➡ $A \div B = \dfrac{A}{B}$

방법2 나눗셈을 역수의 곱셈으로 바꾸어 계산한다.

➡ $A \div B = A \times$ ❶◻

답 ❶$\dfrac{1}{B}$

대표문제

0235 ●●충●●

$\dfrac{1}{8}x^2y^3 \div \left(\dfrac{1}{4}x^3y\right)^2 \div \dfrac{1}{(-3x^2y^3)^3}$을 간단히 하시오.

0236 ●중하●●●

$12x^3y \div \left(-\dfrac{3}{2}xy\right)$를 간단히 하시오.

0237 ●●충●● 서술형

$\dfrac{3}{4}x^4y^3 \div \dfrac{1}{2}x^2y \div \dfrac{6x}{y} = ax^by^c$일 때, $a \times (b+c)$의 값을 구하시오. (단, a, b, c는 상수)

0238 ●●●상충●

$a:b:c=1:2:3$일 때, 다음 식을 계산하시오.

$$(3ab^2c)^2 \div (-2a)^4c^3 \div 6b$$

필수유형 17 단항식의 곱셈과 나눗셈의 혼합 계산

① 지수법칙을 이용하여 괄호를 푼다.

② 나눗셈은 **❶** [ ] 또는 역수의 곱셈으로 바꾼다.

③ 계수는 계수끼리, 문자는 문자끼리 계산한다.

답 **❶** 분수

대표문제

0239 ••중••

다음 중 옳은 것은?

① $-\dfrac{3}{8}x^4y^2 \div \left(-\dfrac{3}{4}x^3y^2\right) = -\dfrac{1}{2}x$

② $6x^2y^2 \div 3x^3y^2 \times 4xy = 2y^2$

③ $(-2a^2x^2)^2 \div (3ax^2)^3 \times 27a^2x = 4a^3$

④ $-81x^3y^2 \times (-2x^2y)^4 \div (3x^2y)^3 = -48x^5y^3$

⑤ $\dfrac{7}{3}x^4 \div \dfrac{7}{12}x^3y \div \left(-\dfrac{1}{4}xy^2\right) = -\dfrac{16}{y^2}$

0240 ••중••

$(5x^2)^2 \div (-2x^3y)^3 \times 4x^2y$를 간단히 하시오.

0241 ••중••

$(-x^2y)^3 \div \left(\dfrac{x}{y^2}\right)^3 \times xy^2 = -x^ay^b$일 때, $a+b$의 값을 구하시오. (단, a, b는 상수)

필수유형 18 단항식의 계산에서 □ 안에 알맞은 식 구하기

$A \times B \div \boxed{\ } = C \Rightarrow \boxed{\ } = A \times B \div C$

$A \div B \times \boxed{\ } = C \Rightarrow \boxed{\ } = C \times B \div A$

$\boxed{\ } \times A \div B = C \Rightarrow \boxed{\ } = C \div A \times B$

대표문제

0242 ••중••

다음 □ 안에 알맞은 식을 구하시오.

$$\left(-\dfrac{4}{3}xy^2\right)^2 \times \boxed{\ } \div (-2y)^3 = 4x^3y^3$$

0243 ••중••

$-24x^3y \div 12xy^2 \times \boxed{\ } = 8x^2y^3$일 때, □ 안에 알맞은 식을 구하시오.

0244 ••중•• 〔잘 틀리는 문제〕

$(3x^2y)^3 \div \boxed{\ } \times (-x^2y) = \dfrac{3}{2}x^2y^4$일 때, □ 안에 알맞은 식을 구하시오.

0245 ••••상 〔서술형〕

다음 그림의 □ 안의 식은 바로 아래 색칠한 사각형의 양쪽의 식을 곱한 결과이다. A, B, C에 알맞은 식을 각각 구하시오.

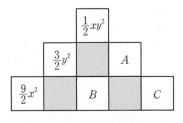

필수유형 19 단항식의 계산에서 미지수의 값 구하기

① 단항식의 곱셈과 나눗셈의 혼합 계산 순서에 따라 좌변을 간
  단히 정리한다.
② 계수는 계수끼리 비교하고 지수는 ⬛❶⬛ 이 같은 지수끼리
  비교한다.

답 ❶밑

대표문제
0246 ●●●상중●
$(-2x^4y)^A \div 4xy^B \times 2x^3y^4 = Cx^6y^3$일 때, $A+B+C$의 값
을 구하시오. (단, A, B, C는 상수)

0247 ●●●상중● 서술형
$(3x^3y)^A \times 2x^4y^2 \div 6x^By = Cx^5y^4$일 때, $A+B+C$의 값을
구하시오. (단, A, B, C는 상수)

0248 ●●●●상
$\left(\dfrac{1}{2}x^3y^2\right)^A \div (x^2y^A)^2 \times \left(-\dfrac{2x}{3y^2}\right)^A = \dfrac{x^8}{By^C}$일 때,
$A-B+C$의 값을 구하시오. (단, A, B, C는 상수)

필수유형 20 잘못 계산한 식에서 바르게 계산한 식 구하기

(1) 어떤 식 A에 X를 곱해야 할 것을 잘못하여 나누었더니 Y
  가 되었다.
  ① 잘못 계산한 식을 세운다. ➡ $A \div X = Y$
  ② A를 구한다. ➡ $A = Y \times X$
  ③ 바르게 계산한 식을 구한다. ➡ $A \times X$
(2) 어떤 식 A를 X로 나누어야 할 것을 잘못하여 곱하였더니 Y
  가 되었다.
  ① 잘못 계산한 식을 세운다. ➡ $A \times X = Y$
  ② A를 구한다. ➡ $A = Y \div X$
  ③ 바르게 계산한 식을 구한다. ➡ $A \div X$

대표문제
0249 ●●중●●
어떤 식 A에 $-\dfrac{3}{2}a^3b^2$을 곱해야 할 것을 잘못하여 나누었
더니 $10b$가 되었다. 이때 바르게 계산한 식을 구하시오.

0250 ●●중●● 서술형
어떤 식 A에 $-\dfrac{5}{6}a^2b^4$을 곱해야 할 것을 잘못하여 나누었
더니 $20ab^2$이 되었다. 다음 물음에 답하시오.
(1) 어떤 식 A를 구하시오.

(2) 바르게 계산한 식을 구하시오.

0251 ●●중●●
어떤 식을 $\dfrac{1}{3}xy^2$으로 나누어야 할 것을 잘못하여 곱하였더
니 $6x^3y^5$이 되었다. 이때 바르게 계산한 식을 구하시오.

개념 해결의 법칙 중 2-1 50쪽

필수유형 21 도형에서의 단항식의 계산

평면도형의 넓이, 입체도형의 부피가 주어지면 공식을 이용하여 등식을 세운다.

참고 (삼각형의 넓이)$=\dfrac{1}{2}\times$(밑변의 길이)$\times$(높이)

(평행사변형의 넓이)$=$(밑변의 길이)$\times$(높이)

(직육면체의 부피)$=$(밑넓이)$\times$(높이)

(뿔의 부피)$=\dfrac{1}{3}\times$(밑넓이)$\times$(높이)

대표문제

0252 ●●중●●

오른쪽 그림과 같은 원기둥 모양의 컵에 물이 들어 있다. 컵의 밑면의 반지름의 길이가 $3ab$이고 물의 부피가 $24\pi a^3b^3$일 때, 물의 높이를 구하시오. (단, 컵의 두께는 생각하지 않는다.)

0253 ●●중●●

오른쪽 그림과 같이 직각삼각형을 밑면으로 하는 삼각기둥의 부피는?

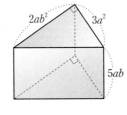

① $10a^3b^3$ ② $15a^4b^3$

③ $15a^4b^4$ ④ $30a^4b^4$

⑤ $30a^4b^5$

0254 ●●중●●

오른쪽 그림의 직사각형 ABCD는 한 변의 길이가 $6a^3b^3$인 정사각형과 넓이가 같다. $\overline{BC}$의 길이가 $4a^6b^2$일 때, $\overline{AB}$의 길이를 구하시오.

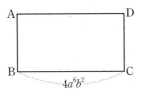

0255 ●●중●●

오른쪽 그림과 같이 밑면의 반지름의 길이가 $3a^2b^3$인 원뿔이 있다. 이 원뿔의 부피가 $21\pi a^8b^9$일 때, 높이를 구하시오.

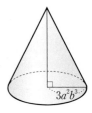

0256 ●●●상중● 잘 틀리는 문제

가로의 길이가 $4ab^2$, 세로의 길이가 $3a^2b$인 직사각형이 있다. 가로와 세로를 각각 회전축으로 하여 1회전 시킬 때 생기는 두 회전체의 부피를 각각 V_1, V_2라 할 때, $\dfrac{V_1}{V_2}$을 간단히 하면?

① $\dfrac{3b}{2a}$ ② $\dfrac{2a}{3b}$ ③ $\dfrac{3a}{4b}$

④ $\dfrac{4b}{3a}$ ⑤ $\dfrac{3b^2}{2a}$

0257 ●●●상중●

밑면은 한 변의 길이가 $2x^2y^2$인 정사각형이고, 높이가 $\dfrac{\pi x^2}{y}$인 직육면체 모양의 찰흙이 있다. 이 찰흙으로 반지름의 길이가 x^2y인 구를 몇 개 만들 수 있는지 구하시오.

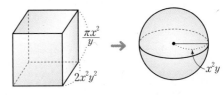

0258 ●중하●●●

다음 보기에 대하여 물음에 답하시오.

보기

$\bigcirc$ $x^2 \times x^4 = x^8$ $\qquad$ $\bigcirc$ $(x^3)^4 = x^7$

$\bigcirc$ $x^{10} \div x^5 = \dfrac{1}{x^5}$ $\qquad$ $\bigcirc$ $\dfrac{x^4}{x^4} = 1$

$\bigcirc$ $(3a^3 b^2)^2 = 9a^6 b^4$ $\qquad$ $\bigcirc$ $\left(\dfrac{b^3}{a^4}\right)^2 = \dfrac{b^6}{a^6}$

(1) 옳은 것을 모두 고르시오.

(2) 옳지 않은 것을 모두 바르게 고치시오.

0259 ●●중●●
$x^{5a+2} \times x^2 = x^{24}$일 때, 자연수 a의 값은?

① 4 $\qquad$ ② 5 $\qquad$ ③ 6

④ 7 $\qquad$ ⑤ 8

0260 ●●중●●
$\left(\dfrac{x^a}{2y^2}\right)^b = \dfrac{x^3}{8y^c}$일 때, $a+b+c$의 값을 구하시오.

(단, a, b, c는 자연수)

0261 ●●중●●

다음 중 □ 안에 들어갈 수가 나머지 넷과 다른 하나는?

① $x^4 \times x^\square \div x = x^6$ $\qquad$ ② $x^4 \div x^\square \times x = x^2$

③ $x \div x^3 \times x^\square = x$ $\qquad$ ④ $x^6 \div x^\square \div x = x^3$

⑤ $x^3 \div (x^\square \div x^3) = x^3$

0262 ●●중●●

$\dfrac{2^{3a-2}}{2^{a+1}} = 128$일 때, 자연수 a의 값은?

① 4 $\qquad$ ② 5 $\qquad$ ③ 9

④ 10 $\qquad$ ⑤ 12

0263 ●●중●● 서술형

$4^{2x-1} \times 8^{x-2} = 16^{x+1}$을 만족하는 자연수 x의 값을 구하시오. (단, $x > 2$)

0264 ●●중●●

$16^2 \times 36^2 = 2^a \times 3^b$일 때, $a+b$의 값은? (단, a, b는 자연수)

① 6 $\qquad$ ② 10 $\qquad$ ③ 14

④ 16 $\qquad$ ⑤ 24

0265 ●●●상중●

다음 등식을 만족하는 a, b, c, d, e에 대하여 $a+b+c+d+e$의 값은?

$$2 \times 3 \times 4 \times 5 \times 6 \times 7 \times 8 \times 9 \times 10 \times 11 \times 12$$
$$= 2^a \times 3^b \times 5^c \times 7^d \times 11^e$$

① 17   ② 18   ③ 19

④ 20   ⑤ 21

0266 ●●중●●

다음 중 옳은 것은?

① $5^2 \times 5^2 \times 5^2 = 5^8$

② $3^5 + 3^5 + 3^5 = 3^{15}$

③ $5^3 \div \dfrac{1}{5^3} = 1$

④ $3^6 \div 3^2 \div 3^3 = 3$

⑤ $(5^2)^3 \times (5^2)^3 = 2 \times 5^6$

0267 ●●중●●● 서술형

다음 등식을 만족하는 a, b, c에 대하여 $a+b+c$의 값을 구하시오.

$$(3^2+3^2+3^2+3^2)(5^4+5^4+5^4)(15^6+15^6) = 2^a \times 3^b \times 5^c$$

0268 ●●●상중●

$\dfrac{2^{20} \times 15^{40}}{45^{20}}$ 은 n자리 자연수이다. 이때 n의 값을 구하시오.

0269 ●●중●●

$a=3^x$일 때, 27^{x+1}을 a를 사용하여 나타내면?

① $27a$ ② $9a^2$ ③ a^3

④ $9a^3$ ⑤ $27a^3$

0270 ●●●상중●

$a=3^{x+1}$, $b=2^{x-2}$일 때, 12^x을 a, b를 사용하여 나타내시오.

0271 ●●중●●● 융합형

대장균은 30 ℃에서 45분마다 그 수가 2배로 증가한다. 30 ℃에서 대장균이 5^3마리 있을 때, 135분 후에는 몇 마리가 되는가?

① 2×5^3마리   ② 6×5^3마리   ③ 5^6마리

④ 10^2마리   ⑤ 10^3마리

2

단항식의 계산

0272 ●●●상중● 융합형

지구에서 태양까지의 거리를 1.5×10^8 km라 할 때, 현재 우리가 보고 있는 태양의 빛은 몇 초 전에 태양을 출발한 것인지 구하시오. (단, 빛의 속력은 초속 3.0×10^5 km이다.)

0273 ●●●상중●

$7^{50} \div 7^{30}$의 일의 자리의 숫자는?

① 1   ② 3   ③ 5

④ 7   ⑤ 9

0274 ●●●●상 창의력

오른쪽 그림의 세 숫자를 시계 방향으로 돌아가면서 한 번씩만 사용할 때, 거듭제곱, 나눗셈을 차례대로 사용하여 만들 수 있는 가장 작은 수를 구하시오.

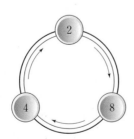

0275 ●●중●●

$A = (-2x^2)^3 \times 5x^3y^2$, $B = (2xy^2)^3 \div (-4x^2y^4)^2$에 대하여 A, B를 각각 간단히 나타내시오.

0276 ●중하●●●

$(ab^2)^3 \div (a^2b^3)^4 \times a^6b^7$을 간단히 하면?

① 1   ② ab ③ ab^2

④ a^2b ⑤ $\dfrac{a^2}{b^3}$

0277 ●●중●●

다음 중 식을 간단히 한 것으로 옳지 <u>않은</u> 것은?

① $9a \times 4a^5 \div 3a^3 = 12a^3$

② $6ab^2 \times (-a^3) \div 2b^2 = -3a^4$

③ $(3x^4y^3)^2 \div x^3y^2 \times (2x^2y)^3 = 72x^{11}y^7$

④ $(2x^2y^3)^2 \times (-xy^2) \div (x^2y)^3 = -\dfrac{4y^5}{x}$

⑤ $4x^3y^4 \div \left(-\dfrac{2}{5}x^2\right) \times \left(-\dfrac{1}{3}y\right)^2 = -\dfrac{10}{9}x^5y^6$

0278 ●●●상중● 서술형

두 식 A, B가 다음과 같을 때, $\dfrac{A}{B}$를 간단히 하시오.

$$A = (-3x^2y^5)^2 \times \frac{4}{3}xy^3 \div \frac{1}{2}x^2y$$

$$B = \frac{3}{2}x^2y^5 \div \left\{\left(\frac{1}{4}x^2y\right)^2 \times (-3xy)\right\}$$

0279 ●●●상중● 창의력

아래 그림에서 가로의 세 식의 곱과 세로의 세 식의 곱이 같다고 할 때, 다음 중 A의 식으로 알맞은 것은?

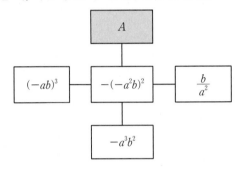

① $-ab^2$ ② a^2b ③ ab^2

④ $-\left(-\dfrac{b}{a}\right)^2$ ⑤ $\left(\dfrac{b}{a}\right)^2$

0280 ●●중●●

$\left(-\dfrac{2}{3}xy^2z\right)^3 \div \boxed{} \times \left(-\dfrac{3}{2}xyz^2\right)^2 = -\dfrac{4}{15}x^7y^{12}z^8$일 때, $\boxed{}$ 안에 알맞은 식은?

① $\dfrac{5}{2x^2y^4z}$ ② $\dfrac{5}{2xy^4z}$ ③ $\dfrac{2}{5}xy^4z$

④ $\dfrac{2}{5}x^2y^4z$ ⑤ $2xy^4z$

0281 ●●●상중●

$\dfrac{1}{3}x^ay^4z \div (-4xy^bz^6) \times (-2xy^bz^3)^2 = cx^3y^5z$일 때, $a-b+c$의 값은? (단, a, b, c는 상수)

① $-\dfrac{1}{3}$ ② $\dfrac{1}{3}$ ③ $\dfrac{2}{3}$

④ 1 ⑤ $\dfrac{4}{3}$

0282 ●●중●●

어떤 식에 $3xy$를 곱해야 할 것을 잘못하여 나누었더니 $9x^3y$가 되었다. 이때 바르게 계산한 식은?

① $27x^4y^2$ ② $81x^4y^2$ ③ $81x^5y^3$

④ $90x^5y^3$ ⑤ $100x^5y^3$

0283 ●●중●●

밑면의 가로의 길이가 $4a$ cm, 세로의 길이가 $3b$ cm인 직육면체의 부피가 $24a^2b^3$ cm³일 때, 이 직육면체의 높이는?

① $2ab$ cm   ② $2ab^2$ cm   ③ $2a^2b$ cm

④ $4ab$ cm   ⑤ $4ab^2$ cm

3
다항식의 계산

01 다항식의 덧셈과 뺄셈   유형 01, 03~05

(1) **다항식의 덧셈** 괄호를 풀고 동류항끼리 모아서 간단히 한다.

예 $(5a+3b)+(2a-b)=5a+3b+2a-b$

$$=5a+\boxed{❶}+3b-b$$

$$=\boxed{❷}+2b$$

(2) **다항식의 뺄셈** 빼는 식의 각 항의 부호를 바꾸어 더한다.

예 $(5a+3b)-(2a-b)=5a+3b-2a+\boxed{❸}$

$$=5a-2a+3b+b$$

$$=3a+\boxed{❹}$$

(3) **여러 가지 괄호가 있는 식의 계산** ( ) ➡ { }

➡ [ ]의 순서로 괄호를 풀어 계산한다.

답 ❶ $2a$ ❷ $7a$ ❸ b ❹ $4b$

[0284~0287] 다음 식을 간단히 하시오.

0284 $(2a+3b)+(3a-4b)$

0285 $(2x+y+5)+(-3x-2y)$

0286 $(-x-3y)-(-x+y)$

0287 $(4x-3y+6)-(2x+y-1)$

[0288~0289] 다음 식을 간단히 하시오.

0288 $x+2y-\{3x-(y-x)\}$

0289 $a-[2a+\{a-b+2(a+b)\}]$

02 이차식의 덧셈과 뺄셈   유형 02~05

(1) **이차식** 다항식에서 각 항의 차수 중 가장 큰 항의 차수가 2인 다항식

예 x^2+2x-1, $2x^2-3x$는 x에 대한 이차식이다.

y^2-1, $-y^2$은 y에 대한 $\boxed{❶}$이다.

(2) **이차식의 덧셈과 뺄셈** 괄호를 풀고 동류항끼리 모아서 간단히 한다.

예 $(a^2-2a+4)-(3a^2+5a-1)$

$$=a^2-2a+4-3a^2-\boxed{❷}+1$$

$$=a^2-3a^2-2a-5a+4+1$$

$$=-2a^2-\boxed{❸}+5$$

답 ❶ 이차식 ❷ $5a$ ❸ $7a$

[0290~0293] 다음 다항식이 x에 대한 이차식이면 ○표, 이차식이 아니면 ×표를 ( ) 안에 써넣으시오.

0290 $2x^2+5x-1$ ( )

0291 $3xy-5x$ ( )

0292 $2x^2+5x-2x^2+3$ ( )

0293 $x^2-3x+2x^2$ ( )

[0294~0296] 다음 식을 간단히 하시오.

0294 $(a^2-a+3)+(2a^2+4a-2)$

0295 $(-3x^2+4x+2)-(2x^2-3x+1)$

0296 $2(2x^2+4x-1)-(x^2+4x+3)$

핵심 포인트! · 다항식의 뺄셈을 덧셈으로 바꿀 때, 빼는 식의 각 항의 부호가 바뀌는 것에 주의한다.
· 이차식의 덧셈과 뺄셈을 할 때, 이차항은 이차항끼리, 일차항은 일차항끼리, 상수항은 상수항끼리 모아서 간단히 한다.

03 단항식과 다항식의 곱셈   유형 06, 08~10

(1) **단항식과 다항식의 곱셈** 분배법칙을 이용하여 단항식을 다항식의 각 항에 곱한다.

   예 $x(2x+y)=x\times 2x+x\times y=2x^2+xy$

(2) **전개** 단항식과 다항식의 곱을 하나의 다항식으로 나타내는 것

(3) **전개식** 전개하여 얻은 다항식

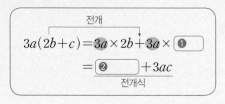

$$3a(2b+c)=3a\times 2b+3a\times \boxed{①}$$
$$=\boxed{②}+3ac$$

전개식

답 ① c ② $6ab$

[0297~0300] 다음 식을 전개하시오.

0297 $-2x(3x-y)$

0298 $(2a-1)\times(-a)$

0299 $(x+7y-10)\times y$

0300 $(x^2-5x+4)\times(-4x)$

[0301~0302] 다음 식을 계산하시오.

0301 $-x(2x-6)+(x-2)\times(-3x)$

0302 $3x(2x-y)-2y(2x+y)$

04 다항식과 단항식의 나눗셈   유형 07~10

(다항식)÷(단항식)은 다음과 같은 방법으로 계산한다.

방법1 분수로 바꾸어 계산한다.

$$\Rightarrow (A+B)\div C=\frac{A+B}{C}=\frac{A}{C}+\frac{B}{C}$$

방법2 나눗셈을 역수의 곱셈으로 바꾸어 계산한다.

$$\Rightarrow (A+B)\div C=(A+B)\times\frac{1}{C}$$
$$=A\times\frac{1}{C}+B\times\frac{1}{C}$$
$$=\frac{A}{C}+\frac{B}{C}$$

예 **방법1** $(6x^2+9x)\div 3x=\dfrac{6x^2+9x}{\boxed{①}}=\dfrac{6x^2}{3x}+\dfrac{9x}{3x}$
$$=2x+3$$

방법2 $(6x^2+9x)\div 3x=(6x^2+9x)\times\boxed{②}$
$$=6x^2\times\frac{1}{3x}+9x\times\frac{1}{3x}$$
$$=2x+3$$

답 ① $3x$ ② $\dfrac{1}{3x}$

[0303~0307] 다음 식을 계산하시오.

0303 $(8ab+4a)\div(-2a)$

0304 $(-9a^2+15ab)\div 3a$

0305 $(4x^2-6xy+2x)\div(-2x)$

0306 $\left(2xy-\dfrac{1}{2}y\right)\div\dfrac{1}{2}y$

0307 $(a^2-2ab+3ac)\div\left(-\dfrac{a}{4}\right)$

3

다항식의 계산

핵심 포인트!   • $-$ 부호를 포함한 단항식과 다항식의 곱셈, 나눗셈에서는 $-$ 부호를 포함해서 분배법칙을 이용하는 것에 주의한다.

   예 $-2x(x+y-1)=-2x\times x+(-2x)\times y-(-2x)\times 1=-2x^2-2xy+2x$

개념 해결의 법칙 중 2-1 59쪽

필수유형 01 다항식의 덧셈과 뺄셈

① 괄호를 푼다. 이때 뺄셈은 빼는 식의 각 항의 부호를 바꾸어 더한다.
② ❶   끼리 모아서 간단히 한다.

🔑 ❶ 동류항

대표문제

0308 ●●중●●

$\dfrac{x-2y}{3}-\dfrac{5x-2y}{2}$ 를 간단히 하시오.

0309 하●●●●

$3(x+2y)-2(x-y)$ 를 간단히 하시오.

0310 ●●중●●

$\dfrac{3x-2y}{3}-\dfrac{x+3y}{4}+\dfrac{x-y}{2}=ax+by$ 일 때, $a+3b$ 의 값을 구하시오. (단, a, b 는 상수)

0311 ●●●상중●

다음 그림에서 (가)의 규칙을 이용하여 (나)의 빈칸을 채우려고 한다. 이때 ㉠에 들어갈 식을 구하시오.

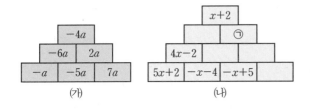

개념 해결의 법칙 중 2-1 59쪽

필수유형 02 이차식의 덧셈과 뺄셈

① 괄호를 푼다. 이때 뺄셈은 빼는 식의 각 항의 부호를 바꾸어 더한다.
② 이차항은 이차항끼리, 일차항은 ❶   끼리, 상수항은 ❷   끼리 모아서 간단히 한다.

🔑 ❶ 일차항 ❷ 상수항

대표문제

0312 ●중하●●●

$3(x^2+2x+4)-(4x^2-3x-5)$ 를 간단히 하였을 때, x 의 계수를 구하시오.

0313 ●●중●●

다음 중 옳지 <u>않은</u> 것은?

① $(x^2+2x-5)+(4x^2+3x-1)=5x^2+5x-6$
② $(2x^2-5x+3)+(x^2+4x+1)=3x^2-x+4$
③ $(2x^2+5x+2)-3(x^2+2x-2)=-x^2-x+8$
④ $(3x^2+5x+3)-4(x^2-2x+3)=-x^2-3x-9$
⑤ $(5x^2-4x+1)-3(x^2+x+3)=2x^2-7x-8$

0314 ●●중●●

$2x^2-3x-2-(ax^2-4x+5)$ 를 간단히 하면 $4x^2+bx-7$ 일 때, $a+b$ 의 값을 구하시오. (단, a, b 는 상수)

개념 해결의 법칙 중 2–1 60쪽

필수유형 03 여러 가지 괄호가 있는 식의 계산

(소괄호) ➡ {중괄호} ➡ [대괄호]의 순서로 괄호를 푼다.

예 $x-\{2x-y-(x+y)\}=x-(2x-y-x-y)$
$$=x-(\boxed{❶}-2y)$$
$$=x-x+\boxed{❷}=2y$$

답 ❶ x ❷ $2y$

대표문제

0315 ●●중●●

$7x-[y-\{5x+8y-(x+2y)\}]$를 간단히 하면 $ax+by$
일 때, $a-b$의 값을 구하시오. (단, a, b는 상수)

0316 ●●중●● 서술형

다음 식을 간단히 하였을 때, x^2의 계수를 a, x의 계수를 b,
상수항을 c라 하자. 이때 $a+2b+c$의 값을 구하시오.

$$7x^2+3x-\{3x^2+5x-(x^2-4x-1)\}$$

필수유형 04 다항식 A 구하기

(1) $A+B=C$ ➡ $A=C-B$
(2) $A-B=C$ ➡ $A=C+\boxed{❶}$
(3) $B-A=C$ ➡ $A=\boxed{❷}-C$

답 ❶ B ❷ B

대표문제

0317 ●●중●●

어떤 식에서 $3x^2-4x+1$을 빼고 $2x-9$를 더했더니
$-x+1$이 되었다. 이때 어떤 식을 구하시오.

0318 ●●중●●

$a-2b+5$에 다항식 A를 더하면 $4a-b+3$이고,
$4a+5b+1$에서 다항식 B를 빼면 $10a+b$이다. 이때
$A-B$를 간단히 하시오.

0319 ●●●상중●

다음 표에서 가로, 세로의 세 다항식의 합이 모두 같을 때,
㉠에 알맞은 다항식을 구하시오.

a^2+4	$-2a-2$	
$2a^2-2a$	㉠	
$-a+1$		a^2-2a-1

0320 ●●●●상 잘 틀리는 문제

다음 $\boxed{}$ 안에 알맞은 식을 구하시오.

$$6x-[x-3y+\{4x-2y-(y+\boxed{})\}]=2x-y$$

3 다항식의 계산

개념 해결의 법칙 중 2-1 60쪽

필수유형 05 | **잘못 계산한 식에서 바르게 계산한 식 구하기**

어떤 식에 A를 더해야 할 것을 잘못하여 뺐더니 B가 되었다.

➡ (어떤 식) $-A=B$, 즉 (어떤 식) $=B+A$

➡ (바르게 계산한 식) $=$ (어떤 식) $+$ ❶

답 ❶ A

대표문제

0321 ●●중●●

어떤 식에 $x-2y+1$을 더해야 할 것을 잘못하여 뺐더니 $4x-5y+2$가 되었다. 바르게 계산한 식을 구하시오.

0322 ●●중●● 서술형

어떤 식 A에 $2x^2+3x-1$을 더해야 할 것을 잘못하여 뺐더니 $-x^2-x+4$가 되었다. 다음 물음에 답하시오.

(1) 어떤 식 A를 구하시오.

(2) 바르게 계산한 식을 구하시오.

0323 ●●중●●

$x^2-\dfrac{1}{2}x-1$에서 어떤 식을 빼어야 할 것을 잘못하여 더했더니 $\dfrac{5}{3}x^2-\dfrac{3}{4}x+1$이 되었다. 바르게 계산한 식을 구하시오.

개념 해결의 법칙 중 2-1 68쪽

필수유형 06 | **단항식과 다항식의 곱셈**

분배법칙을 이용하여 식을 전개한다.

➡ $A(B+C+D)=AB+AC+$ ❶

$(A+B+C)D=AD+$ ❷ $+CD$

답 ❶ AD ❷ BD

대표문제

0324 하●●●●

$-2x(5x+y-1)=ax^2+bxy+cx$일 때, $a-b+c$의 값을 구하시오. (단, a, b, c는 상수)

0325 ●●중●●

다음 중 옳은 것을 모두 고르면? (정답 2개)

① $2x(x+3)=2x^2+3$

② $-2x(2x-y-1)=-4x^2+2xy+1$

③ $3y(x-4y)=3xy-12y^2$

④ $4x(3xy-2y)=12x^2y-8xy$

⑤ $-y(2x+y-3)=-2xy+y^2+3y$

0326 ●●중●●

$-5x(y-3x)+y(4x-1)$을 계산하였을 때, x^2의 계수와 xy의 계수의 합을 구하시오.

개념 해결의 법칙 중 2-1 68쪽

필수유형 07 다항식과 단항식의 나눗셈

방법1 분수 꼴로 바꾸어 계산한다.

➡ $(A+B+C) \div D = \dfrac{A+B+C}{D} = \dfrac{A}{D} + \dfrac{B}{D} + \dfrac{C}{D}$

방법2 나눗셈을 역수의 곱셈으로 바꾸어 계산한다.

➡ $(A+B+C) \div D = (A+B+C) \times \dfrac{1}{D}$

$= A \times \dfrac{1}{D} + B \times \dfrac{1}{D} + C \times \dfrac{1}{D}$

대표문제

0327 ●●중●●

$(12x^2y - 8xy^2 - 4xy) \div \dfrac{2}{3}xy$를 계산하시오.

0328 ●중하●●●

$(6x^2y - 3xy) \div (-2xy)$를 계산하면 $ax+b$가 된다. 이때 $a \div b$의 값을 구하시오. (단, a, b는 상수)

0329 ●●중●●

$(3x^2y^2 + 2x^2y) \div \dfrac{1}{5}xy = Axy + Bx$일 때, $A-B$의 값을 구하시오. (단, A, B는 상수)

0330 ●●중●● 　　　　　　　　　　(잘 틀리는 문제)

다음 식을 계산하시오.

$$(12x^2y - 6xy^2) \div (-3xy) - (6x^2 - 2xy) \div \dfrac{1}{2}x$$

개념 해결의 법칙 중 2-1 69쪽

필수유형 08 덧셈, 뺄셈, 곱셈, 나눗셈이 혼합된 식의 계산

덧셈, 뺄셈, 곱셈, 나눗셈이 혼합된 식은
괄호 ➡ 곱셈, 나눗셈 ➡ 덧셈, 뺄셈의 순서로 계산한다.

대표문제

0331 ●●중●●

$(4x^3y^2 - 6x^2y^3) \div 2xy - (x^2 - 2xy) \times 3y$를 계산하시오.

0332 ●●중●●

다음 중 옳은 것은?

① $(6a^3 - 8a^2) \div (-2a) = -3a^2 + 4$

② $(15a^2 + 5a) \div 5a = 3a + 5$

③ $(x-3)x - 3(x^2 + 4x - 5) = 6x^2 + 4x + 3$

④ $(-3x+2y)y + (24y^3 - 18xy^2) \div 6y = -2y^2$

⑤ $(12x^2 - 9xy) \div 3x + (2x^2 + xy) \div x = 6x - 2y$

0333 ●●●상중●　　　　　　　(잘 틀리는 문제)

$3x(x-1) - \{x^2 - x(-2x+3)\} \div (-x)$를 계산하면 $ax^2 + bx + c$가 될 때, $a+b-c$의 값을 구하시오.

(단, a, b, c는 상수)

3

다항식의 계산

개념 해결의 법칙 중 2-1 69쪽

필수유형09 도형에서의 식의 계산

넓이, 부피를 구하는 공식에 주어진 식을 대입하여 계산한다.

대표문제

0334 ••중••

오른쪽 그림과 같이 가로의 길이
가 $2a$, 세로의 길이가 $2b$인 직사
각형에서 색칠한 부분의 넓이를
구하시오.

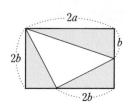

0335 ••중••

오른쪽 그림과 같이 가로의
길이가 $(4x+2)$ m, 세로의
길이가 $(3x+1)$ m인 직사각
형 모양의 화단에 폭이 x m
인 길이 있다. 이 길의 넓이를
구하시오. (단, 길의 폭은 일정하다.)

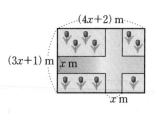

0336 ••중••

오른쪽 그림과 같이 밑면의 반지름의 길
이가 $6a$인 원뿔의 부피가
$48\pi a^2 b^3 - 24\pi a^2 b^2$일 때, 원뿔의 높이를
구하시오.

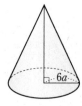

개념 해결의 법칙 중 2-1 70쪽

필수유형10 식의 값

① 주어진 식을 계산한다.
② 계산한 식의 문자에 주어진 수를 대입하여 식의 값을 구한다.
특히 대입하는 수가 음수인 경우에는 ❶ ⬚ 로 묶어서 대
입한다.

답 ❶ 괄호

대표문제

0337 ••중••

$x=5$, $y=-3$일 때, $\dfrac{x^2 y - xy^2}{xy} - \dfrac{3xy^2 - x^2 y^2}{xy^2}$의 값을 구하
시오.

0338 ••중••

$x=-2$, $y=1$일 때, $xy(x-y)-y(xy+x^2)$의 값을 구하
시오.

0339 ••중•• 서술형

$a=-2$, $b=3$일 때, 다음 식의 값을 구하시오.

$$(-a^2 b)^2 \div (-a^3 b^2) - \frac{6b^2 - 12ab}{3b}$$

개념 해결의 법칙 중 2-1 70쪽

중요
필수유형**11** 식의 대입

① 주어진 식을 간단히 한다.
② 대입하는 식을 ❶ 로 묶어 대입한 후 간단히 한다.

답 ❶괄호

대표문제

0340 ●●중●●

$A=3x-2y$, $B=2x+y$일 때, 다음 식을 x, y의 식으로 나타내시오.

$$2(3A+2B)-2(2A-B)$$

0341 ●중하●●●

$x=a+2b$, $y=2a-b$일 때, $3x-y$를 a, b의 식으로 나타내시오.

0342 ●●중●●

$A=\dfrac{3x+y}{3}$, $B=\dfrac{x+y-1}{2}$일 때, $A-5B-(3B-2A)$를 x, y의 식으로 나타내시오.

0343 ●●●상중 서술형

$A=x^2-2x$, $B=(-6x^3y+9x^2y)\div3xy$,
$C=(2x^3y^2)^3\div(2x^4y^3)^2$일 때,
$2A-[2B+2C+3\{A-(B+C)\}]$를 x의 식으로 나타내시오.

필수유형**12** 등식을 변형하여 다른 식에 대입하기

x, y에 대한 다항식을 x의 식으로 나타내려면
① 주어진 등식을 $y=(x$의 식)으로 정리한다.
② ①의 식을 다항식에 ❶ 한다.

답 ❶대입

대표문제

0344 ●●중●●

$2x+y=3x+2y+3$일 때, 다음 물음에 답하시오.

(1) $x+3y+3$을 x의 식으로 나타내시오.

(2) $x+3y+3$을 y의 식으로 나타내시오.

0345 ●중하●●●

$x+y=6$일 때, $5x+3y$를 y의 식으로 나타내면?

① $-4y-30$ ② $-3y+30$ ③ $-2y+30$
④ $4y-30$ ⑤ $8y+30$

0346 ●●중●●

$7y+x+5=2x+y$일 때, $5x-15y-13$을 y의 식으로 나타내시오.

0347 ●●중●●

$(2x+y):(x-y)=3:2$일 때, $4x+5y$를 x의 식으로 나타내면 $ax+b$이다. 이때 상수 a, b에 대하여 $a+b$의 값을 구하시오.

0348 하••••

$2(4x+2y+1)-(x-2y)$를 계산하시오.

0349 하••••

다음 중 이차식인 것은?

① $5x+5$

② $\dfrac{1}{2}x^2+5x+4$

③ x^3-3x^2+1

④ $6x-5+x-8$

⑤ $2x^2-4-2(x^2+x)$

0350 ••중••

다음 중 옳은 것을 모두 고르면? (정답 2개)

① $(a+2b)+(2a-5b)=3a-7b$

② $2a^2-\{1+2a^2-3(a-2)\}=3a+7$

③ $(a-2b+5)-(3a+7b-6)=-2a-9b+11$

④ $(a^2+5a-2)+(-3a^2+a-2)=-2a^2+6a$

⑤ $(x^2+7x+3)-(5x^2-3x-4)=-4x^2+10x+7$

0351 ••중••

다음 식의 계산 과정에 알맞은 다항식 A, B, C에 대하여 $A+B-C$를 간단히 하시오.

$-2x^2-6-[x+3x^2-\{4+5x-2x^2+(-x+x^2)\}]$

$=-2x^2-6-\{x+3x^2-(\boxed{\quad A \quad})\}$

$=-2x^2-6-(\boxed{\quad B \quad})$

$=\boxed{\quad C \quad}$

0352 ••중••

$\boxed{\qquad}+(3x^2-5x+2)=-2x^2+4x-5$일 때, $\boxed{\ }$ 안에 알맞은 식은?

① $-5x^2-x+3$ 　　② $-5x^2+9x-7$

③ $-x^2-x-3$ 　　④ x^2-x-3

⑤ $5x^2-9x+7$

0353 ••중•• 창의력

다음 그림에서 색칠한 부분은 각각 가로 또는 세로 줄에 있는 두 식의 합을 나타낸 것이다. (나)에 알맞은 식은?

(가)	$x+y$	$\Rightarrow$	$3x$
$-x-y$	$3x+4y$	$\Rightarrow$	$2x+3y$

(나)	$4x+5y$

① x 　　② $x-2y$ 　　③ $x+2y$

④ $3x-2y$ 　　⑤ $3x+2y$

0354 ••중••

다음 두 조건을 만족하는 다항식 B를 구하시오.

조건

(가) 다항식 A에 $-x^2+1$을 더하였더니 x^2-3이 되었다.

(나) 다항식 A에서 $3x^2+5x-2$를 뺐더니 다항식 B가 되었다.

0355 ••중••

다음 $\square$ 안에 알맞은 식은?

$$7x-2\{5x+3y-(\boxed{})+5y\}=3x-12y$$

① $-x+3y$ ② $2x-y$ ③ $3x-4y$

④ $3x+2y$ ⑤ $6x-4y$

0356 ••중•• 서술형

어떤 식에서 $2x^2+x-1$을 빼어야 할 것을 잘못하여 더했더니 $3x^2+3x$가 되었다. 바르게 계산한 식을 구하시오.

0357 •중하•••

$a(2a-3b)-3a(a-2b)$를 계산하면?

① $-a^2+3ab$ ② a^2-3ab ③ a^2+3ab

④ $5a^2-3ab$ ⑤ $5a^2+3ab$

0358 •중하•••

$(-4xy+2y^2)\div\left(-\dfrac{2}{5}y\right)$를 계산하시오.

0359 ••중••

다음 중 옳지 <u>않은</u> 것은?

① $-2x(3x^2-xy)=-6x^3+2x^2y$

② $(15ax-9ay)\div(-3a)=-5x+3y$

③ $4x-\{y-(5y-4x)\}=-4y$

④ $2x-[2y-x-\{3x-(x-y)\}]=5x-y$

⑤ $(x^2-3x+4)-2(x^2-2x+4)=-x^2+x-4$

0360 ●●중●●

$(12x^2y-4x^2y^3)\div(-4xy)\div\dfrac{x}{y}$를 계산하면?

① $2x^2y^2-3xy$ ② $3x^2y^2-2xy$ ③ x^3-3x
④ x^3-3y ⑤ $-3y+y^3$

0361 ●●중●● 서술형

$-5x(3x+2y)-\dfrac{x^2y+3x^2y^2-4xy^2}{xy}$ 을 계산하였을 때,
xy의 계수를 a, y의 계수를 b라 하자. 이때 $a+b$의 값을 구하시오.

0362 ●●●상중●

$A=(6x^2+8xy)\div(-2x)-(12xy-3y^2)\div(-3y)$,
$B=\dfrac{4x^2y-8x^2y^2}{4xy}-\dfrac{6xy^2-12xy}{-3y}$ 일 때, $A+B$를 간단히 하면?

① $-3x$ ② $x-5y$ ③ $-2x-5y$
④ $x+2xy-3y$ ⑤ $2x-2xy+3y$

0363 ●●중●●

$\boxed{}\div 2ab=4a^2b-5a+3$일 때, $\boxed{}$ 안에 알맞은 식을 구하시오.

0364 ●●중●●

어떤 다항식에 $3x$를 곱해야 할 것을 잘못하여 나누었더니 $2x+4y-1$이 되었다. 바르게 계산한 식은?

① $8x^3+12x^2y+3x^2$ ② $15x^3+36x^2y-6x^2$
③ $18x^3+12x^2y+9x^2$ ④ $18x^3+36x^2y-9x^2$
⑤ $23x^3+15x^2y+9x^2$

0365 ●●중●● 융합형

오른쪽 그림과 같이 직사각형 모양의 땅에 집과 마당이 있을 때, 마당의 넓이는?

① $17x^2-10x$
② $15x^2+12x$
③ $15x^2+4x$
④ $12x^2-10x$
⑤ $12x^2+3x$

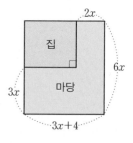

0366 ●●중●●

오른쪽 그림과 같이 세로의 길이가 $\frac{2}{5}xy$인 직사각형의 넓이가 $8x^3y^2-6xy^4$일 때, 가로의 길이는?

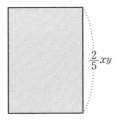

$\frac{2}{5}xy$

① $4x^2y-15y^3$　　② $20x^2y-15y^3$

③ $20x^2y-6xy^4$　　④ $20x^3y-15xy^3$

⑤ $20x^4y^3-15x^2y^5$

0367 ●●●상중●　서술형

오른쪽 그림과 같이 밑면의 반지름의 길이가 $2a$인 원기둥의 부피가 $2\pi a^3+4a^2b$일 때, 다음 물음에 답하시오.

$2a$

(1) 원기둥의 밑면의 넓이를 구하시오.

(2) 원기둥의 높이를 구하시오.

0368 ●●●상중●　창의력

다음 그림과 같은 삼각기둥 모양의 그릇에 가득 들어 있는 물을 직육면체 모양의 그릇으로 옮기려고 한다. 직육면체 모양의 그릇에 물을 옮겼을 때, 물의 높이를 구하시오. (단, 직육면체 모양의 그릇의 부피는 삼각기둥 모양의 그릇의 부피보다 크고, 그릇의 두께는 생각하지 않는다.)

$3a$

$2a$　$3b+1$

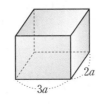

$2a$

$3a$

0369 ●●중●●

$x=1$, $y=-2$일 때, $\dfrac{x^2-2xy}{x}-\dfrac{3xy-4y^2}{y}$의 값은?

① -6　　② -4　　③ -2

④ 2　　⑤ 6

0370 ●●중●●

$A=2x-y$, $B=-x+3y$일 때,
$3(A-4B)+2A+8B$를 x, y의 식으로 나타내면?

① $-13x+19y$　② $6x+7y$　③ $14x-17y$

④ $16x+11y$　⑤ $22x+31y$

0371 ●●중●●

$4x+3y=6(x-1)+2y$일 때, $6x-y+3$을 y의 식으로 나타내시오.

0372 ●●중●●

$(2x-4y+3):(-x+2y-4)=3:1$일 때, $x+2y-3$을 x의 식으로 나타내면?

① $2x-1$　　② $2x$　　③ $2x+1$

④ $3x-1$　　⑤ $3x$

4 일차부등식

01 부등식과 그 해   유형 01~03

(1) **부등식** 부등호 $<$, $>$, $\leq$, $\geq$를 사용하여 수 또는 식의 대소 관계를 나타낸 식

(2) **부등식의 해** 부등식을 ❶ 이 되게 하는 미지수의 값

(3) **부등식을 푼다** 부등식의 모든 해를 구하는 것

참고 부등식의 표현

$a<b$	$a>b$	$a\leq b$	$a\geq b$
a는 b보다 작다. a는 b 미만이다.	a는 b보다 크다. a는 b 초과이다.	a는 b보다 작거나 같다. a는 b보다 크지 않다. a는 b 이하이다.	a는 b보다 크거나 같다. a는 b보다 작지 않다. a는 b 이상이다.

답 ❶참

[0373~0374] 다음 문장을 부등식으로 나타내시오.

0373 x는 2보다 작다.

0374 x를 2배 한 후 3을 더하면 -5보다 크거나 같다.

[0375~0376] 다음 [ ] 안의 수가 부등식의 해이면 ○표, 해가 아니면 ×표를 ( ) 안에 써넣으시오.

0375 $x\leq -2+4x$ [2]   ( )

0376 $x>2x+2$ [-2]   ( )

02 부등식의 성질   유형 04, 05

(1) 부등식의 양변에 같은 수를 더하거나 양변에서 같은 수를 빼어도 부등호의 방향은 바뀌지 않는다.

➡ $a<b$이면 $a+c<b+c$, $a-c<b-c$

(2) 부등식의 양변에 같은 양수를 곱하거나 양변을 같은 양수로 나누어도 부등호의 방향은 바뀌지 않는다.

➡ $a<b$, $c>0$이면 $ac<bc$, $\dfrac{a}{c}<\dfrac{b}{c}$

(3) 부등식의 양변에 같은 음수를 곱하거나 양변을 같은 음수로 나누면 부등호의 방향이 ❶ .

➡ $a<b$, $c<0$이면 $ac>bc$, $\dfrac{a}{c}>\dfrac{b}{c}$

답 ❶ 바뀐다

[0377~0380] $a>b$일 때, 다음 $\boxed{}$ 안에 알맞은 부등호를 써넣으시오.

0377 $a+5 \boxed{} b+5$ **0378** $a-3 \boxed{} b-3$

0379 $9a \boxed{} 9b$ **0380** $-7a \boxed{} -7b$

[0381~0383] 다음 $\boxed{}$ 안에 알맞은 부등호를 써넣으시오.

0381 $a+7<b+7 \Rightarrow a \boxed{} b$

0382 $\dfrac{a}{5}>\dfrac{b}{5} \Rightarrow a \boxed{} b$

0383 $-\dfrac{a}{2}\leq -\dfrac{b}{2} \Rightarrow a \boxed{} b$

핵심 포인트! • 부등식의 성질

① $a<b$이면 $a+c<b+c$, $a-c<b-c$ ⎤
② $a<b$, $c>0$이면 $ac<bc$, $\dfrac{a}{c}<\dfrac{b}{c}$ ⎦ ➡ 부등호의 방향이 바뀌지 않는다.

③ $a<b$, $c<0$이면 $ac>bc$, $\dfrac{a}{c}>\dfrac{b}{c}$ ➡ 부등호의 방향이 바뀐다.

03 일차부등식의 풀이
유형 06~08, 11~13

(1) **일차부등식** 부등식의 모든 항을 좌변으로 이항하여 정리하였을 때, (일차식)<0, (일차식)>0, (일차식)≤0, (일차식)≥0 중 어느 하나의 꼴로 나타나는 부등식

(2) **일차부등식의 풀이**

① 미지수 x를 포함한 항은 ❶ 으로, 상수항은 우변으로 이항한다.

② 양변을 정리하여 $ax<b$, $ax>b$, $ax≤b$, $ax≥b(a≠0)$ 중 어느 하나의 꼴로 만든다.

③ 양변을 x의 계수 a로 나눈다. 이때 a가 ❷ 이면 부등호의 방향이 바뀐다.

예 $x+1<4x-5$ ┐ 미지수 x를 포함한 항은 좌변으로,
$x-4x<-5-1$ │ 상수항은 우변으로 이항한다.
$-3x<-6$ ┤ 양변을 정리하여 식을 간단히 한다.
$x>2$ ┘ 양변을 x의 계수 -3으로 나눈다.
이때 -3이 음수이므로 부등호의 방향이 바뀐다.

답 ❶ 좌변 ❷ 음수

[0384~0387] 다음 중 일차부등식인 것에는 ○표, 일차부등식이 아닌 것에는 ×표를 ( ) 안에 써넣으시오.

0384 $2x+3=7$ ( )

0385 $2x<2(x-1)$ ( )

0386 $2x<0$ ( )

0387 $\dfrac{1}{x}-1≥0$ ( )

[0388~0393] 다음 일차부등식을 풀고, 그 해를 오른쪽 수직선 위에 나타내시오.

0388 $x+1>2$
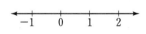

0389 $3x≤9$
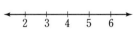

0390 $-2x<-4$

0391 $2x-5>1$
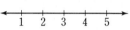

0392 $3x+4≤x$
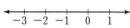

0393 $2-x<2x-10$
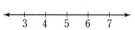

04 복잡한 일차부등식의 풀이
유형 09~13

(1) **괄호가 있는 경우** 분배법칙을 이용하여 괄호를 풀어 부등식을 간단히 한 후 푼다.

참고 분배법칙 : $a(b+c)=ab+ac$

(2) **계수가 소수인 경우** 양변에 ❶ 의 거듭제곱을 곱하여 계수를 모두 정수로 바꾼 후 푼다.

(3) **계수가 분수인 경우** 양변에 분모의 ❷ 를 곱하여 계수를 모두 정수로 바꾼 후 푼다.

답 ❶ 10 ❷ 최소공배수

[0394~0397] 다음 일차부등식을 푸시오.

0394 $2(x-3)>-x$

0395 $0.5x>0.2x-0.9$

0396 $\dfrac{x}{2}+3≥\dfrac{x}{6}+\dfrac{2}{3}$

0397 $\dfrac{x-1}{5}<\dfrac{x+2}{2}$

핵심 포인트! · 부등식의 해를 수직선 위에 나타내기

① $x>a$
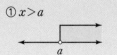

② $x<a$
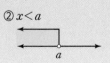

③ $x≥a$
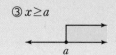

④ $x≤a$
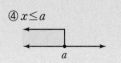

4 일차부등식

개념 해결의 법칙 중 2-1 80쪽

필수유형 01 부등식의 뜻

부등식 ➡ 부등호 >, <, ≥, ≤를 사용하여 수 또는 식의 대소 관계를 나타낸 식

대표문제

0398 하●●●●

다음 보기 중 부등식인 것을 모두 고르시오.

보기
㉠ $2x-7<3$ ㉡ $6x+4=-8$ ㉢ $-1<x\le7$
㉣ $7>4$ ㉤ $3x-2$ ㉥ $4+x>x+1$

0399 하●●●●

다음 중 부등식이 <u>아닌</u> 것은?

① $3(1+x)>3x-5$ ② $\dfrac{5-2x}{2}\le1-2x$

③ $x(x+2)<1+4x+x^2$ ④ $\dfrac{x}{7}-3\ge\dfrac{4}{3}-\dfrac{x}{7}$

⑤ $11x+8=0$

0400 하●●●●

다음 중 부등식인 것을 모두 고르면? (정답 2개)

① $7-3>1$ ② $2x+1=0$

③ $3(y+2)-4$ ④ $\dfrac{x}{3}\le1$

⑤ $-1\ne2$

필수유형 02 문장을 부등식으로 나타내기

$a<b$	$a>b$
a는 b보다 작다. a는 b 미만이다.	a는 b보다 크다. a는 b 초과이다.
a ❶ b	$a\ge b$
a는 b보다 작거나 같다. a는 b보다 크지 않다. a는 b 이하이다.	a는 b보다 크거나 같다. a는 b보다 작지 않다. a는 b 이상이다.

답 ❶ ≤

대표문제

0401 하●●●●

다음 중 문장에서 수량 사이의 관계를 부등식으로 나타낸 것으로 옳은 것은?

① 냉장고 냉장실의 온도 x ℃는 5 ℃ 이하이다.
   ➡ $x<5$

② 어떤 수 x의 2배에 3을 더하면 5 이상이다.
   ➡ $2x+3\le5$

③ 500원짜리 아이스크림 x개와 2000원짜리 아이스크림 1개의 값의 합이 20000원 이하이다.
   ➡ $500x+2000\le20000$

④ 민호의 10년 후의 나이는 현재 나이 x살의 2배보다 작다. ➡ $x+10>2x$

⑤ 4 L의 물이 들어 있는 물통에 매분 3 L씩 x분 동안 물을 넣으면 물통 안의 물의 양은 20 L 미만이다.
   ➡ $4+3x\le20$

0402 ●중하●●●

다음 문장에서 수량 사이의 관계를 부등식으로 나타내시오.

어떤 수 x의 4배에 7을 더한 수는 x에 3을 더한 것의 2배보다 크지 않다.

개념 해결의 법칙 중 2-1 80쪽

필수유형03 부등식의 해

$x=a$가 부등식의 해이다.

➡ $x=a$를 부등식에 대입하면 부등식이 성립한다.

대표문제

0403 하••••

다음 부등식 중 $x=2$가 해인 것은?

① $x-2>0$ ② $3-x<0$ ③ $3x≤5$

④ $3x+1≥9$ ⑤ $-5+4x≥3$

0404 하••••

다음 보기의 부등식 중 $x=-2$가 해인 것을 모두 고르시오.

┌ 보기 ──────────────────
㉠ $-3x≤-12$ ㉡ $2x+1>5$
㉢ $2x+3>-6$ ㉣ $-x+1≥-2$
㉤ $5x≤3x+6$ ㉥ $x-1<4x-4$
└──────────────────────

0405 하••••

다음 중 [ ] 안의 수가 주어진 부등식의 해가 <u>아닌</u> 것은?

① $3x-4<8$ [3]   ② $1-3x>5$ [-2]

③ $2x+1≥5$ [2]   ④ $4x≥5x$ [0]

⑤ $x-1<-2$ [1]

0406 하•••• 서술형

x의 값이 -1, 0, 1, 2, 3일 때, 부등식 $x+2<2x+3$의 해의 개수를 구하시오.

개념 해결의 법칙 중 2-1 81쪽

필수유형04 부등식의 성질

(1) $a<b$이면 $a+c<b+c$, $a-c$ ❶ $b-c$

(2) $a<b$, $c>0$이면 $ac<bc$, $\dfrac{a}{c}<\dfrac{b}{c}$

(3) $a<b$, $c<0$이면 ac ❷ bc, $\dfrac{a}{c}$ ❸ $\dfrac{b}{c}$

부등호의 방향이 바뀐다.

답 ❶ $<$ ❷ $>$ ❸ $>$

대표문제

0407 중하•••

$a>b$일 때, 다음 중 옳지 <u>않은</u> 것을 모두 고르면? (정답 2개)

① $7a-1>7b-1$ ② $10-a<10-b$

③ $5a-5<5b-5$ ④ $-1+a<-1+b$

⑤ $-\dfrac{a}{2}<-\dfrac{b}{2}$

0408 ••중••

$-3a-4<-3b-4$일 때, 다음 중 옳은 것은?

① $a<b$ ② $-3a>-3b$

③ $5a-3>5b-3$ ④ $3-\dfrac{a}{2}>3-\dfrac{b}{2}$

⑤ $\dfrac{a}{4}<\dfrac{b}{4}$

0409 ••중••

다음 중 ☐ 안에 들어갈 부등호의 방향이 나머지 넷과 다른 하나는?

① $3a+1<3b+1$이면 a☐b

② $-a-1<-b-1$이면 a☐b

③ $-2a+1<-2b+1$이면 a☐b

④ $2a-3>2b-3$이면 a☐b

⑤ $a+2>b+2$이면 a☐b

0410 ●●●상중● 잘 틀리는 문제

$b<a<0$일 때, 다음 중 옳은 것은?

① $-5a>-5b$ 　　　② $2a-3>2b-3$

③ $\dfrac{a}{2}+1<\dfrac{b}{2}+1$ 　　　④ $\dfrac{1}{a}>\dfrac{1}{b}$

⑤ $b^2<ab$

필수유형05 중요 **식의 값의 범위 구하기**

개념 해결의 법칙 중 2-1 81쪽

$a<x\leq b$일 때

(1) p ❶ ⃞ 0이면 $pa<px\leq pb$

(2) $p<0$이면 $pb\leq px<pa$

⊟ ❶ >

대표문제

0411 ●●중●●

$-1\leq x<2$이고 $A=-3x+2$일 때, A의 값의 범위를 구하시오.

0412 ●●중●● 서술형

$-3<x\leq 1$일 때, $2x-2$의 값이 될 수 있는 정수의 개수를 구하시오.

0413 ●●●상중●

$3x-y=4$이고 $0<x<5$일 때, y의 값의 범위를 구하시오.

필수유형06 **일차부등식**

일차부등식 ➡ 부등식의 모든 항을 좌변으로 ❶ ⃞ 하여 정리하였을 때

　(일차식)<0, (일차식)>0, (일차식)≤ 0, (일차식)≥ 0

중 어느 하나의 꼴로 나타나는 부등식

⊟ ❶ 이항

대표문제

0414 ●중하●●●

다음 중 일차부등식인 것은?

① $3x+2>4+3x$ 　　　② $-4x+2=x-5$

③ $x^2+3\leq 1-2x+x^2$ 　　　④ $\dfrac{1}{2}x+1>-5+\dfrac{1}{2}x$

⑤ $3-x^2<1+2x$

0415 ●중하●●●

다음 보기 중 일차부등식인 것의 개수를 구하시오.

― 보기 ―――――――――――――――――――

㉠ $x-5>2x+5$ 　　　㉡ $3x-1=5x-3$

㉢ $x-3>-(3-x)$ 　　　㉣ $x^2-4x\geq x(x-3)$

㉤ $3x-y=5$ 　　　㉥ $-7x-4-3x+1$

0416 ●●중●●

다음 중 부등식 $\dfrac{1}{2}x-5\geq ax-4+\dfrac{3}{2}x$가 일차부등식이 되도록 하는 상수 a의 값이 아닌 것은?

① -2 　　　② -1 　　　③ $\dfrac{1}{2}$

④ 1 　　　⑤ 2

개념 해결의 법칙 중 2-1 88쪽

필수유형 07 일차부등식의 풀이

① 미지수 x를 포함한 항은 좌변으로, 상수항은 ❶   으로 이항한다.

② 양변을 정리하여 $ax < b, ax > b, ax \leq b, ax \geq b(a \neq 0)$ 중 어느 하나의 꼴로 만든다.

③ 양변을 x의 계수 a로 나눈다. 이때 a가 ❷   이면 부등호의 방향이 바뀐다.

답 ❶ 우변 ❷ 음수

대표문제

0417 ●중하●●●

다음 중 부등식 $-2x - 3 > 7$과 해가 같은 것은?

① $2x + 10 > 0$ ② $x - 1 < 2x + 4$

③ $4x > 3x - 5$ ④ $3x + 6 < 1$

⑤ $-\dfrac{x}{5} > 1$

0418 ●중하●●●

부등식 $3x + 5 \leq x + 13$을 만족하는 모든 자연수 x의 값의 합을 구하시오.

0419 ●●중●●

다음은 부등식 $-3x + 2 \geq x + 6$의 해를 구하는 과정이다. 풀이 과정 중 틀린 부분을 설명할 수 있는 부등식의 성질은?

$$-3x + 2 \geq x + 6$$
$$-3x - x \geq 6 - 2$$
$$-4x \geq 4$$
$$\therefore x \geq -1$$

① $a > b$이면 $a + c > b + c$ ② $a > b$이면 $a - c > b - c$

③ $a > b, c > 0$이면 $ac > bc$ ④ $a > b, c > 0$이면 $\dfrac{a}{c} > \dfrac{b}{c}$

⑤ $a > b, c < 0$이면 $\dfrac{a}{c} < \dfrac{b}{c}$

필수유형 08 부등식의 해를 수직선 위에 나타내기

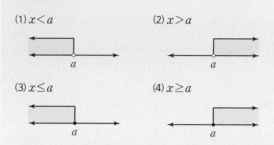

(1) $x < a$ (2) $x > a$

(3) $x \leq a$ (4) $x \geq a$

참고 수직선에서 ○에 대응하는 수는 부등식의 해에 포함되지 않음을 뜻하고, ●에 대응하는 수는 부등식의 해에 포함됨을 뜻한다.

대표문제

0420 ●중하●●●

다음 중 부등식 $-6x > 36 + 10x$의 해를 수직선 위에 바르게 나타낸 것은?

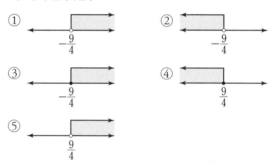

①   ②   ③   ④   ⑤

0421 ●중하●●● 서술형

부등식 $3x + 8 < 5x + 2$에 대하여 다음 물음에 답하시오.

(1) 부등식을 푸시오.

(2) (1)에서 구한 해를 수직선 위에 나타내시오.

0422 ●●중●●

다음 부등식 중 그 해를 수직선 위에 나타내었을 때, 오른쪽 그림과 같은 것은?

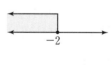

① $5 - 2x \geq -9$ ② $x + 5 < 6$ ③ $2x - 1 < -5$

④ $5 - 2x \geq 9$ ⑤ $2x - 5 < 1$

4

일차부등식

필수유형 09 괄호가 있는 일차부등식의 풀이

괄호가 있으면 **❶**[　] 법칙을 이용하여 괄호를 먼저 푼다.

참고 $a(b+c)=ab+ac$, $a(b-c)=ab-ac$

답 **❶** 분배

대표문제

0423 ●중하●●●

부등식 $3(x+2)<2(x+3)+5x$를 푸시오.

0424 ●중하●●●

다음 중 부등식 $4x+2\geq3(x-1)$의 해를 수직선 위에 바르게 나타낸 것은?

①

②

③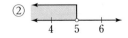

④

⑤

0425 ●●중●●

부등식 $5(3-x)\geq2x-1$을 만족하는 자연수 x의 개수를 구하시오.

0426 ●●중●●

부등식 $2(x-3)>7x+4$를 만족하는 x의 값 중 가장 큰 정수를 구하시오.

필수유형 10 중요 계수가 소수 또는 분수인 일차부등식의 풀이

(1) 계수가 소수인 경우
➡ 양변에 적당한 **❶**[　] 의 거듭제곱을 곱한다.

(2) 계수가 분수인 경우
➡ 양변에 분모의 **❷**[　] 를 곱한다.

답 **❶** 10 **❷** 최소공배수

대표문제

0427 ●●중●●

부등식 $\dfrac{1-2x}{3}>2-\dfrac{x}{4}$를 만족하는 x의 값 중 가장 큰 정수를 구하시오.

0428 ●●중●●

다음은 부등식 $0.4x+1.2\geq0.9x-1$의 해를 구하는 과정이다. 처음으로 틀린 부분을 찾고, 옳은 답을 구하시오.

$$0.4x+1.2\geq0.9x-1 \quad \text{㉠}$$
$$4x+12\geq9x-1 \quad \text{㉡}$$
$$-5x\geq-13 \quad \text{㉢}$$
$$\therefore x\leq\dfrac{13}{5}$$

0429 ●●중●●

부등식 $\dfrac{1}{2}x-\dfrac{x-2}{4}>2+x$를 푸시오.

0430 ●●●중●●● 서술형

부등식 $\dfrac{2x-4}{3} - \dfrac{3x-1}{2} < 1$을 만족하는 x의 값 중 가장 작은 정수를 구하시오.

0431 ●●●중●●●

다음 중 부등식 $\dfrac{1}{5}(3x+2) \geq 0.4x+1$의 해를 수직선 위에 바르게 나타낸 것은?

①
$\begin{array}{c}\\ \overline{\quad\quad} \\ -3 \end{array}$

②
$\begin{array}{c}\\ \overline{\quad\quad} \\ -3 \end{array}$

③
$\begin{array}{c}\\ \overline{\quad\quad} \\ -1 \end{array}$

④
$\begin{array}{c}\\ \overline{\quad\quad} \\ 1 \end{array}$

⑤
$\begin{array}{c}\\ \overline{\quad\quad} \\ 3 \end{array}$

0432 ●●●중●●●

부등식 $\dfrac{1}{5}x+0.4 > x-2$를 만족하는 모든 자연수 x의 값의 합을 구하시오.

0433 ●●●중●●●

부등식 $\dfrac{2}{3}x-0.5 \leq \dfrac{x+1}{3}$을 만족하는 자연수 x의 개수를 구하시오.

필수유형 **11** x의 계수가 미지수인 일차부등식의 풀이

일차부등식 $ax>b(a \neq 0)$의 해

(1) $a>0$이면 $x>\dfrac{b}{a}$

(2) $a<0$이면 x ❶ $\dfrac{b}{a}$

답 ❶ <

대표문제

0434 ●●중●●

$a<0$일 때, x에 대한 일차부등식 $-ax+3 \geq 2$를 푸시오.

0435 ●●중●●

$a<0$일 때, x에 대한 일차부등식 $ax-a>0$을 푸시오.

0436 ●●●상중●● 잘 틀리는 문제

$a<2$일 때, x에 대한 일차부등식 $(a-2)x \geq 3a-6$을 만족하는 자연수 x의 개수를 구하시오.

0437 ●●●●상

$-2a+3>a+6$일 때, x에 대한 일차부등식 $ax-2>-(x-2a)$의 해를 구하시오.

4

일차부등식

개념 해결의 법칙 중 2-1 90쪽

필수유형 12 중요 **일차부등식의 해가 주어진 경우 (1)**

부등식을 $x<(수)$, $x>(수)$, $x\leq(수)$, $x\geq(수)$ 중 어느 하나의 꼴로 고친 후 주어진 부등식의 **❶**□와 비교한다.

답 ❶ 해

대표문제

0438 ●●중●●

부등식 $5x-a\leq 2x$의 해가 $x\leq 5$일 때, 상수 a의 값을 구하시오.

0439 ●●중●●

부등식 $\dfrac{1}{5}(x-a)\leq 0.1x+0.7$의 해를 수직선 위에 나타내면 오른쪽 그림과 같다. 이때 상수 a의 값을 구하시오.

（수직선 그림, 13）

0440 ●●중●●

일차부등식 $ax+2>0$의 해가 $x<4$일 때, 상수 a의 값을 구하시오.

0441 ●●●상중● **서술형**

부등식 $8-5x\leq a+x$의 해 중 가장 작은 수가 1일 때, 상수 a의 값을 구하시오.

필수유형 13 중요 **해가 같은 두 일차부등식에서 미지수의 값 구하기**

① 미지수가 없는 부등식의 해를 구한다.
② 나머지 부등식의 해가 ①의 해와 같음을 이용하여 미지수의 값을 구한다.

대표문제

0442 ●●중●●

두 부등식 $2x-1>4x-3$, $5x+2<a$의 해가 서로 같을 때, 상수 a의 값을 구하시오.

0443 ●●중●●

두 부등식 $3x\geq a-4$, $x-6\leq 5(x+2)$의 해가 서로 같을 때, 상수 a의 값을 구하시오.

0444 ●●중●●

두 부등식 $\dfrac{3}{4}x-4\geq -1$, $4(5-x)\leq a$의 해가 서로 같을 때, 상수 a의 값을 구하시오.

0445 ●●중●●

다음 두 부등식의 해가 서로 같을 때, 상수 a의 값을 구하시오.

$$2-0.8x\leq 0.2x-1, \quad \frac{x-5}{2}\geq \frac{x}{4}-a$$

발전유형 14 일차부등식의 자연수인 해의 개수가 주어진 경우

일차부등식의 자연수인 해의 개수가 n개일 때

➡ 주어진 부등식을 정리하여

(1) $x < k$이면

$n < k \leq n+1$

(2) $x \leq k$이면

$n \leq k < n+1$

대표문제

0446 ●●●●상중●

부등식 $4x-1 < 2x+a$를 만족하는 자연수 x의 개수가 3개일 때, 상수 a의 값의 범위를 구하시오.

쌍둥이 문제

0447 ●●●상중●

부등식 $3-x > 2(x-k)$를 만족하는 자연수 x의 개수가 2개일 때, 상수 k의 값의 범위를 구하시오.

0448 ●●●●상

부등식 $1-\dfrac{2x+3}{6} \geq \dfrac{x}{3}-\dfrac{a}{2}$를 만족하는 자연수 x의 개수가 3개일 때, 상수 a의 값의 범위를 구하시오.

발전유형 15 일차부등식의 해가 주어진 경우 (2)

x의 계수가 미지수인 일차부등식의 해가 주어진 경우 주어진 해를 이용하여 미지수 사이의 관계식을 구하고 미지수의 부호를 파악한다.

대표문제

0449 ●●●●상

일차부등식 $(a+b)x+2a-3b < 0$의 해가 $x > -\dfrac{3}{4}$일 때, 부등식 $(a-2b)x+3a-b < 0$의 해를 구하시오.

(단, a, b는 상수)

쌍둥이 문제

0450 ●●●●상   잘 틀리는 문제

일차부등식 $(-2a+b)x-a+3b > 0$의 해가 $x > -1$일 때, 부등식 $(a-b)x-2a+2b < 0$의 해를 구하시오.

(단, a, b는 상수)

0451 ●●●●상

일차부등식 $ax+b < 0$의 해가 $x > 3$일 때, 부등식 $(a+b)x+2a-b > 0$의 해를 구하시오. (단, a, b는 상수)

4

일차부등식

개념 마스터

05 부등식의 활용 문제 푸는 순서 유형 16~25

부등식의 활용 문제는 다음과 같은 순서로 푼다.
① 무엇을 미지수 x로 나타낼 것인지 정한다.
② 문제의 뜻에 맞게 일차부등식을 세운다.
③ ②에서 세운 부등식을 풀어 **❶**를 구한다.
④ ③에서 구한 해가 문제의 뜻에 맞는지 확인한다.
주의 구하는 것이 물건의 개수, 사람 수, 횟수 등인 경우 구한
해 중에서 자연수만을 답으로 한다.

❶ 해

0452 어떤 자연수를 3배 한 후 5를 더하면 11을 넘지 않는다고 한다. 다음 물음에 답하시오.

(1) 어떤 자연수를 x로 놓고 부등식을 세우시오.

(2) 문제의 뜻에 맞는 자연수의 개수를 구하시오.

0453 한 권에 900원 하는 공책을 한 장에 100원 하는 봉투 2장에 나누어 담아서 12000원 이하가 되게 하려고 한다. 다음 물음에 답하시오.

(1) 공책을 x권 산다고 할 때, 공책 x권의 금액을 구하시오.

(2) 부등식을 세우시오.

(3) 2장의 봉투에 담을 수 있는 공책의 최대 권수를 구하시오.

06 공식을 이용한 부등식의 활용 유형 26~30

(1) 거리, 속력, 시간에 대한 문제
$$(거리) = (속력) \times (시간), \quad \left(\boxed{❶} \right) = \frac{(거리)}{(시간)},$$
$$(시간) = \frac{(거리)}{(속력)}$$

(2) 농도에 대한 문제
$$(소금물의 농도) = \frac{(소금의 양)}{(소금물의 양)} \times 100 \, (\%)$$
$$(소금의 양) = \frac{(소금물의 농도)}{\boxed{❷}} \times (소금물의 양)$$

❶ 속력 ❷ 100

0454 집에서 학교까지 갔다오는데 갈 때는 시속 3 km로 걸어가고 올 때는 시속 5 km로 달려서 1시간 이내에 갔다오려고 한다. 다음 물음에 답하시오.

(1) 집에서 학교까지의 거리를 x km로 놓고 부등식을 세우시오.

(2) 집에서 학교까지의 거리는 몇 km 이하인지 구하시오.

0455 9 %의 소금물 400 g이 있다. 여기에 물을 더 넣어 소금물의 농도를 8 % 이하가 되게 하려고 한다. 다음 물음에 답하시오.

(1) 9 %의 소금물 400 g에 들어 있는 소금의 양을 구하시오.

(2) x g의 물을 더 넣는다고 할 때, 부등식을 세우시오.

(3) 물을 몇 g 이상 넣어야 하는지 구하시오.

핵심 포인트! · 이상, 이하, 초과, 미만 등의 표현에 유의하면서 부등식을 세운다.
· 거리, 속력, 시간에 대한 문제는 반드시 단위를 통일시킨 후 부등식을 세운다.

필수유형 16 수에 대한 일차부등식의 활용

(1) 차가 a인 두 정수
$\Rightarrow x, x+a$ 또는 $x-a, x$
(2) 연속하는 세 정수
$\Rightarrow x-1, \boxed{❶}, x+1$ 또는 $x, x+1, x+2$

답 ❶ x

대표문제

0456 ●중하●●●
차가 4인 두 정수의 합이 12보다 작다고 한다. 두 정수 중 작은 수를 x라 할 때, x의 최댓값을 구하시오.

0457 ●●중●●●
어떤 홀수를 5배 하여 14를 빼면 그 홀수의 3배보다 작다고 한다. 이와 같은 홀수 중에서 가장 큰 수를 구하시오.

0458 ●●중●● 서술형
연속하는 세 자연수의 합이 57보다 작다고 한다. 이와 같은 수 중에서 가장 큰 세 자연수를 구하시오.

필수유형 17 평균에 대한 일차부등식의 활용

(1) 두 수 a, b의 평균 $\Rightarrow \dfrac{a+b}{2}$

(2) 세 수 a, b, c의 평균 $\Rightarrow \dfrac{a+b+c}{\boxed{❶}}$

답 ❶ 3

대표문제

0459 ●중하●●●
주연이는 지난 달 시험에서 94점, 이번 달 시험에서 88점을 받았다. 다음 달 시험에서 몇 점 이상을 받아야 세 번의 시험 성적의 평균이 92점 이상이 되는지 구하시오.

0460 ●중하●●●
지혜는 두 번의 수학 시험에서 83점과 88점을 받았다. 수학 시험 성적의 평균이 85점 이상이 되려면 세 번째 시험에서 최소 몇 점을 받아야 하는지 구하시오.

0461 ●●중●●
선우는 다섯 번의 시험에서 각각 83점, 87점, 90점, 82점, 86점을 받았다. 여섯 번에 걸친 시험 성적의 평균 점수가 86점 이상이 되려면 여섯 번째 시험에서 몇 점 이상을 받아야 하는지 구하시오.

필수유형 18 개수에 대한 일차부등식의 활용 (1)

(1) 한 개에 a원 하는 물건 x개의 포장비가 b원일 때, 필요한 금액 ➡ (❶ $x+$ ❷)원

(2) (물건의 가격)+(포장비) ☐ (이용 가능 금액)
└─ 문제의 뜻에 맞게 부등호를 넣는다.

답 ❶ a ❷ b

대표문제

0462 ●중하●●●
한 개에 2000원 하는 참외를 1200원짜리 과일 바구니에 담아 20000원 이하의 선물 바구니를 만들려고 한다. 이때 참외는 최대 몇 개까지 담을 수 있는지 구하시오.

0463 ●중하●●●
주영이가 꽃 가게에서 한 송이에 1500원 하는 장미를 포장하여 전체 가격이 15000원을 넘지 않게 사려고 한다. 포장비가 1000원이라고 할 때, 장미는 최대 몇 송이까지 살 수 있는지 구하시오.

0464 ●●중●●
정민이는 한 자루에 600원인 사인펜 5자루와 한 자루에 1000원인 볼펜 몇 자루를 2000원짜리 선물 상자에 넣어 10000원 이하의 선물을 만들려고 한다. 볼펜은 최대 몇 자루까지 넣을 수 있는지 구하시오.

필수유형 19 중요 개수에 대한 일차부등식의 활용 (2)

물건 A와 물건 B를 합하여 a개를 산다.
➡ 물건 A의 개수를 x개라 하면 물건 B의 개수는 (❶)개이다.

답 ❶ $a-x$

대표문제

0465 ●●중●●
3000원 이하의 돈으로 한 권에 300원 하는 수첩과 한 권에 500원 하는 공책을 합하여 8권을 사려고 한다. 공책은 최대 몇 권까지 살 수 있는지 구하시오.

0466 ●●중●●
한 개에 500원인 과자와 한 개에 1000원인 아이스크림을 합하여 18개를 사려고 한다. 총 가격이 15000원 이하가 되게 하려면 아이스크림은 최대 몇 개까지 살 수 있는지 구하시오.

0467 ●●중●● 서술형
800원짜리 사과와 500원짜리 사과를 합하여 15개를 사려고 한다. 총 가격이 1만 원 이하가 되게 하려면 800원짜리 사과는 최대 몇 개까지 살 수 있는지 구하시오.

필수유형 20 추가 요금에 대한 일차부등식의 활용

(1) k개의 가격이 a원이고, k개를 초과하면 추가되는 1개당 가격이 b원일 때, x개의 가격 (단, $x>k$)

$\Rightarrow \underset{\text{기본요금}}{a}+\underset{\text{추가 요금}}{b(x-k)}$(원)

(2) (기본요금)+(**①**) □ (이용 가능 금액)

└─ 문제의 뜻에 맞게 부등호를 넣는다.

답 **①** 추가 요금

대표문제

0468 ●●중●●

어느 주차장에서는 주차 시간이 30분 이하이면 주차 요금이 3000원이고, 30분이 지나면 1분마다 50원의 요금이 추가된다고 한다. 주차 요금이 8000원 이하가 되게 하려면 최대 몇 분 동안 주차할 수 있는지 구하시오.

0469 ●중하●●●

수아는 인터넷 전화를 사용하고 있다. 이 전화를 사용하면 매달 기본요금 6500원과 전화를 한 통 걸 때마다 40원의 추가 요금을 내야 한다. 한 달 동안의 전화 요금을 13500원 이하로 하려고 할 때, 한 달 동안 최대 몇 통의 전화를 걸 수 있는지 구하시오. (단, 통화 시간에 따른 추가 요금은 없다.)

0470 ●●●상중●

어느 동물원의 입장료는 5명까지는 1인당 3000원이고, 5명을 초과하면 추가되는 사람에 대하여 1인당 입장료는 1200원이라고 한다. 75000원 이하로 이 동물원을 구경하려고 할 때, 최대 몇 명까지 입장할 수 있는지 구하시오.

필수유형 21 예금액에 대한 일차부등식의 활용

현재 예금액이 a원이고 매달 b원씩 예금할 때, x개월 후의 예금액 $\Rightarrow$ (**①** $+bx$)원

답 **①** a

대표문제

0471 ●중하●●●

현재 지현이와 보검이의 통장에는 각각 20000원, 5000원이 예금되어 있다. 다음 달부터 매달 지현이는 2000원씩, 보검이는 4000원씩 예금을 한다면 보검이의 예금액이 지현이의 예금액보다 많아지는 것은 몇 개월 후부터인지 구하시오.

0472 ●중하●●●

현재 누나의 통장에는 16000원, 동생의 통장에는 8000원이 들어 있다. 다음 달부터 매달 누나는 1000원씩, 동생은 2000원씩 저금한다고 할 때, 동생의 저금액이 누나의 저금액보다 많아지는 것은 몇 개월 후부터인지 구하시오.

0473 ●●중●●

현재 혜림이와 은아의 통장에는 각각 7000원, 10000원이 들어 있다. 다음 달부터 매달 혜림이는 17000원씩, 은아는 5000원씩 예금하려고 할 때, 혜림이의 예금액이 은아의 예금액의 3배 이상이 되는 것은 몇 개월 후부터인지 구하시오.

4

일차부등식

필수유형 22 중요 **유리한 방법을 선택하는 일차부등식의 활용**

① 두 가지 방법에 대하여 각각의 가격을 계산한다.
② 가격이 적은 쪽이 유리한 방법임을 이용하여 부등식을 세운다.

참고 '유리하다.'는 것은 돈이 적게 든다는 뜻이므로 등호가 포함된 부등호 ≥, ≤는 사용하지 않는다.

대표문제

0474 ●●중●●

집 앞의 문방구에서 한 권에 1000원 하는 공책을 대형 할인점에서는 800원에 살 수 있다고 한다. 대형 할인점에 갔다오는 데 드는 왕복 차비가 1200원이라면 공책을 몇 권 이상 살 때 대형 할인점에서 사는 것이 유리한지 구하시오.

0475 ●●중●●

동네 꽃가게에서 한 송이에 2000원 하는 장미가 도매 시장에서는 한 송이에 1500원이고, 도매 시장에 다녀오는 왕복 교통비는 3000원이라고 한다. 장미를 몇 송이 이상 사는 경우 도매 시장에서 사는 것이 유리한지 구하시오.

0476 ●●중●●　　　　　　　　　　잘 틀리는 문제

집 앞 상점에서 한 개에 500원 하는 과자를 할인 매장에서는 20 % 할인하여 판매하고 있다. 할인 매장에 다녀오려면 왕복 교통비가 1200원이 든다고 할 때, 과자를 몇 개 이상 사는 경우 할인 매장에서 사는 것이 유리한지 구하시오.

0477 ●●●상중●

준이는 다음과 같이 입장권 또는 자유이용권을 이용할 수 있는 놀이공원으로 소풍을 가려고 한다. 놀이 기구를 몇 개 이상 탈 때 자유이용권을 이용하는 것이 유리한지 구하시오.

입장권	자유이용권
• 기본요금 : 13000원 • 놀이 기구 2개는 무료이고, 2개 초과 시 1개 탈 때마다 3000원	• 기본요금 : 27000원 • 놀이 기구 이용 무제한

0478 ●●●상중●

별이는 한 인터넷 쇼핑몰에서 단체 티셔츠를 구입하려고 한다. 이 쇼핑몰에서는 구입 가격의 10 %를 할인해 주는 쿠폰과 구입 가격에서 10000원을 할인해 주는 쿠폰 중에서 한 가지를 선택하여 사용할 수 있다. 티셔츠 한 장의 가격은 6000원이고, 구입 가격의 10 %를 할인해 주는 쿠폰을 사용하는 것이 더 유리하다고 할 때, 별이는 최소 몇 장의 티셔츠를 구입했는지 구하시오.

0479 ●●●●상

어느 도시의 버스 요금은 1인당 1100원이고, 택시는 2 km 까지는 기본 요금이 2400원이고, 이후로는 200 m당 100 원씩 올라간다고 한다. 네 사람이 함께 이동할 때, 버스를 타는 것보다 택시 한 대를 타는 것이 유리한 것은 몇 km 미만 떨어진 지점까지인지 구하시오.

　　　　　　　　(단, 버스와 택시는 같은 길로 이동한다.)

개념 해결의 법칙 중 2-1 98쪽

필수유형 23 입장료에 대한 일차부등식의 활용

(1) a명 이상의 단체는 입장료를 p % 할인해 줄 때, a명의 단체 입장료

⇒ (1명의 입장료) $\times \left(1 - \dfrac{\boxed{①}}{100}\right) \times a$ (원)

(2) x명이 입장한다고 할 때, a명의 단체 입장료를 지불하는 것이 유리한 경우 (단, $x < a$)

⇒ (x명의 입장료) > (a명의 단체 입장료)

답 ① p

대표문제

0480 ●●●중●●

어느 전시장의 입장료는 1인당 3000원이고, 50명 이상의 단체일 경우에는 입장료의 20 %를 할인해 준다고 한다. 50명 미만인 단체가 입장하려고 할 때, 몇 명 이상이면 50명의 단체 입장권을 구입하는 것이 유리한지 구하시오.

0481 ●●●상중●● (잘 틀리는 문제)

S 아트 센터의 공연 입장료는 1인당 50000원이고, 단체권 할인율이 다음 표와 같다. 20명 이상 30명 미만의 인원이 단체 입장을 하려고 할 때, 몇 명 이상이면 30명의 단체권을 구입하는 것이 20명 이상 30명 미만의 단체권을 구입하는 것보다 유리한지 구하시오.

인원	단체권 할인율
20명 이상 30명 미만	입장료의 10 % 할인
30명 이상	입장료의 20 % 할인

0482 ●●●상중●●

어느 영화관의 입장료는 10000원인데 30명 이상의 단체에게는 입장료의 10 %를 할인해 주고, 50명 이상의 단체에게는 입장료의 20 %를 할인해 준다고 한다. 30명 이상 50명 미만인 단체가 입장하려고 할 때, 몇 명 이상이면 50명의 단체 입장료보다 더 많은 입장료를 지불하게 되는지 구하시오.

필수유형 24 정가, 원가에 대한 일차부등식의 활용

(1) 원가가 x원인 물건에 a %의 이익을 붙인 가격

⇒ $x \left(1 + \dfrac{\boxed{①}}{100}\right)$원

(2) 정가가 y원인 물건을 b % 할인한 가격

⇒ $y \left(1 - \dfrac{\boxed{②}}{100}\right)$원

참고 (이익금) = (판매 가격) − (원가)

답 ① a ② b

대표문제

0483 ●●●중●●

원가가 4500원인 물건을 정가의 10 %를 할인하여 팔아서 원가의 30 % 이상의 이익을 얻으려고 할 때, 정가는 얼마 이상으로 정해야 하는지 구하시오.

0484 ●●●중●●

원가가 1200원인 물건을 정가의 10 %를 할인하여 팔아서 원가의 20 % 이상의 이익을 얻으려고 할 때, 다음 중 정가가 될 수 없는 것은?

① 1550원 ② 1600원 ③ 1650원
④ 1700원 ⑤ 1750원

0485 ●●●상중●●

어떤 물건의 정가를 원가의 20 %의 이익을 붙여서 정하였다. 정가에서 1500원을 할인하여 팔아도 원가의 5 % 이상의 이익을 얻는다고 할 때, 원가의 최솟값을 구하시오.

개념 해결의 법칙 중 2-1 98쪽

필수유형 25 도형에 대한 일차부등식의 활용 (1)

(1) (직사각형의 둘레의 길이)
  = 2 × {(가로의 길이) + (세로의 길이)}

(2) (삼각형의 넓이) = $\frac{1}{2}$ × (밑변의 길이) × (높이)

(3) (사다리꼴의 넓이)
  = ❶ ⬚ × {(윗변의 길이) + (아랫변의 길이)} × (높이)

답 ❶ $\frac{1}{2}$

대표문제

0486 ●중하●●●
밑변의 길이가 6 cm이고 넓이가 36 cm² 이상인 삼각형을 만들려고 할 때, 높이는 몇 cm 이상이어야 하는지 구하시오.

0487 ●중하●●●
삼각형의 세 변의 길이가 $(x+3)$ cm, $(x+1)$ cm, $(x+8)$ cm일 때, 다음 중 x의 값이 될 수 <u>없는</u> 것은?

① 4 　　② 5 　　③ 6
④ 7 　　⑤ 8

0488 ●중하●●●
가로의 길이가 10 cm, 세로의 길이가 x cm인 직사각형의 둘레의 길이가 36 cm 미만일 때, x의 값이 될 수 있는 가장 큰 자연수를 구하시오.

0489 ●●중●●● 서술형
아랫변의 길이가 16 cm, 높이가 9 cm인 사다리꼴의 넓이를 90 cm² 이상이 되게 하려고 할 때, 윗변의 길이는 몇 cm 이상이어야 하는지 구하시오.

개념 해결의 법칙 중 2-1 99쪽

필수유형 26 거리, 속력, 시간에 대한 일차부등식의 활용 (1) – 중간에 속력이 바뀌는 경우

(시속 a km로 갈 때 걸린 시간)
  + (시속 b km로 갈 때 걸린 시간) ❶ ⬚ (제한 시간)

참고 (시간) = $\dfrac{(거리)}{(속력)}$

답 ❶ ≤

대표문제

0490 ●●중●●●
A 지점에서 14 km 떨어진 B 지점까지 가는데 처음에는 시속 3 km로 걷다가 도중에 시속 5 km로 뛰어서 4시간 이내에 도착하였다. 이때 뛰어간 거리는 몇 km 이상인지 구하시오.

0491 ●●중●● 서술형
연주가 집에서 5 km 떨어진 민수네 집에 가는데 처음에는 인라인스케이트를 타고 시속 3 km로 가다가 도중에 인라인스케이트를 벗고 시속 2 km로 걸어갔다. 2시간 이내에 민수네 집에 도착하였을 때, 인라인스케이트를 타고 간 거리는 최소 몇 km인지 구하시오.

0492 ●●●상중 잘 틀리는 문제

등산을 하는데 올라갈 때는 시속 3 km로, 내려올 때는 올라간 길보다 2 km 더 먼 길을 시속 4 km로 걸어서 전체 걸리는 시간을 2시간 15분 이내로 하려고 한다. 이때 올라갈 수 있는 거리는 최대 몇 km인지 구하시오.

개념 해결의 법칙 중 2-1 99쪽

필수유형 27 중요 **거리, 속력, 시간에 대한 일차부등식의 활용 (2) – 왕복하는 경우**

(상점에 가는 데 걸린 시간)+(물건을 사는 데 걸린 시간) +(역으로 돌아오는 데 걸린 시간) **❶** (제한 시간)

답 **❶** ≤

대표문제

0493 ●●중●●

기차가 출발하기 전까지 1시간의 여유가 있어서 이 시간 동안 상점에 가서 물건을 사오려고 한다. 물건을 사는 데 20분이 걸리고 시속 3 km로 걸을 때, 역에서 몇 km 이내에 있는 상점을 이용할 수 있는지 구하시오.

0494 ●●중●●

민경이가 집에서 도서관까지 갔다오는데 갈 때에는 분속 60 m로, 돌아올 때는 분속 80 m로 걷는다고 한다. 도서관에서 책을 빌리는 데 걸리는 시간 15분을 포함하여 왕복 50분 이내에 다녀왔다면 집에서 도서관까지의 거리는 최대 몇 m인지 구하시오.

0495 ●●중●●

동해로 휴가를 떠나는 윤희와 효성이는 오후 4시에 떠나는 기차를 타기 위해 오후 3시에 청량리역에 도착하여 출발 시각까지 남은 시간 동안 상점에 가서 간식을 사오려고 한다. 간식을 고르는 데 15분이 걸리고, 갈 때는 시속 3 km로, 올 때는 시속 4 km로 걷는다면 역에서 몇 km 이내에 있는 상점을 이용할 수 있는지 구하시오.

필수유형 28 **거리, 속력, 시간에 대한 일차부등식의 활용 (3) – 추월하는 경우**

A가 출발한 지 a분 후에 B가 같은 지점에서 출발할 때, B가 A를 추월하는 경우
(A가 걸어간 시간)=(B가 걸어간 시간)+a분
(A가 걸어간 거리)<(B가 걸어간 거리)

대표문제

0496 ●●중●●

동생이 출발한 지 20분 후에 형이 같은 장소에서 출발하였다. 동생은 시속 4 km로 걷고, 형은 시속 6 km로 걸었을 때, 형이 동생을 추월하는 것은 형이 출발한 지 몇 분 후인지 구하시오.

0497 ●●중●●

지효가 해법중학교 후문에서 출발한 지 10분 후에 같은 장소에서 정아가 출발하였다. 지효는 분속 60 m로 걷고, 정아는 분속 100 m로 빨리 걸었을 때, 정아가 지효를 추월하는 것은 지효가 출발한 지 몇 분 후인지 구하시오.

필수유형 29 (중요)
농도에 대한 일차부등식의 활용 (1)
– 두 소금물을 섞는 경우

a %의 소금물 x g과 b %의 소금물 y g을 섞은 소금물의 농도가 c % 이상이다.

$$\Rightarrow \frac{a}{100} \times \boxed{❶} + \frac{\boxed{❷}}{100} \times y \geq \frac{c}{100} \times (x+y)$$

참고 (소금의 양) $= \frac{(소금물의 농도)}{100} \times (소금물의 양)$

답 ❶ x ❷ b

대표문제

0498 ●●(중)●●

5 %의 소금물 300 g과 10 %의 소금물을 섞어서 8 % 이상의 소금물을 만들려고 한다. 이때 10 %의 소금물을 몇 g 이상 섞어야 하는지 구하시오.

0499 ●●(중)●●

8 %의 소금물 200 g과 5 %의 소금물을 섞어서 7 % 이하의 소금물을 만들려고 한다. 이때 5 %의 소금물을 몇 g 이상 섞어야 하는지 구하시오.

0500 ●●●(상중)●

10 %의 설탕물과 5 %의 설탕물을 섞어서 8 % 이상의 설탕물 500 g을 만들려고 한다. 이때 10 %의 설탕물을 몇 g 이상 섞어야 하는지 구하시오.

필수유형 30
농도에 대한 일차부등식의 활용 (2)
– 소금물의 양이 변하는 경우

(1) 농도가 a %인 소금물 x g에 물 y g을 넣으면 농도가 b % 이하가 된다.

$$\Rightarrow \frac{a}{100} \times x \leq \frac{b}{100} \times (x + \boxed{❶})$$

(2) 농도가 a %인 소금물 x g에서 물 y g을 증발시키면 농도가 b % 이상이 된다.

$$\Rightarrow \frac{a}{100} \times x \boxed{❷} \frac{b}{100} \times (x-y)$$

답 ❶ y ❷ $\geq$

대표문제

0501 ●●(중)●●

20 %의 소금물 300 g이 있다. 여기에 물을 더 넣어 10 % 이하의 소금물을 만들려고 한다. 이때 물을 몇 g 이상 넣어야 하는지 구하시오.

0502 ●●(중)●● (잘 틀리는 문제)

5 %의 소금물 200 g에서 물을 증발시켜 8 % 이상의 소금물을 만들려고 한다. 이때 물을 몇 g 이상 증발시켜야 하는지 구하시오.

0503 ●●●(상중)●

6 %의 소금물 200 g에 소금을 더 넣어 10 % 이상의 소금물을 만들려면 소금을 몇 g 이상 넣어야 하는지 구하시오.

발전유형31 도형에 대한 일차부등식의 활용 (2)

0504 ●●● 상중

오른쪽 그림의 사다리꼴 ABCD에서 점 P가 꼭짓점 B에서 출발하여 꼭짓점 C까지 변 BC를 따라 움직인다. △APD의 넓이가 사다리꼴 ABCD의 넓이의 $\frac{1}{2}$ 이상이 되도록 할 때, 다음 중 $\overline{BP}$의 길이가 될 수 <u>없는</u> 것은?

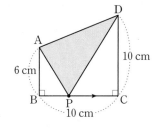

① 4   ② 5   ③ 6

④ 7   ⑤ 8

0505 ●●● 상중

오른쪽 그림과 같은 직사각형 ABCD에서 $\overline{CD}$의 중점을 M이라 하자. 삼각형 APM의 넓이가 100 cm^2 이하가 되도록 변 BC 위에 점 P를 잡으려고 할 때, $\overline{BP}$의 길이를 몇 cm 이상으로 해야 하는지 구하시오.

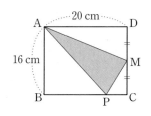

0506 ●●● 상

오른쪽 그림과 같이 밑면의 지름의 길이가 8 cm이고 높이가 7 cm인 원기둥 A가 있다. 이 원기둥에 밑면의 지름의 길이가 1 cm인 원기둥 모양의 구멍을 뚫으면 이 입체도형의 겉넓이는 원기둥 A의 겉넓이보다 커지게 된다. 이와 같이 같은 원기둥 모양의 구멍을 계속 뚫는다고 할 때, 구멍이 뚫린 입체도형의 겉넓이가 원기둥 A의 겉넓이의 2배 이상이 되려면 구멍을 최소 몇 개 뚫어야 하는지 구하시오.

(단, 원기둥 모양의 구멍은 겹치지 않게 뚫는다.)

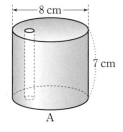

발전유형32 거리, 속력, 시간에 대한 일차부등식의 활용 (4)

0507 ●●● 상중

푸른이네 가족은 자전거를 타고 축구장에 가기로 하였다. 집에서 출발하여 축구장에 도착하기까지 시속 60 km로 달리면 시속 50 km로 달릴 때보다 10분 이상의 시간이 단축된다고 한다. 집에서 축구장까지 시속 25 km로 달린다면 최소한 몇 시간이 걸리겠는가?

① 1시간   ② 2시간   ③ 3시간

④ 4시간   ⑤ 5시간

0508 ●●● 상중

상희네 가족은 자동차로 수목원에 가기로 하였다. 집에서 출발하여 수목원에 도착하기까지 시속 50 km로 달리면 시속 40 km로 달릴 때보다 6분 이상의 시간이 단축된다고 한다. 집에서 수목원까지 시속 40 km로 달릴 때 최소한 몇 시간이 걸리는지 구하시오.

0509 ●●● 상중

현준이가 학교에 준비물을 가져오지 않아 집에 다녀오려고 한다. 갈 때는 분속 24 m, 올 때는 분속 30 m로 걸으면 갈 때 걸린 시간과 올 때 걸린 시간의 차가 5분 미만이라고 한다. 학교에서 현준이네 집까지의 거리는 몇 m 미만인지 구하시오.

0510 ●중하●●●●

다음 중 문장에서 수량 사이의 관계를 부등식으로 나타낸 것으로 옳은 것은?

① 어떤 수 x의 3배에서 2를 뺀 값은 7보다 크거나 같다.

➡ $3x-2 \le 7$

② 전체 학생 200명 중에서 남학생이 x명일 때, 여학생은 100명보다 많다. ➡ $x-200 > 100$

③ 시속 60 km로 x km를 달리면 50분보다 적게 걸린다.

➡ $60x < 50$

④ 한 개의 무게가 100 g인 물건 x개를 무게가 600 g인 바구니에 담았더니 전체 무게가 7 kg 미만이다.

➡ $100x+600 < 7$

⑤ x살인 형과 15살인 동생의 나이의 합은 30살보다 많다.

➡ $x+15 > 30$

0511 ●●중●● 융합형

아래는 신문에 실린 일기 예보의 일부분으로 하루 중 최저 기온을 나타낸 것이다. 부산, 강릉, 대전, 광주, 제주의 기온을 각각 a ℃, b ℃, c ℃, d ℃, e ℃라 할 때, 다음 중 바르게 표현한 것은?

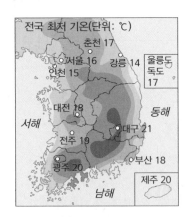

① $a \le 18$ ② $b \le 14$ ③ $c \ge 18$

④ $d < 20$ ⑤ $e > 20$

0512 ●중하●●●

다음 부등식 중 $x=1$이 해인 것은?

① $x-3 > 0$ ② $2x-1 < 1$

③ $-2x+3 < 5$ ④ $3x+2 < 4-x$

⑤ $x+1 > 6-x$

0513 ●●중●●

다음 중 ☐ 안에 들어갈 부등호의 방향이 나머지 넷과 다른 하나는?

① $a > b$이면 $-4a+2$ ☐ $-4b+2$

② $a < b$이면 $\dfrac{a}{7}-1$ ☐ $\dfrac{b}{7}-1$

③ $a+1 < b+1$이면 a ☐ b

④ $\dfrac{2-a}{3} < \dfrac{2-b}{3}$이면 a ☐ b

⑤ $\dfrac{a}{2} < \dfrac{b}{2}$이면 $\dfrac{2}{5}a$ ☐ $\dfrac{2}{5}b$

0514 ●●중●●

$x < 4$일 때, 다음 식의 값의 범위로 옳지 <u>않은</u> 것은?

① $2x+1 < 9$ ② $\dfrac{x}{4}+4 < 5$

③ $4-\dfrac{3}{2}x > -10$ ④ $-3x-1 > -13$

⑤ $\dfrac{x}{8}-\dfrac{1}{2} < 0$

0515 ●●중●●

$-5<3x+1<10$일 때, $a<-5x-2<b$이다. 이때 $a+b$
의 값을 구하시오.

0516 하●●●●

다음 중 일차부등식이 <u>아닌</u> 것은?

① $3x+4>2x-4$ ② $-x+6\leq x+5$

③ $4x-5\geq 2x$ ④ $x^2-3<x(x+2)$

⑤ $x^2-4<x+4$

0517 ●●중●●

다음 중 부등식 $\dfrac{5}{3}x-3\geq ax-2+\dfrac{2}{3}x$가 일차부등식이 되
도록 하는 상수 a의 값이 <u>아닌</u> 것은?

① -2 ② -1 ③ 0

④ 1 ⑤ 2

0518 ●●중●●

부등식 $0.7x+1.6<-\dfrac{1}{5}x+\dfrac{5}{2}$를 풀면?

① $x<1$ ② $x<2$ ③ $x<3$

④ $x<4$ ⑤ $x>5$

0519 ●●중●●

부등식 $\dfrac{2x+1}{3}>x-\dfrac{3x+1}{5}$을 만족하는 가장 작은 정수
x의 값을 구하시오.

0520 ●●중●●

다음 부등식 중 그 해를 수직선 위
에 나타내었을 때, 오른쪽 그림과
같은 것은?

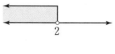

① $-2x<4$ ② $2x-3<3x-5$

③ $\dfrac{x-2}{3}<\dfrac{x}{2}-1$ ④ $4(x-1)-5<2x-5$

⑤ $0.3x-0.2\geq \dfrac{2(x-1)}{5}$

0521 ●●중●●

$a<0$일 때, x에 대한 일차부등식 $-3+ax<-5$를 풀면?

① $x<-\dfrac{2}{a}$ ② $x>-\dfrac{2}{a}$ ③ $x<\dfrac{2}{a}$

④ $x>\dfrac{2}{a}$ ⑤ $-\dfrac{2}{a}<x<0$

0522 ●●중●●

부등식 $x+a-1<2(x+1)$의 해가 $x>2$일 때, 상수 a의
값은?

① 1 ② 2 ③ 3

④ 4 ⑤ 5

4

일차부등식

0523 ●●중중●● [서술형]

두 부등식 $1-\dfrac{3}{2}x\geq3$, $3x-2(x+1)\leq a$의 해가 서로 같을 때, 다음 물음에 답하시오. (단, a는 상수)

(1) 부등식 $1-\dfrac{3}{2}x\geq3$의 해를 구하시오.

(2) 부등식 $3x-2(x+1)\leq a$의 해를 구하시오.

(3) 상수 a의 값을 구하시오.

0524 ●●●상중●

부등식 $2+x\leq a-2x$를 만족하는 자연수 x의 개수가 4개일 때, 상수 a의 값의 범위를 구하시오.

0525 ●하●●●●

어떤 자연수의 3배에서 10을 뺐더니 45보다 작았다고 한다. 이를 만족하는 자연수 중 가장 큰 수는?

① 17   ② 18   ③ 19
④ 20   ⑤ 21

0526 ●중하●●● [서술형]

무게가 500 g인 상자에 무게가 200 g인 물건 x개를 넣어 전체 무게가 4 kg을 넘지 않도록 하려고 한다. 다음 물음에 답하시오.

(1) 부등식을 세우시오.

(2) 상자에 물건을 최대 몇 개까지 넣을 수 있는지 구하시오.

0527 ●중하●●●

현재 아버지의 나이는 50세이고 딸의 나이는 16세일 때, 아버지의 나이가 딸의 나이의 2배 이하가 되는 것은 몇 년 후인지 구하시오.

0528 ●중하●●●

현재 혜원이의 통장에는 30000원, 은조의 통장에는 50000원이 예금되어 있다. 다음 달부터 혜원이는 매달 5000원씩, 은조는 매달 2500원씩 예금할 때, 혜원이의 예금액이 은조의 예금액보다 많아지는 것은 몇 개월 후부터인가?

① 7개월 후   ② 8개월 후   ③ 9개월 후
④ 10개월 후   ⑤ 11개월 후

0529 ●●●상중● [융합형]

다음 표는 두 디지털 사진 출력소 A, B의 사진 출력 요금을 나타낸 것이다. 사진을 몇 장 이상 출력할 때 출력소 B를 이용하는 것이 유리한지 구하시오.

디지털 사진 출력소	A	B
출력 요금	한 장당 500원	10장까지는 기본 출력 요금 6000원 10장 초과 시 한 장당 300원

0530 ••중•••

원가가 5400원인 물건을 정가의 10 %를 할인하여 팔아서 원가의 20 % 이상의 이익을 얻으려고 할 때, 정가는 얼마 이상으로 정하면 되는가?

① 6800원   ② 6900원   ③ 7000원
④ 7200원   ⑤ 7500원

0531 ••중••

윤아가 운동을 하는데 갈 때는 시속 6 km로 뛰고, 올 때는 같은 길을 시속 4 km로 걸어서 1시간 20분 이내에 출발 지점으로 돌아오려고 한다. 윤아는 출발 지점에서 최대 몇 km 떨어진 곳까지 갔다올 수 있는가?

① 1.5 km   ② 2 km   ③ 3.2 km
④ 4 km   ⑤ 4.5 km

0532 ••중••• 서술형

은주는 터미널에서 버스가 출발하기까지 1시간의 여유가 있어서 이 시간을 이용하여 상점에 가서 물건을 사오려고 한다. 물건을 사는 데 15분이 걸리고 시속 4 km로 걷는다면 터미널에서 몇 km 이내에 있는 상점을 이용할 수 있는지 구하시오.

0533 ••중•••

5 %의 소금물과 9 %의 소금물을 섞어서 6 % 이상의 소금물 300 g을 만들려고 할 때, 5 %의 소금물을 몇 g 이하 섞어야 하는지 구하시오.

0534 ••중••• 창의력

모양과 크기가 같은 6개의 금반지 A, B, C, D, E, F 중 모조 금반지가 1개 섞여있다고 한다. 모조 금반지가 진짜 금반지보다 가볍다고 할 때, 다음과 같이 양팔 저울을 두 번 사용하여 모조 금반지를 찾았다. 이때 모조 금반지는?

> [양팔 저울 첫 번째 사용]
> 왼쪽 접시에 3개의 금반지 A, B, C를 올리고 오른쪽 접시에 3개의 금반지 D, E, F를 올렸더니 왼쪽 접시가 기울었다.
> [양팔 저울 두 번째 사용]
> 왼쪽 접시에 금반지 E를 올리고 오른쪽 접시에 금반지 F를 올렸더니 양팔 저울이 평형을 이루었다.

① B   ② C   ③ D
④ E   ⑤ F

0535 •••상중• 창의력

다음 그림과 같이 길이와 모양이 같은 성냥개비로 정사각형을 한 방향으로 연결하여 만들려고 한다. 성냥개비 100개로 정사각형을 최대 몇 개까지 만들 수 있는지 구하시오.

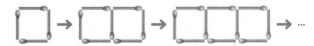

5 연립방정식의 풀이

01 미지수가 2개인 일차방정식　　유형 01~05

(1) **미지수가 2개인 일차방정식**　미지수가 x, y의 2개이고, 그 차수가 모두 1인 방정식

➡ $ax+by+c=0$ (a, b, c는 상수, $a\neq0$, $b\neq0$)

예 $x-2y+1=0$, $2x-y=3$ ➡ x, y에 대한 ❶ 　　　

(2) **미지수가 2개인 일차방정식의 해**　미지수가 2개인 일차방정식을 만족하는 x, y의 값 또는 그 순서쌍 (x, y)

(3) **일차방정식을 푼다**　일차방정식의 해를 모두 구하는 것

답 ❶ 일차방정식

[0536~0539] 다음 중 미지수가 2개인 일차방정식인 것에는 ○표, 일차방정식이 아닌 것에는 ×표를 (　　) 안에 써넣으시오.

0536　$2x-3y=0$　　　　　　　　　　（　　　）

0537　$\dfrac{x}{2}-3y=5$　　　　　　　　（　　　）

0538　$\dfrac{1}{x}+y=3$　　　　　　　　（　　　）

0539　$2x+y^2=2$　　　　　　　　　（　　　）

0540　일차방정식 $3x+y=15$에 대하여 다음 표를 완성하고, x, y가 자연수일 때 그 해를 x, y의 순서쌍 (x, y)로 나타내시오.

x	1	2	3	4	5	6
y						

02 미지수가 2개인 연립일차방정식　　유형 06, 07

(1) **미지수가 2개인 연립일차방정식**　미지수가 2개인 일차방정식 2개를 한 쌍으로 묶어 놓은 것

(2) **연립방정식의 해**　연립방정식에서 두 일차방정식을 동시에 만족하는 x, y의 값 또는 그 순서쌍 (x, y)

(3) **연립방정식을 푼다**　연립방정식의 해를 구하는 것

예 x, y가 자연수일 때, 연립방정식 $\begin{cases} x+y=5 & \cdots\cdots ㉠ \\ -x+y=1 & \cdots\cdots ㉡ \end{cases}$

의 해를 구하시오.

㉠의 해

x	1	2	3	4
y	4	3	2	1

㉡의 해

x	1	2	3	$\cdots$
y	2	3	4	$\cdots$

연립방정식의 해

따라서 ㉠, ㉡을 동시에 만족하는 해는

$x=$ ❶ ， $y=$ ❷ 이다.

답 ❶ 2　❷ 3

0541　x, y가 자연수일 때, 연립방정식

$\begin{cases} x+y=4 & \cdots\cdots ㉠ \\ x-y=2 & \cdots\cdots ㉡ \end{cases}$ 의 해를 구하려고 한다. 다음 물음에 답하시오.

(1) 두 일차방정식 ㉠, ㉡에 대하여 다음 표를 완성하시오.

㉠

x	1	2	3	4	5	6
y						

㉡

x	1	2	3	4	5	6
y						

(2) 연립방정식의 해를 구하시오.

0542　x, y가 자연수일 때, 연립방정식 $\begin{cases} x+y=6 \\ 2x+y=7 \end{cases}$ 의 해를 구하시오.

핵심 포인트!　· 미지수가 2개인 일차방정식 ➡ $ax+by+c=0$ (a, b, c는 상수, $a\neq0$, $b\neq0$)
· 미지수가 2개인 연립방정식의 해 ➡ 두 일차방정식의 공통인 해

03 연립방정식의 풀이 – 대입법   유형 08, 11~15

(1) **소거** 미지수가 2개인 연립방정식에서 한 미지수를 없애는 것

(2) **대입법** 연립방정식에서 한 방정식을 $x=(y$에 대한 식$)$ 또는 $y=(x$에 대한 식$)$으로 나타낸 후 다른 방정식의 같은 미지수에 대입하여 연립방정식의 해를 구하는 방법

예 연립방정식 $\begin{cases} x+3y=5 & \cdots\cdots \, \text{⊙} \\ -x+y=3 & \cdots\cdots \, \text{ⓒ} \end{cases}$ 의 해를 구하시오.

ⓒ에서 y를 x에 대한 식으로 나타내면

$y=x+3$ $\cdots\cdots$ ⓒ

ⓒ을 ⊙에 대입하면 $x+3(x+3)=\boxed{\text{❶}}$ $\therefore x=-1$

$x=-1$을 ⓒ에 대입하면 $y=-1+3=2$

따라서 연립방정식의 해는 $x=-1, y=\boxed{\text{❷}}$이다.

답 ❶ 5 ❷ 2

0543 다음은 연립방정식 $\begin{cases} 2x+y=4 & \cdots\cdots \, \text{⊙} \\ x-3y=2 & \cdots\cdots \, \text{ⓒ} \end{cases}$ 를 대입법을 이용하여 푸는 과정이다. □ 안에 알맞은 수나 식을 써넣으시오.

> ⊙에서 y를 x에 대한 식으로 나타내면
>
> $y=4-\boxed{}$ $\cdots\cdots$ ⓒ
>
> ⓒ을 ⓒ에 대입하면
>
> $x-3(4-\boxed{})=2$ $\therefore x=2$
>
> $x=2$를 ⓒ에 대입하면 $y=\boxed{}$
>
> 따라서 연립방정식의 해는 $x=\boxed{}, y=\boxed{}$

[0544~0547] 다음 연립방정식을 대입법을 이용하여 푸시오.

0544 $\begin{cases} y=1-x \\ x-2y+8=0 \end{cases}$ **0545** $\begin{cases} x+2y=21 \\ x=3y-4 \end{cases}$

0546 $\begin{cases} y=2x-9 \\ y=1-3x \end{cases}$ **0547** $\begin{cases} 2x+y=11 \\ -x+4y=8 \end{cases}$

04 연립방정식의 풀이 – 가감법   유형 09~15

가감법 연립방정식에서 두 일차방정식을 변끼리 더하거나 빼어서 한 미지수를 없앤 후 연립방정식의 해를 구하는 방법

예 연립방정식 $\begin{cases} x+3y=5 & \cdots\cdots \, \text{⊙} \\ -x+y=3 & \cdots\cdots \, \text{ⓒ} \end{cases}$ 의 해를 구하시오.

⊙+ⓒ을 하면 $4y=8$ $\therefore y=2$

$y=2$를 ⊙에 대입하면 $x+\boxed{\text{❶}}=5$ $\therefore x=\boxed{\text{❷}}$

따라서 연립방정식의 해는 $x=-1, y=2$이다.

답 ❶ 6 ❷ -1

0548 다음은 연립방정식 $\begin{cases} 2x-y=8 & \cdots\cdots \, \text{⊙} \\ 4x+3y=-4 & \cdots\cdots \, \text{ⓒ} \end{cases}$ 를 가감법을 이용하여 푸는 과정이다. □ 안에 알맞은 수를 써넣으시오.

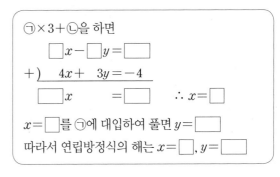

> ⊙×3+ⓒ을 하면
>
> $\boxed{}x-\boxed{}y=\boxed{}$
> $+)\quad 4x+\quad 3y=-4$
> $\boxed{}x\qquad =\boxed{}$ $\therefore x=\boxed{}$
>
> $x=\boxed{}$를 ⊙에 대입하여 풀면 $y=\boxed{}$
>
> 따라서 연립방정식의 해는 $x=\boxed{}, y=\boxed{}$

[0549~0552] 다음 연립방정식을 가감법을 이용하여 푸시오.

0549 $\begin{cases} 2x-y=5 \\ x+y=1 \end{cases}$ **0550** $\begin{cases} x-y=2 \\ x+3y=2 \end{cases}$

0551 $\begin{cases} x+2y=20 \\ 2x-3y=5 \end{cases}$ **0552** $\begin{cases} 2x-3y=-8 \\ 3x-y=2 \end{cases}$

핵심 포인트! · 연립방정식의 두 일차방정식 중 어느 하나가 '$x=(y$에 대한 식$)$'의 꼴이거나 '$y=(x$에 대한 식$)$'의 꼴일 때에는 대입법을 이용하는 것이 편리하다.

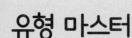

필수유형 01 중요 미지수가 2개인 일차방정식

등식의 모든 항을 좌변으로 이항하여 정리하였을 때
$$\Rightarrow ax+by+c=0\,(a,b,c는 상수, a\boxed{❶}0, b\boxed{❷}0)$$

답 ❶ $\neq$ ❷ $\neq$

대표문제

0553 하●●●●
다음 중 미지수가 2개인 일차방정식은?

① $3x-1=2x-5$ ② $2x-5y$
③ $y-4x-7=x$ ④ $x^2-3y=6$
⑤ $\dfrac{1}{2}(2x-4y)=x-y+7$

0554 하●●●●
다음 보기 중 미지수가 2개인 일차방정식은 모두 몇 개인지 구하시오.

보기
㉠ $2x+3=7$ ㉡ $3x-y=4$
㉢ $3x+5y$ ㉣ $2x+y-1=0$
㉤ $x^2-3y=x+1$

0555 ●●중●●
등식 $ax+2y+3=2x+y+1$이 x, y에 대한 일차방정식일 때, 다음 중 상수 a의 값이 될 수 없는 것은?

① 0 ② 2 ③ 3
④ 4 ⑤ 5

필수유형 02 미지수가 2개인 일차방정식 세우기

대표문제

0556 ●●중●●
다음 중 문장을 미지수가 2개인 일차방정식으로 나타낸 것이 옳지 않은 것은?

① x의 2배와 y의 3배의 합은 18이다. ➡ $2x+3y=18$
② 가로의 길이가 x cm, 세로의 길이가 y cm인 직사각형의 둘레의 길이는 10 cm이다. ➡ $2x+2y=10$
③ 3000원짜리 장미를 x송이 사고 10000원을 내었더니 y원을 거슬러 주었다. ➡ $3000x-10000=y$
④ 토끼 x마리와 닭 y마리의 다리 수의 합은 48개이다.
➡ $4x+2y=48$
⑤ 시속 2 km로 x시간 동안 걸은 후 시속 6 km로 y시간 동안 달린 거리는 총 10 km이다. ➡ $2x+6y=10$

0557 ●중하●●●
초콜릿 50개를 3개씩 x명, 5개씩 y명에게 모두 나누어 주었다. 이를 x, y에 대한 일차방정식으로 나타내면?

① $5x+3y+50=0$ ② $5x+3y-50=0$
③ $3x+5y+50=0$ ④ $3x+5y-50=0$
⑤ $-3x+5y+50=0$

0558 ●●중●●
다음 문장을 미지수가 2개인 일차방정식으로 나타내시오.

(1) 한 개에 500원인 연필 x자루와 한 개에 700원인 볼펜 y자루를 구매하고 4600원을 지불하였다.

(2) x km를 시속 6 km로 달린 후 y km를 시속 8 km로 달렸더니 총 4시간이 걸렸다.

필수유형 **03** 미지수가 2개인 일차방정식의 해

일차방정식 $ax+by+c=0$의 해가 (m,n)이면
$am+bn+c=$ ❶ 이 성립한다.

📋 ❶ 0

대표문제

0559 하●●●●

다음 중 일차방정식 $3x+y=20$의 해가 아닌 것은?

① $(1,17)$ ② $(2,14)$ ③ $(3,11)$

④ $(4,7)$ ⑤ $(6,2)$

0560 하●●●●

다음 일차방정식 중 $x=2$, $y=1$을 해로 갖는 것은?

① $x-2y=3$ ② $2x-y=7$

③ $3x+2y=10$ ④ $7x-2y=12$

⑤ $7x+4y=11$

0561 하●●●●

다음 일차방정식 중 순서쌍 $(1,-2)$를 해로 갖는 것을 모두 고르면? (정답 2개)

① $x+y=-1$ ② $2x-3y=1$

③ $x-2y=-3$ ④ $2x+y=0$

⑤ $3x-y=1$

중요
필수유형 **04** x, y가 자연수일 때, 일차방정식의 해

주어진 일차방정식에 $x=1, 2, 3, \cdots$을 차례대로 대입하여 y의 값이 ❶ 가 되는 경우를 찾는다.

📋 ❶ 자연수

대표문제

0562 하●●●●

x, y가 자연수일 때, 일차방정식 $2x+y=9$의 해는 모두 몇 개인지 구하시오.

0563 하●●●●

x, y가 자연수일 때, 일차방정식 $3x+2y=11$의 해를 모두 구하시오.

0564 ●●중●● 잘 틀리는 문제

x, y가 자연수일 때, 다음 일차방정식 중 해의 개수가 가장 많은 것은?

① $x+5y=10$ ② $2x-3y+1=0$

③ $5x+2y=30$ ④ $3x+2y=7$

⑤ $x+y-1=0$

개념 해결의 법칙 중 2-1 108쪽

필수유형 05 | 일차방정식의 해 또는 계수가 문자로 주어질 때

일차방정식의 해가 (a, b)이다.
➡ $x=$ ❶ [   ], $y=b$를 일차방정식에 대입하면 등식이 성립한다.

답 ❶ a

대표문제

0565 ●중하●●●

일차방정식 $x-ay+7=0$의 한 해가 $x=2$, $y=3$일 때, 상수 a의 값을 구하시오.

0566 ●●중●●

미지수가 2개인 일차방정식 $2x+y=9$의 해를 표로 나타내면 다음과 같을 때, $A+B$의 값을 구하시오.

x	$\cdots$	A	$\cdots$	5	$\cdots$
y	$\cdots$	5	$\cdots$	B	$\cdots$

0567 ●●중●●

일차방정식 $2x-3y+8=0$의 한 해가 $(-a, 2a)$일 때, a의 값을 구하시오.

0568 ●●중●● 서술형

일차방정식 $-3x+2y=8$이 순서쌍 $(a, 1)$, $(-4, b)$를 해로 가질 때, ab의 값을 구하시오.

개념 해결의 법칙 중 2-1 109쪽

필수유형 06 | 미지수가 2개인 연립방정식의 해

미지수가 2개인 연립일차방정식의 해
➡ 두 ❶ [   ]을 동시에 만족하는 x, y의 값 또는 그 순서쌍 (x, y)

답 ❶ 일차방정식

대표문제

0569 하●●●●

다음 연립방정식 중 $x=1$, $y=2$를 해로 갖는 것은?

① $\begin{cases} x+y=8 \\ 2x+y=11 \end{cases}$
② $\begin{cases} 3x+2y=8 \\ y=x+1 \end{cases}$

③ $\begin{cases} x+y=6 \\ x-y=2 \end{cases}$
④ $\begin{cases} 2x+y=4 \\ x+y=0 \end{cases}$

⑤ $\begin{cases} x+2y=5 \\ 2x+3y=8 \end{cases}$

0570 하●●●●

다음 연립방정식 중 순서쌍 $(2, -1)$을 해로 갖는 것은?

① $\begin{cases} x+3y=2 \\ 4x-y=-5 \end{cases}$
② $\begin{cases} 2x+3y=1 \\ x-2y=4 \end{cases}$

③ $\begin{cases} 4x-y=5 \\ x+2y=-4 \end{cases}$
④ $\begin{cases} 3x-y=2 \\ 2x+5y=-1 \end{cases}$

⑤ $\begin{cases} x-4y=-9 \\ -x+2y=3 \end{cases}$

0571 ●●중●●

x, y가 자연수일 때, 연립방정식 $\begin{cases} 4x+y=11 \\ 3x-y=3 \end{cases}$ 의 해를 x, y의 순서쌍 (x, y)로 나타내시오.

개념 해결의 법칙 중 2-1 109쪽

필수유형 07 연립방정식의 해 또는 계수가 문자로 주어질 때

연립방정식의 해가 $x=a, y=b$이다.
➡ 각각의 일차방정식에 $x=$ ⓐ , $y=$ ⓑ 를 대입하면 등식이 성립한다.

답 ❶ a ❷ b

대표문제

0572 ●●중●●

연립방정식 $\begin{cases} x-by=5 \\ ax+3y=7 \end{cases}$ 의 해가 $(2, 1)$일 때, $a+b$의 값을 구하시오. (단, a, b는 상수)

0573 ●●중●●

연립방정식 $\begin{cases} x-2y=4 \\ 2x+by=2 \end{cases}$ 의 해가 $(a, -3)$일 때, a, b의 값을 각각 구하시오. (단, b는 상수)

0574 ●●중●●

연립방정식 $\begin{cases} 2x+3y=17 \\ ax+y=15 \end{cases}$ 의 해가 $x=b, y=b-1$일 때, ab의 값을 구하시오. (단, a는 상수)

개념 해결의 법칙 중 2-1 114쪽

중요

필수유형 08 연립방정식의 풀이 ⑴ - 대입법

① 연립방정식의 두 일차방정식 중 한 일차방정식을
   $x=(y$에 대한 식) 또는 $y=($ ⓐ 에 대한 식)으로 고친다.
② ①의 식을 다른 일차방정식에 ⓑ 하여 일차방정식을 푼다.
③ ②의 해를 ①의 식에 대입하여 다른 미지수의 값을 구한다.

답 ❶ x ❷ 대입

대표문제

0575 ●●중●●

연립방정식 $\begin{cases} 5x+2y=7 \\ x=3y-2 \end{cases}$ 의 해가 $x=a, y=b$일 때, $a+b$의 값을 구하시오.

0576 ●중하●●

연립방정식 $\begin{cases} y=3x-1 & \cdots\cdots \text{㉠} \\ 5x-2y=4 & \cdots\cdots \text{㉡} \end{cases}$ 를 풀기 위해 ㉠을 ㉡에 대입하였더니 $ax=2$가 되었다. 이때 상수 a의 값을 구하시오.

0577 ●중하●●

다음은 대입법을 이용하여 연립방정식 $\begin{cases} x+y=11 \\ 3x-2y=-2 \end{cases}$ 의 해를 구하는 과정이다. ㈎~㈐에 알맞은 수나 식을 구하시오.

$\begin{cases} x+y=11 & \cdots\cdots \text{㉠} \\ 3x-2y=-2 & \cdots\cdots \text{㉡} \end{cases}$

㉠에서 y를 x에 대한 식으로 나타내면
$y=$ ㈎ $\cdots\cdots$ ㉢
㉢을 ㉡에 대입하면
$3x-2($ ㈎ $)=-2$ ∴ $x=$ ㈏
$x=$ ㈏ 를 ㉢에 대입하면 $y=$ ㈐
따라서 연립방정식의 해는 $x=$ ㈏ , $y=$ ㈐

5

연립방정식의 풀이

0578 ●●중●●

다음 연립방정식을 대입법을 이용하여 푸시오.

(1) $\begin{cases} y = 2x + 5 \\ 3x + y = 10 \end{cases}$

(2) $\begin{cases} 2x + 3y = 6 \\ x + 2y = 5 \end{cases}$

개념 해결의 법칙 중 2-1 114쪽

필수유형09 가감법에서 미지수 없애기

① 두 일차방정식에서 없애려는 미지수의 계수의 절댓값이 같도록 적당한 수를 곱한다.

② 계수의 부호가 ┌ 같으면 두 식을 **❶** .
 └ 다르면 두 식을 더한다.

달 ❶ 뺀다

대표문제

0579 ●중하●●●

연립방정식 $\begin{cases} 2x - 3y = 5 & \cdots\cdots \,\text{㉠} \\ 3x + 4y = 7 & \cdots\cdots \,\text{㉡} \end{cases}$ 을 가감법을 이용하여

풀 때, 다음 중 미지수를 없애기 위해 필요한 식을 모두 고르면? (정답 2개)

① ㉠×4−㉡×3   ② ㉠×4+㉡×3
③ ㉠×3−㉡×2   ④ ㉠×3+㉡×2
⑤ ㉠×2−㉡×3

0580 하●●●●

다음 중 연립방정식 $\begin{cases} 2x - 5y = 5 & \cdots\cdots \,\text{㉠} \\ 3x + 2y = -2 & \cdots\cdots \,\text{㉡} \end{cases}$ 에서 y를 없

애기 위해 필요한 식은?

① ㉠×2−㉡×5   ② ㉠×2+㉡×5
③ ㉠×3−㉡×2   ④ ㉠×3+㉡×2
⑤ ㉠×5−㉡×2

0581 ●●중●●

연립방정식 $\begin{cases} ax - 2y = 14 & \cdots\cdots \,\text{㉠} \\ 3x + 4y = 11 & \cdots\cdots \,\text{㉡} \end{cases}$ 에서 x를 없애기 위하

여 ㉠×3−㉡을 하였다. 이때 상수 a의 값을 구하시오.

개념 해결의 법칙 중 2-1 114쪽

필수유형10 (중요) 연립방정식의 풀이 (2) − 가감법

① 두 일차방정식의 x의 계수 또는 y의 계수의 **❶** 이 같도록 적당한 수를 곱한다.

② ①의 두 식을 더하거나 빼서 한 미지수를 **❷** 한다.

③ ②의 일차방정식을 푼다.

④ ③의 해를 두 일차방정식 중 하나에 대입하여 다른 미지수의 값을 구한다.

달 ❶ 절댓값 ❷ 소거

대표문제

0582 ●●중●●

연립방정식 $\begin{cases} 4x - 3y = 10 \\ 3x + 7y = -11 \end{cases}$ 의 해를 $x = a,\ y = b$라 할 때,

$3a - 2b$의 값을 구하시오.

0583 ●●중●●

연립방정식 $\begin{cases} x - 2y = 5 \\ 2x + 3y = 3 \end{cases}$ 을 만족하는 $x,\ y$에 대하여 $x + y$

의 값을 구하시오.

0584 ••중•••

다음 중 연립방정식 $\begin{cases} x+y=5 \\ x+3y=11 \end{cases}$ 의 해를 한 해로 갖는 일

차방정식은?

① $x+y=4$ 　　② $x+2y=9$

③ $2x+y=-7$ 　　④ $3x+y=9$

⑤ $4x-2y=-2$

0585 ••중•••

연립방정식 $\begin{cases} 3x+5y=4 \\ x+2y=-1 \end{cases}$ 의 해가 일차방정식 $2x+ay=5$

를 만족할 때, 상수 a의 값을 구하시오.

0586 ••중•••

다음 연립방정식을 가감법을 이용하여 푸시오.

(1) $\begin{cases} -3x+4y=1 \\ 4x-5y=2 \end{cases}$

(2) $\begin{cases} 2x-4y=1 \\ x+2y=5 \end{cases}$

필수유형11 연립방정식의 해가 주어질 때 미지수의 값
구하기

주어진 해를 x, y에 대한 연립방정식에 대입하면 미지수 a, b에 대한 연립방정식이 생긴다. 이 연립방정식을 대입법 또는 ❶_____ 을 이용하여 푼다.

🔲 ❶ 가감법

대표문제

0587 ••중•••

연립방정식 $\begin{cases} ax+by=-9 \\ bx+ay=11 \end{cases}$ 의 해가 $(-1, 3)$일 때, ab의

값을 구하시오. (단, a, b는 상수)

0588 ••중•••

연립방정식 $\begin{cases} ax+by=-7 \\ bx-2ay=2 \end{cases}$ 의 해가 $x=3, y=-2$일 때,

$b-a$의 값을 구하시오. (단, a, b는 상수)

0589 ••중•••

다음 연립방정식의 해가 $x=1, y=2$일 때, $3a-b$의 값을
구하시오. (단, a, b는 상수)

$$\begin{cases} a(x-3)+b(y+1)=4 \\ -a(x+1)+b(y-1)=0 \end{cases}$$

0590 ••중•••

순서쌍 $(1, -2)$, $(-2, 3)$이 일차방정식 $2ax-by=4$의
해일 때, $b-a$의 값을 구하시오. (단, a, b는 상수)

필수유형 **12** ᴄᴏ **연립방정식의 해를 한 해로 갖는 일차방정식이 주어질 때**

연립방정식의 해를 한 해로 갖는 일차방정식이 주어지면
① 세 일차방정식 중 미지수가 없는 두 일차방정식으로 연립방정식을 세워 해를 구한다.
② ①에서 구한 해를 나머지 일차방정식에 ❶ ☐ 하여 미지수의 값을 구한다.

답 ❶ 대입

대표문제

0591 ᴄᴏᴄᴏ중ᴄᴏᴄᴏ

연립방정식 $\begin{cases} 2x-3y=-1 \\ x+2y=a \end{cases}$ 의 해가 일차방정식

$3x-2y=1$을 만족할 때, 상수 a의 값을 구하시오.

0592 ᴄᴏᴄᴏ중ᴄᴏᴄᴏ

연립방정식 $\begin{cases} 3x+y=9 \\ 2x-a=y \end{cases}$ 의 해 $x=p$, $y=q$가 일차방정식

$x+2y=-2$를 만족할 때, $a+p+q$의 값을 구하시오.
(단, a는 상수)

0593 ᴄᴏᴄᴏ중ᴄᴏᴄᴏ

세 일차방정식 $2x+3y=4$, $3y-x=7$, $3x-4y=a$가 모두 같은 해를 가질 때, 상수 a의 값을 구하시오.

필수유형 **13** **연립방정식의 해의 조건이 주어질 때**

(1) y의 값이 x의 값의 k배이다. ➡ $y=kx$
(2) x와 y의 값의 비가 $m:n$이다.
   ➡ $x:y=m:$ ❶ ☐
(3) y의 값이 x의 값보다 k만큼 크다. ➡ $y=x+$ ❷ ☐

답 ❶ n ❷ k

대표문제

0594 ᴄᴏᴄᴏ중ᴄᴏᴄᴏ

연립방정식 $\begin{cases} x+2y=14 \\ 4x-y=a \end{cases}$ 를 만족하는 y의 값이 x의 값의

3배일 때, 상수 a의 값을 구하시오.

0595 ᴄᴏᴄᴏ중ᴄᴏᴄᴏ **서술형**

연립방정식 $\begin{cases} 2x-y=-7 \\ x+2y=a-3 \end{cases}$ 을 만족하는 y의 값이 x의 값

보다 2만큼 클 때, 상수 a의 값을 구하시오.

0596 ᴄᴏᴄᴏ중ᴄᴏᴄᴏ

연립방정식 $\begin{cases} -4x+ay=1 \\ 2x+y=7 \end{cases}$ 을 만족하는 x와 y의 값의 비

가 $2:3$일 때, 상수 a의 값을 구하시오.

0597 ᴄᴏᴄᴏ중ᴄᴏᴄᴏ

연립방정식 $\begin{cases} 3x-5y=2 \\ 4x-3y=k \end{cases}$ 를 만족하는 x의 값이 y의 값의

2배일 때, 상수 k의 값을 구하시오.

개념 해결의 법칙 중 2-1 116쪽

필수유형 14 중요 해가 같은 두 연립방정식에서 미지수의 값 구하기

두 연립방정식의 해가 서로 같을 때
① 미지수가 포함되지 않은 두 일차방정식으로 [❶]을 세워 해를 구한다.
② ①에서 구한 해를 나머지 일차방정식에 각각 대입하여 미지수의 값을 구한다.

目 ❶ 연립방정식

대표문제

0598 중

다음 두 연립방정식의 해가 서로 같을 때, 상수 a, b의 값을 각각 구하시오.

$$\begin{cases} 3x-y=5 \\ 4x+ay=7 \end{cases}, \begin{cases} -7x+5y=-9 \\ bx+23y=1 \end{cases}$$

0599 중

다음 두 연립방정식의 해가 서로 같을 때, $a+b$의 값을 구하시오. (단, a, b는 상수)

$$\begin{cases} ax+by=-7 \\ 2y=3x-10 \end{cases}, \begin{cases} bx-ay=6 \\ x-6y=-2 \end{cases}$$

0600 중

두 연립방정식 $\begin{cases} 2x-3y=-10 \\ ax+5y=14 \end{cases}$ 와 $\begin{cases} x+by=-6 \\ 2x-25y=34 \end{cases}$ 가 공통인 해를 가질 때, ab의 값을 구하시오. (단, a, b는 상수)

필수유형 15 중요 잘못 보고 구한 해

(1) 연립방정식에서 계수를 잘못 보고 푼 방정식이 있으면 제대로 보고 푼 방정식에 해를 대입하여 미지수의 값을 구한다.
(2) 계수 a와 b를 서로 바꾸어 놓고 풀었다. ➡ a는 b로, b는 a로 바꾼 새로운 연립방정식을 만든다.

대표문제

0601 중

채연이와 수연이가 연립방정식 $\begin{cases} ax-y=1 \\ 2x+by=3 \end{cases}$ 을 푸는데 채연이는 a를 잘못 보고 풀어서 $x=2$, $y=-1$의 해를 얻었고, 수연이는 b를 잘못 보고 풀어서 $x=2$, $y=3$의 해를 얻었다. 이 연립방정식의 해를 구하시오. (단, a, b는 상수)

0602 중 서술형

연립방정식 $\begin{cases} ax+by=3 \\ 5x+cy=-1 \end{cases}$ 에서 c를 잘못 보고 풀었더니 그 해가 $x=0$, $y=-1$이었다. 옳은 해가 $x=3$, $y=4$일 때, $2a+b+c$의 값을 구하시오. (단, a, b, c는 상수)

0603 상중 잘 틀리는 문제

연립방정식 $\begin{cases} ax+by=4 \\ bx-ay=3 \end{cases}$ 에서 잘못하여 a와 b를 서로 바꾸어 놓고 풀었더니 그 해가 $x=2$, $y=1$이었다. 이때 $a+b$의 값을 구하시오. (단, a, b는 상수)

05 복잡한 연립방정식의 풀이 (1)　　유형 16~19

(1) **괄호가 있는 연립방정식**　분배법칙을 이용하여 괄호를 풀고 동류항끼리 간단히 정리한 후 푼다.

(2) **계수가 분수인 연립방정식**　양변의 모든 항에 분모의 최소공배수를 곱하여 계수를 정수로 바꾼 후 푼다.

예
$$\begin{cases}\dfrac{1}{2}x-\dfrac{1}{3}y=3 \\ \dfrac{1}{4}x-\dfrac{1}{3}y=1\end{cases}$$
$\boxed{\times 6}\ \boxed{\times 6}\ \boxed{\times 6}$
$\boxed{\times 12}\ \boxed{\times 12}\ \boxed{\times 12}$
⇒
$$\begin{cases}3x-2y=\boxed{❶} \\ 3x-\boxed{❷}y=12\end{cases}$$

답 ❶ 18　❷ 4

0604 다음은 연립방정식 $\begin{cases}\dfrac{1}{4}x-\dfrac{1}{2}y=\dfrac{1}{8} & \cdots\cdots ㉠ \\ \dfrac{2}{3}x-\dfrac{3}{2}y=\dfrac{5}{6} & \cdots\cdots ㉡\end{cases}$ 를

푸는 과정이다. ☐ 안에 알맞은 수나 식을 써넣으시오.

㉠×8을 하면 ☐=1　　……㉢

㉡×6을 하면 ☐=5　　……㉣

㉢×2−㉣을 하면 $y=-3$

$y=-3$을 ㉢에 대입하면 $2x+$☐$=1$

∴ $x=$☐

[0605~0607] 다음 연립방정식을 푸시오.

0605 $\begin{cases}5(2x-1)+y=3 \\ x-(y-3)=6\end{cases}$

0606 $\begin{cases}2(x-y)-y=5 \\ 4x=3(x-2y)+1\end{cases}$

0607 $\begin{cases}\dfrac{1}{2}x-\dfrac{1}{3}y=\dfrac{2}{3} \\ \dfrac{1}{3}x+\dfrac{1}{6}y=\dfrac{5}{6}\end{cases}$

06 복잡한 연립방정식의 풀이 (2)　　유형 18

계수가 소수인 연립방정식　양변의 모든 항에 10, 100, 1000, …의 10의 거듭제곱을 곱하여 계수를 정수로 바꾼 후 푼다.

예
$$\begin{cases}0.1x+0.2y=0.6 \\ 0.3x+0.2y=1\end{cases}$$
$\boxed{\times 10}\ \boxed{\times 10}\ \boxed{\times 10}$
$\boxed{\times 10}\ \boxed{\times 10}\ \boxed{\times 10}$
⇒
$$\begin{cases}x+2y=\boxed{❶} \\ 3x+2y=\boxed{❷}\end{cases}$$

답 ❶ 6　❷ 10

0608 다음은 연립방정식 $\begin{cases}0.2x-0.3y=-0.2 & \cdots ㉠ \\ 0.03x-0.05y=0.01 & \cdots ㉡\end{cases}$

을 푸는 과정이다. ☐ 안에 알맞은 수나 식을 써넣으시오.

㉠×10을 하면 ☐=-2　　……㉢

㉡×100을 하면 ☐=1　　……㉣

㉢×3−㉣×2를 하면 $y=-8$

$y=-8$을 ㉢에 대입하면 $2x+$☐$=-2$

∴ $x=$☐

[0609~0611] 다음 연립방정식을 푸시오.

0609 $\begin{cases}0.5x-y=2 \\ 0.3x-1.2y=0.6\end{cases}$

0610 $\begin{cases}0.1x+0.2y=0.3 \\ \dfrac{1}{2}x+\dfrac{2}{3}y=-\dfrac{1}{6}\end{cases}$

0611 $\begin{cases}0.5x-y=2 \\ \dfrac{1}{2}(x-1)=\dfrac{1}{3}(y+2)\end{cases}$

핵심 포인트!　· 계수가 분수인 연립방정식 ➡ 양변에 분모의 최소공배수를 곱하여 계수를 정수로 바꾼다.
　　　　　　　　· 계수가 소수인 연립방정식 ➡ 양변에 10의 거듭제곱을 곱하여 계수를 정수로 바꾼다.

07 방정식 $A=B=C$의 풀이 유형 20

방정식 $A=B=C$는 다음 세 연립방정식과 그 해가 같으므로 하나를 선택하여 푼다.

$$\begin{cases} A=B \\ A=C \end{cases} \text{또는} \begin{cases} A=B \\ B=C \end{cases} \text{또는} \begin{cases} A=C \\ B=C \end{cases}$$

예 $x+3y=2x+y=15$

$$\Rightarrow \begin{cases} x+3y=2x+y \\ x+3y=15 \end{cases} \text{또는} \begin{cases} x+3y=2x+y \\ 2x+y=15 \end{cases} \text{또는}$$

$$\begin{cases} x+3y=❶ \\ 2x+y=❷ \end{cases}$$

답 ❶ 15 ❷ 15

0612 다음은 방정식 $x+5y-2=3x+5y-6=1$을 푸는 과정이다. ☐ 안에 알맞은 수나 식을 써넣으시오.

$$\begin{cases} x+5y-2=1 \\ \boxed{}=1 \end{cases} \text{에서} \begin{cases} x+5y=3 & \cdots\cdots ㉠ \\ \boxed{}=7 & \cdots\cdots ㉡ \end{cases}$$

㉠−㉡을 하면 $-2x=-4$ ∴ $x=\boxed{}$

$x=\boxed{}$를 ㉠에 대입하면 $2+5y=3$

∴ $y=\boxed{}$

[0613~0615] 다음 방정식을 푸시오.

0613 $2x+y=3x-y=5$

0614 $3x-5=x-y-4=2y$

0615 $x+2y=5x+4y=2x+1$

08 특수한 해를 가지는 연립방정식 유형 21, 22

(1) 해가 무수히 많은 경우 두 일차방정식을 변형하였을 때, 미지수의 계수와 상수항이 각각 같다.

➡ 미지수를 소거하면 $0\times x+0\times y=0$의 꼴

(2) 해가 없는 경우 두 일차방정식을 변형하였을 때, 미지수의 계수는 각각 같고 상수항은 다르다.

➡ 미지수를 소거하면 $0\times x+0\times y=k(k\neq0)$의 꼴

예 $\begin{cases} 2x+3y=4 & \cdots\cdots ㉠ \\ 6x+9y=12 & \cdots\cdots ㉡ \end{cases}$ 에서 ㉠×3을 하면 $\begin{cases} 6x+9y=12 \\ 6x+9y=12 \end{cases}$

로 x, y의 계수와 상수항이 각각 같으므로 해가 ❶ .

답 ❶ 무수히 많다

[0616~0617] 다음 보기의 연립방정식에 대하여 물음에 답하시오.

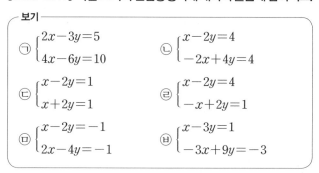

보기

㉠ $\begin{cases} 2x-3y=5 \\ 4x-6y=10 \end{cases}$ ㉡ $\begin{cases} x-2y=4 \\ -2x+4y=4 \end{cases}$

㉢ $\begin{cases} x-2y=1 \\ x+2y=1 \end{cases}$ ㉣ $\begin{cases} x-2y=4 \\ -x+2y=1 \end{cases}$

㉤ $\begin{cases} x-2y=-1 \\ 2x-4y=-1 \end{cases}$ ㉥ $\begin{cases} x-3y=1 \\ -3x+9y=-3 \end{cases}$

0616 해가 무수히 많은 연립방정식을 모두 고르시오.

0617 해가 없는 연립방정식을 모두 고르시오.

[0618~0619] 다음 연립방정식을 푸시오.

0618 $\begin{cases} 4x+2y=8 \\ 2x+y=4 \end{cases}$

0619 $\begin{cases} 2x-3y=4 \\ 4x-6y=-8 \end{cases}$

핵심 포인트!

· 연립방정식 $\begin{cases} ax+by=c \\ a'x+b'y=c' \end{cases}$ 에서 미지수를 소거하였을 때

① $0\times x+0\times y=0$의 꼴 ➡ 해가 무수히 많다. ② $0\times x+0\times y=k(k\neq0)$의 꼴 ➡ 해가 없다.

개념 해결의 법칙 중 2-1 123쪽

필수유형 16 괄호가 있는 연립방정식의 풀이

분배법칙을 이용하여 괄호를 풀고 ❶ [ ]끼리 정리한 후 연립방정식을 푼다.

🔑 ❶ 동류항

대표문제

0620 ••중••

연립방정식 $\begin{cases} -3(x-2y)=-8x+7 \\ 2(x+4y)-3=4y+3 \end{cases}$ 을 푸시오.

0621 ••중••

연립방정식 $\begin{cases} 3-(x+2y)=2x \\ 3x-(x-3y)=2 \end{cases}$ 의 해를 $x=a, y=b$라 할 때, ab의 값을 구하시오.

0622 ••중••

연립방정식 $\begin{cases} 5(x-2y)+y=-12 \\ 2x-3(x-y)=2 \end{cases}$ 의 해가 일차방정식 $x-6y+2=a$를 만족할 때, 상수 a의 값을 구하시오.

개념 해결의 법칙 중 2-1 123쪽

필수유형 17 계수가 분수인 연립방정식의 풀이

양변에 분모의 ❶ [ ]를 곱하여 계수를 모두 정수로 바꾼 후 연립방정식을 푼다.

🔑 ❶ 최소공배수

대표문제

0623 ••중••

연립방정식 $\begin{cases} \dfrac{x-1}{2}+y=3 \\ \dfrac{1}{6}x+\dfrac{1}{4}y=1 \end{cases}$ 의 해가 $x=a, y=b$일 때, $a-b$의 값을 구하시오.

0624 ••중••

연립방정식 $\begin{cases} 4(x-2)-3(y+5)=-30 \\ \dfrac{x+4}{3}=\dfrac{y+1}{2} \end{cases}$ 을 푸시오.

0625 ••중••

연립방정식 $\begin{cases} x-\dfrac{y-5}{2}=8 \\ \dfrac{5}{6}x-\dfrac{1}{4}y=\dfrac{19}{4} \end{cases}$ 의 해가 일차방정식 $ax+y=5$를 만족할 때, 상수 a의 값을 구하시오.

개념 해결의 법칙 중 2-1 124쪽

필수유형18 계수가 소수인 연립방정식의 풀이 _{중요}

양변에 10의 거듭제곱을 곱하여 계수를 모두 ❶⬚ 로 바꾼 후 연립방정식을 푼다.

답 ❶ 정수

대표문제

0626 ⬤중하⬤⬤⬤

연립방정식 $\begin{cases} 0.25x - 0.5y = 0.25 \\ 0.3x - 0.1y = 0.8 \end{cases}$ 의 해가 (a, b)일 때,

$a - b$의 값을 구하시오.

0627 ⬤⬤중⬤⬤

연립방정식 $\begin{cases} \dfrac{1}{3}x + \dfrac{5}{6}y = \dfrac{4}{3} \\ 0.2x + 0.3y = 0.4 \end{cases}$ 를 푸시오.

0628 ⬤⬤⬤상중⬤ 서술형

연립방정식 $\begin{cases} \dfrac{3}{4}(2x-1) - \dfrac{1}{2}y + 3 = 1 \\ 0.4(x+2y) - 0.3x = -0.5 \end{cases}$ 의 해가 일차방

정식 $x - ay = 3$을 만족할 때, 상수 a의 값을 구하시오.

필수유형19 비례식을 포함한 연립방정식의 풀이

$a : b = c : d$이면 $ad = $ ❶⬚ 임을 이용하여 비례식을 일차 방정식으로 바꾼다.

답 ❶ bc

대표문제

0629 ⬤⬤중⬤⬤

연립방정식 $\begin{cases} 2x - (x-1) = 3(y-1) \\ (3-x) : (6-y) = 3 : 2 \end{cases}$ 의 해를 구하시오.

0630 ⬤⬤중⬤⬤

연립방정식 $\begin{cases} x - (y+4) = 1 \\ (2x+y) : (y+5) = 1 : 2 \end{cases}$ 의 해가 (a, b)일 때,

$a + b$의 값을 구하시오.

0631 ⬤⬤⬤상중⬤ 잘 틀리는 문제

일차방정식 $4x - 5y = 12$의 한 해 (a, b)에 대하여

$(2a+4) : (b+2) = 5 : 1$일 때, $a+b$의 값을 구하시오.

개념 해결의 법칙 중 2-1 124쪽

필수유형 20 방정식 $A=B=C$의 풀이

$\begin{cases} A=B \\ A=C \end{cases}$, $\begin{cases} A=B \\ B=C \end{cases}$, $\begin{cases} A=\boxed{❶} \\ B=\boxed{❷} \end{cases}$ 의 세 연립방정식 중 계산이 가장 간단한 것을 선택하여 푼다.

📋 ❶ C ❷ C

대표문제

0632 ••중••

방정식 $2x-2y+1=x-4y+5=-5y-3$을 푸시오.

0633 ••중••

다음 방정식을 푸시오.

(1) $x+5y-26=2x-11y=-10$

(2) $5x-3y=4(x-y)=3x+2y-7$

(3) $\dfrac{2x+5}{5}=\dfrac{x+y}{3}=x-\dfrac{1}{2}y$

0634 •••상중•

방정식 $\dfrac{x+3}{2}=\dfrac{2y+2}{3}=\dfrac{2x+y+4}{4}$의 해가 일차방정식 $3x-2y=k$를 만족할 때, 상수 k의 값을 구하시오.

개념 해결의 법칙 중 2-1 125쪽

필수유형 21 특수한 해를 가지는 연립방정식 (1) – 해가 무수히 많은 경우

두 방정식 중 어느 한 방정식을 변형하였을 때, 나머지 방정식 과 x, y의 계수와 상수항이 각각 같으면 해가 ❶ _____ .

📋 ❶ 무수히 많다

대표문제

0635 ••중••

연립방정식 $\begin{cases} x+3y=12 \\ ax-by=-3 \end{cases}$ 의 해가 무수히 많을 때, $a-b$의 값을 구하시오. (단, a, b는 상수)

0636 ••중••

다음 연립방정식 중 해가 무수히 많은 것은?

① $\begin{cases} x+2y=4 \\ -x+2y=1 \end{cases}$ ② $\begin{cases} 2x+y=0 \\ x+2y=0 \end{cases}$

③ $\begin{cases} 2x+3y=1 \\ 2x-3y=1 \end{cases}$ ④ $\begin{cases} x-3y=4 \\ x+3y=5 \end{cases}$

⑤ $\begin{cases} -x+2y=-3 \\ 4x-8y=12 \end{cases}$

0637 •••상중•

연립방정식 $\begin{cases} (a+8)x-3y=-12 \\ 3x+3y=b-3 \end{cases}$ 의 해가 무수히 많을 때, $a+b$의 값을 구하시오. (단, a, b는 상수)

개념 해결의 법칙 중 2–1 125쪽

필수유형 22 특수한 해를 가지는 연립방정식 (2) – 해가 없는 경우

두 방정식 중 어느 한 방정식을 변형하였을 때, 나머지 방정식 과 x, y의 계수는 각각 같고 상수항은 다르면 해가 **①** .

답 **①** 없다

대표문제

0638 ••• 중 •••

연립방정식 $\begin{cases} 2x+y=1 \\ ax-3y=b \end{cases}$ 의 해가 없을 때, 상수 a, b의 조건은?

① $a=6, b=3$　　　② $a \neq 6, b=3$

③ $a=6, b \neq -3$　　④ $a=-6, b \neq -3$

⑤ $a \neq -6, b=-3$

0639 ••• 중 •••

다음 연립방정식 중 해가 <u>없는</u> 것은?

① $\begin{cases} x+y=4 \\ 2x-y=3 \end{cases}$　　② $\begin{cases} 4x-2y=5 \\ -6x-y=-7 \end{cases}$

③ $\begin{cases} 4x-6y=-2 \\ 2x+1=3y \end{cases}$　　④ $\begin{cases} x-2y=5 \\ 2x-y=3(y-3) \end{cases}$

⑤ $x+5y-26=2x-11y=-4$

0640 ••• 중 •••

연립방정식 $\begin{cases} 2x+y=4 \\ 10x+ay=25 \end{cases}$ 의 해가 없을 때, 상수 a의 값을 구하시오.

발전유형 23 분모에 문자가 있는 연립방정식

$\dfrac{1}{x}=X, \dfrac{1}{y}=Y$로 놓고 연립방정식을 푼다.

대표문제

0641 •••• 상

연립방정식 $\begin{cases} \dfrac{2}{x}+\dfrac{3}{y}=10 \\ \dfrac{1}{x}+\dfrac{4}{y}=20 \end{cases}$ 을 푸시오.

쌍둥이 문제

0642 •••• 상

연립방정식 $\begin{cases} -\dfrac{1}{x}+\dfrac{3}{y}=10 \\ \dfrac{2}{x}-\dfrac{1}{y}=-5 \end{cases}$ 의 해를 $x=a, y=b$라 할 때, $a+3b$의 값을 구하시오.

0643 •••• 상

연립방정식 $\begin{cases} \dfrac{2}{x}+\dfrac{1}{y}=\dfrac{3}{2} \\ \dfrac{1}{x}+\dfrac{3}{y}=2 \end{cases}$ 를 푸시오.

0644 하••••

다음 보기 중 미지수가 2개인 일차방정식은 모두 몇 개인가?

┌ 보기 ─────────────────────┐
ㄱ $y=2x^2-3$ ㄴ $xy-x+y=0$
ㄷ $x+y=0$ ㄹ $2x=-y+6$
ㅁ $3x-y^2=0$
└──────────────────────────┘

① 1개   ② 2개   ③ 3개
④ 4개   ⑤ 5개

0645 ••중••

다음 중 $x-ay=3x-5y$가 미지수가 2개인 일차방정식이 되기 위한 상수 a의 값으로 적당하지 <u>않은</u> 것은?

① -5 ② -3 ③ 1
④ 3 ⑤ 5

0646 하•••• 융합형

다음 문장을 미지수가 2개인 일차방정식으로 나타내시오.

┌──────────────────────────┐
어느 호수에 2인승 보트와 1인승 보트가 있다. 13명의 사람이 2인승 보트 x대, 1인승 보트 y대에 나누어 탔다.
                              (단, 보트에 빈 자리는 없다.)
└──────────────────────────┘

0647 하••••

x, y가 자연수일 때, 일차방정식 $2x+y=11$의 해는 모두 몇 개인가?

① 1개   ② 2개   ③ 3개
④ 4개   ⑤ 5개

0648 ••중••

두 순서쌍 $(a, 1)$, $(-5, b)$가 일차방정식 $x+2y+9=0$의 해일 때, $a-b$의 값을 구하시오.

0649 하••••

다음 연립방정식 중 그 해가 $(-1, 4)$인 것은?

① $\begin{cases} x+2y=7 \\ x+y=5 \end{cases}$ ② $\begin{cases} x+3y=11 \\ x=y-5 \end{cases}$

③ $\begin{cases} 3x-2y=-11 \\ 4x-y=-3 \end{cases}$ ④ $\begin{cases} x=6y-4 \\ x=3y+2 \end{cases}$

⑤ $\begin{cases} 3x+2y=14 \\ x-y=3 \end{cases}$

0650 ●●중하●●●●

연립방정식 $\begin{cases} y=3x-1 \\ 2x-y=a \end{cases}$ 를 만족하는 x의 값이 -4일 때, 상수 a의 값을 구하시오.

0651 ●●중●●

연립방정식 $\begin{cases} x-5y=3 & \cdots\cdots \text{㉠} \\ 3x-9y=5 & \cdots\cdots \text{㉡} \end{cases}$ 를 대입법으로 풀기 위해 ㉠을 ㉡에 대입하였더니 $ky=-4$가 되었다. 이때 상수 k의 값은?

① 3   ② 4   ③ 5

④ 6   ⑤ 7

0652 ●하●●●●

연립방정식 $\begin{cases} 4x-3y=1 & \cdots\cdots \text{㉠} \\ 6x+2y=3 & \cdots\cdots \text{㉡} \end{cases}$ 을 가감법으로 풀 때, 다음 중 y를 없애기 위해 필요한 식은?

① ㉠×4+㉡×3   ② ㉠×4−㉡×3

③ ㉠×3+㉡×2   ④ ㉠×2+㉡×3

⑤ ㉠×2−㉡×3

0653 ●●중●● 서술형

다음 물음에 답하시오.

(1) 연립방정식 $\begin{cases} 4x+y=7 \\ y=3x \end{cases}$ 를 대입법을 이용하여 푸시오.

(2) 연립방정식 $\begin{cases} 2x+y=7 \\ x-y=2 \end{cases}$ 를 가감법을 이용하여 푸시오.

0654 ●●중●●

연립방정식 $\begin{cases} ax-by=-3 \\ bx+ay=-4 \end{cases}$ 의 해가 $x=1$, $y=-2$일 때, $(a+b)(a-b)$의 값은? (단, a, b는 상수)

① -3 ② -1 ③ 1

④ 3   ⑤ 5

0655 ●●중●●

연립방정식 $\begin{cases} 2x+2y=1 \\ 4x+8y=a \end{cases}$ 를 만족하는 x, y의 값이 일차방정식 $3x+y-1=0$의 해일 때, 상수 a의 값은?

① 3   ② 6   ③ 9

④ 12   ⑤ 15

0656 ●●●상중● 서술형

연립방정식 $\begin{cases} x+y=3k \\ -3x+2y=6-k \end{cases}$ 를 만족하는 y의 값이 x의

값의 2배일 때, 상수 k의 값을 구하시오.

0657 ●●중●●

두 연립방정식 $\begin{cases} ax+y=4 \\ 2x-y=4 \end{cases}$ 와 $\begin{cases} 3x-y=2 \\ x+by=6 \end{cases}$ 의 해가 서로 같

을 때, $a+b$의 값을 구하시오. (단, a, b는 상수)

0658 ●●●상중●

연립방정식 $\begin{cases} ax+by=2 \\ bx+ay=-10 \end{cases}$ 에서 잘못하여 a와 b를 서로

바꾸어 놓고 풀었더니 그 해가 $x=-4$, $y=2$이었다. 이때

$a-b$의 값을 구하시오. (단, a, b는 상수)

0659 ●●●상중●

연립방정식 $\begin{cases} ax+by=2 \\ cx-7y=8 \end{cases}$ 을 푸는데 상지는 바르게 풀어서

$(3, -2)$의 해를 얻었고, 형진이는 c를 d로 잘못 보고 풀어

서 $(-2, 2)$의 해를 얻었다고 한다. 이때 $a+b+c+d$의

값을 구하시오. (단, a, b, c, d는 상수)

0660 ●●중●●

연립방정식 $\begin{cases} 2(x+y)-4x=-6 \\ 3x+4(x-y)=27 \end{cases}$ 을 풀면?

① $x=-5$, $y=1$ 　② $x=-5$, $y=4$

③ $x=2$, $y=5$ 　④ $x=5$, $y=2$

⑤ $x=5$, $y=5$

0661 ●●중●●

다음 일차방정식 중 연립방정식 $\begin{cases} 0.2(x+y)-0.1y=0.8 \\ \frac{1}{6}x+\frac{3}{4}y=2 \end{cases}$

의 해를 한 해로 갖는 것은?

① $x+y=8$ 　② $x-y=2$

③ $2x-y=7$ 　④ $3x+2y=13$

⑤ $3x-y=12$

0662 ••중••

연립방정식 $\begin{cases} (x-1):(y+2)=2:3 \\ 2x+y=5 \end{cases}$ 의 해를 (m, n)이

라 할 때, $\dfrac{m}{n}$의 값은?

① 14　　　　② 15　　　　③ 16

④ 17　　　　⑤ 18

0663 •••상중•

방정식 $\dfrac{x+3}{5}=\dfrac{x+y}{3}=\dfrac{x-y}{2}$ 를 푸시오.

0664 ••중••

다음 방정식 중 해가 <u>없는</u> 것은?

① $\begin{cases} 2x-3y=5 \\ 4x-6y=10 \end{cases}$　　② $\begin{cases} x+2y=2 \\ 2x+3y=1 \end{cases}$

③ $\begin{cases} 6x+2y=8 \\ y=-3x+4 \end{cases}$　　④ $\begin{cases} 3x+2y=-1 \\ 6x+4y=2 \end{cases}$

⑤ $2x-y=x+y=3$

0665 •••상중•

연립방정식 $\begin{cases} x=3-ay \\ 2x+(5-b)y-9=0 \end{cases}$ 의 해가 없고 연립방정

식 $\begin{cases} 2x-(a-3)y=4 \\ 3x+by=6 \end{cases}$ 의 해가 무수히 많을 때, $a-b$의 값

을 구하시오. (단, a, b는 상수)

0666 •••상중• 창의력 + 서술형

다음 대화를 읽고, 영주가 무엇을 잘못 생각하였는지 말하
시오.

> 선생님 : 연립방정식 $\begin{cases} x+y=2 \\ x+3y=-2x+6 \end{cases}$ 을 풀어 보세요.
>
> 영주 : $x=1$, $y=1$일 때, 두 식이 모두 참이 되니까 풀어
> 　　　볼 것도 없이 이게 해일 거에요.

0667 ••••상 융합형

연립방정식 $\begin{cases} 0.0\dot{3}x+0.1\dot{2}y=0.2 \\ x+y=3.\dot{3} \end{cases}$ 의 해를 $x=a$, $y=b$라

할 때, $3a+b$의 값을 구하시오.

6 연립방정식의 활용

Step 1 개념 마스터

Step 2 유형 마스터

Step 3 내신 마스터

개념 마스터

01 연립방정식의 활용   유형 01~08

미지수가 2개인 연립방정식의 활용 문제는 다음과 같은 순서로 푼다.

| 미지수 정하기 | → | 연립방정식 세우기 | → | 연립방정식 풀기 | → | 확인하기 |

예 사진 동아리의 학생 14명이 각각 3장 또는 4장의 사진을 찍어 모두 47장의 사진을 찍었다고 할 때, 사진을 3장 찍은 학생과 4장 찍은 학생은 각각 몇 명인지 구하시오.

① 미지수 정하기 ➡ 사진을 3장 찍은 학생을 x명, 4장 찍은 학생을 y명이라 하자.

② 연립방정식 세우기 ➡ $\begin{cases} x+y=14 \\ 3x+4y=47 \end{cases}$ ← 학생 수에 대한 식 ← 찍은 사진의 수에 대한 식

③ 연립방정식 풀기 ➡ $x=9, y=5$

④ 확인하기
➡ 학생 수는 $9+5=$ ❶ (명)
찍은 사진의 수는 $3×$ ❷ $+4×5=$ ❸ (장)

답 ❶ 14 ❷ 9 ❸ 47

0668 300원짜리 연필 x자루와 500원짜리 볼펜 y자루를 합하여 10자루를 사고 4200원을 지불하였다. 다음 물음에 답하시오.

(1) ☐ 안에 알맞은 수를 써넣으시오.
① 전체 개수에 대한 식
➡ $x+y=$ ☐
② 전체 금액에 대한 식
➡ $300x+$ ☐ $y=$ ☐

(2) x, y에 대한 연립방정식을 세우시오.

(3) 연립방정식을 풀어 연필과 볼펜을 각각 몇 자루씩 샀는지 구하시오.

02 공식이 이용되는 활용 문제   유형 09~14

(1) 거리, 속력, 시간에 대한 문제
① (거리)=(속력)×(시간)
② (시간)=$\dfrac{(거리)}{(속력)}$
③ (❶)=$\dfrac{(거리)}{(시간)}$

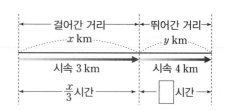

(2) 농도에 대한 문제
① (소금물의 농도)=$\dfrac{(❷ 의 양)}{(소금물의 양)}×100(\%)$
② (소금의 양)=$\dfrac{(소금물의 농도)}{100}×(소금물의 양)$

답 ❶ 속력 ❷ 소금

0669 17 km의 거리를 가는데 처음에는 시속 3 km로 걷다가 중간에 시속 4 km로 뛰어서 총 5시간이 걸렸다. 다음 물음에 답하시오.

(1) 걸어간 거리를 x km, 뛰어간 거리를 y km라 할 때, ☐ 안에 알맞은 것을 써넣으시오.

걸어간 거리 x km | 뛰어간 거리 y km
시속 3 km | 시속 4 km
$\dfrac{x}{3}$ 시간 | ☐ 시간

① 거리에 대한 식 ➡ $x+y=$ ☐
② 시간에 대한 식 ➡ $\dfrac{x}{3}+$ ☐ $=5$

(2) x, y에 대한 연립방정식을 세우시오.

(3) 연립방정식을 풀어 걸어간 거리와 뛰어간 거리를 각각 구하시오.

핵심 포인트! · 연립방정식의 활용 문제 푸는 순서

| 미지수 정하기 | → | 연립방정식 세우기 | → | 연립방정식 풀기 | → | 확인하기 |

필수유형 01 수의 연산에 대한 문제

두 자연수 a, b에 대하여 a를 b로 나누면 몫이 q이고 나머지가 r이다.
➡ $a = b \times q + $ ⓵ (단, $0 \le r < b$)

답 ⓵ r

대표문제

0670 •• 중 ••

합이 48인 두 자연수가 있다. 큰 수를 작은 수로 나누면 몫이 2이고 나머지가 3이다. 이때 큰 수에서 작은 수를 뺀 값을 구하시오.

0671 하 ••••

두 정수가 있다. 두 수의 합은 7이고 큰 수의 2배는 작은 수에 20을 더한 값과 같을 때, 두 정수의 곱을 구하시오.

0672 •• 중 ••

두 자연수에 대하여 큰 수를 작은 수로 나누면 몫이 3이고 나머지도 3이다. 또 작은 수에 35를 더한 수를 큰 수로 나누면 몫이 2이고 나머지가 4이다. 이때 작은 수를 구하시오.

필수유형 02 중요 **두 자리 자연수에 대한 문제**

십의 자리의 숫자가 x, 일의 자리의 숫자가 y인 두 자리 자연수에서
① 처음 수 ➡ $10x + y$
② 십의 자리의 숫자와 일의 자리의 숫자를 바꾼 수
➡ $10y + $ ⓵

답 ⓵ x

대표문제

0673 •• 중 ••

두 자리 자연수가 있다. 이 수의 각 자리의 숫자의 합은 14이고, 십의 자리의 숫자와 일의 자리의 숫자를 바꾼 수는 처음 수보다 36만큼 크다. 처음 수를 구하시오.

0674 • 중하 •••

두 자리 자연수가 있다. 이 수의 일의 자리의 숫자는 십의 자리의 숫자의 2배보다 5만큼 작고, 각 자리의 숫자의 합은 16이다. 이 자연수의 일의 자리의 숫자를 구하시오.

0675 •• 중 •• 서술형

두 자리 자연수가 있다. 이 수의 십의 자리의 숫자의 2배는 일의 자리의 숫자보다 1만큼 크고, 십의 자리의 숫자와 일의 자리의 숫자를 바꾼 수는 처음 수보다 9만큼 크다. 처음 수를 구하시오.

개념 해결의 법칙 중 2-1 135쪽

필수유형03 가격, 개수에 대한 문제

두 종류의 물건 A, B의 가격 사이의 관계가 주어질 때, A, B 한 개의 가격 구하기

➡ 두 종류의 물건 A, B 한 개의 가격을 각각 미지수로 놓는다.

대표문제

0676 ••●중●••

어느 가게에서 A, B 두 종류의 아이스크림을 판매한다. 아이스크림 B 한 개의 가격은 아이스크림 A 한 개의 가격보다 500원이 비싸고, 아이스크림 A, B를 각각 5개, 3개 사려면 9500원을 지불해야 한다. 이때 아이스크림 B 한 개의 가격을 구하시오.

0677 •●중하●••• 서술형

매점에서 파는 도넛 한 개의 가격은 음료수 한 병의 가격보다 350원이 비싸다. 상국이가 이 도넛 한 개와 음료수 한 병을 사고 1350원을 지불하였을 때, 다음 물음에 답하시오.

(1) 도넛 한 개의 가격을 x원, 음료수 한 병의 가격을 y원이라 할 때, 연립방정식을 세우시오.

(2) (1)의 연립방정식을 풀어 도넛 한 개의 가격과 음료수 한 병의 가격을 각각 구하시오.

0678 ••●중●••

경은이네 가족과 민석이네 가족이 유람선을 타러 갔다. 요금은 대인 요금과 소인 요금이 있는데 경은이네는 46000원, 민석이네는 47000원을 냈다. 경은이네 가족은 대인 3명, 소인 1명이고, 민석이네 가족은 대인 2명, 소인 3명일 때, 소인 1명의 요금을 구하시오.

개념 해결의 법칙 중 2-1 135쪽

필수유형04 여러 가지 개수에 대한 문제

두 종류의 물건 A, B 한 개의 가격을 알고 있을 때, A, B의 개수 구하기

➡ 두 종류의 물건 A, B의 개수를 각각 미지수로 놓으면
$$\begin{cases} (A의\ 개수) + (B의\ 개수) = (전체\ 개수) \\ (A의\ 전체\ 가격) + (B의\ 전체\ 가격) = (전체\ 가격) \end{cases}$$

대표문제

0679 ••●중●••

어느 생태 공원의 입장료는 어른이 2500원, 어린이가 900원이다. 어른과 어린이를 합하여 모두 14명이 입장하는 데 입장료가 27000원이 들었다고 할 때, 어린이는 몇 명 입장하였는지 구하시오.

0680 ••●중●••

지영이는 달콤제과점에서 한 개에 2500원인 치즈 케이크와 한 개에 1000원인 초콜릿 머핀을 합하여 12개를 사고 18000원을 지불하였다. 이때 지영이는 어느 것을 몇 개 더 샀는지 구하시오.

0681 •••●상중●

어느 시립 교향악단은 정기 연주회에서 13곡의 연주곡을 연주하려고 한다. 연주곡 한 곡당 연주 시간은 4분 또는 5분이고, 곡과 곡 사이에는 10초씩 휴식을 한다고 한다. 첫 곡이 시작되어 마지막 곡이 끝나기까지 1시간이 걸린다면 연주 시간이 5분인 연주곡은 몇 곡인지 구하시오.

필수유형 05 · 중요 · 나이에 대한 문제

(1) 현재 x살인 사람의 a년 전의 나이 ➡ $(x-a)$살
(2) 현재 x살인 사람의 b년 후의 나이 ➡ (❶)살

답 ❶ $x+b$

대표문제

0682 ●●●중●●

현재 아버지와 아들의 나이 차는 28살이다. 10년 후에는 아버지의 나이가 아들의 나이의 3배보다 4살이 적다고 한다. 현재 아버지의 나이와 아들의 나이를 각각 구하시오.

0683 ●●중●● 잘 틀리는 문제

현재 어머니와 딸의 나이의 합은 55살이다. 16년 후에는 어머니의 나이가 딸의 나이의 2배가 된다고 할 때, 16년 후 어머니의 나이와 딸의 나이를 각각 구하시오.

0684 ●●●상중●

현재보다 10년 전에는 삼촌의 나이가 동준이의 나이의 3배였고, 현재보다 4년 후에는 삼촌의 나이가 동준이의 나이의 2배가 된다고 한다. 현재 삼촌의 나이와 동준이의 나이를 각각 구하시오.

필수유형 06 도형에 대한 문제

(1) (직사각형의 둘레의 길이)
  $=2\times$ {(가로의 길이)$+$ (❶)의 길이)}
(2) (직사각형의 넓이)
  $=$(가로의 길이)$\times$ (❷)의 길이)

답 ❶ 세로 ❷ 세로

대표문제

0685 ●●●중●●

둘레의 길이가 110 cm인 직사각형이 있다. 이 직사각형의 가로의 길이를 4 cm 늘이고 세로의 길이를 5 cm 줄이면 정사각형이 된다고 한다. 처음 직사각형의 가로의 길이와 세로의 길이를 각각 구하시오.

0686 ●●●●상중●

오른쪽 그림과 같이 모양과 크기가 같은 직사각형 모양의 종이 12장을 이어 붙여서 정사각형을 만들었을 때, 색칠한 부분의 둘레의 길이가 84 cm이다. 이때 색칠한 부분의 넓이를 구하시오.

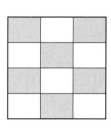

0687 ●●●●상

아래 그림과 같이 모양과 크기가 같은 8장의 작은 직사각형 모양의 타일을 이어 붙여 둘레의 길이가 46 cm인 큰 직사각형을 만들었다. 이때 타일 한 장의 둘레의 길이를 구하시오.

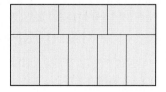

개념 해결의 법칙 중 2-1 135쪽

필수유형**07** 가점(＋), 감점(－)에 대한 문제

(1) A, B 두 사람이 가위바위보를 할 때
A가 이긴 횟수를 x회, 진 횟수를 y회라 하면
B가 이긴 횟수는 y회, 진 횟수는 ❶ 회이다.
(2) 가점(＋), 감점(－)에 대한 문제
① 올라가는 것을 ＋, 내려가는 것을 －로 생각한다.
② 맞힌 점수를 ＋, 틀린 점수를 ❷ 로 생각한다.

답 ❶x ❷－

대표문제

0688 ●●●중●●●

덕선이와 현지가 계단에서 가위바위보를 하여 이기면 3계단씩 올라가고, 지면 2계단씩 내려간다고 한다. 덕선이는 처음보다 19계단을 올라갔고, 현지는 처음보다 9계단을 올라갔을 때, 덕선이가 이긴 횟수를 구하시오.

(단, 비기는 경우는 생각하지 않는다.)

0689 ●●●중●●●

어느 퀴즈 대회에서 한 문제를 맞히면 3점을 얻고, 틀리면 1점을 잃는다고 한다. 민수는 30문제를 풀어서 총 62점을 받았다고 할 때, 민수가 틀린 문제 수를 구하시오.

0690 ●●●상중●

다음은 유클리드의 '그리스 시화집'에 나와 있는 문제이다. 문제를 잘 읽고 당나귀의 짐은 몇 자루인지 구하시오.

노새와 당나귀가 터벅터벅 자루를 운반하고 있습니다. 짐이 너무도 무거워서 당나귀가 한탄하고 있습니다. 노새가 당나귀에게 말했습니다.
"연약한 소녀가 울듯이 어째서 너는 한탄하고 있니? 네가 진 짐의 한 자루만 내 등에다 옮겨 놓으면 내 짐은 너의 2배가 되는걸. 내 짐 한 자루를 네 등에다 옮기면 나와 너의 짐은 같은 수가 되는 거다."
수학을 아는 사람들이여, 어서어서 가르쳐 주세요. 당나귀의 짐이 몇 자루인지를.

중요
개념 해결의 법칙 중 2-1 136쪽

필수유형**08** 증가와 감소에 대한 문제

(1) x가 a % 증가 ➡ 증가량 : $\dfrac{a}{100} \times x$

증가한 후의 전체의 양 : $\left(1 + \dfrac{❶}{100}\right)x$

(2) x가 b % 감소 ➡ 감소량 : $\dfrac{b}{100} \times x$

감소한 후의 전체의 양 : $\left(1 - \dfrac{❷}{100}\right)x$

답 ❶a ❷b

대표문제

0691 ●●●중●●●

어느 중학교의 작년 전체 학생 수는 1000명이었는데 올해는 작년보다 남학생 수는 2 % 감소하고, 여학생 수는 5 % 증가하여 전체 학생 수가 1022명이 되었다. 올해 남학생과 여학생 수를 각각 구하시오.

0692 ●●●상중● (잘 틀리는 문제)

어느 과수원의 올해 사과와 배의 수확량의 합은 514상자이다. 작년에 비해 올해 사과의 수확량은 20 % 줄고, 배의 수확량은 30 % 늘어 전체 수확량은 16상자가 줄었다. 올해 배의 수확량은 몇 상자인지 구하시오.

0693 ●●●상중●

영희는 중간고사에서 영어 점수와 수학 점수의 평균이 80점이었다. 기말고사에서 영어 점수는 중간고사 영어 점수보다 5 % 올라가고, 수학 점수는 중간고사 수학 점수보다 15 % 내려가서 두 과목 점수의 합이 중간고사보다 10점 내려갔다. 기말고사에서 영희의 영어 점수와 수학 점수를 각각 구하시오.

개념 해결의 법칙 중 2-1 137쪽

필수유형09 중요
거리, 속력, 시간에 대한 문제 (1)
– 속력이 다르게 왕복하는 경우

$\begin{cases} (\text{갈 때의 거리})+(\text{올 때의 거리})=(\text{총 이동 거리}) \\ (\text{갈 때 걸린 시간})+(\text{올 때 걸린 시간})=(\text{총 걸린 시간}) \end{cases}$

대표문제

0694 중

병만이가 박물관에 갔다 오는데 갈 때는 시속 6 km로, 올 때는 다른 길을 시속 8 km로 달려서 총 3시간이 걸렸다. 병만이의 총 이동 거리가 21 km일 때, 갈 때의 거리와 올 때의 거리를 각각 구하시오.

(단, 박물관에 머문 시간은 무시한다.)

0695 중

천희가 등산을 하는데 올라갈 때는 시속 2 km로 걷고, 내려올 때는 올라갈 때보다 1 km만큼 더 먼 길을 시속 5 km로 걸어서 총 3시간이 걸렸다. 이때 내려온 거리는 몇 km인지 구하시오.

0696 상중 서술형

다은이가 은별이네 집에 다녀오는데 갈 때는 시속 3 km로, 올 때는 다른 길을 시속 4 km로 걸어서 총 1시간 30분이 걸렸다. 총 이동 거리는 4.5 km이고 은별이네 집에 10분 동안 머물렀다고 할 때, 갈 때의 거리와 올 때의 거리를 각각 구하시오.

개념 해결의 법칙 중 2-1 137쪽

필수유형10 중요
거리, 속력, 시간에 대한 문제 (2)
– 속력이 도중에 바뀌는 경우

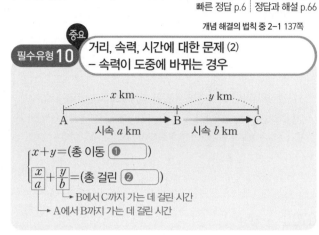

$\begin{cases} x+y=(\text{총 이동 ❶ }\boxed{}) \\ \dfrac{x}{a}+\dfrac{y}{b}=(\text{총 걸린 ❷ }\boxed{}) \end{cases}$

└→ B에서 C까지 가는 데 걸린 시간
└→ A에서 B까지 가는 데 걸린 시간

답 ❶ 거리 ❷ 시간

대표문제

0697 중

해리는 단축 마라톤 대회에 참가하여 10 km를 완주하였다. 처음에는 시속 6 km로 달리다가 도중에 시속 4 km로 걸어서 총 2시간 만에 결승점에 도착하였을 때, 해리가 달려간 거리와 걸어간 거리를 각각 구하시오.

0698 중

시아는 봉사 활동을 하러 집에서 15 km 떨어진 양로원에 갔다. 집에서 버스정류장까지 시속 6 km로 뛰어간 후 시속 30 km로 달리는 버스를 타고 갔더니 양로원에 도착하는 데 총 38분이 걸렸다. 이때 시아가 뛰어간 거리를 구하시오. (단, 버스를 기다리는 데 걸린 시간은 무시한다.)

0699 상중

현은이는 어느 날 하굣길에 문구점에 들렀다. 학교에서 문구점까지는 시속 60 km로 달리는 버스를 타고 가고 20분 동안 물건을 산 후 문구점에서 집까지는 시속 3 km로 걸어갔다. 이때 현은이가 이동한 거리는 총 20 km이고 걸린 시간은 총 50분일 때, 현은이가 걸어간 거리를 구하시오.

필수유형 11   거리, 속력, 시간에 대한 문제 (3)
– 같은 방향으로 출발하여 만나는 경우

A, B 두 사람이 한 지점에서 같은 방향으로 시간 차를 두고 출발할 때, 만나는 경우
➡ (A가 이동한 거리)=(B가 이동한 ❶   )

답 ❶ 거리

대표문제

0700 ●●●중●●

공원 입구에서 혜성이가 출발한 지 10분 후에 민수가 혜성이와 같은 방향으로 출발하였다. 혜성이는 분속 300 m, 민수는 분속 400 m로 자전거를 타고 달렸을 때, 두 사람이 만나게 되는 것은 민수가 출발한 지 몇 분 후인지 구하시오.

0701 ●●●중●● 서술형

A와 B가 공연장에 가기 위해 학교 정문에서 만나기로 약속을 하였다. 그런데 B가 약속 시간에 늦는다고 해서 A가 먼저 학교 정문에서 출발하였고, A가 출발한 지 15분 후에 B가 학교 정문에서 출발하여 공연장으로 가는 중간에 A와 만났다. A는 분속 80 m로 걸었고, B는 분속 200 m로 달렸을 때, B가 학교 정문에서 출발한 지 몇 분 후에 A를 만났는지 구하시오.

0702 ●●중●●

집에서 동생이 산책을 나간 지 24분 후에 같은 길을 따라 형이 산책을 나갔다고 한다. 동생은 분속 40 m로 걷고 형은 분속 100 m로 걸었을 때, 형이 산책을 나간 지 몇 분 후에 동생을 만나게 되는지 구하시오.

필수유형 12   거리, 속력, 시간에 대한 문제 (4)
– 호수의 둘레를 도는 경우

⑴ 호수의 둘레를 같은 방향으로 돌다 만나는 경우
➡ (두 사람이 걸은 거리의 차)
  =(호수의 둘레의 길이)
⑵ 호수의 둘레를 반대 방향으로 돌다 만나는 경우
➡ (두 사람이 걸은 거리의 ❶   )
  =(호수의 둘레의 길이)

답 ❶ 합

대표문제

0703 ●●●중●●

둘레의 길이가 2 km인 호수의 둘레를 A, B 두 사람이 각각 일정한 속력으로 걷고 있다. 두 사람이 같은 지점에서 동시에 출발하여 같은 방향으로 돌면 2시간 후에 처음으로 만나고, 반대 방향으로 돌면 30분 후에 처음으로 만난다고 한다. A가 B보다 걷는 속력이 빠를 때, A와 B의 속력은 각각 시속 몇 km인지 구하시오.

0704 ●●●중●

둘레의 길이가 1.8 km인 저수지가 있다. 저수지의 둘레를 진우와 서연이가 같은 지점에서 동시에 출발하여 반대 방향으로 돌면 5분 후에 처음으로 만나고, 같은 방향으로 돌면 60분 후에 처음으로 만난다고 한다. 진우가 서연이보다 빠르게 걷는다고 할 때, 진우의 속력을 구하시오.
(단, 진우와 서연이의 걷는 속력은 각각 일정하다.)

0705 ●●●●상

동완이가 600 m를 걷는 동안 소희는 500 m를 걷는다. 두 사람이 둘레의 길이가 1.65 km인 호수의 둘레를 같은 지점에서 동시에 출발하여 서로 반대 방향으로 돌면 15분 후에 처음으로 만난다고 한다. 이 호수를 소희가 한 바퀴 도는 데 걸리는 시간을 구하시오.
(단, 동완이와 소희의 걷는 속력은 각각 일정하다.)

개념 해결의 법칙 중 2-1 137쪽

필수유형 13 중요 **농도에 대한 문제 (1)**
– 소금물의 양 또는 소금의 양 구하기

농도가 다른 두 소금물 A, B를 섞을 때

$\begin{cases} (\text{소금물 A의 양})+(\text{소금물 B의 양})=(\text{전체 } \boxed{①} \text{의 양}) \\ (\text{소금물 A의 소금의 양})+(\text{소금물 B의 소금의 양}) \\ \qquad\qquad\qquad\qquad =(\text{전체 } \boxed{②} \text{의 양}) \end{cases}$

답 ❶소금물 ❷소금

대표문제

0706 ●●중●●

6 %의 소금물과 2 %의 소금물을 섞어서 5 %의 소금물 300 g을 만들려고 한다. 6 %의 소금물과 2 %의 소금물을 각각 몇 g씩 섞으면 되는지 구하시오.

0707 ●●중●● 잘 틀리는 문제

12 %의 소금물에 소금을 더 넣어 34 %의 소금물 400 g을 만들려고 한다. 이때 더 넣어야 하는 소금의 양을 구하시오.

0708 ●●중●●

6 %의 설탕물과 10 %의 설탕물을 섞은 후 물을 200 g 더 넣어서 7 %의 설탕물 1200 g을 만들었다. 6 %의 설탕물과 10 %의 설탕물을 각각 몇 g씩 섞었는지 구하시오.

필수유형 14 **농도에 대한 문제 (2) – 소금물의 농도 구하기**

농도가 다른 두 소금물을 섞을 때, 소금의 양은 변하지 않음을 이용하여 연립방정식을 세운다.

대표문제

0709 ●●중●●

농도가 다른 두 소금물 A, B가 있다. A를 100 g, B를 200 g 섞으면 6 %의 소금물이 되고, A를 200 g, B를 100 g 섞으면 8 %의 소금물이 된다. 이때 두 소금물 A, B의 농도를 각각 구하시오.

0710 ●●중●● 서술형

농도가 다른 두 소금물 A, B를 각각 300 g, 200 g을 섞었더니 8 %의 소금물이 되었다. 또 두 소금물 A, B를 각각 200 g, 300 g을 섞었더니 9 %의 소금물이 되었다. 이때 두 소금물 A, B의 농도를 각각 구하시오.

0711 ●●중●●

농도가 다른 두 종류의 설탕물 A, B가 각각 600 g씩 있다. 두 설탕물 A, B를 각각 400 g, 200 g을 섞으면 10 %의 설탕물이 되고, 남아 있는 설탕물 A, B를 섞으면 6 %의 설탕물이 된다고 한다. 이때 설탕물 B의 농도를 구하시오.

발전유형 **15** 원가, 정가에 대한 문제

(1) (정가)＝(원가)＋(이익)

(2) a원에서 x % 할인한 가격 ➡ $a\left(1-\dfrac{❶}{100}\right)$원

답 ❶ x

대표문제

0712 ••중••

A, B 두 상품의 원가는 각각 400원, 300원이다. A 상품은 원가의 70 %, B 상품은 원가의 30 %의 이익을 붙여서 팔았더니 A, B 두 상품을 합하여 80개를 팔았고, 10240원의 이익이 생겼다. A 상품은 몇 개 팔았는지 구하시오.

0713 ••••상중• 서술형

어느 제과점에서 케이크 1개와 쿠키 11개를 한 세트로 팔고 있다. 케이크는 원가의 10 %의 이익을 붙이고, 쿠키는 1개당 100원의 이익을 붙여 정가를 정하였더니 한 세트의 정가는 27500원이었다. 한 세트의 원가가 25200원이었을 때, 케이크 1개의 정가를 구하시오.

0714 ••••상

어떤 사람이 A, B 두 상품을 합하여 6000원에 사서 각각 20 %의 이익을 붙여 정가를 정하였으나 팔리지 않아 A 상품은 정가의 20 %를, B 상품은 정가의 10 %를 각각 할인하여 팔았더니 총 390원의 이익을 얻었다. A, B 두 상품의 원가를 각각 구하시오.

발전유형 **16** 일에 대한 문제

① 전체 일의 양을 ❶ 로 놓는다.

② 단위 시간에 할 수 있는 일의 양을 미지수로 놓고 연립방정식을 세운다.

답 ❶ 1

대표문제

0715 •••상중•

정민이와 혜원이가 같이 하면 15일 만에 끝낼 수 있는 일을 정민이가 먼저 18일 동안 하고 남은 일은 혜원이가 10일 동안 하여 끝냈다. 이 일을 정민이가 혼자 하면 며칠이 걸리는지 구하시오.

쌍둥이 문제

0716 ••••상

종석이와 현우 두 사람이 일을 하는데 종석이가 먼저 4일 동안 하고 나머지를 현우가 10일 동안 하면 끝낼 수 있는 일을 종석이가 먼저 10일 동안 하고 나머지를 현우가 7일 동안 하여 끝냈다. 이 일을 종석이와 현우가 함께 한다면 며칠이 걸리는지 구하시오.

0717 ••중••

어느 빈 물탱크에 물을 채우는데 A 호스로 4시간 동안 물을 넣고 나머지를 B 호스로 9시간 동안 물을 넣으면 물이 가득 찬다. 또 이 물탱크에 B 호스로만 15시간 동안 물을 넣으면 물이 가득 찬다. A 호스만 사용하여 이 물탱크에 물을 가득 채우려면 몇 시간이 걸리는지 구하시오.

발전유형 **17** 거리, 속력, 시간에 대한 문제 (5)
– 흐르는 강물 위를 이동하는 경우

(1) (강을 거슬러 올라갈 때의 속력)
    =(정지한 물에서의 배의 속력)−(강물의 속력)
(2) (강을 따라 내려올 때의 속력)
    =(정지한 물에서의 배의 속력)+(**❶**   )의 속력)

답 **❶** 강물

대표문제

0718 ●●중●●

속력이 일정한 배를 타고 길이가 40 km인 강을 거슬러 올라가는 데 4시간, 다시 강을 따라 내려오는 데 2시간이 걸렸을 때, 정지한 물에서의 배의 속력과 강물의 속력을 각각 구하시오. (단, 강물의 속력은 일정하다.)

쌍둥이 문제

0719 ●●중●●

속력이 일정한 유람선을 타고 15 km만큼 강을 거슬러 올라가는 데 1시간 40분, 다시 강을 따라 내려오는 데 1시간이 걸렸을 때, 정지한 물에서의 유람선의 속력을 구하시오.
(단, 강물의 속력은 일정하다.)

0720 ●●●●상

어떤 강에서 속력이 일정한 보트를 타고 상류로 20 km를 올라가는 데 보트의 엔진 고장으로 1시간 동안 떠내려가게 되어 4시간이 걸렸고, 다시 하류로 20 km를 내려오는 데 1시간이 걸렸다. 정지한 물에서의 보트의 속력을 구하시오. (단, 강물의 속력은 일정하다.)

발전유형 **18** 거리, 속력, 시간에 대한 문제 (6)
– 기차가 터널이나 철교를 통과하는 경우

(기차가 터널 또는 철교를 완전히 지날 때까지 달린 거리)
=(기차의 길이)+(터널 또는 철교의 길이)

대표문제

0721 ●●중●●

일정한 속력으로 달리는 기차가 1700 m 길이의 터널을 완전히 통과하는 데 1분이 걸리고, 3500 m 길이의 철교를 완전히 건너는 데 2분이 걸린다고 한다. 이 기차의 길이와 속력을 각각 구하시오.

쌍둥이 문제

0722 ●●중●● **서술형**

일정한 속력으로 달리는 기차가 320 m 길이의 철교를 완전히 건너는 데 30초가 걸렸고, 440 m 길이의 터널을 완전히 통과하는 데 40초가 걸렸다고 한다. 이 기차의 길이를 구하시오.

0723 ●●●●상 **잘 틀리는 문제**

화물 열차는 570 m 길이의 다리를 완전히 건너는 데 50초가 걸리고, 화물 열차보다 길이가 60 m 짧은 일반 열차는 화물 열차의 2배의 속력으로 이 다리를 완전히 건너는 데 23초가 걸린다고 한다. 이때 화물 열차의 길이를 구하시오.
(단, 화물 열차와 일반 열차의 속력은 각각 일정하다.)

발전유형 **19** 비율에 대한 문제

대표문제

0724 ●●●● 상중

어느 뮤지컬 단원 선발에 지원한 남녀의 수의 비가 $5 : 3$이었다. 심사 결과 합격자 중 남녀의 수의 비가 $3 : 2$이었고, 불합격자 중 남녀의 수의 비가 $7 : 4$이었다. 합격자가 100명이고, 전체 지원자의 수를 x명, 전체 불합격자의 수를 y명이라 할 때, 물음에 답하시오.

(1) 다음 표를 완성하시오.

	합격자(명)	불합격자(명)	합계(명)
전체	100	y	x
남자	$100 \times \dfrac{3}{5} = \boxed{}$	$y \times \dfrac{\boxed{}}{11}$	$x \times \boxed{}$

(2) (1)의 표를 보고 연립방정식을 세우시오.

(3) (2)에서 세운 연립방정식을 푸시오.

(4) 남자 지원자의 수를 구하시오.

0725 ●●●● 상

어느 학교 입학 시험에서 남학생 50명과 여학생 20명이 합격하였다. 지원자 중 남학생과 여학생 수의 비는 $2 : 1$이고 불합격자 중 남학생과 여학생 수의 비는 $15 : 8$일 때, 전체 지원자의 수를 구하시오.

발전유형 **20** 합금과 식품에서 구성 물질에 대한 문제

대표문제

0726 ●●●● 상

오른쪽 표는 두 종류의 합금 A, B에 들어 있는 구리와 아연의 비율을 백분율로 나타낸 것이다. 이 두 종류의 합금을 합하여 구리는 6 kg, 아연은 5 kg을 포함하는 합금을 만들려고 할 때, 다음 물음에 답하시오.

	A	B
구리(%)	30	20
아연(%)	20	30

(1) 합금 A의 양을 x kg, 합금 B의 양을 y kg으로 놓고 연립방정식을 세우시오.

(2) (1)에서 세운 연립방정식을 푸시오.

(3) 두 합금 A, B는 각각 몇 kg씩 필요한지 구하시오.

쌍둥이 문제

0727 ●●●● 상

두 식품 A, B가 있다. 식품 A에는 단백질이 20 %, 지방이 30 % 들어 있고, 식품 B에는 단백질이 40 %, 지방이 10 % 들어 있다. 두 식품에서 단백질을 30 g, 지방을 25 g 섭취하려면 식품 A는 몇 g 섭취해야 하는지 구하시오.

0728 ●●●● 상

다음 표는 두 회사 A, B에서 판매하는 포도 주스의 포도 원액 비율과 1병의 용량을 나타낸 것이다. A 회사 제품과 B 회사 제품을 섞어서 포도 원액의 비율이 70 %인 포도 주스 1 L를 만들려고 할 때, A 회사 제품은 몇 병이 필요한지 구하시오.

	포도 원액 (%)	용량 (mL)
A 회사	40	200
B 회사	90	200

0729 ●중하●●●

두 자연수 a, b에 대하여 a를 b로 나누면 몫이 3이고 나머지는 8이 되고, a의 3배를 b로 나누면 몫이 11이고 나머지는 2가 된다. 이때 $a+b$의 값을 구하시오.

0730 ●●중●●

두 자리 자연수가 있다. 이 수의 일의 자리의 숫자는 십의 자리의 숫자보다 3만큼 크고, 십의 자리의 숫자와 일의 자리의 숫자를 바꾼 수는 처음 수의 2배보다 2만큼 크다. 처음 수를 구하시오.

0731 ●하●●●●

다음 문제를 해결하기 위해 필요한 식을 보기에서 모두 고른 것은?

한 개에 200원인 사탕과 한 개에 100원인 껌이 있다. 사탕 x개와 껌 y개를 사면 2800원이고, 사탕 y개와 껌 x개를 사면 2600원이다. x, y의 값을 각각 구하시오.

┌ 보기 ─────────────
ㄱ $x+2y=26$　　　ㄴ $x+2y=56$
ㄷ $2x+y=13$　　　ㄹ $2x+y=28$
ㅁ $2x+y=52$
└──────────────

① ㄱ, ㄷ　　　② ㄱ, ㄹ　　　③ ㄱ, ㅁ
④ ㄴ, ㄹ　　　⑤ ㄴ, ㅁ

0732 ●중하●●●

연필 6자루와 공책 4권의 값은 6400원이고, 연필 8자루와 공책 2권의 값은 5200원이다. 이때 연필 1자루의 가격은?

① 300원　　　② 350원　　　③ 400원
④ 800원　　　⑤ 1000원

0733 ●●중●● 서술형

현재 어머니의 나이는 딸의 나이의 3배이고, 10년 전에는 어머니의 나이가 딸의 나이의 4배보다 15살이 많다고 한다. 현재 어머니와 딸의 나이를 각각 구하시오.

0734 ●중하●●●

가로의 길이가 세로의 길이보다 8 cm만큼 긴 직사각형의 둘레의 길이가 56 cm일 때, 이 직사각형의 세로의 길이를 구하시오.

0735 ••●••

다음 그림과 같이 성냥개비 28개를 모두 사용하여 성냥개비 1개를 한 변으로 하는 정삼각형과 정사각형을 만들려고 한다. 모두 합하여 8개의 정삼각형과 정사각형을 만들려고 할 때, 만들 수 있는 정삼각형의 개수는?

  …   …

① 1개   ② 2개   ③ 3개
④ 4개   ⑤ 5개

0736 ••••● 상 창의력

둘레의 길이가 56 cm인 직사각형에서 가로의 길이는 50 % 늘이고, 세로의 길이는 20 % 줄였더니 둘레의 길이가 25 % 늘어났다고 한다. 이때 처음 직사각형의 넓이를 구하시오.

0737 ••●••

주연이와 상현이가 이긴 사람은 네 계단씩 올라가고 진 사람은 두 계단씩 내려가는 가위바위보 놀이를 하고 있다. 주연이는 처음보다 16계단을 올라갔고 상현이는 처음보다 4계단을 올라갔을 때, 주연이가 이긴 횟수는?

(단, 비기는 경우는 없었다.)

① 2회   ② 4회   ③ 6회
④ 8회   ⑤ 10회

0738 ••●•• 서술형

어느 과수원에서 작년에 사과와 배를 합하여 500상자를 수확하였다. 올해 수확량은 작년에 비해 사과는 5 % 감소하고 배는 10 % 증가하여 전체 수확량이 4 % 증가하였다고 한다. 올해 사과와 배의 수확량은 각각 몇 상자인지 구하시오.

0739 ••●••

민수는 학교에서 도서관을 거쳐 미술관까지 가는데 학교에서 도서관까지 자전거를 타고 시속 32 km로 가다가 도서관에서 미술관까지 시속 4 km로 걸어서 총 1시간 30분이 걸렸다. 학교에서 도서관을 거쳐 미술관까지 가는 거리가 총 27 km일 때, 도서관에서 미술관까지의 거리를 구하시오. (단, 도서관에서 머문 시간은 무시한다.)

0740 ••●••

동생이 등산로 입구에서 출발한 지 30분 후에 형이 같은 위치에서 동생을 따라 출발했다. 동생은 시속 1 km로 걷고 형은 시속 1.5 km로 걷는다고 할 때, 형과 동생이 만날 때까지 형이 걸은 시간은?

① 1시간   ② 1시간 30분   ③ 2시간
④ 2시간 30분   ⑤ 3시간

0741 ●●중●●

둘레의 길이가 1000 m인 호수가 있다. 태영이와 선화가 호수의 둘레를 같은 지점에서 동시에 출발하여 같은 방향으로 돌면 10분 후에 처음으로 만나고, 반대 방향으로 돌면 2분 후에 처음으로 만난다고 한다. 태영이의 속력이 선화의 속력보다 빠르다고 할 때, 태영이의 속력은?

(단, 태영이와 선화의 속력은 각각 일정하다.)

① 분속 100 m ② 분속 200 m ③ 분속 300 m
④ 분속 400 m ⑤ 분속 500 m

0742 ●●중●●

4 %의 소금물과 7 %의 소금물을 섞어서 5 %의 소금물 1200 g을 만들었다. 이때 4 %의 소금물은 몇 g 섞었는가?

① 400 g ② 600 g ③ 800 g
④ 900 g ⑤ 1000 g

0743 ●●●상중● 서술형

4 %의 소금물에서 물을 증발시켜 10 %의 소금물을 만들었다. 증발시킨 물의 양은 처음 4 %의 소금물의 양보다 60 g이 적다고 할 때, 증발시킨 물의 양을 구하시오.

0744 ●●중●●

A, B 두 사람이 같이 하면 10일 걸리는 일을 A가 먼저 5일 동안 하고 나머지 일을 B가 20일 동안 하여 끝냈다. 이 일을 B가 혼자하면 며칠이 걸리는지 구하시오.

0745 ●●중●●

속력이 일정한 배를 타고 길이가 60 km인 강을 왕복하는데 강을 거슬러 올라갈 때는 3시간, 다시 강을 따라 내려올 때는 2시간이 걸렸다. 정지한 물에서의 배의 속력을 구하시오. (단, 강물의 속력은 일정하다.)

0746 ●●●상종 융합형

다음은 조선 후기의 수학책 "이수신편"의 '산학입문'에 나오는 '난법가'라는 문제이다. 문제를 읽고 어른과 아이는 각각 몇 명인지 구하시오.

> 만두 백 개와 사람 백 명이 있다.
> 어른은 한 사람당 세 개씩
> 아이는 세 사람당 한 개씩
> 먹어야 다툼이 없다.
> 어른은 몇 명이고 아이는 몇 명인가?

7
일차함수와 그래프(1)

01 함수   유형 01

(1) **변수** 여러 가지 변하는 값을 나타내는 문자

(2) **함수** 두 변수 x, y에 대하여 x의 값이 변함에 따라 y의 값이 하나씩 정해지는 대응 관계가 있을 때, y를 x의 함수라 한다.

➡ 기호로 $y=f(x)$와 같이 나타낸다.

참고 함수 $y=2x$를 $f(x)=2x$로 나타낼 수 있다.

(3) **대표적인 함수의 예**

① 정비례 관계 : $y=$ ❶ $(a≠0)$의 꼴

② 반비례 관계 : $y=\dfrac{a}{x}(a≠0)$의 꼴

③ $y=ax+b(a≠0)$의 꼴

주의 x의 값 하나에 대하여 y의 값이 정해지지 않거나 2개 이상 정해지면 y는 x의 함수가 아니다.

답 ❶ ax

[0747~0749] 낮의 길이를 x시간, 밤의 길이를 y시간이라 할 때, 다음 물음에 답하시오.

0747 x와 y 사이의 관계를 아래 표에 나타내시오.

x	1	2	3	4	5	⋯
y	23					⋯

0748 y는 x의 함수인지 말하시오.

0749 x와 y 사이의 관계를 식으로 나타내시오.

[0750~0752] 두 변수 x와 y 사이에 다음과 같은 관계가 있을 때, y가 x의 함수인 것에는 ○표, 함수가 아닌 것에는 ×표를 ( ) 안에 써넣으시오.

0750 x시간은 y분이다.   ( )

0751 자연수 x의 약수 y ( )

0752 전체 학생이 35명인 학급에서 출석한 학생이 x명 일 때, 결석한 학생은 y명이다.   ( )

02 함숫값   유형 02, 03, 06

함수 $y=f(x)$에서 x의 값이 정해지면 그에 따라 정해지는 y의 값, 즉 $f(x)$를 x의 함숫값이라 한다.

예 함수 $y=3x$에서 x의 값이 1, 2일 때, x의 함숫값 $f(x)$를 각각 구하면

$x=1$일 때, $f(1)=3×1=3$

$x=2$일 때, $f(2)=3×$ ❶ $=$ ❷

답 ❶ 2 ❷ 6

[0753~0755] 함수 $f(x)=-2x$에 대하여 다음을 구하시오.

0753 $x=1$일 때의 함숫값

0754 $x=-4$일 때의 함숫값

0755 $f(1)+f(-4)$의 값

[0756~0758] 함수 $f(x)=\dfrac{150}{x}$에 대하여 다음을 구하시오.

0756 $x=6$일 때의 함숫값

0757 $x=30$일 때의 함숫값

0758 $f(6)-f(30)$의 값

핵심 포인트 !

· 함수 $y=f(x)$에서 $f(a)$ ➡ $\begin{cases} x=a일\ 때,\ y의\ 값 \\ x=a일\ 때의\ 함숫값 \end{cases}$ ➡ $f(x)$에 x 대신 a를 대입하여 얻은 값

[0759~0762] 함수 $f(x)=2x+5$에 대하여 다음 함숫값을 구하시오.

0759 $f(0)$

0760 $f(7)$

0761 $f(-3)$

0762 $f\left(\dfrac{1}{4}\right)$

03 일차함수의 뜻

유형 04, 05

함수 $y=f(x)$에서 y가 x에 대한 일차식, 즉 $y=ax+b(a, b$는 상수, $a\neq0)$로 나타날 때, 이 함수를 x에 대한 ❶[　　　　]라 한다.

예 ① $y=3x$, $y=2x-4$, $y=-x+1$ ➡ 일차함수이다.

② $y=\dfrac{2}{x}$, $y=-5$, $y=x^2+5$ ➡ 일차함수가 아니다.

답 ❶ 일차함수

[0763~0766] 다음 중 y가 x에 대한 일차함수인 것에는 ○표, 일차함수가 아닌 것에는 ×표를 (　　) 안에 써넣으시오.

0763 $x=1$　　(　　)　　**0764** $y=\dfrac{1}{2}x$　　(　　)

0765 $y=\dfrac{1}{x}+3$ (　　)　　**0766** $y=x^2-3$　　(　　)

[0767~0769] 다음 문장에서 y를 x의 식으로 나타내고, y가 x에 대한 일차함수인지 말하시오.

0767 현재 x세인 사람의 8년 후의 나이는 y세이다.

0768 시속 x km로 2시간 동안 달린 거리는 y km이다.

0769 전체 쪽수가 150쪽인 책을 하루에 x쪽씩 읽을 때, 다 읽는 데 걸리는 날수는 y일이다.

04 일차함수 $y=ax+b$의 그래프

유형 07~10

(1) **평행이동** 한 도형을 일정한 방향으로 일정한 거리만큼 이동하는 것

(2) **일차함수 $y=ax+b$의 그래프**

일차함수 $y=ax$의 그래프를 y축의 방향으로 ❶[　　]만큼 평행이동한 직선

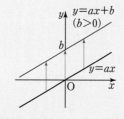
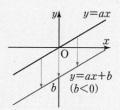

참고 일차함수 $y=ax$의 그래프

$a>0$	$a<0$
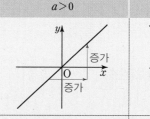	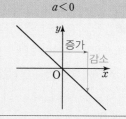
• 오른쪽 위로 향하는 직선이다.	• 오른쪽 아래로 향하는 직선이다.
• 제1, 3사분면을 지난다.	• 제2, 4사분면을 지난다.
• x의 값이 증가하면 y의 값도 증가한다.	• x의 값이 증가하면 y의 값은 감소한다.
• 원점 $(0, 0)$을 지나는 직선이다.	
• a의 절댓값이 클수록 y축에 가깝다.	

답 ❶ b

[0770~0771] 일차함수 $y=x$의 그래프와 평행이동을 이용하여 오른쪽 좌표평면 위에 다음 일차함수의 그래프를 그리시오.

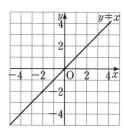

0770 $y=x+3$

0771 $y=x-2$

핵심 포인트! • 일차함수 $y=ax+b(b\neq0)$의 그래프는

　① $b>0$일 때 : $y=ax$의 그래프를 y축을 따라 위로 b만큼 평행이동한 것이다.

　② $b<0$일 때 : $y=ax$의 그래프를 y축을 따라 아래로 $|b|$만큼 평행이동한 것이다.

[0772~0775] 다음 일차함수의 그래프를 y축의 방향으로 [ ] 안의 수만큼 평행이동한 그래프의 식을 구하시오.

0772 $y = -\dfrac{3}{4}x$ $[-5]$

0773 $y = 2x$ $[4]$

0774 $y = -x + 5$ $[-2]$

0775 $y = -3(x+2)$ $[4]$

05 일차함수의 그래프의 x절편, y절편 유형 11, 12

(1) x절편 일차함수의 그래프가 x축과 만나는 점의 x좌표
➡ $y=0$일 때 ①   의 값

(2) y절편 일차함수의 그래프가 y축과 만나는 점의 y좌표
➡ $x=0$일 때 ②   의 값

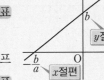

예 일차함수 $y = 2x - 3$의 그래프에서

① $y=0$일 때, $0 = 2x - 3$, $x = \dfrac{3}{2}$ ➡ x절편 : $\dfrac{3}{2}$

② $x=0$일 때, $y = 2 \times 0 - 3 = -3$ ➡ y절편 : -3

참고 일차함수 $y = ax + b$의 그래프에서

① x절편 : $-\dfrac{b}{a}$ ② y절편 : b

답 ① x ② y

[0776~0777] 다음 일차함수의 그래프의 x절편과 y절편을 각각 구하시오.

0776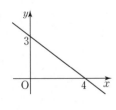

0777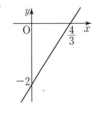

[0778~0779] 다음 일차함수의 그래프의 x절편과 y절편을 각각 구하시오.

0778 $y = -4x + 4$

0779 $y = \dfrac{1}{3}x - 1$

06 일차함수의 그래프의 기울기 유형 13~15

기울기 일차함수 $y = ax + b$의 그래프에서 x의 값의 증가량에 대한 y의 값의 증가량의 비율

➡ (기울기) $= \dfrac{(y의\ 값의\ 증가량)}{(x의\ 값의\ 증가량)} = $ ①

참고 일차함수 $y = ax + b$의 그래프의 기울기 a는 x의 값이 1만큼 증가할 때 y의 값이 증가하는 양을 나타낸다.

답 ① a

[0780~0781] 다음 □ 안에 알맞은 수를 써넣으시오.

0780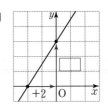

0781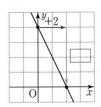

(기울기) $= \dfrac{\square}{+2} = \square$ (기울기) $= \dfrac{\square}{+2} = \square$

[0782~0784] 다음 일차함수의 그래프의 기울기를 구하시오.

0782 $y = x - 3$

0783 $y = 5 - 2x$

0784 $y = \dfrac{x}{3} + 2$

핵심 포인트! · 일차함수 $y = ax + b$의 그래프에서

① 기울기 : a ② x절편 : $-\dfrac{b}{a}$ ③ y절편 : b

07 일차함수의 그래프 그리기   유형 16~18

(1) 두 점을 이용하여 그래프 그리기

① 일차함수의 그래프가 지나는 두 점의 좌표를 구한다.

② 두 점을 직선으로 연결한다.

예 일차함수 $y=2x-1$의 그래프 그리기

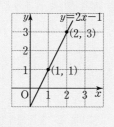

➡ $y=2x-1$의 그래프가 두 점 $(1, 1)$, $(2, 3)$을 지나므로 이 두 점을 직선으로 연결한다.

(2) x절편, y절편을 이용하여 그래프 그리기

① x절편, y절편을 각각 구하여 그래프가 x축, y축과 만나는 두 점을 좌표평면 위에 나타낸다.

② 두 점을 직선으로 연결한다.

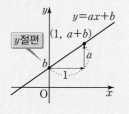

(3) y절편과 기울기를 이용하여 그래프 그리기

① y절편을 좌표평면 위에 나타낸다.

② ❶ 를 이용하여 그래프가 지나는 다른 한 점을 찾는다.

③ 두 점을 직선으로 연결한다.

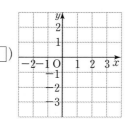

답 ❶ 기울기

[0785~0786] 다음 ▢ 안에 알맞은 수를 써넣고, 그래프가 지나는 두 점을 이용하여 일차함수의 그래프를 그리시오.

0785 $y=\dfrac{1}{2}x-1$

➡ 두 점 $(0, \boxed{})$, $(2, \boxed{})$ 을 지난다.

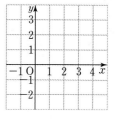

0786 $y=-2x+1$

➡ 두 점 $(0, \boxed{})$, $(2, \boxed{})$ 을 지난다.

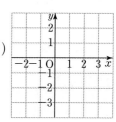

[0787~0788] 다음 ▢ 안에 알맞은 수를 써넣고, x절편과 y절편을 이용하여 일차함수의 그래프를 그리시오.

0787 $y=2x-2$

➡ x절편 : 1

 y절편 : $\boxed{}$

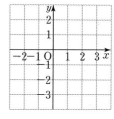

0788 $y=-2x+4$

➡ x절편 : $\boxed{}$

 y절편 : $\boxed{}$

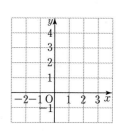

[0789~0790] 다음 ▢ 안에 알맞은 수를 써넣고, y절편과 기울기를 이용하여 일차함수의 그래프를 그리시오.

0789 $y=x-1$

➡ y절편 : $\boxed{}$

 기울기 : 1

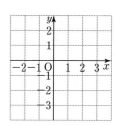

0790 $y=\dfrac{3}{2}x-2$

➡ y절편 : $\boxed{}$

 기울기 : $\boxed{}$

핵심 포인트! • 일차함수의 그래프가

① x축과 만나는 점의 좌표 ➡ (x절편, 0)

② y축과 만나는 점의 좌표 ➡ (0, y절편)

개념 해결의 법칙 중 2-1 145쪽

필수유형01 함수 (중요)

(1) x의 값이 변함에 따라 y의 값이 하나씩 정해지는 대응 관계가 있을 때, y는 x의 함수이다.
(2) 어떤 x의 값에 대하여 y의 값이 정해지지 않거나 2개 이상으로 정해질 때, y는 x의 함수가 아니다.

대표문제

0791 ●●중●●

두 변수 x, y가 다음과 같을 때, y가 x의 함수가 <u>아닌</u> 것은?

① 시속 x km로 4시간 동안 달린 거리 y km
② 둘레의 길이가 20 cm인 직사각형의 가로의 길이 x cm와 세로의 길이 y cm
③ 자연수 x와 서로소인 수 y
④ 자연수 x의 약수의 개수 y개
⑤ 길이가 100 cm인 끈을 x도막으로 길이가 같게 자를 때, 한 도막의 길이 y cm

0792 ●●중●●

다음 보기 중 y가 x의 함수인 것은 모두 몇 개인가?

┌ 보기 ─
㉠ 자연수 x를 5로 나눈 나머지 y
㉡ 자연수 x보다 작은 자연수 y
㉢ x보다 3만큼 큰 수 y
㉣ 몸무게가 x kg인 사람의 키 y cm
㉤ 시계의 긴 바늘이 x분 동안 회전한 각의 크기 $y°$
㉥ 시속 100 km로 달리는 승용차가 x시간 동안 달린 거리 y km
㉦ 한 권에 300원 하는 공책 x권을 살 때 지불하는 금액 y원
└─

① 2개　　② 3개　　③ 4개
④ 5개　　⑤ 6개

0793 ●●중●●●

다음 중 y가 x의 함수가 <u>아닌</u> 것은?

① 자연수 x의 2배보다 작은 자연수 y
② 시속 20 km로 x시간 동안 걸은 거리 y km
③ 한 변의 길이가 x cm인 정삼각형의 둘레의 길이 y cm
④ 연필 한 자루의 가격이 500원일 때, 연필 x자루의 가격 y원
⑤ 넓이가 24 cm²인 평행사변형의 밑변의 길이가 x cm일 때, 높이 y cm

개념 해결의 법칙 중 2-1 145쪽

필수유형02 함숫값 (중요)

$y=f(x)$에서
$f(a)$ ➡ $x=a$에서의 함숫값
　➡ $x=a$일 때, y의 값
　➡ $f(x)$에 $x=$ 를 대입하여 얻은 값

답　❶ a

대표문제

0794 ●하●●●●

함수 $f(x)=3x-3$에 대하여 $3f(1)+f(0)$의 값을 구하시오.

0795 ●●중하●●●

다음 중 함수 $f(x)$와 $f(-2)$의 값을 짝 지은 것으로 옳지 <u>않은</u> 것은?

① $f(x)=2x,\ f(-2)=-4$
② $f(x)=5x,\ f(-2)=-10$
③ $f(x)=\dfrac{10}{x},\ f(-2)=5$
④ $f(x)=-\dfrac{12}{x},\ f(-2)=6$
⑤ $f(x)=-\dfrac{x}{2},\ f(-2)=1$

0796 ●●●중●●●

함수 $f(x)=(x$ 이하의 소수의 개수)에 대하여
$f(10)-f(15)$의 값을 구하시오.

0797 ●●●중●●●

자연수 x를 3으로 나누었을 때의 나머지를 y라 하고
$y=f(x)$로 나타낼 때, $2f(4)\times f(10)$의 값은?

① 2   ② 4   ③ 6
④ 8   ⑤ 10

0798 ●중하●●●

함수 $f(x)=2x+3$에 대하여 $f(a)=-5$일 때, a의 값을
구하시오.

0799 ●●●중●●● 서술형

함수 $f(x)=-3x+1$에 대하여 $f(a)=7$, $f(-3)=b$일
때, $a-b$의 값을 구하시오.

필수유형**03** 중요 함숫값을 이용하여 미지수의 값 구하기

함수 $y=f(x)$에서 $f(a)=b$일 때
➡ $y=f(x)$에 x 대신 a, y 대신 b를 대입한다.

대표문제
0800 ●중하●●●

함수 $f(x)=ax$에 대하여 $f(2)=6$일 때, $f(-1)+f\left(\dfrac{1}{3}\right)$
의 값은? (단, a는 상수)

① -3 ② -2 ③ -1
④ 0 ⑤ 1

0801 ●중하●●●

함수 $f(x)=\dfrac{a}{x}$에서 $f(-1)=2$일 때, $f(-8)$의 값을 구하
시오. (단, a는 상수)

0802 ●●●중●●●

두 함수 $f(x)=ax$, $g(x)=\dfrac{b}{x}$에 대하여 $f(3)=-9$,
$g(4)=3$일 때, $a+b$의 값은? (단, a, b는 상수)

① -12 ② -9 ③ -3
④ 3 ⑤ 9

필수유형 04 일차함수

y항은 좌변으로, 나머지 항은 우변으로 이항하여 정리하였을 때, $y=(x$에 대한 일차식)의 꼴이면 ❶ ⬚ 함수이다.

답 ❶ 일차

대표문제

0803 하●●●●●

다음 중 y가 x에 대한 일차함수가 <u>아닌</u> 것을 모두 고르면?

(정답 2개)

① $x+1=2(y+1)$　　② $xy-3=0$

③ $y=x(6-x)$　　④ $y=\dfrac{x}{5}$

⑤ $x^2+2x=x^2-y+1$

0804 하●●●●●

다음 중 y가 x에 대한 일차함수인 것을 모두 고르면?

(정답 2개)

① $y=-\dfrac{1}{3}x+4$　　② $y=-\dfrac{5}{x}$

③ $y=2x(x-1)-x^2$　　④ $y=-\dfrac{3}{4}x$

⑤ $y=2x+(3-2x)$

0805 ●●중●●

다음 중 y가 x에 대한 일차함수가 <u>아닌</u> 것은?

① 5000원으로 한 권에 800원 하는 공책 x권을 사고 남은 돈 y원

② 밑변의 길이가 x cm이고 높이가 12 cm인 삼각형의 넓이 y cm^2

③ 가로의 길이가 x cm, 세로의 길이가 6 cm인 직사각형의 둘레의 길이 y cm

④ 한 변의 길이가 x cm인 정사각형의 넓이 y cm^2

⑤ 자전거를 타고 시속 15 km로 x km를 달리는 데 걸리는 시간 y시간

0806 ●●중●●

다음 보기에서 y가 x에 대한 일차함수인 것을 모두 고르시오.

┌ 보기 ─────────────────────

㉠ 400원짜리 아이스크림 x개와 1500원짜리 음료수 한 병의 값은 y원이다.

㉡ 놀이공원의 입장료가 1인당 x원일 때, 4명의 입장료는 y원이다.

㉢ 가로의 길이가 x cm, 세로의 길이가 y cm인 직사각형의 넓이는 10 cm^{2}이다.

㉣ 시속 80 km로 달리는 자동차가 y km를 달리는 데 걸리는 시간은 x시간이다.

㉤ 50 L들이 물통에 매분 x L씩 물을 채우는 데 걸리는 시간은 y분이다.

└────────────────────────────

필수유형 05 일차함수가 될 조건

상수 a, b에 대하여 함수 $y=ax+b$가 x에 대한 일차함수가 되려면 ❶ ⬚ $\neq0$이어야 한다.

답 ❶ a

대표문제

0807 ●중하●●●

$y=mx+2(4-x)$가 x에 대한 일차함수가 되도록 하는 상수 m의 조건을 구하시오.

0808 ●●중●●

$y=-3x(mx-2)+nx-4$가 x에 대한 일차함수가 되도록 하는 상수 m, n의 조건을 구하시오.

개념 해결의 법칙 중 2-1 153쪽

필수유형 06 일차함수의 함숫값을 이용하여 미지수의 값 구하기

$f(a)=b$

➡ $f(x)$에 x 대신 a를 대입했을 때의 값이 b이다.

대표문제

0809 ●중하●●●

일차함수 $f(x)=ax+3$에 대하여 $f(-2)=7$일 때, $f(1)+f(3)$의 값을 구하시오. (단, a는 상수)

0810 ●중하●●●

일차함수 $f(x)=-x+a$에 대하여 $f(-3)=1$일 때, $f(2)+f(-1)$의 값을 구하시오. (단, a는 상수)

0811 ●●중●●

일차함수 $f(x)=ax-4$에 대하여 $f(2)=-2$, $f(b)=-5$일 때, $a-b$의 값을 구하시오. (단, a는 상수)

0812 ●●●상중● 〔잘 틀리는 문제〕

일차함수 $f(x)=ax+b$에 대하여 $f(x+5)-f(x)=20$이고 $f(-1)=2$일 때, $a+b$의 값을 구하시오.

(단, a, b는 상수)

개념 해결의 법칙 중 2-1 154쪽

필수유형 07 일차함수의 그래프 위의 점이 주어질 때

점 (p, q)가 일차함수 $y=ax+b$의 그래프 위의 점이다.

➡ 일차함수 $y=ax+b$의 그래프가 점 (p, q)를 지난다.

➡ $y=ax+b$에 $x=$ ❶ , $y=$ ❷ 를 대입한다.

답 ❶ p ❷ q

대표문제

0813 ●중하●●●

일차함수 $y=-2x+b$의 그래프가 두 점 $(-1, 5)$, $(a, -1)$을 지날 때, $a+3b$의 값을 구하시오.

(단, b는 상수)

0814 ●하●●●

점 $(a, 3-a)$가 일차함수 $y=5x-3$의 그래프 위에 있을 때, a의 값을 구하시오.

0815 ●중하●●● 〔서술형〕

두 일차함수 $y=ax+3$, $y=3x+b$의 그래프가 모두 점 $(1, -2)$를 지날 때, ab의 값을 구하시오. (단, a, b는 상수)

0816 ●중하●●●

일차함수 $y=ax-5$의 그래프가 점 $(1, -3)$을 지날 때, 다음 중 이 그래프 위에 있는 점은? (단, a는 상수)

① $(-3, -10)$ ② $(-1, 7)$ ③ $(-2, 9)$

④ $(2, -1)$ ⑤ $(3, 2)$

7

일차함수와 그래프 (1)

개념 해결의 법칙 중 2-1 154쪽

필수유형 08 (중요) 일차함수의 그래프의 평행이동

$$y=ax+b \xrightarrow[\text{k만큼 평행이동}]{\text{y축의 방향으로}} y=ax+b+k$$

대표문제

0817 ●중하●●●●

일차함수 $y=-\dfrac{1}{2}x-1$의 그래프를 y축의 방향으로 a만큼 평행이동하였더니 일차함수 $y=-\dfrac{1}{2}x+5$의 그래프가 되었다. 이때 a의 값을 구하시오.

0818 ●중하●●●

다음 일차함수 중 그래프가 일차함수 $y=3x$의 그래프를 평행이동한 그래프와 포개지지 <u>않는</u> 것은?

① $y=3x+\dfrac{1}{2}$ ② $y=3x+\dfrac{5}{7}$

③ $y=3(2-x)$ ④ $y=3(-2+x)$

⑤ $y=4(x+1)-x$

0819 ●중하●●● (서술형)

일차함수 $y=-3x-4$의 그래프를 y축의 방향으로 b만큼 평행이동하였더니 일차함수 $y=ax+1$의 그래프가 되었다. 이때 $a+b$의 값을 구하시오. (단, a는 상수)

0820 ●●중●●

일차함수 $y=-x+3$의 그래프를 y축의 방향으로 b만큼 평행이동하였더니 일차함수 $y=\dfrac{3}{4}ax-5$의 그래프를 y축의 방향으로 -4만큼 평행이동한 그래프와 겹쳐졌다. 이때 ab의 값을 구하시오. (단, a는 상수)

필수유형 09 (중요) 평행이동한 그래프 위의 점(1)

평행이동한 그래프 위의 한 점의 좌표가 주어지면
① 평행이동한 그래프의 식을 구한다.
② 평행이동한 그래프가 점 (p, q)를 지나면 ①의 식에
$x=$ ❶ , $y=$ ❷ 를 대입한다.

답 ❶ p ❷ q

대표문제

0821 ●중하●●●

일차함수 $y=2x$의 그래프를 y축의 방향으로 -3만큼 평행이동한 그래프가 점 $(1, a)$를 지날 때, a의 값을 구하시오.

0822 ●중하●●●

다음 중 일차함수 $y=-\dfrac{1}{4}x$의 그래프를 y축의 방향으로 -7만큼 평행이동한 그래프 위의 점이 <u>아닌</u> 것은?

① $(-12, -4)$ ② $(-4, -6)$ ③ $(2, -8)$

④ $(8, -9)$ ⑤ $(12, -10)$

0823 ●●중●●

일차함수 $y=2x-1$의 그래프를 y축의 방향으로 k만큼 평행이동한 그래프가 점 $(3, 2)$를 지날 때, k의 값을 구하시오.

0824 ●●중●●

일차함수 $y=-x+a$의 그래프를 y축의 방향으로 -5만큼 평행이동한 그래프가 점 $(-3, 1)$을 지날 때, 상수 a의 값을 구하시오.

필수유형 10 **평행이동한 그래프 위의 점**(2)

평행이동한 그래프가 지나는 두 점의 좌표가 주어지면
① 평행이동한 그래프의 식을 구한다.
② 두 점 중 한 점의 좌표를 이용하여 일차함수의 식에 있는 미지수의 값을 구한다.
③ 나머지 한 점의 좌표를 이용하여 남은 미지수의 값을 구한다.

대표문제

0825 ●●중●●

일차함수 $y=4x+b$의 그래프를 y축의 방향으로 3만큼 평행이동한 그래프가 두 점 $(a, -2)$, $(1, 6)$을 지난다. 이때 ab의 값을 구하시오. (단, b는 상수)

0826 ●●중●● **서술형**

일차함수 $y=3x+b$의 그래프를 y축의 방향으로 -3만큼 평행이동한 그래프가 점 $(-1, 4)$를 지난다.
점 $(2k, k+2)$가 평행이동한 그래프 위에 있을 때, k의 값을 구하시오. (단, b는 상수)

0827 ●●중●●

오른쪽 그림은 일차함수 $y=ax-2$의 그래프를 y축의 방향으로 b만큼 평행이동한 그래프이다. 이때 $a-b$의 값을 구하시오. (단, a는 상수)

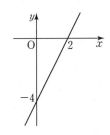

필수유형 11 **일차함수의 그래프의 x절편, y절편**

일차함수 $y=ax+b$의 그래프에서
(1) x절편 : 그래프가 x축과 만나는 점의 x좌표
　➡ $y=$ ❶ 을 대입 ➡ $x=-\dfrac{b}{a}$
(2) y절편 : 그래프가 y축과 만나는 점의 y좌표
　➡ $x=0$을 대입 ➡ $y=$ ❷

답 ❶ 0 ❷ b

대표문제

0828 ●●중●●

다음 일차함수 중 그래프의 x절편이 나머지 넷과 다른 하나는?

① $y=x-2$　② $y=2x-4$　③ $y=-3x+6$

④ $y=\dfrac{1}{2}x-1$　⑤ $y=-\dfrac{1}{4}x+1$

0829 ●●중●●

오른쪽 그림은 일차함수 $y=\dfrac{2}{3}x+4$의 그래프이다. 두 점 A, B의 좌표를 각각 구하시오.

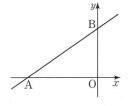

0830 ●●중●●

일차함수 $y=-2x$의 그래프를 y축의 방향으로 3만큼 평행이동한 그래프의 x절편과 y절편을 각각 구하시오.

0831 ●●중●●

다음 일차함수 중 그래프가 일차함수 $y=8x-4$의 그래프와 x축 위에서 만나는 것은?

① $y=6x-3$　② $y=\dfrac{1}{2}x-4$　③ $y=-2x+4$

④ $y=-2x-4$　⑤ $y=-3x+9$

필수유형 12 중요 x절편, y절편을 이용하여 미지수의 값 구하기

일차함수 $y=ax+b$의 그래프에서
(1) x절편이 p이면 $y=ax+b$에 $x=$❶, $y=0$을 대입한다.
(2) y절편이 q이면 $b=q$

답 ❶ p

필수유형 13 일차함수의 그래프의 기울기

일차함수 $y=ax+b$의 그래프에서

$$(\text{기울기}) = \frac{(y\text{의 값의 증가량})}{(\boxed{❶}\text{의 값의 증가량})} = a \quad \leftarrow x\text{의 계수}$$

답 ❶ x

대표문제

0832 ●●중●●

일차함수 $y=-\dfrac{3}{4}x+k$의 그래프 가 오른쪽 그림과 같을 때, 점 A의 좌표를 구하시오. (단, k는 상수)

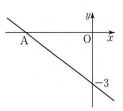

0833 ●●중●●

일차함수 $y=\dfrac{2}{3}x$의 그래프를 y축의 방향으로 k만큼 평행 이동한 그래프의 y절편이 2일 때, x절편을 구하시오.

0834 ●●중●● [잘 틀리는 문제]

일차함수 $y=-5x-2$의 그래프의 y절편과 일차함수 $y=ax+3$의 그래프의 x절편이 같을 때, 상수 a의 값을 구하시오.

0835 ●●중●●

일차함수 $y=ax+b$의 그래프는 일차함수 $y=-3x-6$의 그래프와 x축 위에서 만나고, 일차함수 $y=\dfrac{1}{2}x+2$의 그래프와 y축 위에서 만난다. 이때 $a-b$의 값을 구하시오.
(단, a, b는 상수)

대표문제

0836 ●●중●●

일차함수 $y=ax+1$의 그래프에서 x의 값이 2만큼 증가할 때, y의 값은 4만큼 감소한다. 이 일차함수의 그래프가 점 $(b, 3)$을 지날 때, $a+b$의 값을 구하시오. (단, a는 상수)

0837 ●중하●●

일차함수 $y=-\dfrac{1}{3}x+4$의 그래프에서 x의 값이 -5에서 1까지 증가할 때, y의 값의 증가량을 구하시오.

0838 ●중하●●

다음 일차함수의 그래프 중 일차함수 $y=\dfrac{1}{2}x-\dfrac{3}{2}$의 그래프와 기울기가 같은 것은?

①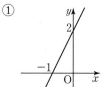

②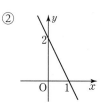

③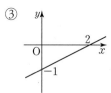

④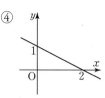

⑤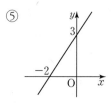

7

0839 ●●●중●●●

일차함수 $f(x) = \dfrac{3}{2}x + 5$에 대하여 $\dfrac{f(5) - f(2)}{5 - 2}$의 값을 구하시오.

개념 해결의 법칙 중 2-1 162쪽

필수유형14 중요 **두 점을 지나는 일차함수의 그래프의 기울기**

서로 다른 두 점 (x_1, y_1), (x_2, y_2)를 지나는 일차함수의 그래프에서

$$(\text{기울기}) = \frac{(y\text{의 값의 증가량})}{(x\text{의 값의 증가량})} = \frac{\boxed{\textbf{❶}}}{x_2 - x_1} = \frac{y_1 - y_2}{x_1 - x_2}$$

답 ❶ $y_2 - y_1$

대표문제

0840 ●●●중하●●●

두 점 $(3, k)$, $(-2, -13)$을 지나는 일차함수의 그래프의 기울기가 2일 때, k의 값을 구하시오.

0841 ●●●중●●●

오른쪽 그림과 같은 좌표평면 위의 네 점 A, B, C, D에 대하여 다음 중 옳은 것은?

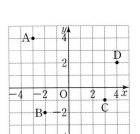

① $(\overleftrightarrow{AB}$의 기울기$) = 6$

② $(\overleftrightarrow{AC}$의 기울기$) = -\dfrac{6}{5}$

③ $(\overleftrightarrow{BC}$의 기울기$) = -\dfrac{1}{5}$

④ $(\overleftrightarrow{BD}$의 기울기$) = \dfrac{3}{2}$

⑤ $(\overleftrightarrow{CD}$의 기울기$) = 3$

0842 ●●●중●●●

오른쪽 그림과 같은 세 일차함수의 그래프 ㉠, ㉡, ㉢의 기울기의 합을 구하시오.

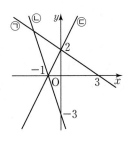

개념 해결의 법칙 중 2-1 162쪽

필수유형15 **세 점이 한 직선 위에 있을 조건**

서로 다른 세 점 A, B, C가 한 직선 위에 있으면
(두 점 A, B를 지나는 직선의 기울기)
= (두 점 A, C를 지나는 직선의 기울기)
= (두 점 $\boxed{\textbf{❶}}$, C를 지나는 직선의 기울기)

답 ❶ B

대표문제

0843 ●●●중●●●

세 점 $(-1, 2)$, $(2, 11)$, $(a, a+1)$이 한 직선 위에 있을 때, a의 값을 구하시오.

0844 ●●●중●●● 서술형

오른쪽 그림과 같이 세 점 A, B, C가 한 직선 위에 있을 때, a의 값을 구하시오.

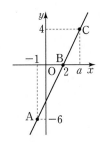

개념 해결의 법칙 중 2-1 163쪽

필수유형 16 일차함수의 그래프 그리기

일차함수 $y=ax+b$의 그래프는 다음 중 한 가지 방법을 이용하여 그릴 수 있다.

방법 1 그래프가 지나는 두 점의 좌표를 이용한다.

방법 2 x절편 $-\dfrac{b}{a}$와 y절편 ❶ 를 이용한다.

방법 3 y절편 ❷ 와 기울기 ❸ 를 이용한다.

답 ❶ b ❷ b ❸ a

대표문제

0845 ●중하●●●

다음 일차함수 중 그래프가 제2사분면을 지나지 <u>않는</u> 것은?

① $y=-x-2$　　② $y=-2x+3$

③ $y=\dfrac{3}{2}x+1$　　④ $y=\dfrac{3}{5}x-2$

⑤ $y=-\dfrac{1}{2}x+1$

0846 하●●●●

다음 중 일차함수 $y=3x+6$의 그래프는?

①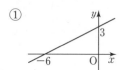
②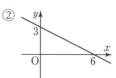

③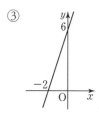
④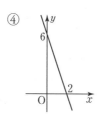

⑤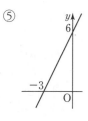

0847 하●●●●

다음 중 일차함수 $y=\dfrac{1}{3}x$의 그래프를 y축의 방향으로 -1만큼 평행이동한 그래프는?

①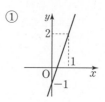
②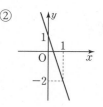

③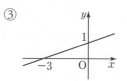
④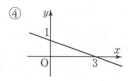

⑤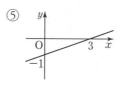

0848 ●●중●●

일차함수 $y=\dfrac{1}{2}x+6$의 그래프를 y축의 방향으로 -4만큼 평행이동한 그래프가 지나지 <u>않는</u> 사분면을 구하시오.

0849 ●●중●● 잘 틀리는 문제

다음 일차함수 중 그래프가 오른쪽 그림의 일차함수의 그래프와 제2사분면에서 만나는 것은?

① $y=\dfrac{1}{2}x$　　② $y=-x+4$

③ $y=-x-3$　　④ $y=-2x-4$

⑤ $y=\dfrac{3}{4}x-3$

개념 해결의 법칙 중 2-1 163쪽

필수유형 17 일차함수의 그래프와 좌표축으로 둘러싸인 도형의 넓이(1)

일차함수 $y=ax+b$의 그래프와 x축 및 y축으로 둘러싸인 도형의 넓이는

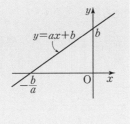

$$\frac{1}{2} \times |x$절편| \times |y$절편|$$

$$= \frac{1}{2} \times \left| \boxed{①} \right| \times |b|$$

답 ① $-\dfrac{b}{a}$

대표문제

0850 ●●●중●●●

일차함수 $y=\dfrac{4}{3}x-8$의 그래프와 x축 및 y축으로 둘러싸인 도형의 넓이를 구하시오.

0851 ●●중●●

오른쪽 그림과 같이 일차함수 $y=-\dfrac{3}{4}x+3$의 그래프가 x축, y축과 만나는 점을 각각 A, B라 할 때, 삼각형 BOA의 넓이를 구하시오.

(단, O는 원점)

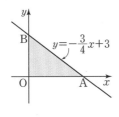

0852 ●●중●●

일차함수 $y=x+6$의 그래프를 y축의 방향으로 -2만큼 평행이동한 그래프와 x축 및 y축으로 둘러싸인 삼각형의 넓이를 구하시오.

0853 ●●●상중●

일차함수 $y=ax-4$의 그래프와 x축 및 y축으로 둘러싸인 도형의 넓이가 10일 때, 상수 a의 값을 구하시오.

(단, $a<0$)

필수유형 18 일차함수의 그래프와 좌표축으로 둘러싸인 도형의 넓이(2)

두 일차함수 $y=ax+b$, $y=cx+b$와 x축으로 둘러싸인 도형의 넓이는

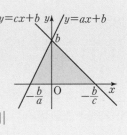

$$\frac{1}{2} \times |x$절편의 차$| \times |y$절편|$$

$$= \frac{1}{2} \times \left| -\frac{b}{c} - \left(-\frac{b}{a} \right) \right| \times | \boxed{①} |$$

답 ① b

대표문제

0854 ●●중●●

두 일차함수 $y=x+3$, $y=-\dfrac{3}{2}x+3$의 그래프와 x축으로 둘러싸인 삼각형의 넓이를 구하시오.

0855 ●●중●●

두 일차함수 $y=\dfrac{1}{2}x-3$, $y=-x+6$의 그래프와 y축으로 둘러싸인 도형의 넓이를 구하시오.

0856 ●●●상중●

오른쪽 그림과 같이 두 일차함수 $y=2x+8$, $y=ax+8$의 그래프와 x축으로 둘러싸인 삼각형 ABC의 넓이가 28일 때, 상수 a의 값을 구하시오. (단, $a<0$)

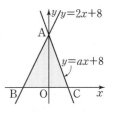

0857 ••중••

다음 중 y가 x의 함수인 것은?

① 자연수 x의 약수 y

② 자연수 x보다 큰 홀수 y

③ 자연수 x보다 작은 소수 y

④ 자연수 x와 서로소인 자연수 y

⑤ 자연수 x를 4로 나눈 나머지 y

0858 ••중••

함수 $f(x)=-\dfrac{1}{2}x$에 대하여 $f(-2)+f(1)+f(4)$의 값은?

① $-\dfrac{3}{2}$　　　② -1　　　③ $-\dfrac{1}{2}$

④ 1　　　⑤ $\dfrac{3}{2}$

0859 하••••

함수 $f(x)=\dfrac{8}{x}$에 대하여 다음 중 함숫값이 옳은 것은?

① $f(-1)=8$　② $f(-2)=-4$　③ $f(8)=-1$

④ $f\left(\dfrac{1}{2}\right)=4$　⑤ $f\left(-\dfrac{1}{2}\right)=16$

0860 •중하•••

함수 $f(x)=-3x+1$에 대하여 $5f(1)+4f\left(-\dfrac{1}{3}\right)$의 값은?

① 2　　　② 1　　　③ -1

④ -2　　　⑤ -3

0861 ••중••

자연수 x를 9로 나누었을 때의 나머지를 y라 하자.

$y=f(x)$로 나타낼 때, $f(100)+f(125)-f(204)$의 값은?

① -3　　　② -1　　　③ 3

④ 6　　　⑤ 12

0862 ••중••

함수 $f(x)=\dfrac{a}{x}$에 대하여 $f(-2)=-6$일 때, $f(-3)+f(6)$의 값을 구하시오. (단, a는 상수)

0863 ••중••

다음 보기 중 y가 x에 대한 일차함수인 것을 모두 고르시오.

─ 보기 ─
ㄱ. 반지름의 길이가 x cm인 원의 둘레의 길이 y cm

ㄴ. 200원짜리 지우개 1개와 x원짜리 공책 3권의 값 y원

ㄷ. 10 km의 거리를 시속 x km로 걸었을 때 걸리는 시간 y시간

ㄹ. 가로의 길이가 3 cm, 세로의 길이가 x cm인 직사각형의 둘레의 길이 y cm

0864 ●중하●●●●

$y=-(1+k)x+3$이 x에 대한 일차함수가 되기 위한 상수 k의 조건을 구하시오.

0865 ●중하●●● 서술형

일차함수 $f(x)=ax+5$에 대하여 $f(-1)=7$일 때, $3f(2)-f(1)$의 값을 구하시오. (단, a는 상수)

0866 ●●중●●

두 함수 $f(x)=ax-2$, $g(x)=-2x+1$에 대하여 $f(-1)=g(2)$이다. 이때 $f(k)=g(k)$를 만족하는 k의 값은? (단, a는 상수)

① -1 ② 0 ③ $\dfrac{1}{2}$

④ 1 ⑤ 2

0867 ●하●●●●

일차함수 $y=ax-2$의 그래프가 점 $(1,2)$를 지날 때, 상수 a의 값을 구하시오.

0868 ●중하●●●●

일차함수 $y=3x+1$의 그래프를 y축의 방향으로 -2만큼 평행이동하였더니 일차함수 $y=mx+n$의 그래프가 되었다. 이때 mn의 값은? (단, m, n은 상수)

① -6 ② -3 ③ 3

④ 6 ⑤ 9

0869 ●●중●● 서술형

일차함수 $y=3x-1$의 그래프를 y축의 방향으로 b만큼 평행이동한 그래프는 y절편이 2이고, 점 $(a,5)$를 지난다. 이때 $a+b$의 값을 구하시오.

0870 ●하●●●●

일차함수 $y=-\dfrac{3}{2}x+6$의 그래프의 x절편을 a, y절편을 b라 할 때, $a+b$의 값은?

① 4 ② 6 ③ 8

④ 10 ⑤ 12

0871 ●●중●●

일차함수 $y=-5x+2(1-k)$의 그래프의 x절편이 $-\dfrac{6}{5}$일 때, 상수 k의 값은?

① 1 ② 2 ③ 3

④ 4 ⑤ 5

0872 ●●●상중●

일차함수 $y=ax+b$의 그래프가 일차함수 $y=\dfrac{3}{2}x+2$의 그래프와 x축 위에서 만나고, 일차함수 $y=-\dfrac{1}{4}x-5$의 그래프와 y축 위에서 만날 때, 일차함수 $y=bx-a$의 그래프의 x절편은? (단, a, b는 상수)

① $-\dfrac{15}{4}$ 　② $-\dfrac{4}{3}$ 　③ $-\dfrac{2}{3}$

④ $\dfrac{3}{4}$ 　⑤ $\dfrac{3}{2}$

0873 ●하●●●●

두 점 $(2, -1)$, $(5, k)$를 지나는 일차함수의 그래프의 기울기가 $\dfrac{4}{3}$일 때, k의 값은?

① 3 　② 2 　③ -1

④ -2 　⑤ -3

0874 ●중하●●●

일차함수 $y=ax+2$의 그래프에서 x의 값이 -2에서 1까지 증가할 때, y의 값의 증가량은 2이다. 이때 상수 a의 값은?

① -2 　② $-\dfrac{2}{3}$ 　③ $-\dfrac{1}{2}$

④ $\dfrac{2}{3}$ 　⑤ 4

0875 ●중하●●●

다음 일차함수의 그래프 중 x의 값이 증가할 때 y의 값도 증가하는 것을 모두 고르면? (정답 2개)

① $y=2x+1$ 　② $y=-x+3$ 　③ $y=\dfrac{3}{4}x-1$

④ $y=-\dfrac{2}{3}x-2$ 　⑤ $y=1-x$

0876 ●●중●● 융합형

오른쪽 그림과 같이 사다리차를 사용하여 아파트에 이삿짐을 나르려고 한다. 사다리차에서 사다리의 기울기가 $\dfrac{5}{2}$이고, 아파트와 사다리차 사이의 수평 거리는 10 m일 때, 사다리가 올라간 높이를 구하시오.

0877 ●●중●● 융합형

오른쪽 그림은 도로에서 볼 수 있는 교통안전표지판 중에서 오르막 경사가 있음을 알리는 것이다. 경사도는 다음과 같이 구할 때, 수평 거리가 200 m이고 수직 거리가 12 m인 오르막길의 경사도를 구하시오.

$$(\text{경사도})=\dfrac{(\text{수직 거리})}{(\text{수평 거리})}\times 100\ (\%)$$

0878 ●●중●●

세 점 $(-1, 4)$, $(2, -5)$, $(k, k+3)$이 한 직선 위에 있도록 하는 k의 값을 구하시오.

0879 하●●●●

다음 중 일차함수 $y=-2x$의 그래프를 y축의 방향으로 4만큼 평행이동한 그래프는?

① 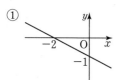 ②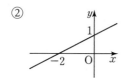

③ 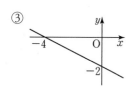 ④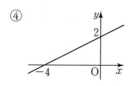

⑤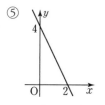

0880 ●중하●●●●

다음 일차함수 중 그래프가 제4사분면을 지나지 <u>않는</u> 것은?

① $y=3x-2$ ② $y=-x+5$

③ $y=\frac{1}{3}x+5$ ④ $y=-\frac{2}{5}x+3$

⑤ $y=4x-1$

0881 ●●중●● 서술형

일차함수 $y=\frac{1}{3}x+4$의 그래프가 x축, y축과 만나는 점을 각각 A, B라 할 때, 삼각형 AOB의 넓이를 구하시오.

(단, O는 원점)

0882 ●●중●●

두 일차함수 $y=-2x-3$, $y=2x+3$의 그래프와 y축으로 둘러싸인 삼각형의 넓이를 구하시오.

0883 ●●●상중●● 창의력

윤아와 진영이가 일차함수 $y=ax+b$의 그래프를 그리려고 하는데 윤아는 a의 값을, 진영이는 b의 값을 잘못 보고 그려서 각각 오른쪽 그림과 같이 그렸다. 이때 일차함수 $y=ax+b$의 그래프의 x절편을 구하시오. (단, a, b는 상수)

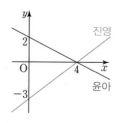

8
일차함수와 그래프(2)

개념 마스터

❽ 일차함수와 그래프 (2)

01 일차함수 $y=ax+b$의 그래프의 성질   유형 05

일차함수 $y=ax+b$의 그래프에서

(1) **a의 부호**   그래프의 모양을 결정

  ① $a>0$일 때 : x의 값이 증가하면 y의 값도 증가한다. ➡ 오른쪽 **①** 로 향하는 직선

  ② $a<0$일 때 : x의 값이 증가하면 y의 값은 감소한다. ➡ 오른쪽 아래로 향하는 직선

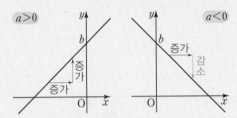

(2) **b의 부호**   그래프가 **②** 축과 만나는 부분을 결정

  ① $b>0$일 때 : y축과 양의 부분에서 만난다.

  ② $b<0$일 때 : y축과 음의 부분에서 만난다.

답 **①** 위 **②** y

[0884~0889] 다음 중 일차함수 $y=-3x+7$의 그래프에 대한 설명으로 옳은 것은 ○표, 옳지 않은 것은 ×표를 (   ) 안에 써넣으시오.

0884 기울기는 -3이다.   (   )

0885 x절편은 $\dfrac{7}{3}$이다.   (   )

0886 y절편은 -7이다.   (   )

0887 오른쪽 위로 향하는 직선이다.   (   )

0888 일차함수 $y=-3x$의 그래프를 x축의 방향으로 7만큼 평행이동한 것이다.   (   )

0889 점 $(-2, 1)$을 지난다.   (   )

02 일차함수 $y=ax+b$의 그래프의 모양   유형 02, 03

일차함수 $y=ax+b$의 그래프의 모양과 그래프가 지나는 사분면은 a, b의 부호에 따라 다음과 같다.

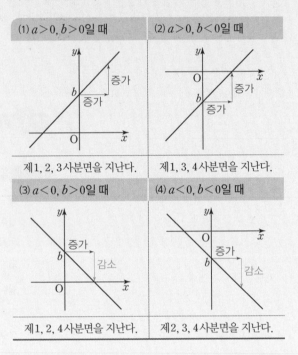

[0890~0893] 일차함수 $y=ax+b$의 그래프가 다음과 같을 때, 상수 a, b의 부호를 각각 부등호를 사용하여 나타내시오.

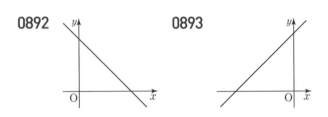

핵심 포인트! · 일차함수 $y=ax+b$의 그래프가

  ① 오른쪽 위로 향하는 직선이면 ➡ $a>0$, 오른쪽 아래로 향하는 직선이면 ➡ $a<0$

  ② y절편이 양수이면 ➡ $b>0$, y절편이 음수이면 ➡ $b<0$

03 일차함수의 그래프의 평행, 일치　유형 04

(1) 기울기가 같은 두 일차함수의 그래프는 서로 평행하거나 ❶ 한다.

두 일차함수 $y=ax+b$, $y=cx+d$ 에서

① $a=c$, $b\neq d$ → 기울기가 같고 y절편은 다르다.

➡ 두 그래프는 서로 평행하다.

② $a=c$, $b=d$ → 기울기가 같고 y절편도 같다.

➡ 두 그래프는 일치한다.

(2) 서로 평행한 두 일차함수의 그래프의 ❷ 는 같다.

참고 기울기가 다른 두 일차함수의 그래프는 한 점에서 만난다.

답 ❶ 일치 ❷ 기울기

0894 다음 보기의 일차함수 중 그래프가 서로 평행한 것끼리 짝 지으시오.

── 보기 ──
ㄱ $y=2x+1$　　ㄴ $y=-x-3$
ㄷ $y=-2x-1$　　ㄹ $y=2x-3$
ㅁ $y=\dfrac{1}{2}x-3$　　ㅂ $y=-2x$

0895 두 일차함수 $y=3x+1$, $y=ax+4$의 그래프가 서로 평행할 때, 상수 a의 값을 구하시오.

0896 두 일차함수 $y=-2x+1$, $y=ax+b$의 그래프가 일치할 때, 상수 a, b의 값을 각각 구하시오.

04 일차함수의 식 구하기 (1)　유형 06, 07

(1) **기울기와 y절편을 알 때**

기울기가 a이고 y절편이 b일 때

➡ $y=ax+b$ （기울기 ← ， → y절편）

(2) **기울기와 한 점의 좌표를 알 때**

기울기가 a이고 점 (x_1, y_1)을 지날 때

① 일차함수의 식을 $y=ax+b$로 놓는다.

② $y=ax+b$에 $x=$❶ , $y=$❷ 을 대입하여 b의 값을 구한다.

답 ❶ x_1 ❷ y_1

[0897~0900] 다음 직선을 그래프로 하는 일차함수의 식을 구하시오.

0897 기울기가 -2이고 y절편이 5인 직선

0898 x의 값의 증가량에 대한 y의 값의 증가량의 비율이 $\dfrac{5}{2}$이고 y절편이 -2인 직선

0899 일차함수 $y=-x-1$의 그래프와 평행하고 y절편이 5인 직선

0900 기울기가 2이고 점 $(1, 3)$을 지나는 직선

핵심 포인트! • 두 일차함수 $y=ax+b$, $y=a'x+b'$의 그래프가 ① 평행 ➡ $a=a'$, $b\neq b'$ ② 일치 ➡ $a=a'$, $b=b'$
• 기울기가 a이고, y절편이 b인 일차함수의 식 ➡ $y=ax+b$
• 기울기가 a이고 점 (x_1, y_1)을 지나는 일차함수의 식 ➡ $y=ax+b$에 $x=x_1$, $y=y_1$을 대입하여 구한다.

05 일차함수의 식 구하기 (2)　　유형 08, 09

(1) 서로 다른 두 점의 좌표를 알 때

두 점 (x_1, y_1), (x_2, y_2)를 지날 때 (단, $x_1 \neq x_2$)

① (기울기)$= \dfrac{\boxed{①}}{x_2 - x_1} = \dfrac{y_1 - y_2}{x_1 - x_2} = a$를 구한다.

② 일차함수의 식을 $y = ax + b$로 놓고 두 점 중 한 점의 좌표를 대입하여 b의 값을 구한다.

(2) x절편과 y절편을 알 때

x절편이 m이고 y절편이 n일 때

① 두 점 $(m, 0)$, $(0, \boxed{②})$을 지나는 직선의 기울기를 구한다.

➡ (기울기)$= \dfrac{n - 0}{0 - m} = -\dfrac{n}{m}$

② y절편이 n이므로 구하는 직선의 방정식은

$$y = -\dfrac{n}{m}x + n$$

🔖 ① $y_2 - y_1$　② n

[0901~0902] 다음 두 점을 지나는 직선을 그래프로 하는 일차함수의 식을 구하시오.

0901　$(-2, 6)$, $(3, 1)$

0902　$(2, -2)$, $(-4, -5)$

[0903~0904] 다음 직선을 그래프로 하는 일차함수의 식을 구하시오.

0903　x절편이 1, y절편이 3인 직선

0904　x절편이 2, y절편이 -3인 직선

06 일차함수의 활용　　유형 10~15

일차함수의 활용 문제는 다음과 같은 순서로 푼다.

① 변하는 두 양을 x, y로 놓는다.

② x와 y 사이의 관계를 일차함수 $y = \boxed{①}$ 로 나타낸다.

③ 함숫값이나 그래프를 이용하여 구하는 값을 찾는다.

④ 구한 값이 문제의 뜻에 맞는지 확인한다.

🔖 ① $ax + b$

0905　온도가 $20\ ℃$인 물을 끓였더니 1분에 $6\ ℃$씩 물의 온도가 올라갔다고 한다. 다음은 온도가 $20\ ℃$인 물을 끓이기 시작할 때, 물의 온도가 $68\ ℃$가 되는 것은 물을 끓이기 시작한 지 몇 분 후인지 구하는 과정이다. ☐ 안에 알맞은 것을 써넣으시오.

처음 물의 온도가 $20\ ℃$이고, 끓이는 시간이 1분 지날 때마다 물의 온도가 ☐ $℃$씩 올라가므로 물을 끓이기 시작한 지 x분 후에는 물의 온도가 처음보다 ☐ $℃$ 높아진다.

즉 물을 끓이기 시작한 지 x분 후의 물의 온도를 $y\ ℃$라 하면 $y = $ ☐

따라서 물의 온도가 $68\ ℃$가 되는 데 걸리는 시간은 $y = 68$일 때 x의 값이므로 물을 끓이기 시작한 지 ☐분 후이다.

0906　$1\ g$ 당 10원에 판매하는 젤리를 $x\ g$ 사고 10000원을 내면 거스름돈을 y원 받는다고 할 때, 다음 물음에 답하시오.

(1) x와 y 사이의 관계식을 구하시오.

(2) 젤리를 $350\ g$ 샀을 때, 거스름돈을 구하시오.

핵심 포인트!　· 서로 다른 두 점의 좌표를 알 때, 일차함수의 식 구하기

① 두 점의 좌표를 이용하여 기울기 a를 구하고, 일차함수의 식을 $y = ax + b$로 놓는다.

② 한 점의 좌표를 $y = ax + b$에 대입하여 b의 값을 구한다.

필수유형 01 일차함수 $y=ax+b$의 그래프에서 $|a|$의 의미

일차함수 $y=ax+b$의 그래프는
(1) $|a|$가 클수록 y축에 가깝다.
(2) $|a|$가 작을수록 **❶** 축에 가깝다.

답 ❶ x

대표문제

0907 하••••

다음 일차함수 중 그래프가 y축에 가장 가까운 것은?

① $y=\dfrac{1}{2}x-4$ 　　② $y=-x-1$

③ $y=\dfrac{3}{4}x-1$ 　　④ $y=-\dfrac{4}{3}x-1$

⑤ $y=-\dfrac{1}{3}x-3$

0908 하••••

오른쪽 그림의 일차함수의 그래프 ㉠~㉣ 중 기울기의 절댓값이 가장 큰 것을 구하시오.

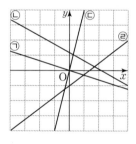

0909 하••••

다음 일차함수 중 그래프가 x축에 가장 가까운 것은?

① $y=-3x+2$ 　　② $y=\dfrac{5}{2}x+2$

③ $y=-x+2$ 　　④ $y=\dfrac{1}{2}x+2$

⑤ $y=\dfrac{4}{3}x+2$

필수유형 02 중요 　일차함수의 그래프와 계수의 부호(1)

일차함수 $y=ax+b$의 그래프가 지나는 사분면

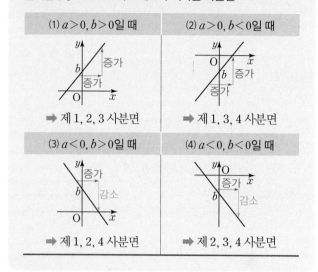

(1) $a>0, b>0$일 때	(2) $a>0, b<0$일 때
➡ 제 1, 2, 3 사분면	➡ 제 1, 3, 4 사분면
(3) $a<0, b>0$일 때	(4) $a<0, b<0$일 때
➡ 제 1, 2, 4 사분면	➡ 제 2, 3, 4 사분면

대표문제

0910 ••중••

일차함수 $y=ax+b$의 그래프가 제1, 2, 4사분면을 지날 때, 일차함수 $y=bx+a$의 그래프가 지나지 <u>않는</u> 사분면을 구하시오. (단, a, b는 상수)

0911 •중하•••

$a<0$, $b<0$일 때, 일차함수 $y=(a+b)x+ab$의 그래프가 지나지 <u>않는</u> 사분면을 구하시오.

0912 •••상중• 　　잘 틀리는 문제

$ab<0$, $bc<0$일 때, 일차함수 $y=-\dfrac{b}{a}x+\dfrac{c}{a}$의 그래프가 지나는 사분면을 모두 구하시오.

개념 해결의 법칙 중 2-1 174쪽

필수유형 03 중요 일차함수의 그래프와 계수의 부호(2)

일차함수 $y=ax+b$의 그래프가

(1) 오른쪽 위로 향하는 직선이면 ➡ $a>0$

　　오른쪽 아래로 향하는 직선이면 ➡ a ❶　 0

(2) y절편이 양수이면 ➡ b ❷　 0

　　y절편이 음수이면 ➡ $b<0$

답 ❶ $<$ ❷ $>$

대표문제

0913 ••중••

일차함수 $y=ax-b$의 그래프가 오른쪽 그림과 같을 때, 다음 중 일차함수 $y=bx+a$의 그래프로 알맞은 것은? (단, a, b는 상수)

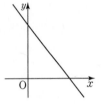

① 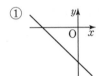　② 　③

④ 　⑤

0914 ••중••

일차함수 $y=abx+b$의 그래프가 오른쪽 그림과 같을 때, 상수 a, b의 부호를 각각 부등호를 사용하여 나타내시오.

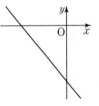

0915 ••중••

일차함수 $y=-ax+b$의 그래프가 오른쪽 그림과 같을 때, 일차함수 $y=\dfrac{b}{a}x-b$의 그래프가 지나는 사분면을 모두 구하시오. (단, a, b는 상수)

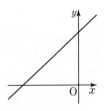

0916 •••상중• 잘 틀리는 문제

일차함수 $y=\dfrac{a}{b}x-\dfrac{b}{c}$의 그래프가 오른쪽 그림과 같을 때, 다음 중 상수 a, b, c의 부호로 알맞은 것은?

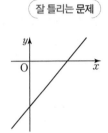

① $a>0$, $b>0$, $c<0$

② $a>0$, $b<0$, $c>0$

③ $a>0$, $b<0$, $c<0$

④ $a<0$, $b>0$, $c>0$

⑤ $a<0$, $b<0$, $c<0$

개념 해결의 법칙 중 2-1 174쪽

필수유형 04 중요 일차함수의 그래프의 평행과 일치

두 일차함수 $y=ax+b$, $y=cx+d$의 그래프가

(1) 평행 ➡ a ❶　 c, $b\neq d$

(2) 일치 ➡ $a=c$, $b=d$

답 ❶ $=$

대표문제

0917 ••중하••

두 점 $(2, -1)$, $(4, k)$를 지나는 직선이 일차함수 $y=3x+5$의 그래프와 평행할 때, k의 값을 구하시오.

0918 하••••

두 일차함수 $y=\dfrac{a}{3}x-1$, $y=x+2$의 그래프가 서로 평행할 때, 상수 a의 값을 구하시오.

0919 하••••

다음 조건을 만족하는 상수 a, b에 대하여 $\dfrac{a}{b}$의 값을 구하시오.

─ 조건 ─
㈎ 두 일차함수 $y=2x+3$, $y=ax+1$의 그래프는 서로 평행하다.
㈏ 두 일차함수 $y=3x-4$, $y=3x+b$의 그래프는 일치한다.

0920 •중하•••

일차함수 $y=ax+b$의 그래프는 일차함수 $y=-3x+1$의 그래프와 평행하고, 일차함수 $y=2x-3$의 그래프와 y축 위에서 만난다. 이때 $a-b$의 값을 구하시오.

(단, a, b는 상수)

0921 ••중•• 서술형

일차함수 $y=ax-2$의 그래프를 y축의 방향으로 -5만큼 평행이동하였더니 일차함수 $y=\dfrac{3}{5}x+b$의 그래프와 일치하였다. 이때 상수 a, b의 값을 각각 구하시오.

필수유형 **05** 중요 일차함수 $y=ax+b$의 그래프의 성질

(1) 일차함수 $y=ax+b$의 그래프에서
① x절편: $-\dfrac{b}{a}$, y절편: b
② (기울기)$=\dfrac{(y\text{의 값의 증가량})}{(x\text{의 값의 증가량})}=$ ❶
③ $a>0$이면 오른쪽 위로 향하는 직선이고, $a<0$이면 오른쪽 아래로 향하는 직선이다.
(2) 두 일차함수 $y=ax+b$, $y=cx+d$의 그래프가
① 평행 ➡ a ❷ c, $b\neq d$ ② 일치 ➡ $a=c$, $b=d$

답 ❶ a ❷ $=$

대표문제

0922 ••중••

다음 중 일차함수 $y=-\dfrac{1}{2}x+3$의 그래프에 대한 설명으로 옳지 <u>않은</u> 것은?
① 점 $(4, 1)$을 지난다.
② x절편은 6이다.
③ 제3사분면을 지나지 않는다.
④ 일차함수 $y=\dfrac{1}{2}x-3$의 그래프와 평행하다.
⑤ x의 값이 1만큼 증가하면 y의 값은 $\dfrac{1}{2}$만큼 감소한다.

0923 ••중••

다음 보기 중 일차함수 $y=\dfrac{2}{3}x-6$의 그래프에 대한 설명으로 옳은 것을 모두 고르시오.

─ 보기 ─
㉠ 점 $(3, 2)$를 지난다.
㉡ x의 값이 3만큼 증가하면 y의 값은 -2만큼 증가한다.
㉢ y축과 점 $(-6, 0)$에서 만난다.
㉣ 오른쪽 위로 향하는 직선이다.
㉤ 일차함수 $y=\dfrac{2}{3}x+6$의 그래프와 평행하다.

0924 ●●●중●●●

다음 중 오른쪽 그림의 일차함수의 그래프에 대한 설명으로 옳지 <u>않은</u> 것은?

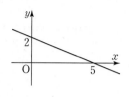

① 일차함수 $y=-\dfrac{2}{5}x$의 그래프와 평행하다.

② y절편은 2이다.

③ x의 값이 5만큼 증가할 때, y의 값은 2만큼 감소한다.

④ 일차함수 $y=\dfrac{2}{5}x$의 그래프를 y축의 방향으로 2만큼 평행이동한 그래프이다.

⑤ 일차함수 $y=3x-15$의 그래프와 x절편이 같다.

0925 ●●●상중●

다음 중 일차함수 $y=ax+4$의 그래프에 대한 설명으로 옳지 <u>않은</u> 것은? (단, a는 상수)

① 점 $(0, 4)$를 지난다.

② $a>0$일 때, x의 값이 증가하면 y의 값도 증가한다.

③ 일차함수 $y=ax$의 그래프와 평행하다.

④ 기울기는 a이다.

⑤ $a<0$일 때, 제4사분면을 지나지 않는다.

0926 ●●●상중●

잘 틀리는 문제

일차함수 $y=ax+b$의 그래프가 오른쪽 그림과 같을 때, 다음 설명 중 옳은 것은? (단, a, b는 상수)

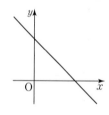

① 점 $(1, a)$를 지난다.

② x절편은 $-\dfrac{b}{a}$, y절편은 b이다.

③ 일차함수 $y=-ax+b$의 그래프와 평행하다.

④ $a>0$, $b>0$이다.

⑤ x의 값이 1만큼 증가할 때, y의 값은 a만큼 감소한다.

필수유형 **06** 일차함수의 식 구하기(1)
 – 기울기와 y절편을 알 때

(1) x의 값이 p만큼 증가할 때, y의 값은 q만큼 증가한다.

 ➡ 직선의 기울기가 $\dfrac{q}{p}$이다.

(2) 점 $(0, b)$를 지난다. ➡ y절편이 ❶ 이다.

답 ❶ b

대표문제

0927 ●중하●●●

기울기가 $\dfrac{1}{3}$이고 y절편이 5인 직선이 점 $(a, 2)$를 지날 때, a의 값을 구하시오.

0928 ●하●●●●

일차함수 $y=-4x+1$의 그래프와 평행하고 y절편이 -5인 직선을 그래프로 하는 일차함수의 식을 구하시오.

0929 ●●중하●●●

x의 값이 3만큼 증가할 때 y의 값은 4만큼 감소하고, y절편이 2인 직선을 그래프로 하는 일차함수의 식을 구하시오.

0930 ••중••
오른쪽 그림과 같은 일차함수의 그래프와 평행하고 y절편이 -4인 직선의 x절편을 구하시오.

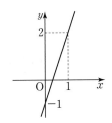

0933 ••중••
일차함수 $y=3x+5$의 그래프와 평행하고 점 $(3, -2)$를 지나는 직선의 y절편을 구하시오.

0934 ••중••
일차함수 $y=-\dfrac{1}{3}x+4$의 그래프와 평행하고, 일차함수 $y=\dfrac{3}{2}x-9$의 그래프와 x축 위에서 만나는 직선을 그래프로 하는 일차함수의 식을 구하시오.

개념 해결의 법칙 중 2-1 181쪽

필수유형 07 | 중요

일차함수의 식 구하기(2)
– 기울기와 한 점의 좌표를 알 때

기울기가 a이고 점 (x_1, y_1)을 지날 때
① 일차함수의 식을 $y=$ ⬚❶ $x+b$로 놓는다.
② $y=ax+b$에 $x=x_1, y=y_1$을 대입하여 b의 값을 구한다.

답 ❶ a

대표문제

0931 ••중••
오른쪽 그림과 같은 일차함수의 그래프와 평행하고 x절편이 2인 직선을 그래프로 하는 일차함수의 식을 구하시오.

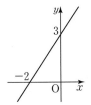

개념 해결의 법칙 중 2-1 182쪽

필수유형 08 | 중요

일차함수의 식 구하기(3)
– 서로 다른 두 점의 좌표를 알 때

두 점 $(x_1, y_1), (x_2, y_2)$를 지날 때 (단, $x_1 \neq x_2$)
① (기울기)$=\dfrac{⬚❶}{x_2-x_1}=a$를 구한다.
② 일차함수의 식을 $y=ax+b$로 놓고 두 점 중 한 점의 좌표를 대입하여 b의 값을 구한다.

답 ❶ y_2-y_1

대표문제

0935 ••중••
두 점 $(1, 1), (3, -3)$을 지나는 직선을 그래프로 하는 일차함수의 식을 구하시오.

0932 중하••
기울기가 2이고 점 $(-1, 2)$를 지나는 직선을 그래프로 하는 일차함수의 식을 구하시오.

0936 ●●◐중◐◐ 서술형

두 점 A$(-1, 4)$, B$(2, -5)$를 지나는 직선을 그래프로 하는 일차함수의 식을 구하려고 한다. 다음 물음에 답하시오.

(1) 두 점 A, B를 지나는 직선의 기울기를 구하시오.

(2) 그래프의 y절편을 구하시오.

(3) 일차함수의 식을 구하시오.

0937 ●●◐중◐◐

오른쪽 그림과 같은 일차함수의 그래프의 x절편을 구하시오.

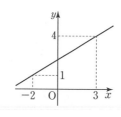

0938 ●●◐중◐◐

다음 중 두 점 $(4, 2)$, $(-1, -3)$을 지나는 직선에 대한 설명으로 옳은 것은?

① 일차함수 $y = -x + 3$의 그래프와 평행하다.
② x절편은 -3이다.
③ y절편은 -2이다.
④ x의 값이 1만큼 증가할 때, y의 값은 2만큼 증가한다.
⑤ 점 $(-1, 1)$을 지난다.

0939 ●●◐중◐◐ 잘 틀리는 문제

두 점 $(-2, k)$, $(1, 3-2k)$를 지나는 직선이 일차함수 $y = -4x + 1$의 그래프와 평행할 때, 이 직선을 그래프로 하는 일차함수의 식을 구하시오.

0940 ●●◐중◐◐

점 $(1, -2)$를 지나고 일차함수 $y = -2x + 8$의 그래프와 x축 위에서 만나는 직선을 그래프로 하는 일차함수의 식을 구하시오.

0941 ●●◐중◐◐

일차함수 $y = ax + b$의 그래프에서 x의 값이 -1에서 2까지 증가할 때, y의 값은 4에서 10까지 증가하였다. 이때 ab의 값을 구하시오. (단, a, b는 상수)

개념 해결의 법칙 중 2-1 182쪽

필수유형09 일차함수의 식 구하기(4)
– x절편, y절편을 알 때

x절편이 m이고 y절편이 n일 때
➡ 두 점 $(m, 0)$, $(0, n)$을 지나는 직선이므로

$$(기울기) = \frac{n-0}{0-m} = \boxed{\text{❶}}, (y절편) = \boxed{\text{❷}}$$

$$\therefore y = -\frac{n}{m}x + n$$

目 ❶ $-\dfrac{n}{m}$ ❷ n

대표문제

0942 ●●중●●

x절편이 3이고 y절편이 -2인 직선이 점 $(a, 4)$를 지날 때, a의 값을 구하시오.

0943 ●중하●●●

x절편이 -4이고 y절편이 3인 직선을 그래프로 하는 일차함수의 식을 구하시오.

0944 ●●중●●

다음 중 x절편이 1이고 y절편이 1인 직선 위에 있지 <u>않은</u> 점은?

① $(-3, 3)$ ② $(-1, 2)$ ③ $(2, -1)$
④ $(3, -2)$ ⑤ $(5, -4)$

0945 ●●중●●

일차함수 $y = \dfrac{1}{2}x + 1$의 그래프와 x축 위에서 만나고, 일차함수 $y = -\dfrac{2}{3}x - 4$의 그래프와 y축 위에서 만나는 직선이 점 $(-3, a)$를 지날 때, a의 값을 구하시오.

개념 해결의 법칙 중 2-1 187쪽

필수유형10 일차함수의 활용(1) – 온도

처음 온도가 a ℃이고 1분마다 온도가 b ℃씩 올라갈 때, x분 후의 온도를 y ℃라 하면 $y = a + \boxed{\text{❶}} x$

참고 온도가 올라가면 $+$, 온도가 내려가면 $-$

目 ❶ b

대표문제

0946 ●●중●●

기온이 0 ℃일 때, 공기 중에서 소리의 속력은 초속 331 m 이고, 기온이 1 ℃ 오를 때마다 소리의 속력이 초속 0.6 m 씩 증가한다고 한다. 소리의 속력이 초속 343 m일 때의 기온을 구하시오.

0947 ●●중●● 〔잘 틀리는 문제〕

지면으로부터의 높이가 10 km인 지점까지는 100 m 높아질 때마다 기온이 0.6 ℃씩 내려간다고 한다. 지면의 기온이 25 ℃일 때, 지면으로부터의 높이가 5 km인 지점의 기온은 몇 ℃인지 구하시오.

0948 ●●중●● 〔서술형〕

다음 표는 어떤 약품을 일정한 양의 물에 녹였을 때, 물의 온도 x ℃와 물에 녹는 약품의 최대량 y g을 나타낸 것이다. 물음에 답하시오.

x(℃)	0	10	20	30	40
y(g)	30	35	40	45	50

(1) x와 y 사이의 관계식을 구하시오.

(2) 물의 온도가 12 ℃일 때, 물에 녹는 약품의 최대량을 구하시오.

(3) 물에 녹는 약품의 최대량이 42 g일 때, 물의 온도를 구하시오.

개념 해결의 법칙 중 2-1 187쪽

필수유형 **11** 일차함수의 활용(2) – 길이

처음 길이가 a cm이고 1분마다 길이가 b cm씩 짧아질 때, x분 후의 길이를 y cm라 하면 $y=a-$ ❶ $\boxed{}$ x

참고 길이가 길어지면 +, 길이가 짧아지면 −

답 ❶ b

대표문제

0949 ●●●중●●●

길이가 25 cm인 리트머스 종이가 있다. 이 종이의 한쪽 끝을 물에 담그면 10초마다 5 cm씩 젖는다고 할 때, 젖지 않은 리트머스 종이의 길이가 13 cm가 되는 것은 한쪽 끝을 물에 담근 지 몇 초 후인지 구하시오.

(단, 물에 담긴 종이의 길이는 생각하지 않는다.)

0950 ●●●중●●●

무게를 50 g까지 달 수 있는 용수철 저울이 있다. 이 저울의 용수철의 길이는 20 cm이고, 무게가 5 g인 물건을 달 때마다 용수철의 길이는 1 cm씩 늘어난다고 한다. 무게가 x g인 물건을 달았을 때의 용수철의 길이를 y cm라 할 때, x와 y 사이의 관계식을 구하시오.

0951 ●●●상중●

길이가 27 cm인 양초가 있다. 이 양초에 불을 붙이면 10분마다 길이가 3 cm씩 짧아진다고 한다. 불을 붙인 지 x분 후의 양초의 길이를 y cm라 할 때, 다음 중 옳지 <u>않은</u> 것은?

① x와 y 사이의 관계식은 $y=27-0.3x$이다.
② 불을 붙인 지 20분 후의 양초의 길이는 12 cm이다.
③ 양초의 길이가 15 cm가 되는 것은 불을 붙인 지 40분 후이다.
④ 불을 붙인 지 10분 후의 양초의 길이는 24 cm이다.
⑤ 양초가 다 타는 데 걸리는 시간은 1시간 30분이다.

필수유형 **12** 일차함수의 활용(3) – 양

처음 물의 양이 a L이고 1분마다 물을 b L씩 빼낼 때, x분 후에 남아 있는 물의 양을 y L라 하면

$y=$ ❶ $\boxed{}$ $-bx$

참고 물을 넣으면 +, 물을 빼내면 −

답 ❶ a

대표문제

0952 ●●●중●●●

150 L의 물이 들어 있는 물통에서 3분마다 9 L의 비율로 물이 흘러나간다. 물통에 물이 75 L가 남아 있는 때는 물이 흘러나가기 시작한 지 몇 분 후인지 구하시오.

0953 ●●중하●●●●

높이가 50 cm인 원기둥 모양의 물통에 높이 10 cm까지 물이 들어 있다. 이 물통에 일정한 비율로 물을 더 넣으면 수면의 높이가 매분 4 cm씩 높아질 때, 수면의 높이가 26 cm가 되는 것은 물을 더 넣기 시작한 지 몇 분 후인지 구하시오.

0954 ●●●중●●● 서술형

휘발유 1 L로 20 km를 달릴 수 있는 자동차가 있다. 이 자동차에 휘발유 35 L를 넣고 x km를 달린 후에 남아 있는 휘발유의 양을 y L라 할 때, 다음 물음에 답하시오.

(1) x와 y 사이의 관계식을 구하시오.

(2) 360 km를 달린 후에 남아 있는 휘발유의 양은 몇 L인지 구하시오.

필수유형 13 일차함수의 활용(4) – 속력

다음을 이용하여 x와 y 사이의 관계를 식으로 나타낸다.

(1) (거리)=(속력)×(시간) (2) (속력)=$\dfrac{(거리)}{(시간)}$

(3) (시간)=$\dfrac{\boxed{❶}}{(속력)}$

주의 주어진 거리, 속력, 시간에서 단위가 다른 것이 있을 때에는 먼저 단위를 통일시킨다.

답 **❶** 거리

대표문제

0955 ●●●중●●●

초속 3 m로 내려오는 엘리베이터가 있다. 이 엘리베이터가 지면으로부터 60 m의 높이에서 출발하여 멈추지 않고 내려올 때, 출발한 지 5초 후에 지면으로부터 엘리베이터의 높이는 몇 m인지 구하시오.

0956 ●●●중●●●   잘 틀리는 문제

서울에서 대전까지 차를 타고 200 km를 가려고 한다. 시속 60 km로 달린다고 할 때, 서울에서 출발한 지 x분 후에 대전까지 남은 거리를 y km라 하자. 이때 x와 y 사이의 관계식을 구하시오.

0957 ●●●중●●●

지훈이는 5 km 단축마라톤 대회에 참가하여 분속 150 m로 달리고 있다. 지훈이의 위치에서 결승점까지의 거리가 2 km가 되는 것은 지훈이가 출발한 지 몇 분 후인지 구하시오.

필수유형 14 일차함수의 활용(5) – 도형

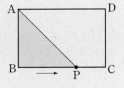

직사각형 ABCD에서 점 P가 점 B를 출발하여 변 BC를 따라 점 C까지 매초 a cm씩 움직일 때

(1) 점 P가 출발한 지 x초 후의 $\overline{\text{BP}}$의 길이 ➡ **❶** cm

(2) 점 P가 출발한 지 x초 후의 삼각형 ABP의 넓이를 y cm²라 하면 $y=\dfrac{1}{2}\times\overline{\text{BP}}\times\overline{\text{AB}}$, 즉 $y=\dfrac{1}{2}\times ax\times\overline{\text{AB}}$

답 **❶** ax

대표문제

0958 ●●●중●●●

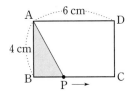

오른쪽 그림과 같은 직사각형 ABCD에서 점 P가 점 B를 출발하여 $\overline{\text{BC}}$를 따라 점 C까지 매초 1 cm씩 움직인다. 삼각형 ABP의 넓이가 10 cm²가 되는 것은 점 P가 점 B를 출발한 지 몇 초 후인지 구하시오.

0959 ●●●중●●●

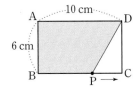

오른쪽 그림과 같은 직사각형 ABCD에서 점 P가 점 B를 출발하여 $\overline{\text{BC}}$를 따라 점 C까지 매초 0.5 cm씩 움직인다. 사각형 ABPD의 넓이가 45 cm²가 되는 것은 점 P가 점 B를 출발한 지 몇 초 후인지 구하시오.

0960 ●●●중●●●

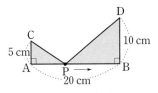

오른쪽 그림에서 점 P가 점 A에서 점 B까지 $\overline{\text{AB}}$ 위를 1초에 1 cm씩 움직이고 있다. 직각삼각형 CAP와 직각삼각형 DPB의 넓이의 합이 55 cm²가 되는 것은 점 P가 점 A를 출발한 지 몇 초 후인지 구하시오.

8

일차함수와 그래프 (2)

개념 해결의 법칙 중 2-1 188쪽

필수유형 15 그래프를 이용한 일차함수의 활용

주어진 그래프의 기울기와 y절편을 이용하여 일차함수의 식을 구한다.

➡ 그래프의 기울기가 a이고 y절편이 b이면 $y=ax+b$

대표문제

0961 ●●중●●●

오른쪽 그림은 길이가 20 cm인 양초에 불을 붙인 지 x시간 후에 남은 양초의 길이를 y cm라 할 때, x와 y 사이의 관계를 그래프로 나타낸 것이다. 불을 붙인 지 1시간 후에 남은 양초의 길이를 구하시오.

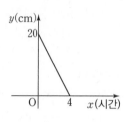

0962 ●●중●●●

오른쪽 그림은 200 L의 물이 들어 있는 물통에서 물이 흘러나가기 시작한 지 x시간 후에 물통에 남아 있는 물의 양을 y L라 할 때, x와 y 사이의 관계를 그래프로 나타낸 것이다. 물이 흘러나가기 시작한 지 3시간 후에 물통에 남아 있는 물의 양을 구하시오.

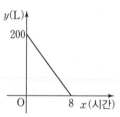

0963 ●●중●●●

오른쪽 그림은 60 ℃의 물을 냉장고에 넣은 지 x시간 후에 물의 온도를 y ℃라 할 때, x와 y 사이의 관계를 그래프로 나타낸 것이다. 물의 온도가 27 ℃가 되는 데 걸린 시간을 구하시오.

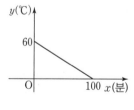

발전유형 16 직선이 선분과 만날 조건

직선 $y=ax+b$가 선분 AB와 만나기 위한 조건

➡ (직선 ❶ ⬚ 의 기울기)$\leq a$
   $\leq$(직선 ❷ ⬚ 의 기울기)

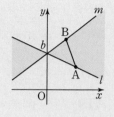

답 ❶ l ❷ m

대표문제

0964 ●●●상중●

오른쪽 그림과 같이 좌표평면 위에 두 점 A$(1, 5)$, B$(4, 1)$이 있다. 직선 $y=ax-1$이 선분 AB와 만날 때, 상수 a의 값의 범위를 구하시오.

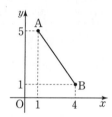

쌍둥이 문제

0965 ●●●상중●

직선 $y=ax-3$이 두 점 A$(2, 3)$, B$(3, -1)$을 이은 선분 AB와 만날 때, 상수 a의 값의 범위를 구하시오.

0966 ●●●상중●

직선 $y=ax+5$가 두 점 A$(1, 2)$, B$(4, 1)$을 이은 선분 AB와 만나기 위한 상수 a의 값의 범위는 $m\leq a\leq n$이다. 이때 $m+n$의 값을 구하시오.

발전유형17 직선이 도형과 만날 조건

대표문제

0967 ●●●●상

오른쪽 그림과 같이 좌표평면 위에 네 점 A(1, 8), B(1, 3), C(4, 3), D(4, 8)을 꼭짓점으로 하는 사각형 ABCD가 있다. 직선 $y=ax+2$가 사각형 ABCD와 만나도록 하는 상수 a의 값의 범위를 구하시오.

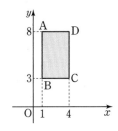

쌍둥이문제

0968 ●●●●상

좌표평면 위에 세 점 A(2, 3), B(3, −1), C(4, 2)를 꼭짓점으로 하는 삼각형 ABC가 있다. 직선 $y=ax-2$가 삼각형 ABC와 만날 때, 상수 a의 값의 범위를 구하시오.

0969 ●●●●상 서술형

오른쪽 그림과 같이 좌표평면 위에 세 점 A(4, 6), B(1, 4), C(6, 1)을 꼭짓점으로 하는 삼각형 ABC가 있다. 다음 물음에 답하시오.

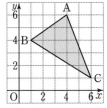

(1) 직선 $y=2x+k$가 점 A, B, C를 지날 때의 상수 k의 값을 각각 구하시오.

(2) 직선 $y=2x+k$가 삼각형 ABC와 만날 때, 상수 k의 값의 범위를 구하시오.

발전유형18 x축과 만나는 두 점 사이의 거리를 이용하여 미지수의 값 구하기

대표문제

0970 ●●●●상

두 일차함수 $y=-\dfrac{1}{3}x-2$, $y=ax+b$의 그래프가 서로 평행하고 두 그래프가 x축과 만나는 점을 각각 P, Q라 하면 $\overline{PQ}=8$일 때, 다음 물음에 답하시오. (단, a, b는 상수)

(1) 상수 a의 값을 구하시오.

(2) 상수 b의 값을 모두 구하시오.

쌍둥이문제

0971 ●●●●상

서로 평행한 두 일차함수 $y=3x+6$, $y=ax+b$의 그래프가 x축과 만나는 점을 각각 A, B라 할 때, $\overline{AB}=4$이다. 이때 $a+b$의 값을 구하시오. (단, a, b는 상수이고, $b<0$)

0972 ●●●상중

두 일차함수 $y=2x+6$, $y=-\dfrac{1}{3}x+a$의 그래프가 x축과 만나는 점을 각각 A, B라 할 때, $\overline{AB}=6$이다. 이때 모든 상수 a의 값의 곱을 구하시오.

0973 하••••

다음 일차함수 중 그래프가 x축에 가장 가까운 것은?

① $y=\dfrac{4}{5}x+3$ ② $y=-x+3$

③ $y=\dfrac{1}{2}x+3$ ④ $y=\dfrac{2}{3}x+3$

⑤ $y=-\dfrac{12}{5}x+3$

0974 ••중••

일차함수 $y=ax+b$의 그래프가 제1, 3, 4사분면을 지날 때, 일차함수 $y=-\dfrac{1}{b}x+a$의 그래프가 지나지 <u>않는</u> 사분면을 구하시오. (단, a, b는 상수)

0975 •중하••••

일차함수 $y=ax+b$의 그래프가 오른쪽 그림과 같을 때, 다음 중 일차함수 $y=bx+a$의 그래프로 알맞은 것은? (단, a, b는 상수)

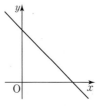

① 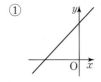   ②   ③

④   ⑤

0976 •••상중•

$ab<0$, $ac>0$일 때, 일차함수 $y=\dfrac{b}{a}x-\dfrac{c}{a}$의 그래프가 지나지 <u>않는</u> 사분면은?

① 제1사분면   ② 제2사분면

③ 제3사분면   ④ 제4사분면

⑤ 제3, 4사분면

0977 하••••

다음 중 아래의 일차함수의 그래프와 평행한 직선을 그래프로 하는 일차함수의 식은?

> x의 값이 -1에서 1까지 증가할 때, y의 값은 3에서 4까지 증가하는 일차함수

① $y=2x-1$ ② $y=-2x$

③ $y=x+1$ ④ $y=-\dfrac{1}{2}x-1$

⑤ $y=\dfrac{1}{2}x+1$

0978 ••중••

일차함수 $y=-3ax+2$의 그래프를 y축의 방향으로 3만큼 평행이동하였더니 일차함수 $y=6x+2b$의 그래프와 일치하였다. 이때 ab의 값을 구하시오. (단, a, b는 상수)

0979 ●●●중●●

다음 중 일차함수 $y=-\dfrac{5}{2}x+5$의 그래프에 대한 설명으로 옳지 <u>않은</u> 것은?

① 기울기는 $-\dfrac{5}{2}$이고 y절편은 5이다.

② 오른쪽 위로 향하는 직선이다.

③ 일차함수 $y=-\dfrac{5}{2}x-1$의 그래프를 y축의 방향으로 6만큼 평행이동한 것이다.

④ 점 $(6, -10)$을 지난다.

⑤ x절편은 2이다.

0980 ●●중●● 서술형

일차함수 $y=-3x+6$의 그래프와 평행하고 y절편이 k인 직선이 점 $(1, -4)$를 지날 때, k의 값을 구하시오.

0981 ●●중하●●●

x의 값이 2만큼 증가할 때 y의 값은 4만큼 증가하고 점 $(1, -3)$을 지나는 직선을 그래프로 하는 일차함수의 식은?

① $y=-2x-5$ ② $y=-2x+5$

③ $y=2x-5$ ④ $y=2x+5$

⑤ $y=3x-2$

0982 ●●●상중●●

일차함수 $y=ax+b$의 그래프가 오른쪽 그림과 같을 때, 일차함수 $y=bx-a$의 그래프와 x축 및 y축으로 둘러싸인 도형의 넓이를 구하시오.

(단, a, b는 상수)

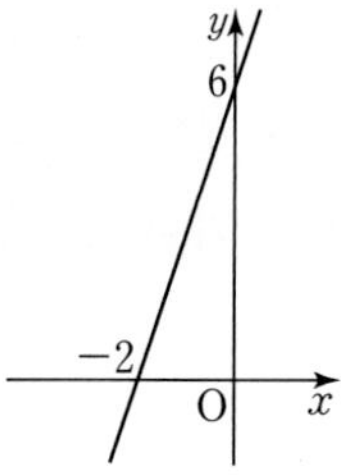

0983 ●●●상중●● 서술형

일차함수 $y=-4x+1$의 그래프와 평행하고, 일차함수 $y=\dfrac{2}{5}x-2$의 그래프와 x축 위에서 만나는 직선을 그래프로 하는 일차함수의 식을 구하시오.

0984 ●●중●●●

두 점 $(1, 4)$, $(3, -2)$를 지나는 직선을 그래프로 하는 일차함수의 식이 $y=ax+b$일 때, $a-b$의 값을 구하시오.

(단, a, b는 상수)

0985 ●●중●●

다음 중 두 점 $(1, 2)$, $(3, -2)$를 지나는 일차함수의 그래프에 대한 설명으로 옳지 <u>않은</u> 것은?

① 그래프의 식은 $y=-2x+4$이다.

② x절편은 2이다.

③ 오른쪽 아래로 향하는 직선이다.

④ 제2사분면을 지나지 않는다.

⑤ x의 값이 1만큼 증가하면 y의 값은 2만큼 감소한다.

0986 ●●중●●

다음 중 x절편이 3이고 y절편이 -4인 일차함수의 그래프에 대한 설명으로 옳은 것은?

① 점 $(1, -1)$을 지난다.

② 제1, 2, 4사분면을 지난다.

③ x의 값이 증가하면 y의 값은 감소한다.

④ 일차함수 $y=-2x+1$의 그래프와 평행하다.

⑤ 일차함수 $y=\dfrac{4}{3}x$의 그래프를 y축의 방향으로 -4만큼 평행이동한 것이다.

0987 ●●중●●

x절편이 2이고, 일차함수 $y=-3x+1$의 그래프와 y축 위에서 만나는 직선을 그래프로 하는 일차함수의 식은?

① $y=-6x+1$ ② $y=-3x+2$

③ $y=-\dfrac{1}{2}x+1$ ④ $y=-\dfrac{1}{2}x+2$

⑤ $y=-\dfrac{1}{2}x+3$

0988 ●●중●●

일차함수 $y=ax+b$의 그래프는 일차함수 $y=\dfrac{1}{2}x-1$의 그래프와 x축 위에서 만나고 일차함수 $y=-2x+8$의 그래프와 y축 위에서 만난다. 이때 $a-b$의 값은?

(단, a, b는 상수)

① -12 ② -4 ③ 4

④ 8 ⑤ 12

0989 ●●중●● 창의력

일차함수 $y=ax+b$의 그래프를 그리는데 희원이는 기울기를 잘못 보아 그래프 ㉠을 그리고, 수경이는 y절편을 잘못 보아 그래프 ㉡을 그렸다. 처음 일차함수의 식 $y=ax+b$를 구하시오.

(단, a, b는 상수)

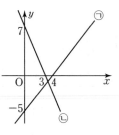

0990 ●●●상중●

일차함수 $y=ax-2$의 그래프가 두 점 $A(1, 2)$, $B(3, -1)$을 이은 선분 AB와 만나기 위한 상수 a의 값의 범위를 구하시오.

0991 ●●중●● (서술형)

1 L의 경유로 15 km를 달릴 수 있는 자동차에 경유 60 L를 넣었다. x km를 달린 후에 남은 경유의 양을 y L라 할 때, 다음 물음에 답하시오.

(1) x와 y 사이의 관계식을 구하시오.

(2) 남은 경유의 양이 10 L일 때, 자동차가 달린 거리를 구하시오.

0992 ●●●상중●

길이가 30 cm인 양초가 있다. 이 양초에 불을 붙인 지 x분 후의 양초의 길이를 y cm라 할 때, x와 y 사이의 관계는 아래 표와 같다. 다음 중 옳지 않은 것은?

x(분)	0	10	20	30	40	50	...
y(cm)	30	28	26	24	22	20	...

① 양초의 길이는 1분에 0.2 cm씩 짧아진다.

② x와 y 사이의 관계식은 $y=30-\dfrac{1}{2}x$이다.

③ 2시간 후의 양초의 길이는 6 cm이다.

④ 양초의 길이가 19 cm가 되는 것은 불을 붙인 지 55분 후이다.

⑤ 양초가 다 타는 데 걸리는 시간은 2시간 30분이다.

0993 ●●●상중●

오른쪽 그림과 같은 직사각형 ABCD에서 점 P가 점 B를 출발하여 점 C까지 변 BC를 따라 매초 2 cm의 속력으로 움직인다. 사다리꼴 APCD의

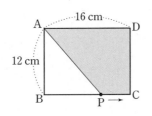

넓이가 168 cm²가 되는 것은 점 P가 점 B를 출발한 지 몇 초 후인지 구하시오.

0994 ●●●상중● (창의력)

다음 그림과 같이 성냥개비를 사용하여 정오각형을 이어 만드는 활동을 하고 있다. 정오각형의 개수를 x개, 정오각형을 만드는 데 사용한 성냥개비의 개수를 y개라 할 때, 다음 물음에 답하시오.

(1) 다음 표의 ㉠, ㉡에 들어갈 수를 각각 구하시오.

x(개)	1	2	3	4	5
y(개)	5	9	㉠	17	㉡

(2) 위의 표를 이용하여 x와 y 사이의 관계식을 일차함수 $y=ax+b$로 나타내었을 때, 상수 a, b의 값을 각각 구하시오.

0995 ●●●상중● (융합형)

효중이는 매월 무료로 데이터가 100 MB만큼 제공되는 휴대폰 요금제에 가입하였다. 이 요금제에서 추가 요금을 냈을 때 제공되는 데이터의 총 양은 다음 그래프와 같다. x원을 추가로 내면 총 y MB의 데이터가 제공될 때, 다음 물음에 답하시오.

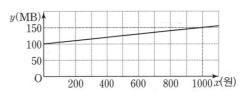

(1) x와 y 사이의 관계식을 구하시오.

(2) 7월 한 달 동안 총 500 MB의 데이터를 사용한다면 추가로 얼마를 더 내야 하는지 구하시오.

9

일차함수와 일차방정식

01 일차함수와 일차방정식   유형 01, 02, 05

(1) **미지수가 2개인 일차방정식의 그래프**   미지수가 2개인 일차방정식의 해의 순서쌍을 좌표로 하는 점을 좌표평면 위에 나타낸 것

(2) **직선의 방정식**   미지수 x, y의 값의 범위가 수 전체일 때, 일차방정식 $ax+by+c=0$ (a, b, c는 상수, $a \neq 0$ 또는 $b \neq 0$)을 직선의 방정식이라 한다.

(3) **일차함수와 일차방정식**   미지수가 2개인 일차방정식 $ax+by+c=0$ (a, b, c는 상수, $a \neq 0$, $b \neq 0$)의 그래프는 일차함수 $y=\boxed{\text{❶}}\,x-\dfrac{c}{b}$의 그래프와 같다.

예 일차방정식 $2x+y-7=0$에서 y를 x의 식으로 나타내면
$$y=-2x+7$$
즉 일차방정식 $2x+y-7=0$의 그래프는 일차함수 $y=-2x+7$의 그래프와 같다.

답 ❶ $-\dfrac{a}{b}$

[0996~0999] 다음 일차방정식을 $y=ax+b$의 꼴로 나타내시오.

0996 $x+y-3=0$

0997 $2x-y+4=0$

0998 $-3x+4y=0$

0999 $4x-2y=6$

[1000~1001] 일차방정식 $x+2y-1=0$의 그래프에 대하여 다음 ☐ 안에 알맞은 수를 써넣으시오.

1000 x의 값이 6만큼 증가할 때, y의 값은 ☐만큼 감소한다.

1001 x절편은 ☐, y절편은 ☐이다.

[1002~1004] 다음 일차방정식의 그래프의 기울기, x절편, y절편을 각각 구하시오.

1002 $3x-9y=1$

1003 $-x+5y+4=0$

1004 $\dfrac{x}{2}-\dfrac{y}{3}=1$

[1005~1006] x, y의 값의 범위가 수 전체일 때, 다음 일차방정식의 그래프를 그리시오.

1005 $-x+3y-6=0$ **1006** $2x+y=4$

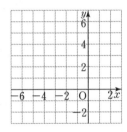   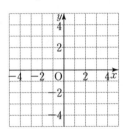

[1007~1009] 아래 보기의 일차방정식 중 그래프가 다음과 같은 것을 모두 고르시오.

보기
  ㉠ $x-y-2=0$ ㉡ $2x-y+3=0$
  ㉢ $2x+y-3=0$ ㉣ $2x+y+3=0$

1007   오른쪽 아래로 향하는 그래프

1008 x의 값이 증가할 때, y의 값도 증가하는 그래프

1009   서로 평행한 두 그래프

핵심 포인트!   • 일차함수와 일차방정식

$$ax+by+c=0 \;(a \neq 0, b \neq 0) \;\; \underset{\text{일차방정식}}{\overset{\text{일차함수}}{\rightleftarrows}} \;\; y=-\dfrac{a}{b}x-\dfrac{c}{b}$$

02 일차방정식 $x=p$, $y=q$의 그래프 　유형 03, 04

(1) **방정식 $x=p(p\neq0)$의 그래프**

점 $(p, 0)$을 지나고, y축에 평행(x축에 ❶　　)한 직선

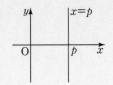

(2) **방정식 $y=q(q\neq0)$의 그래프**

점 $(0, ❷　)$를 지나고, x축에 평행(y축에 수직)한 직선

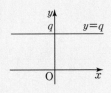

참고 방정식 $x=0$의 그래프는 y축을, 방정식 $y=0$의 그래프는 x축을 나타낸다.

답 ❶수직　❷q

[1010~1015] 다음 직선의 방정식을 구하시오.

1010 점 $(-2, 3)$을 지나고 x축에 평행한 직선

1011 점 $(-2, 3)$을 지나고 y축에 평행한 직선

1012 점 $(-4, -1)$을 지나고 x축에 수직인 직선

1013 점 $(-4, -1)$을 지나고 y축에 수직인 직선

1014 두 점 $(1, -3)$, $(-3, -3)$을 지나는 직선

1015 두 점 $(5, -2)$, $(5, 5)$를 지나는 직선

03 연립방정식의 해와 그래프 　유형 06~11

연립방정식 $\begin{cases} ax+by+c=0 \\ a'x+b'y+c'=0 \end{cases}$ 의 해는 두 일차방정식 $ax+by+c=0$, $a'x+b'y+c'=0$의 그래프의 ❶　　의 좌표와 같다.

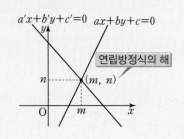

답 ❶교점

[1016~1017] 다음 그림은 두 일차방정식 $ax+by+c=0$, $a'x+b'y+c'=0$의 그래프이다.

연립방정식 $\begin{cases} ax+by+c=0 \\ a'x+b'y+c'=0 \end{cases}$ 의 해를 구하시오.

1016 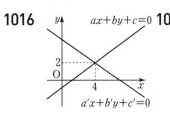 **1017**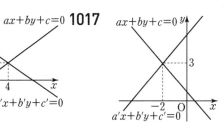

[1018~1019] 다음은 연립방정식에서 두 일차방정식의 그래프를 그린 것이다. 연립방정식의 해를 구하시오.

1018 $\begin{cases} 3x+y=-5 \\ x-2y=-4 \end{cases}$ 　　**1019** $\begin{cases} x+2y=-4 \\ 3x-y=2 \end{cases}$

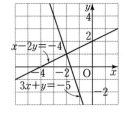 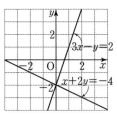

핵심 포인트! · 연립방정식의 해와 그래프

연립방정식의 해 $x=m, y=n$ ⟺ 두 일차방정식의 그래프의 교점의 좌표 (m, n)

9 일차함수와 일차방정식

[1020~1021] 그래프를 이용하여 다음 연립방정식을 푸시오.

1020 $\begin{cases} x-2y=-3 \\ 2x+y=4 \end{cases}$

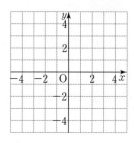

1021 $\begin{cases} 4x-y=-2 \\ x+y=-3 \end{cases}$

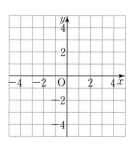

[1022~1024] 다음은 두 일차방정식 $3x-y=m$, $nx+y=1$ 의 그래프이다. 물음에 답하시오. (단, m, n은 상수)

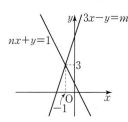

1022 연립방정식 $\begin{cases} 3x-y=m \\ nx+y=1 \end{cases}$의 해를 구하시오.

1023 m의 값을 구하시오.

1024 n의 값을 구하시오.

04 연립방정식의 해의 개수와 두 그래프의 위치 관계 유형 10

연립방정식 $\begin{cases} ax+by+c=0 \\ a'x+b'y+c'=0 \end{cases}$ 의 해의 개수는 두 일차

방정식 $ax+by+c=0$, $a'x+b'y+c'=0$의 그래프의 교점의 개수와 같다.

두 일차방정식의 그래프의 위치 관계	두 그래프의 교점	연립방정식의 해
한 점	한 개	한 쌍의 해
평행	없다.	❶
일치	무수히 많다.	해가 무수히 많다.

圄 ❶ 해가 없다.

[1025~1027] 아래 보기의 연립방정식 중 해가 다음과 같은 것을 모두 고르시오.

보기
ⓐ $\begin{cases} 2x+y=-2 \\ 4x+2y=-4 \end{cases}$ ⓑ $\begin{cases} -2x+y=-1 \\ 4x-2y=3 \end{cases}$

ⓒ $\begin{cases} y=x+3 \\ 2x-4y=1 \end{cases}$ ⓓ $\begin{cases} -x+\frac{1}{2}y=1 \\ 2x-y=3 \end{cases}$

1025 해가 한 쌍인 것

1026 해가 없는 것

1027 해가 무수히 많은 것

핵심 포인트！ · 연립방정식의 해의 개수와 두 그래프의 위치 관계
① 연립방정식의 해가 한 쌍뿐이다. ➡ 두 일차방정식의 그래프가 한 점에서 만난다.
② 연립방정식의 해가 없다. ➡ 두 일차방정식의 그래프가 서로 평행하다.
③ 연립방정식의 해가 무수히 많다. ➡ 두 일차방정식의 그래프가 일치한다.

개념 해결의 법칙 중 2-1 197쪽

필수유형 01 일차함수와 일차방정식

일차방정식 $ax+by+c=0\,(a,b,c$는 상수, $a\neq0, b\neq0)$의 그래프는 일차함수 $y=\boxed{①}\,x-\dfrac{c}{b}$의 그래프와 같다.

답 ① $-\dfrac{a}{b}$

대표문제

1028 하●●●●●

일차방정식 $2x-3y+4=0$의 그래프의 기울기를 a, y절편을 b라 할 때, $a+b$의 값을 구하시오.

1029 하●●●●●

다음 일차함수 중 그래프가 일차방정식 $x+2y-4=0$의 그래프와 일치하는 것은?

① $y=-\dfrac{1}{2}x-4$ ② $y=-\dfrac{1}{2}x+2$

③ $y=-x+4$ ④ $y=\dfrac{1}{2}x-2$

⑤ $y=2x+4$

1030 ●중하●●●

x, y의 값의 범위가 수 전체일 때, 일차방정식 $3x+2y=12$의 그래프는?

①   ②   ③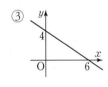

④   ⑤

1031 ●●중●●

다음 중 일차방정식 $2x+y=8$의 그래프에 대한 설명으로 옳지 <u>않은</u> 것은?

① x절편은 4, y절편은 8이다.

② 기울기는 -2이다.

③ 일차함수 $y=-2x+6$의 그래프와 평행하다.

④ x의 값이 2만큼 증가할 때, y의 값은 4만큼 증가한다.

⑤ 제1, 2, 4사분면을 지난다.

1032 ●●중●●

일차방정식 $x+ay+1=0$의 그래프의 기울기가 2일 때, 일차함수 $y=ax+a-1$의 그래프의 x절편을 구하시오.

(단, a는 $a\neq0$인 상수)

1033 ●●중●●

일차방정식 $3x-2y+6=0$의 그래프와 x절편이 같고, 일차방정식 $2x-3y-6=0$의 그래프와 y절편이 같은 직선의 방정식은?

① $x-2y+2=0$ ② $x-2y-2=0$

③ $x-y+2=0$ ④ $x+y+2=0$

⑤ $-x+y+2=0$

개념 해결의 법칙 중 2-1 197쪽

필수유형 02 일차방정식의 그래프 위의 점

점 (p, q)가 일차방정식의 그래프 위의 점이다.
➡ $x=$ ❶ , $y=q$를 일차방정식에 대입하면 등식이 성립한다.

답 ❶ p

중요 **필수유형 03** 좌표축에 평행한 직선의 방정식

(1) 점 $(p, 0)$을 지나고 y축에 평행(x축에 ❶)한 직선의 방정식 ➡ $x=p$
(2) 점 $(0, q)$를 지나고 x축에 평행(y축에 수직)한 직선의 방정식 ➡ $y=$ ❷

답 ❶ 수직 ❷ q

대표문제

1034 ●중하●●●

일차방정식 $3x+2y=-2$의 그래프가 점 $(a+1, a)$를 지날 때, a의 값을 구하시오.

1035 하●●●●

다음 중 일차방정식 $2x+y=6$의 그래프 위의 점이 <u>아닌</u> 것은?

① $(-3, 12)$ ② $(-1, 8)$ ③ $(3, 0)$
④ $(4, -2)$ ⑤ $(5, -6)$

1036 ●종하●●●

일차방정식 $5x+ay+1=0$의 그래프가 점 $(-2, 3)$을 지날 때, 상수 a의 값을 구하시오.

1037 ●●중●● 서술형

일차방정식 $ax-2by+6=0$의 그래프가 오른쪽 그림과 같을 때, $a+b$의 값을 구하시오. (단, a, b는 상수)

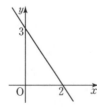

대표문제

1038 ●중하●●●

일차방정식 $2x+1=a$의 그래프가 오른쪽 그림과 같을 때, 상수 a의 값을 구하시오.

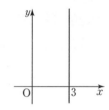

1039 하●●●●

점 $(3, -1)$을 지나고 x축에 평행한 직선의 방정식을 구하시오.

1040 ●●중●●

다음 보기 중 일차방정식 $-3y=9$의 그래프에 대한 설명으로 옳은 것을 모두 고르시오.

┌ 보기 ─────────────────┐
㉠ y축에 평행한 직선이다.
㉡ 직선 $y=-3$과 일치한다.
㉢ 점 $(5, -3)$을 지난다.
㉣ 제2, 3사분면을 지난다.
㉤ 점 $(0, 9)$를 지난다.
└───────────────────────┘

1041 ●●중●●

두 점 $(a-3, 5)$, $(2-4a, 8)$을 지나는 직선이 x축에 수직일 때, a의 값을 구하시오.

필수유형 **04** 네 직선으로 둘러싸인 도형의 넓이

네 직선 $x=a$, $x=b$, $y=c$, $y=d$로
둘러싸인 도형의 넓이

➡ $|b-a| \times |d-c|$

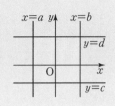

대표문제

1042 ●●중●●

다음 네 직선으로 둘러싸인 도형의 넓이를 구하시오.

$$x-1=0, 2x+8=0, y+3=0, y=2$$

1043 ●중하●●●

네 직선 $x=0$, $2x+10=0$, $y=0$, $y-6=0$으로 둘러싸인
도형의 넓이를 구하시오.

1044 ●●중●●

네 직선 $x=2$, $x=m$, $y=5$, $y=-3$으로 둘러싸인 도형의
넓이가 40이 되도록 하는 상수 m의 값을 구하시오.

(단, $m>2$)

중요

필수유형 **05** 일차방정식의 그래프와 계수의 부호(1)

일차방정식 $ax+by+c=0$(a, b, c는 상수, $a \neq 0$, $b \neq 0$)의 그
래프는 일차함수 $y=-\dfrac{a}{b}x-\dfrac{c}{b}$의 그래프와 같으므로

(1) 오른쪽 위로 향하는 직선이면 $-\dfrac{a}{b}>0$

오른쪽 아래로 향하는 직선이면 $-\dfrac{a}{b}$ ❶ 0

(2) y절편이 양수이면 $-\dfrac{c}{b}$ ❷ 0

y절편이 음수이면 $-\dfrac{c}{b}<0$

답 ❶ < ❷ >

대표문제

1045 ●●중●●

일차방정식 $ax+by+c=0$의 그래프
가 오른쪽 그림과 같을 때, 다음 중 상
수 a, b, c의 부호로 옳은 것을 모두 고
르면? (정답 2개)

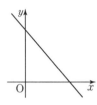

① $a>0, b>0, c<0$
② $a>0, b<0, c>0$
③ $a<0, b>0, c<0$
④ $a<0, b<0, c>0$
⑤ $a<0, b<0, c<0$

1046 ●중하●●●

일차방정식 $ax+y+c=0$의 그래프가
오른쪽 그림과 같을 때, 상수 a, c의 부
호를 부등호를 사용하여 나타내시오.

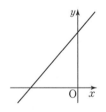

1047 ●●중●●   잘 틀리는 문제

일차방정식 $ax+by-4=0$의 그래프가 y축에 평행하고,
제1사분면과 제4사분면을 지나기 위한 상수 a, b의 조건
을 구하시오.

9

일차함수와 일차방정식

1048 ••중••

$a<0$, $b>0$일 때, 다음 중 일차방정식 $ax+by+1=0$의 그래프로 알맞은 것은?

①   ②   ③

④   ⑤

1049 •••상중• 〔잘 틀리는 문제〕

$ac>0$, $bc<0$일 때, 일차방정식 $ax+by+c=0$의 그래프가 지나지 <u>않는</u> 사분면을 구하시오.

1050 •••상중

일차방정식 $ax-by-c=0$의 그래프가 오른쪽 그림과 같을 때, 다음 중 일차방정식 $cx+by-a=0$의 그래프로 알맞은 것은? (단, a, b, c는 상수)

①   ②

③   ④   ⑤

필수유형 06 연립방정식의 해와 그래프의 교점

연립방정식의 해는 두 일차방정식의 그래프의 〔❶ 〕의 좌표와 같다.

답 ❶ 교점

대표문제

1051 •중하•••

오른쪽 그림과 같이 두 직선 $x+y=5$, $3x-y=4$가 점 (m, n)에서 만날 때, $m-n$의 값을 구하시오.

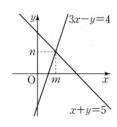

1052 하••••

오른쪽 그림은 연립방정식 $\begin{cases} x-y=1 \\ 2x+y=8 \end{cases}$을 풀기 위해 두 일차방정식의 그래프를 그린 것이다. 이 연립방정식의 해를 구하시오.

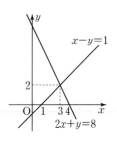

1053 •중하•••

두 일차방정식 $5x-y=1$, $4x+3y=16$의 그래프의 교점의 좌표를 구하시오.

1054 ••중••

두 점 $(-1, 6)$, $(3, -2)$를 지나는 직선과 일차함수 $y=3x-6$의 그래프의 교점의 좌표를 구하시오.

필수유형 07 중요 **두 직선의 교점의 좌표를 이용하여 미지수의 값 구하기**

두 일차방정식의 그래프의 교점의 좌표는 연립방정식의 해와 같으므로 각 일차방정식에 교점의 좌표를 대입하면 등식이 성립한다.

대표문제

1055 중하

오른쪽 그림은 연립방정식
$\begin{cases} ax-y=-5 \\ 2x-by=4 \end{cases}$ 를 풀기 위해
두 일차방정식의 그래프를
그린 것이다. 이때 $a+b$의 값
을 구하시오. (단, a, b는 상수)

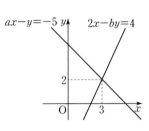

1056 하

오른쪽 그림은 연립방정식
$\begin{cases} x-y=-1 \\ x+2y=2a \end{cases}$ 를 풀기 위해 두 일
차방정식의 그래프를 그린 것이
다. 이때 상수 a의 값을 구하시오.

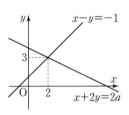

1057 중 서술형

직선 $x-2y-3=0$과 직선 $ax-y+9=0$이 x축 위에서 만날 때, 상수 a의 값을 구하시오.

1058 중 잘 틀리는 문제

두 직선 $ax+by=11$, $bx+ay=9$의 교점의 좌표가 $(1, 3)$일 때, ab의 값을 구하시오. (단, a, b는 상수)

필수유형 08 **두 직선의 교점을 지나는 직선의 방정식**

(1) 연립방정식을 풀어 두 직선의 교점의 좌표를 구한다.
(2) ① 기울기 a가 주어졌을 때 ➡ $y=\boxed{\textbf{1}}x+b$로 놓고 교점의 좌표를 대입하여 b의 값을 구한다.
② 직선이 지나는 다른 한 점이 주어졌을 때 ➡ 교점과 주어진 점을 지나는 직선의 방정식을 구한다.

답 ❶ a

대표문제

1059 중

두 직선 $2x+3y-3=0$, $x-y+1=0$의 교점을 지나고, 일차방정식 $2x-y=3$의 그래프와 평행한 직선의 방정식을 구하시오.

1060 중

두 직선 $x+2y=1$, $2x-y=3$의 교점을 지나고 y축에 평행한 직선의 방정식을 구하시오.

1061 중

두 직선 $y=-5x-3$, $y=3x+13$의 교점과 점 $(2, -5)$를 지나는 직선의 방정식을 구하시오.

9

일차함수와 일차방정식

개념 해결의 법칙 중 2-1 205쪽

필수유형 09 한 점에서 만나는 세 직선

① 미지수를 포함하지 않는 두 직선의 교점의 좌표를 구한다.
② ①에서 구한 교점의 좌표를 미지수를 포함한 직선의 방정식에 대입하여 미지수의 값을 구한다.

대표문제

1062 ●●중●●

세 직선 $2x-y=3$, $ax+y=1$, $x+3y=-2$가 한 점에서 만날 때, 상수 a의 값을 구하시오.

1063 ●●중●●

직선 $ax+5y=7$이 두 직선 $2x-5y=-1$, $x+y=3$의 교점을 지날 때, 상수 a의 값을 구하시오.

1064 ●●●상중●

세 직선 $x-3y=-1$, $3x+y=2$, $(a-2)x+2ay=5$가 한 점에서 만날 때, 다음 중 직선 $(a-2)x+2ay=5$ 위에 있는 점은? (단, a는 상수)

① $(-4, 2)$ ② $\left(-2, \dfrac{3}{2}\right)$ ③ $\left(2, -\dfrac{3}{2}\right)$

④ $(3, -4)$ ⑤ $\left(\dfrac{13}{2}, -1\right)$

필수유형 10 연립방정식의 해의 개수와 두 직선의 위치 관계

(1) 연립방정식의 해가 오직 한 쌍뿐이다.
➡ 두 직선이 한 점에서 만난다.
➡ 두 직선의 기울기가 다르다.
(2) 연립방정식의 해가 없다.
➡ 두 직선이 서로 ❶ 하다.
➡ 두 직선의 기울기가 같고 y절편이 다르다.
(3) 연립방정식의 해가 무수히 많다.
➡ 두 직선이 ❷ 한다.
➡ 두 직선의 기울기와 y절편이 각각 같다.

답 ❶ 평행 ❷ 일치

대표문제

1065 ●중하●●

연립방정식 $\begin{cases} 2x-y=3 \\ ax+3y=-11 \end{cases}$ 의 해가 없도록 하는 상수 a의 조건을 구하시오.

1066 ●●중●●

다음 연립방정식 중 해가 무수히 많은 것은?

① $\begin{cases} x+y=3 \\ 2x+y=3 \end{cases}$ ② $\begin{cases} x-2y-1=0 \\ 2x-y-2=0 \end{cases}$

③ $\begin{cases} -x+\dfrac{1}{2}y=2 \\ 2x-y+4=0 \end{cases}$ ④ $\begin{cases} 2x-y+1=0 \\ 6x+3y=3 \end{cases}$

⑤ $\begin{cases} -x+2y=-3 \\ 2x-4y+3=0 \end{cases}$

1067 ●●중●●

연립방정식 $\begin{cases} ax-y=3 \\ 4x-2y=b \end{cases}$ 의 해가 무수히 많을 때, $a+b$의 값을 구하시오. (단, a, b는 상수)

1068 ●●●상중 　　　　　잘 틀리는 문제

연립방정식 $\begin{cases} 2x-y-a=0 \\ bx+2y+1=0 \end{cases}$ 에 대하여 다음 중 옳은 것은?

① $b \neq -4$이면 해가 오직 한 쌍뿐이다.

② $a=-1$, $b=2$이면 해가 없다.

③ $a=\dfrac{1}{2}$, $b=-4$이면 해가 없다.

④ $a=1$, $b=4$이면 해가 무수히 많다.

⑤ $a=4$, $b=-4$이면 해가 오직 한 쌍뿐이다.

개념 해결의 법칙 중 2-1 205쪽

필수유형 11 **직선으로 둘러싸인 도형의 넓이**

좌표평면 위에서 직선으로 둘러싸인 삼각형의 넓이는 다음을 이용하여 구한다.

① 연립방정식을 풀어 구한 두 직선의 교점의 좌표

② 직선의 x절편과 y절편

대표문제

1069 ●●중●●●

오른쪽 그림과 같이 두 직선 $2x-6y=-6$, $2x+3y=12$와 x축으로 둘러싸인 삼각형 ABC의 넓이를 구하시오.

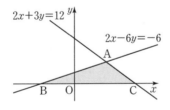

1070 ●중하●●●

일차방정식 $3x+4y-12=0$의 그래프와 x축, y축으로 둘러싸인 도형의 넓이를 구하시오.

1071 ●●중●●

일차방정식 $ax-3y-6=0$의 그래프와 x축, y축으로 둘러싸인 도형의 넓이가 10일 때, 상수 a의 값을 구하시오.

(단, $a<0$)

1072 ●●중●●●

두 직선 $y=2x-1$, $y=3$과 y축으로 둘러싸인 도형의 넓이를 구하시오.

1073 ●●중●●● 　서술형

오른쪽 그림과 같이 두 직선 $y=x+6$, $y=-2x+4$의 교점을 A라 하고, 두 직선과 x축의 교점을 각각 B, C라 할 때, 다음 물음에 답하시오.

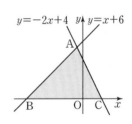

(1) 점 A의 좌표를 구하시오.

(2) 두 점 B, C의 좌표를 각각 구하시오.

(3) 삼각형 ABC의 넓이를 구하시오.

1074 ●●중●●

세 직선 $x-2=0$, $y-5=0$, $2x+y-5=0$으로 둘러싸인 도형의 넓이를 구하시오.

1075 ●●●상중●

오른쪽 그림과 같이 세 직선 $x-y=0$, $y-3=0$, $3x-y-2=0$으로 둘러싸인 삼각형의 넓이를 구하시오.

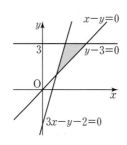

1076 ●●●●상

오른쪽 그림과 같이 직선 $3x+5y=30$이 x축, y축과 만나는 점을 각각 A, B라 하자. $\overline{OA}$ 위의 점 C에 대하여 삼각형 ABC의 넓이가 15일 때, 직선 BC의 방정식을 구하시오. (단, O는 원점)

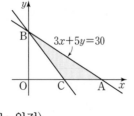

발전유형 12 도형의 넓이를 이등분하는 직선의 방정식

삼각형 AOB의 넓이를 직선 $y=mx$가 이등분할 때(단, O는 원점)

① (삼각형 COB의 넓이)

$=\dfrac{1}{2} \times$ (삼각형 AOB의 넓이)

임을 이용하여 점 C의 좌표를 구한다.

② $y=mx$에 점 C의 좌표를 대입하여 상수 m의 값을 구한다.

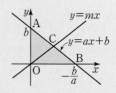

참고 점 C의 y좌표는 $y=ax+b$의 그래프의 y절편의 $\dfrac{1}{2}$배이다.

대표문제

1077 ●●●●상

오른쪽 그림과 같이 직선 $y=-\dfrac{2}{3}x+4$와 x축, y축으로 둘러싸인 삼각형 AOB의 넓이를 직선 $y=mx$가 이등분할 때, 상수 m의 값을 구하시오. (단, O는 원점)

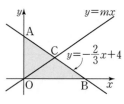

쌍둥이 문제

1078 ●●●●상

오른쪽 그림과 같이 직선 $3x-y+12=0$과 x축, y축으로 둘러싸인 삼각형 AOB의 넓이를 직선 $y=mx$가 이등분할 때, 상수 m의 값을 구하시오. (단, O는 원점)

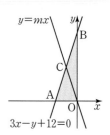

1079 ●●●●상

오른쪽 그림과 같이 직선 $y=ax+b$는 두 직선 $y=3x$, $y=-x+8$의 교점 A를 지나면서 두 직선과 x축으로 둘러싸인 삼각형 AOB의 넓이를 이등분한다. 이때 $a+b$의 값을 구하시오. (단, O는 원점이고, a, b는 상수)

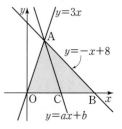

발전유형 13 │ 세 직선에 의하여 삼각형이 만들어지지 않도록 하는 미지수의 값 구하기

세 직선에 의하여 삼각형이 만들어지지 않으려면
(i) 세 직선 중 어느 두 직선이 평행해야 한다.
(ii) 세 직선이 한 점에서 만나야 한다.

대표문제

1080 ●●●● 상

세 직선 $y=-2x+5$, $y=3x+10$, $y=ax$에 의하여 삼각형이 만들어지지 않도록 하는 모든 상수 a의 값의 합을 구하시오.

쌍둥이 문제

1081 ●●●● 상

세 직선 $x-3y+8=0$, $2x+y-5=0$, $ax-y+6=0$에 의하여 삼각형이 만들어지지 않도록 하는 모든 상수 a의 값의 합을 구하시오.

1082 ●●●● 상

세 직선 $x+2y=3$, $2x+3y=3$, $3x-y=a$에 의하여 삼각형이 만들어지지 않을 때, 상수 a의 값을 구하시오.

발전유형 14 │ 직선의 방정식의 활용

활용 문제에서 두 일차함수의 그래프가 주어지면
① 각 직선의 방정식을 구한다.
② 두 직선의 방정식을 연립하여 풀어 교점의 좌표를 구한다.

대표문제

1083 ●●●● 상

집에서 1500 m 떨어진 도서관까지 가는데 동생은 걸어서 가고 형은 동생이 출발한 지 몇 분 후에 자전거를 타고 갔다. 오른쪽 그림은 동생이 출발한 지 x분 후에 동생과 형이 이동

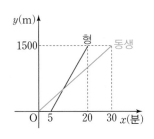

한 거리 y m를 각각 그래프로 나타낸 것이다. 다음 중 옳은 것은?

① 형은 동생보다 10분 늦게 출발하였다.
② 형과 동생은 동생이 출발한 지 8분 후에 만났다.
③ 10분 동안 동생이 이동한 거리는 1000 m이다.
④ 형은 동생이 출발한 지 20분 후에 도서관에 도착하였다.
⑤ 형이 동생보다 10분 늦게 도서관에 도착하였다.

쌍둥이 문제

1084 ●●●● 상

오른쪽 그림은 길이가 다른 두 양초 A, B에 동시에 불을 붙인 지 x분 후의 양초의 길이 y cm를 각각 그래프로 나타낸 것이다. 다음 중 옳은 것은?

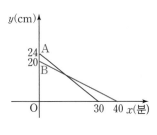

① A 양초의 처음 길이는 20 cm이다.
② 10분 후에 A 양초의 길이는 15 cm이다.
③ 20분 후에 남은 양초의 길이는 A 양초가 더 길다.
④ B 양초가 모두 타는 데 걸리는 시간은 30분이다.
⑤ 두 양초의 길이가 같아지는 것은 $\dfrac{40}{3}$분 후이다.

STEP2 ❾ 일차함수와 일차방정식

발전유형 15 여러 가지 심화 문제

대표문제
1085 ●●●상중●
오른쪽 그림과 같이 두 직선 $ax-y-2=0$, $ax-y-6=0$ 과 x축, y축으로 둘러싸인 사각형이 사다리꼴일 때, 그 넓이를 구하시오. (단, a, b는 상수)

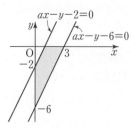

1086 ●●●●상
오른쪽 그림에서 직선 PQ의 방정식은 $y=\frac{2}{3}x+k$이고, 직사각형 OABC의 한 꼭짓점 B의 좌표는 $(3, 5)$이다. 사각형 POAQ의 넓이가 사각형 OABC의 넓이의 $\frac{3}{5}$일 때, 상수 k의 값을 구하시오.

(단, O는 원점)

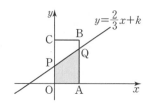

1087 ●●●상중●
오른쪽 그림과 같은 직사각형 AOCB가 있다. $\overline{BC}$ 위의 한 점 D를 지나는 직선 AE를 그리면 색칠한 부분의 넓이는 사다리꼴 AOCD의 넓이와 같다고 한다. 이때 두 점 A, E를 지나는 직선의 방정식은?

(단, O는 원점)

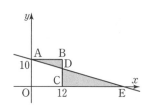

① $5x+18y=180$ ② $5x+7y=70$
③ $4x+3y=30$ ④ $2x+y=10$
⑤ $x+3y=30$

1088 ●●●●상
두 일차함수 $y=-\frac{1}{2}x-\frac{5}{2}$와 $y=-2x+2$의 그래프가 x축과 만나는 점을 각각 A, B라 하고 두 그래프의 교점을 C라 할 때, △ACB를 x축을 회전축으로 하여 1회전하여 얻은 입체도형의 부피를 구하시오.

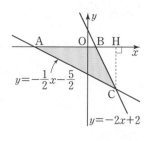

1089 ●●●●상
오른쪽 그림과 같이 두 직선 $x-y+2=0$, $2x+y-8=0$ 과 x축과의 교점을 각각 A, B라 하고 두 직선의 교점을 C라 할 때, 점 C를 지나고 삼각형 ABC의 넓이를 이등분하는 직선 l의 방정식을 구하시오.

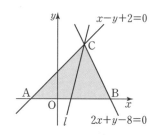

1090 ●●●●상
오른쪽 그림은 세 일차방정식 $x-2y=2$, $4x+y=8$, $x+y=8$의 그래프를 한 좌표평면 위에 그린 것이다. △ABC와 △CBD의 넓이를 각각 S_1, S_2라 할 때, $S_1 : S_2$를 구하면?

① $2 : 1$ ② $3 : 1$
③ $3 : 2$ ④ $4 : 1$
⑤ $4 : 3$

1091 하••••

일차방정식 $3x+2y-10=0$의 그래프의 기울기를 a, y절편을 b라 할 때, $a+b$의 값을 구하시오.

1092 ••중••

다음 중 일차방정식 $x+3y-1=0$의 그래프에 대한 설명으로 옳은 것은?

① x절편은 -1이다.
② 점 $(0, 1)$을 지난다.
③ 제1사분면을 지나지 않는다.
④ x의 값이 증가할 때, y의 값은 감소한다.
⑤ 일차함수 $y=-\dfrac{1}{3}x$의 그래프와 한 점에서 만난다.

1093 하••••

일차방정식 $ax+3y-2=0$의 그래프가 점 $(1, -1)$을 지날 때, 상수 a의 값은?

① -3 ② -1 ③ 1
④ 3 ⑤ 5

1094 중하•••

다음 직선의 방정식을 구하시오.

(1) 일차방정식 $4x-3y-7=0$의 그래프와 평행하고 y절편이 1인 직선

(2) 점 $(-3, 2)$를 지나고 x축에 평행한 직선

(3) 두 점 $(-5, -1)$, $(-5, 3)$을 지나는 직선

1095 ••중••

오른쪽 그림은 일차방정식 $3x+ay-b=2$의 그래프이다. 이때 상수 a, b의 값은?

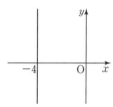

① $a=0$, $b=-12$
② $a=0$, $b=-14$
③ $a=1$, $b=-12$
④ $a=1$, $b=-14$
⑤ $a=3$, $b=-12$

1096 ••중••

두 점 $(-2, 3a)$, $(2, -2a+15)$를 지나는 직선이 y축에 수직일 때, a의 값은?

① 1 ② 2 ③ 3
④ 4 ⑤ 5

1097 ●●중●●

네 직선 $y=5$, $y=-1$, $x=a$, $x=-a$로 둘러싸인 도형의 넓이가 24일 때, 양수 a의 값은?

① 1　　　　② 2　　　　③ 3

④ 4　　　　⑤ 5

1098 ●●중●●

일차함수 $y=ax+b$의 그래프가 오른쪽 그림과 같을 때, 다음 중 일차방정식 $ax+by+1=0$의 그래프로 알맞은 것은? (단, a, b는 상수)

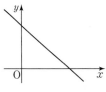

① 　② 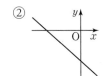　③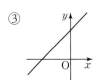

④ 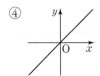　⑤

1099 ●중하●●● 〔서술형〕

오른쪽 그림은 연립방정식 $\begin{cases} x+ay=6 \\ bx-3y=2 \end{cases}$ 를 풀기 위해 두 일차방정식의 그래프를 그린 것이다. 이때 $a+b$의 값을 구하시오.

(단, a, b는 상수)

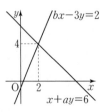

1100 ●●중●●

두 직선 $2x-y=4$, $x+y=5$의 교점을 지나고 x축에 평행한 직선의 방정식은?

① $x=2$　　② $x=3$　　③ $y=-2$

④ $y=2$　　⑤ $y=3$

1101 ●●중●● 〔서술형〕

세 직선 $x-y+3=0$, $2x+y-9=0$, $ax-y-3=0$이 한 점에서 만날 때, 상수 a의 값을 구하시오.

1102 ●●중●●

연립방정식 $\begin{cases} (5-a)x+2y-1=0 \\ 3ax-4y+b=0 \end{cases}$ 의 해가 없을 때, 상수 a, b의 조건은?

① $a=-10$, $b\neq-2$　　② $a=-10$, $b\neq-1$

③ $a=-10$, $b\neq2$　　④ $a=10$, $b\neq-2$

⑤ $a=10$, $b\neq2$

1103 ●●●상중● 서술형

오른쪽 그림과 같이 직선 $x+y=2$와 직선 l은 점 $A(-1, 3)$에서 만난다. $\triangle ABC$의 넓이가 9일 때, 직선 l의 방정식을 구하시오.

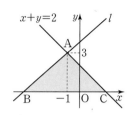

1104 ●●●상중●

오른쪽 그림과 같이 두 직선 $y=ax+b$, $y=-2x+6$의 교점을 A라 하고, 직선 $y=ax+b$와 y축의 교점을 B, 직선 $y=-2x+6$과 x축의 교점을 C라 할 때, 사각형 ABOC의 넓이는?

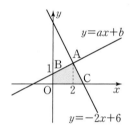

(단, O는 원점이고, a, b는 상수)

① $\dfrac{2}{5}$　　② $\dfrac{1}{2}$　　③ 3

④ 4　　⑤ 5

1105 ●●●상중●

좌표평면의 원점을 지나는 두 직선 l, m에 의하여 직선 $y=-\dfrac{1}{2}x+1$과 x축, y축으로 둘러싸인 삼각형의 넓이가 삼등분될 때, 두 직선 l, m의 기울기의 곱을 구하시오.

(단, 직선 l의 기울기는 직선 m의 기울기보다 크다.)

1106 ●●●상중● 창의력

오른쪽 그림과 같이 두 직선 $y=2x+12$, $y=-\dfrac{1}{2}x+2$의 교점을 A, 두 직선과 x축의 교점을 각각 B, C라 할 때, $\triangle ABD$와 $\triangle ADC$의 넓이의 비가 2 : 3이다. 이때 직선 AD의 방정식을 구하시오.

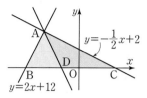

1107 ●●●●상 융합형

다음은 어느 신문에 실린 A, B 두 회사의 영업 사원 구인 광고이다. 물음에 답하시오.

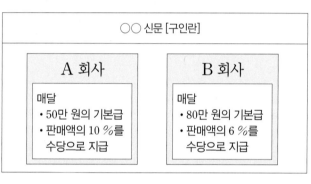

(1) A, B 두 회사에서 영업 사원의 판매액을 x만 원, 월급을 y만 원이라 할 때, x와 y 사이의 관계를 그래프로 각각 나타내시오.

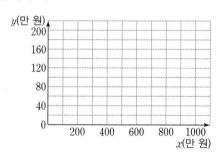

(2) 영업 사원의 판매액이 얼마를 초과할 때, A 회사를 선택하는 것이 유리한지 말하시오.

MEMO

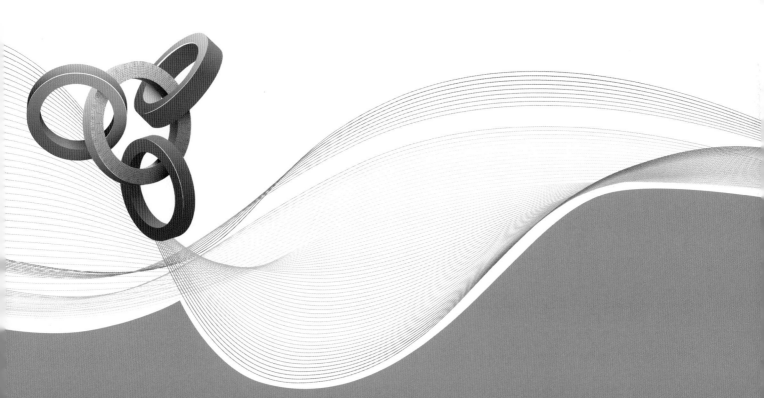

유형 해결의 법칙

유형 해결의

법칙

중학 수학 **2-1**

정답과 해설

천재교육

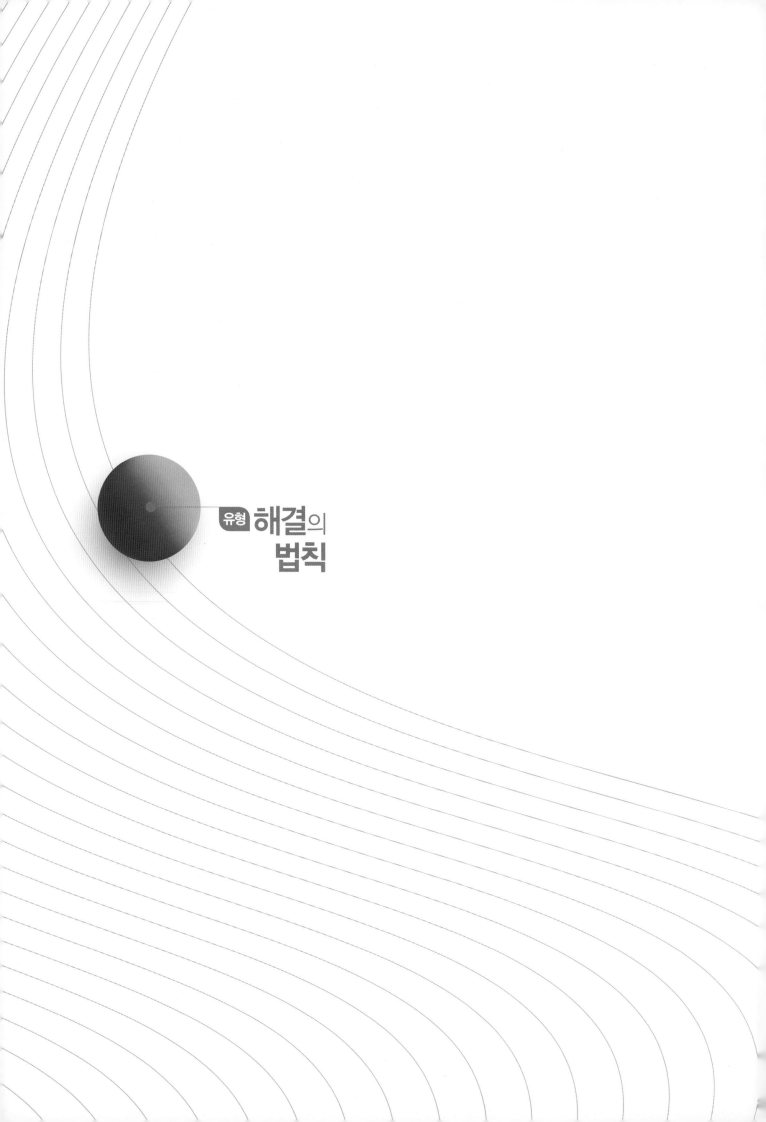

유형 해결의 법칙

① 유리수와 순환소수

0001 ㉡, ㉣　　　**0002** 0.666···, 무한소수
0003 0.375, 유한소수　　　**0004** −0.6, 유한소수
0005 0.111···, 무한소수　　　**0006** 순환마디 : 2, $0.7\dot{2}$
0007 순환마디 : 40, $0.\dot{4}\dot{0}$　　　**0008** 순환마디 : 523, $0.\dot{5}2\dot{3}$
0009 순환마디 : 487, $7.\dot{4}8\dot{7}$　　　**0010** 순환마디 : 362, $2.9\dot{3}6\dot{2}$
0011 $0.\dot{8}$, 8　　　**0012** $0.\dot{2}\dot{3}$, 23
0013 $0.\dot{5}7142\dot{8}$, 571428　　　**0014** $1.\dot{4}8\dot{1}$, 481
0015 $\dfrac{3}{5}$, 소인수 : 5　　　**0016** $\dfrac{7}{20}$, 소인수 : 2, 5
0017 $\dfrac{16}{25}$, 소인수 : 5　　　**0018** $\dfrac{1}{8}$, 소인수 : 2
0019 5, 15, 1.5　　　**0020** 5^2, 5^2, 425, 0.425
0021 ○　　**0022** ×　　**0023** ○　　**0024** ×
0025 ○　　**0026** ○

0027 ⑤　　**0028** ①　　**0029** 3　　**0030** 2
0031 5　　**0032** (1) 15 (2) $0.\dot{1}\dot{5}$ (3) 5　　**0033** 5
0034 3　　**0035** 13　　**0036** ⑤　　**0037** 20.015
0038 31　　**0039** ②, ⑤　　**0040** ②　　**0041** 2개
0042 3　　**0043** ④　　**0044** 112　　**0045** 21
0046 99　　**0047** 11개　　**0048** 8개　　**0049** ⑤
0050 29　　**0051** 9　　**0052** ③　　**0053** 7개
0054 23　　**0055** 9　　**0056** 83　　**0057** 4개
0058 $\dfrac{42}{60}$, $\dfrac{45}{60}$　**0059** ③　　**0060** 64
0061 (1) 9의 배수이다. (2) 6의 배수이다. (3) 108
0062 ①　　**0063** $\dfrac{1}{4}$, $\dfrac{1}{2}$, $\dfrac{3}{4}$　**0064** 85개　　**0065** 226
0066 ②　　**0067** 33　　**0068** 135

0069 12.121212···, 99, 12, 12, 33
0070 28.888···, 10, 90, 26, 90, $\dfrac{13}{45}$
0071 9　　**0072** 37　　**0073** 147　　**0074** 25
0075 $\dfrac{49}{99}$　　**0076** $\dfrac{4}{3}$　　**0077** $\dfrac{58}{45}$　　**0078** $\dfrac{214}{495}$
0079 ○　　**0080** ○　　**0081** ×

0082 ④　　**0083** ④　　**0084** ⑤　　**0085** ③
0086 $x=1.3\dot{6}$이라 하면 $x=1.3666\cdots$　　　······ ㉠
　　　㉠의 양변에 100을 곱하면 $100x=136.666\cdots$　　　······ ㉡
　　　㉠의 양변에 10을 곱하면 $10x=13.666\cdots$　　　······ ㉢
　　　㉡−㉢을 하면 $90x=123$
　　　$\therefore x=\dfrac{123}{90}=\dfrac{41}{30}$
0087 19　　**0088** ④　　**0089** ②　　**0090** 5
0091 ⑤　　**0092** $9.1\dot{6}$　　**0093** 5　　**0094** 137
0095 3　　**0096** 72　　**0097** 198　　**0098** $0.\dot{7}\dot{1}$
0099 (1) $\dfrac{4}{15}$ (2) $\dfrac{7}{12}$ (3) $\dfrac{7}{15}$ (4) $0.4\dot{6}$
0100 $0.2\dot{5}$　　**0101** ⑤　　**0102** ③　　**0103** ④
0104 25　　**0105** ②　　**0106** ②　　**0107** 27
0108 $0.3\dot{2}$　　**0109** ④　　**0110** $x=12.\dot{3}\dot{6}$　**0111** ③, ④
0112 4개　　**0113** ㉠, ㉡, ㉢, ㉣　　　**0114** ⑤
0115 ②　　**0116** ㉡, ㉣, ㉤
0117 (1) 5 (2) $a=3$, $b=2$ (3) $0.\dot{0}\dot{9}$
0118 $a=8$, $b=1$　　　**0119** 5

0120 ⑤　　**0121** ②　　**0122** ④　　**0123** 300
0124 ②　　**0125** ③　　**0126** ②
0127 (1) 9의 배수이다. (2) 7의 배수이다. (3) 63
0128 ③　　**0129** 55　　**0130** ②　　**0131** ③
0132 ②　　**0133** ④　　**0134** 47　　**0135** 9
0136 $0.6\dot{1}$　　**0137** ⑤　　**0138** 33　　**0139** ①
0140 6　　**0141** ㉠, ㉤　　**0142** (1) $0.\dot{1}3\dot{5}$ (2) $\dfrac{5}{37}$
0143 4

② 단항식의 계산

STEP 1 개념 마스터　　30쪽~31쪽

0144 2^4　　**0145** $2^2 \times 5^5$　　**0146** $a^4 b^2$　　**0147** 2^9

0148 x^8　　**0149** x^6　　**0150** $3^6 \times 5^5$　　**0151** $a^4 b^3$

0152 2^{12}　　**0153** a^{10}　　**0154** a^{14}　　**0155** $x^6 y^{15}$

0156 $a^6 b^8$　　**0157** x^4　　**0158** x^8　　**0159** 1

0160 $\dfrac{1}{a^5}$　　**0161** $\dfrac{1}{y^2}$　　**0162** $x^6 y^2$　　**0163** $81 x^4 y^8$

0164 $-8a^6 b^9$　　**0165** $a^{12} b^8 c^4$　　**0166** $-27 x^6 y^{15}$　　**0167** $\dfrac{x^3}{y^6}$

0168 $\dfrac{25 y^4}{x^2}$　　**0169** $\dfrac{x^{12}}{16 y^8}$　　**0170** $\dfrac{4 x^4}{25 y^2}$

STEP 2 유형 마스터　　32쪽~38쪽

0171 7　　**0172** $a^5 b^3$　　**0173** 8　　**0174** 2

0175 ④　　**0176** $x^6 y^8$　　**0177** $3, 8, 2, 9, 9, 3^{200}, 2^{300}$

0178 ②　　**0179** ⑤　　**0180** ③　　**0181** ③

0182 ⑤　　**0183** ㉠, ㉡, ㉣　　**0184** 36　　**0185** ③, ⑤

0186 ④　　**0187** ③　　**0188** ③　　**0189** 6

0190 1　　**0191** 2　　**0192** 11　　**0193** 13

0194 ③　　**0195** 18　　**0196** 2

0197 (1) 2 (2) 2 (3) 4　　**0198** 5　　**0199** 15

0200 10　　**0201** 15　　**0202** 13　　**0203** ②

0204 4　　**0205** $\dfrac{3}{8}$　　**0206** A^6　　**0207** ⑤

0208 $A^2 B$　　**0209** $A^2 B^2 C$　　**0210** 19

0211 (1) $a=4, b=10$ (2) 11　　**0212** 21자리　　**0213** 7자리

0214 $\dfrac{2}{3} ab$　　**0215** $9 a^3 b^2$　　**0216** $\dfrac{a^3}{64}$　　**0217** $\dfrac{a^4}{9}$

0218 10^{11} nm　　**0219** 2^9장　　**0220** $a=5, n=5$

STEP 1 개념 마스터　　39쪽

0221 $-24 ab^3$　　**0222** $-18 a^6 b^6$　　**0223** $-45 x^3 y$　　**0224** $\dfrac{4}{9} a^{10}$

0225 $\dfrac{2 a^3}{b}$　　**0226** $\dfrac{4x}{y}$　　**0227** $-\dfrac{x^7}{2 y^3}$　　**0228** $-\dfrac{5}{2 x^5}$

0229 $-a^2$　　**0230** $-9 x y^2$　　**0231** $36 x^6 y^8$

STEP 2 유형 마스터　　40쪽~43쪽

0232 $-8 a^9 b^{11}$　　**0233** ③　　**0234** $-324 a^6 b^7$

0235 $-54 x^2 y^{10}$　　**0236** $-8 x^2$　　**0237** 1　　**0238** $\dfrac{1}{4}$

0239 ④　　**0240** $-\dfrac{25}{2 x^3 y^2}$　　**0241** 15　　**0242** $-18 x y^2$

0243 $-4 y^4$　　**0244** $-18 x^6$　　**0245** $A=\dfrac{x}{3}, B=\dfrac{y^2}{3 x^2}, C=\dfrac{x^3}{y^2}$

0246 2　　**0247** 20　　**0248** 36　　**0249** $\dfrac{45}{2} a^6 b^5$

0250 (1) $-\dfrac{50}{3} a^3 b^6$ (2) $\dfrac{125}{9} a^5 b^{10}$　　**0251** $54 xy$　　**0252** $\dfrac{8}{3} ab$

0253 ②　　**0254** $9 b^4$　　**0255** $7 a^4 b^3$　　**0256** ③

0257 3개

STEP 3 내신 마스터　　44쪽~47쪽

0258 (1) ㉣, ㉤

(2) ㉠ $x^2 \times x^4 = x^{2+4} = x^6$　　㉡ $(x^3)^4 = x^{3 \times 4} = x^{12}$

㉢ $x^{10} \div x^5 = x^{10-5} = x^5$　　㉥ $\left(\dfrac{b^3}{a^4}\right)^2 = \dfrac{b^{3 \times 2}}{a^{4 \times 2}} = \dfrac{b^6}{a^8}$

0259 ①　　**0260** 10　　**0261** ④　　**0262** ②

0263 4　　**0264** ④　　**0265** ③　　**0266** ④

0267 22　　**0268** 21　　**0269** ⑤　　**0270** $\dfrac{16}{3} ab^2$

0271 ⑤　　**0272** 500초　　**0273** ①　　**0274** 2

0275 $A=-40 x^9 y^2, B=\dfrac{1}{2 x y^2}$　　**0276** ②　　**0277** ⑤

0278 $-3 x^6 y^{10}$　　**0279** ⑤　　**0280** ①　　**0281** ③

0282 ③　　**0283** ②

❸ 다항식의 계산

STEP 1 개념 마스터   50쪽~51쪽

0284 $5a-b$ **0285** $-x-y+5$ **0286** $-4y$

0287 $2x-4y+7$ **0288** $-3x+3y$

0289 $-4a-b$ **0290** ○   **0291** ×   **0292** ×

0293 ○   **0294** $3a^2+3a+1$

0295 $-5x^2+7x+1$ **0296** $3x^2+4x-5$

0297 $-6x^2+2xy$ **0298** $-2a^2+a$

0299 $xy+7y^2-10y$ **0300** $-4x^3+20x^2-16x$

0301 $-5x^2+12x$ **0302** $6x^2-7xy-2y^2$

0303 $-4b-2$ **0304** $-3a+5b$

0305 $-2x+3y-1$ **0306** $4x-1$

0307 $-4a+8b-12c$

STEP 2 유형 마스터   52쪽~57쪽

0308 $-\dfrac{13}{6}x+\dfrac{1}{3}y$ **0309** $x+8y$ **0310** $-\dfrac{9}{2}$

0311 $-x+3$ **0312** 9   **0313** ④   **0314** -1

0315 6   **0316** -8 **0317** $3x^2-7x+11$

0318 $9a-3b-3$ **0319** a^2-a+2

0320 $x-7y$ **0321** $6x-9y+4$

0322 (1) x^2+2x+3 (2) $3x^2+5x+2$

0323 $\dfrac{1}{3}x^2-\dfrac{1}{4}x-3$ **0324** -6 **0325** ③, ④

0326 14   **0327** $18x-12y-6$ **0328** -2

0329 5   **0330** $-16x+6y$

0331 $-x^2y+3xy^2$ **0332** ⑤   **0333** 6

0334 $3ab-b^2$ **0335** $(6x^2+3x)$ m²

0336 $4b^3-2b^2$ **0337** 10   **0338** 4   **0339** -12

0340 $18x+2y$ **0341** $a+7b$ **0342** $-x-3y+4$

0343 $-3x^2+7x$ **0344** (1) $-2x-6$ (2) $2y$

0345 ③   **0346** $15y+12$ **0347** 3

STEP 3 내신 마스터   58쪽~61쪽

0348 $7x+6y+2$ **0349** ②   **0350** ③, ⑤

0351 $9x^2-2x+2$ **0352** ②   **0353** ②

0354 $-x^2-5x-2$ **0355** ④

0356 $-x^2+x+2$ **0357** ①   **0358** $10x-5y$

0359 ③   **0360** ⑤   **0361** -9 **0362** ③

0363 $8a^3b^2-10a^2b+6ab$ **0364** ④   **0365** ②

0366 ②   **0367** (1) $4\pi a^2$ (2) $\dfrac{a}{2}+\dfrac{b}{\pi}$ **0368** $\dfrac{3}{2}b+\dfrac{1}{2}$

0369 ①   **0370** ③   **0371** $2y+21$ **0372** ②

❹ 일차부등식

STEP 1 개념 마스터   64쪽~65쪽

0373 $x<2$ **0374** $2x+3\geq-5$ **0375** ○

0376 ×   **0377** >   **0378** >   **0379** >

0380 <   **0381** <   **0382** >   **0383** ≥

0384 ×   **0385** ×   **0386** ○   **0387** ×

0388 $x>1$,

0389 $x\leq3$,

0390 $x>2$,

0391 $x>3$,

0392 $x\leq-2$,

0393 $x>4$,

0394 $x>2$ **0395** $x>-3$ **0396** $x\geq-7$ **0397** $x>-4$

STEP 2 유형 마스터   66쪽~73쪽

0398 ㉠, ㉢, ㉣, ㉺   **0399** ⑤   **0400** ①, ④

0401 ③   **0402** $4x+7\leq2(x+3)$ **0403** ⑤

0404 ㉢, ㉣, ㉻   **0405** ⑤   **0406** 4개   **0407** ③, ④

0408 ③   **0409** ①   **0410** ②

0411 $-4<A\leq5$ **0412** 8개

0413 $-4<y<11$ **0414** ③   **0415** 2개

0416 ②   **0417** ⑤   **0418** 10   **0419** ⑤

0420 ②   0421 (1) $x>3$ (2)

0422 ④   0423 $x>0$ 0424 ③   0425 2개

0426 -3 0427 -5 0428 ㉠, $x\leq\dfrac{22}{5}$

0429 $x<-2$ 0430 -2 0431 ⑤   0432 3

0433 2개   0434 $x\geq\dfrac{1}{a}$ 0435 $x<1$ 0436 3개

0437 $x<2$ 0438 15   0439 3   0440 $-\dfrac{1}{2}$

0441 2   0442 7   0443 -8 0444 4

0445 $\dfrac{7}{4}$ 0446 $5<a\leq7$ 0447 $\dfrac{3}{2}<k\leq3$

0448 $3\leq a<\dfrac{13}{3}$ 0449 $x>-8$ 0450 $x>2$

0451 $x>\dfrac{5}{2}$

STEP 1 개념 마스터   74쪽

0452 (1) $3x+5\leq11$ (2) 2개

0453 (1) $900x$원 (2) $900x+200\leq12000$ (3) 13권

0454 (1) $\dfrac{x}{3}+\dfrac{x}{5}\leq1$ (2) $\dfrac{15}{8}$ km

0455 (1) 36 g (2) $36\leq\dfrac{8}{100}\times(400+x)$ (3) 50 g

---

STEP 2 유형 마스터   75쪽~83쪽

0456 3   0457 5   0458 17, 18, 19   0459 94점

0460 84점   0461 88점   0462 9개   0463 9송이

0464 5자루   0465 3권   0466 12개   0467 8개

0468 130분   0469 175통   0470 55명   0471 8개월 후

0472 9개월 후   0473 12개월 후   0474 7권   0475 7송이

0476 13개   0477 7개   0478 17장   0479 6 km

0480 41명   0481 27명   0482 45명   0483 6500원

0484 ①   0485 10000원   0486 12 cm   0487 ①

0488 7   0489 4 cm   0490 5 km   0491 3 km

0492 3 km   0493 1 km   0494 1200 m   0495 $\dfrac{9}{7}$ km

0496 40분 후   0497 25분 후   0498 450 g   0499 100 g

0500 300 g   0501 300 g   0502 75 g   0503 $\dfrac{80}{9}$ g

0504 ①   0505 15 cm   0506 14개   0507 ②

0508 $\dfrac{1}{2}$시간   0509 600 m

STEP 3 내신 마스터   84쪽~87쪽

0510 ⑤   0511 ③   0512 ③   0513 ④

0514 ③   0515 -9 0516 ⑤   0517 ④

0518 ①   0519 -1 0520 ④   0521 ②

0522 ⑤   0523 (1) $x\leq-\dfrac{4}{3}$ (2) $x\leq a+2$ (3) $-\dfrac{10}{3}$

0524 $14\leq a<17$ 0525 ②

0526 (1) $500+200x\leq4000$ (2) 17개   0527 18년 후

0528 ③   0529 16장   0530 ④   0531 ③

0532 $\dfrac{3}{2}$ km   0533 225 g   0534 ③   0535 33개

---

⑤ 연립방정식의 풀이

STEP 1 개념 마스터   90쪽~91쪽

0536 ○   0537 ○   0538 ×   0539 ×

0540

x	1	2	3	4	5	6
y	12	9	6	3	0	-3

해: $(1, 12), (2, 9), (3, 6), (4, 3)$

0541 (1) ㉠

x	1	2	3	4	5	6
y	3	2	1	0	-1	-2

㉡

x	1	2	3	4	5	6
y	-1	0	1	2	3	4

(2) $x=3, y=1$

0542 $x=1, y=5$ 0543 $2x, 2x, 0, 2, 0$

0544 $x=-2, y=3$ 0545 $x=11, y=5$

0546 $x=2, y=-5$ 0547 $x=4, y=3$

0548 $6, 3, 24, 10, 20, 2, 2, -4, 2, -4$

0549 $x=2, y=-1$ 0550 $x=2, y=0$

0551 $x=10, y=5$ 0552 $x=2, y=4$

0553 ③   0554 2개   0555 ②   0556 ③

0557 ④   0558 (1) $500x+700y=4600$ (2) $\dfrac{x}{6}+\dfrac{y}{8}=4$

0559 ④   0560 ④   0561 ①, ④   0562 4개

0563 $(1, 4), (3, 1)$ 0564 ②   0565 3

0566 1   0567 1   0568 4   0569 ⑤

0570 ②   0571 $(2, 3)$ 0572 -1

0573 $a=-2, b=-2$ 0574 12   0575 2

0576 -1 0577 (가) $-x+11$ (나) 4 (다) 7

0578 (1) $x=1, y=7$ (2) $x=-3, y=4$ 0579 ②, ③

0580 ②   0581 1   0582 7   0583 2

0584 ④   0585 3

0586 (1) $x=13, y=10$ (2) $x=\dfrac{11}{4}, y=\dfrac{9}{8}$ 0587 -6

0588 3   0589 1   0590 22   0591 3

0592 12   0593 -11 0594 2   0595 -8

0596 3   0597 10   0598 $a=-1, b=-11$

0599 -1 0600 3   0601 $x=1, y=1$

0602 3   0603 3

0604 $2x-4y, 4x-9y, 12, -\dfrac{11}{2}$ 0605 $x=1, y=-2$

0606 $x=\dfrac{11}{5}, y=-\dfrac{1}{5}$ 0607 $x=2, y=1$

0608 $2x-3y, 3x-5y, 24, -13$ 0609 $x=6, y=1$

0610 $x=-7, y=5$ 0611 $x=\dfrac{3}{2}, y=-\dfrac{5}{4}$

0612 $3x+5y-6, 3x+5y, 2, 2, \dfrac{1}{5}$

0613 $x=2, y=1$ 0614 $x=1, y=-1$

0615 $x=-\dfrac{1}{5}, y=\dfrac{2}{5}$ 0616 ㉠, ㉺   0617 ㉡, ㉣, ㉤

0618 해가 무수히 많다.   0619 해가 없다.

0620 $x=-1, y=2$ 0621 0   0622 1

0623 1   0624 $x=-1, y=1$ 0625 $\dfrac{2}{3}$

0626 2   0627 $x=-1, y=2$ 0628 8

0629 $x=-8, y=-\dfrac{4}{3}$ 0630 -1 0631 3

0632 $x=-20, y=12$

0633 (1) $x=6, y=2$ (2) $x=-1, y=1$ (3) $x=5, y=4$

0634 -1 0635 -1 0636 ⑤   0637 4

0638 ④   0639 ④   0640 5

0641 $x=-\dfrac{1}{4}, y=\dfrac{1}{6}$ 0642 0

0643 $x=2, y=2$

0644 ②   0645 ⑤   0646 $2x+y=13$

0647 ⑤   0648 -9 0649 ②   0650 5

0651 ④   0652 ④

0653 (1) $x=1, y=3$ (2) $x=3, y=1$ 0654 ①

0655 ①   0656 3   0657 -7 0658 2

0659 -4 0660 ④   0661 ④   0662 ④

0663 $x=3, y=\dfrac{3}{5}$ 0664 ④   0665 -2

0666 $\begin{cases} x+y=2 & \cdots\cdots ㉠ \\ x+3y=-2x+6 & \cdots\cdots ㉡ \end{cases}$

㉡을 정리하면 $x+y=2$, 즉 ㉠과 x, y의 계수와 상수항이 각각 같으므로 이 연립방정식은 해가 무수히 많다. 그런데 영주는 연립방정식의 해가 항상 하나뿐이라고 잘못 생각하였다.

0667 8

6 연립방정식의 활용

STEP 1 개념 마스터
112쪽

0668 (1) 10, 500, 4200　(2) $\begin{cases} x+y=10 \\ 300x+500y=4200 \end{cases}$

　　　(3) 연필 : 4자루, 볼펜 : 6자루

0669 (1) $\dfrac{y}{4}$, 17, $\dfrac{y}{4}$　(2) $\begin{cases} x+y=17 \\ \dfrac{x}{3}+\dfrac{y}{4}=5 \end{cases}$

　　　(3) 걸어간 거리 : 9 km, 뛰어간 거리 : 8 km

STEP 2 유형 마스터
113쪽~122쪽

0670 18　　**0671** -18　　**0672** 5　　**0673** 59

0674 9　　**0675** 23　　**0676** 1500원

0677 (1) $\begin{cases} x=y+350 \\ x+y=1350 \end{cases}$　(2) 도넛 : 850원, 음료수 : 500원

0678 7000원　**0679** 5명　　**0680** 초콜릿 머핀, 4개

0681 6곡　　**0682** 아버지 : 34살, 아들 : 6살

0683 어머니 : 58살, 딸 : 29살　**0684** 삼촌 : 52살, 동준 : 24살

0685 가로의 길이 : 23 cm, 세로의 길이 : 32 cm

0686 72 cm²　**0687** 16 cm　**0688** 15회　　**0689** 7문제

0690 5자루　**0691** 남학생 : 392명, 여학생 : 630명

0692 234상자　**0693** 영어 : 73.5점, 수학 : 76.5점

0694 갈 때의 거리 : 9 km, 올 때의 거리 : 12 km　**0695** 5 km

0696 갈 때의 거리 : 2.5 km, 올 때의 거리 : 2 km

0697 달려간 거리 : 6 km, 걸어간 거리 : 4 km　　**0698** 1 km

0699 $\dfrac{10}{19}$ km　**0700** 30분 후　**0701** 10분 후　**0702** 16분 후

0703 A : 시속 $\dfrac{5}{2}$ km, B : 시속 $\dfrac{3}{2}$ km

0704 분속 195 m　　　　**0705** 33분

0706 6 %의 소금물 : 225 g, 2 %의 소금물 : 75 g　**0707** 100 g

0708 6 %의 설탕물 : 400 g, 10 %의 설탕물 : 600 g

0709 소금물 A : 10 %, 소금물 B : 4 %

0710 소금물 A : 6 %, 소금물 B : 11 %

0711 2 %　　**0712** 16개　　**0713** 13200원

0714 A 상품 : 750원, B 상품 : 5250원　　　**0715** 24일

0716 8일　　**0717** 10시간

0718 정지한 물에서의 배의 속력 : 시속 15 km,

　　　강물의 속력 : 시속 5 km

0719 시속 12 km　　　　**0720** 시속 $\dfrac{100}{7}$ km

0721 기차의 길이 : 100 m, 기차의 속력 : 분속 1800 m

0722 40 m　　**0723** 180 m

0724 (1) 60, 7, $\dfrac{5}{8}$　(2) $\begin{cases} 100+y=x \\ 60+\dfrac{7}{11}y=\dfrac{5}{8}x \end{cases}$　　　**0725** 300명

0726 (1) $\begin{cases} \dfrac{30}{100}x+\dfrac{20}{100}y=6 \\ \dfrac{20}{100}x+\dfrac{30}{100}y=5 \end{cases}$　(2) $x=16, y=6$

　　　(3) 합금 A : 16 kg, 합금 B : 6 kg

0727 70 g　　**0728** 2병

STEP 3 내신 마스터
123쪽~125쪽

0729 52　　**0730** 25　　**0731** ②　　**0732** ③

0733 어머니 : 45살, 딸 : 15살　**0734** 10 cm　**0735** ④

0736 180 cm²　**0737** ③

0738 사과 : 190상자, 배 : 330상자　　　　**0739** 3 km

0740 ①　　**0741** ③　　**0742** ③　　**0743** 90 g

0744 30일　　**0745** 시속 25 km

0746 어른 : 25명, 아이 : 75명

7 일차함수와 그래프(1)

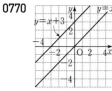 STEP 1 개념 마스터

 128쪽~131쪽

0747 22, 21, 20, 19   **0748** 함수이다.

0749 $y=24-x$

0750 ○   **0751** ×   **0752** ○   **0753** -2

0754 8   **0755** 6   **0756** 25   **0757** 5

0758 20   **0759** 5   **0760** 19   **0761** -1

0762 $\dfrac{11}{2}$ **0763** ×   **0764** ○   **0765** ×

0766 ×   **0767** $y=x+8$, 일차함수이다.

0768 $y=2x$, 일차함수이다.

0769 $y=\dfrac{150}{x}$, 일차함수가 아니다.

0770   **0771**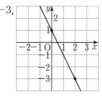

0772 $y=-\dfrac{3}{4}x-5$ **0773** $y=2x+4$

0774 $y=-x+3$ **0775** $y=-3x-2$

0776 x절편 : 4, y절편 : 3   **0777** x절편 : $\dfrac{4}{3}$, y절편 : -2

0778 x절편 : 1, y절편 : 4   **0779** x절편 : 3, y절편 : -1

0780 $+3, +3, \dfrac{3}{2}$ **0781** $-4, -4, -2$

0782 1   **0783** -2 **0784** $\dfrac{1}{3}$

0785 $-1, 0,$ **0786** $1, -3,$

0787 $-2,$ **0788** $2, 4,$

0789 $-1,$ **0790** $-2, \dfrac{3}{2},$

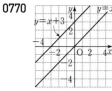 STEP 2 유형 마스터   132쪽~141쪽

0791 ③   **0792** ④   **0793** ①   **0794** -3

0795 ③   **0796** -2 **0797** ①   **0798** -4

0799 -12 **0800** ②   **0801** $\dfrac{1}{4}$ **0802** ⑤

0803 ②, ③   **0804** ①, ④   **0805** ④   **0806** ㉠, ㉡, ㉣

0807 $m\neq 2$ **0808** $m=0, n\neq -6$ **0809** -2

0810 -5 **0811** 2   **0812** 10   **0813** 11

0814 1   **0815** 25   **0816** ④   **0817** 6

0818 ③   **0819** 2   **0820** 16   **0821** -1

0822 ③   **0823** -3 **0824** 3   **0825** 1

0826 -1 **0827** 4   **0828** ⑤

0829 A$(-6, 0)$, B$(0, 4)$ **0830** x절편 : $\dfrac{3}{2}$, y절편 : 3

0831 ①   **0832** A$(-4, 0)$ **0833** -3

0834 $\dfrac{3}{2}$ **0835** -1 **0836** -3 **0837** -2

0838 ③   **0839** $\dfrac{3}{2}$ **0840** -3 **0841** ⑤

0842 $-\dfrac{5}{3}$ **0843** -2 **0844** 4   **0845** ④

0846 ③   **0847** ⑤   **0848** 제4사분면

0849 ④   **0850** 24   **0851** 6   **0852** 8

0853 $-\dfrac{4}{5}$ **0854** $\dfrac{15}{2}$ **0855** 27   **0856** $-\dfrac{8}{3}$

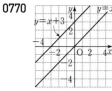 STEP 3 내신 마스터   142쪽~145쪽

0857 ⑤   **0858** ①   **0859** ②   **0860** ④

0861 ③   **0862** -2 **0863** ㉠, ㉡, ㉣   **0864** $k\neq -1$

0865 0   **0866** ④   **0867** 4   **0868** ②

0869 4   **0870** ④   **0871** ④   **0872** ④

0873 ①   **0874** ④   **0875** ①, ③   **0876** 25 m

0877 6 %   **0878** $-\dfrac{1}{2}$ **0879** ⑤   **0880** ③

0881 24   **0882** $\dfrac{9}{2}$ **0883** $-\dfrac{8}{3}$

8 일차함수와 그래프(2)

STEP 1 개념 마스터
148쪽~150쪽

0884 ○ **0885** ○ **0886** × **0887** ×

0888 × **0889** × **0890** $a<0, b<0$

0891 $a>0, b<0$ **0892** $a<0, b>0$

0893 $a>0, b>0$ **0894** ㉠과 ㉣, ㉡과 ㉺

0895 3 **0896** $a=-2, b=1$

0897 $y=-2x+5$ **0898** $y=\dfrac{5}{2}x-2$

0899 $y=-x+5$ **0900** $y=2x+1$

0901 $y=-x+4$ **0902** $y=\dfrac{1}{2}x-3$

0903 $y=-3x+3$ **0904** $y=\dfrac{3}{2}x-3$

0905 $6, 6x, 20+6x, 8$

0906 (1) $y=10000-10x$ (2) 6500원

STEP 2 유형 마스터
151쪽~161쪽

0907 ④ **0908** ㉢ **0909** ④ **0910** 제2사분면

0911 제3사분면 **0912** 제1, 2, 3사분면

0913 ① **0914** $a>0, b<0$

0915 제2, 3, 4사분면 **0916** ⑤ **0917** 5

0918 3 **0919** $-\dfrac{1}{2}$ **0920** 0

0921 $a=\dfrac{3}{5}, b=-7$ **0922** ④ **0923** ㉣, ㉺

0924 ④ **0925** ⑤ **0926** ② **0927** -9

0928 $y=-4x-5$ **0929** $y=-\dfrac{4}{3}x+2$

0930 $\dfrac{4}{3}$ **0931** $y=\dfrac{3}{2}x-3$

0932 $y=2x+4$ **0933** -11

0934 $y=-\dfrac{1}{3}x+2$ **0935** $y=-2x+3$

0936 (1) -3 (2) 1 (3) $y=-3x+1$

0937 $-\dfrac{11}{3}$ **0938** ③ **0939** $y=-4x-3$

0940 $y=\dfrac{2}{3}x-\dfrac{8}{3}$ **0941** 12 **0942** 9

0943 $y=\dfrac{3}{4}x+3$ **0944** ① **0945** 2

0946 20 ℃ **0947** -5 ℃

0948 (1) $y=30+0.5x$ (2) 36 g (3) 24 ℃

0949 24초 후 **0950** $y=20+\dfrac{1}{5}x$ **0951** ②

0952 25분 후 **0953** 4분 후 **0954** (1) $y=35-\dfrac{1}{20}x$ (2) 17 L

0955 45 m **0956** $y=200-x$ **0957** 20분 후

0958 5초 후 **0959** 10초 후 **0960** 18초 후 **0961** 15 cm

0962 125 L **0963** 55분 **0964** $\dfrac{1}{2}\leq A\leq 6$

0965 $\dfrac{2}{3}\leq a\leq 3$ **0966** -4

0967 $\dfrac{1}{4}\leq a\leq 6$ **0968** $\dfrac{1}{3}\leq a\leq \dfrac{5}{2}$

0969 (1) $-2, 2, -11$ (2) $-11\leq k\leq 2$

0970 (1) $-\dfrac{1}{3}$ (2) $\dfrac{2}{3}, -\dfrac{14}{3}$ **0971** -3 **0972** -3

STEP 3 내신 마스터
162쪽~165쪽

0973 ③ **0974** 제4사분면 **0975** ③

0976 ① **0977** ⑤ **0978** -5 **0979** ②

0980 -1 **0981** ③ **0982** $\dfrac{3}{4}$

0983 $y=-4x+20$ **0984** -10 **0985** ④

0986 ⑤ **0987** ③ **0988** ①

0989 $y=-\dfrac{7}{3}x-5$ **0990** $\dfrac{1}{3}\leq a\leq 4$

0991 (1) $y=60-\dfrac{1}{15}x$ (2) 750 km **0992** ②

0993 2초 후 **0994** (1) ㉠$=13$, ㉡$=21$ (2) $a=4, b=1$

0995 (1) $y=\dfrac{1}{20}x+100$ (2) 8000원

9 일차함수와 일차방정식

STEP 1 개념 마스터

168쪽~170쪽

0996 $y=-x+3$　0997 $y=2x+4$

0998 $y=\frac{3}{4}x$　0999 $y=2x-3$　1000 3

1001 $1, \frac{1}{2}$

1002 기울기 : $\frac{1}{3}$, x절편 : $\frac{1}{3}$, y절편 : $-\frac{1}{9}$

1003 기울기 : $\frac{1}{5}$, x절편 : 4, y절편 : $-\frac{4}{5}$

1004 기울기 : $\frac{3}{2}$, x절편 : 2, y절편 : -3

1005 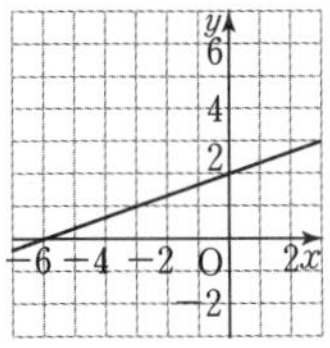

1006 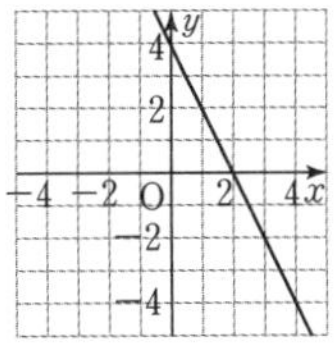

1007 ㉢, ㉣　1008 ㉠, ㉡　1009 ㉢과 ㉣　1010 $y=3$

1011 $x=-2$　1012 $x=-4$　1013 $y=-1$　1014 $y=-3$

1015 $x=5$　1016 $x=4, y=2$

1017 $x=-2, y=3$　1018 $x=-2, y=1$

1019 $x=0, y=-2$　1020 $x=1, y=2$

1021 $x=-1, y=-2$　1022 $x=-1, y=3$

1023 -6　1024 2　1025 ㉢　1026 ㉡, ㉣

1027 ㉠

STEP 2 유형 마스터

171쪽~180쪽

1028 2　1029 ②　1030 ①　1031 ④

1032 -3　1033 ④　1034 -1　1035 ⑤

1036 3　1037 -2　1038 7　1039 $y=-1$

1040 ㉡, ㉢　1041 1　1042 25　1043 30

1044 7　1045 ①, ④　1046 $a<0, c<0$

1047 $a>0, b=0$　1048 ③　1049 제4사분면

1050 ②　1051 $-\frac{1}{2}$　1052 $x=3, y=2$

1053 $(1, 4)$　1054 $(2, 0)$　1055 0　1056 4

1057 -3　1058 6　1059 $y=2x+1$

1060 $x=\frac{7}{5}$　1061 $y=-3x+1$　1062 2

1063 1　1064 ⑤　1065 $a=-6$　1066 ③

1067 8　1068 ①　1069 9　1070 6

1071 $-\frac{3}{5}$　1072 4

1073 (1) $A\left(-\frac{2}{3}, \frac{16}{3}\right)$ (2) $B(-6, 0)$, $C(2, 0)$ (3) $\frac{64}{3}$

1074 4　1074 $\frac{4}{3}$　1076 $y=-\frac{6}{5}x+6$

1077 $\frac{2}{3}$　1078 -3　1079 9　1080 -6

1081 $-\frac{14}{3}$　1082 -12　1083 ④　1084 ⑤

1085 8　1086 2　1087 ①　1088 32π

1089 $y=4x-4$　1090 ②

STEP 3 내신 마스터

181쪽~183쪽

1091 $\frac{7}{2}$　1092 ④　1093 ⑤

1094 (1) $y=\frac{4}{3}x+1$ (2) $y=2$ (3) $x=-5$

1095 ②　1096 ③　1097 ②　1098 ⑤

1099 8　1100 ④　1101 4　1102 ③

1103 $y=x+4$　1104 ④　1105 $\frac{1}{4}$

1106 $y=-2x-4$

1107 (1) 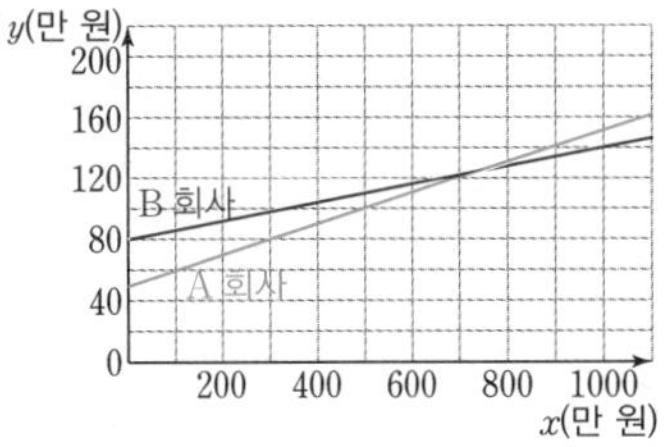

(2) 750만 원

유형 해결의 법칙

정답과 해설

1 유리수와 순환소수

0001   답 ㉡, ㉣

0002 $\dfrac{2}{3}=2\div3=0.666\cdots$ 답 $0.666\cdots$, 무한소수

0003 $\dfrac{3}{8}=3\div8=0.375$ 답 0.375, 유한소수

0004 $-\dfrac{3}{5}=-(3\div5)=-0.6$ 답 -0.6, 유한소수

0005 $\dfrac{1}{9}=1\div9=0.111\cdots$ 답 $0.111\cdots$, 무한소수

0006   답 순환마디 : 2, $0.7\dot{2}$

0007   답 순환마디 : 40, $0.\dot{4}\dot{0}$

0008   답 순환마디 : 523, $0.\dot{5}2\dot{3}$

0009   답 순환마디 : 487, $7.\dot{4}8\dot{7}$

0010   답 순환마디 : 362, $2.9\dot{3}6\dot{2}$

0011 $\dfrac{8}{9}=8\div9=0.888\cdots=0.\dot{8}$, 순환마디 : 8 답 $0.\dot{8}$, 8

0012 $\dfrac{23}{99}=23\div99=0.232323\cdots=0.\dot{2}\dot{3}$, 순환마디 : 23

         답 $0.\dot{2}\dot{3}$, 23

0013 $\dfrac{4}{7}=4\div7=0.571428571428\cdots=0.\dot{5}7142\dot{8}$

     순환마디 : 571428 답 $0.\dot{5}7142\dot{8}$, 571428

0014 $\dfrac{40}{27}=40\div27=1.481481\cdots=1.\dot{4}8\dot{1}$, 순환마디 : 481

         답 $1.\dot{4}8\dot{1}$, 481

0015 $0.6=\dfrac{6}{10}=\dfrac{3}{5}$ 답 $\dfrac{3}{5}$, 소인수 : 5

0016 $0.35=\dfrac{35}{100}=\dfrac{7}{20}=\dfrac{7}{2^2\times5}$ 답 $\dfrac{7}{20}$, 소인수 : 2, 5

0017 $0.64=\dfrac{64}{100}=\dfrac{16}{25}=\dfrac{16}{5^2}$ 답 $\dfrac{16}{25}$, 소인수 : 5

0018 $0.125=\dfrac{125}{1000}=\dfrac{1}{8}=\dfrac{1}{2^3}$ 답 $\dfrac{1}{8}$, 소인수 : 2

0019   답 5, 15, 1.5

0020   답 5^2, 5^2, 425, 0.425

0021 분모의 소인수가 2와 5뿐이므로 유한소수로 나타낼 수 있다.

         답 ○

0022 분모의 소인수에 3이 있으므로 유한소수로 나타낼 수 없다.

         답 ✕

0023 $\dfrac{9}{2\times3\times5}=\dfrac{3}{2\times5}$ ➡ 분모의 소인수가 2와 5뿐이므로 유한소수로 나타낼 수 있다.   답 ○

0024 $\dfrac{25}{45}=\dfrac{5}{9}=\dfrac{5}{3^2}$ ➡ 분모의 소인수에 3이 있으므로 유한소수로 나타낼 수 없다.   답 ✕

0025 $\dfrac{3}{24}=\dfrac{1}{8}=\dfrac{1}{2^3}$ ➡ 분모의 소인수가 2뿐이므로 유한소수로 나타낼 수 있다.   답 ○

0026 $\dfrac{66}{120}=\dfrac{11}{20}=\dfrac{11}{2^2\times5}$ ➡ 분모의 소인수가 2와 5뿐이므로 유한소수로 나타낼 수 있다.   답 ○

0027 **전략** 소수점 아래에서 처음으로 되풀이되는 부분의 양 끝의 숫자 위에 점을 찍어 나타낸다.

① $1.777777\cdots=1.\dot{7}$

② $0.1020202\cdots=0.1\dot{0}\dot{2}$

③ $2.782782782\cdots=2.\dot{7}8\dot{2}$

④ $3.40214021\cdots=3.\dot{4}02\dot{1}$ 답 ⑤

0028 **전략** 분수를 소수로 나타내어 각각의 순환마디를 구한다.

① $\dfrac{4}{3}=1.\dot{3}$이므로 순환마디는 3

② $\dfrac{13}{90}=0.1\dot{4}$이므로 순환마디는 4

③ $\dfrac{103}{90}=1.1\dot{4}$이므로 순환마디는 4

④ $\dfrac{22}{9}=2.\dot{4}$이므로 순환마디는 4

⑤ $\dfrac{40}{9}=4.\dot{4}$이므로 순환마디는 4

따라서 순환마디가 나머지 넷과 다른 하나는 ①이다.

         답 ①

0029 $\frac{5}{18}=0.2\dot{7}$이므로 순환마디를 이루는 숫자의 개수는 1개,

즉 $a=1$

$\frac{3}{55}=0.05\dot{4}$이므로 순환마디를 이루는 숫자의 개수는 2개,

즉 $b=2$

$\therefore a+b=1+2=3$ **답** 3

0030 **전략** 분수를 순환소수로 나타내어 순환마디를 구한다.

$\frac{3}{7}=0.\dot{4}2857\dot{1}$이므로 순환마디를 이루는 숫자의 개수는 6개이다.

이때 $50=6\times8+2$이므로 소수점 아래 50번째 자리의 숫자는 순환마디의 2번째 숫자인 2와 같다. **답** 2

0031 $31=3\times10+1$이므로 $1.\dot{1}0\dot{4}$의 소수점 아래 31번째 자리의 숫자는 순환마디의 첫 번째 숫자인 1과 같다. $\therefore a=1$

$45=3\times15$이므로 $1.\dot{1}0\dot{4}$의 소수점 아래 45번째 자리의 숫자는 순환마디의 3번째 숫자인 4와 같다. $\therefore b=4$

$\therefore a+b=1+4=5$ **답** 5

0032 (1) $\frac{5}{33}=0.151515\cdots$이므로 순환마디는 15이다. …… ㈎

(2) $\frac{5}{33}=0.151515\cdots=0.\dot{1}\dot{5}$ …… ㈏

(3) $\frac{5}{33}=0.\dot{1}\dot{5}$이므로 순환마디를 이루는 숫자의 개수는 2개이다.

이때 $100=2\times50$이므로 소수점 아래 100번째 자리의 숫자는 순환마디의 2번째 숫자인 5와 같다. …… ㈐

답 (1) 15 (2) $0.\dot{1}\dot{5}$ (3) 5

채점 기준	비율
㈎ 순환소수의 순환마디 구하기	20 %
㈏ 순환소수를 간단히 나타내기	30 %
㈐ 순환소수의 소수점 아래 100번째 자리의 숫자 구하기	50 %

0033 $\frac{11}{13}=0.\dot{8}4615\dot{3}$이므로 순환마디를 이루는 숫자의 개수는 6개이다.

이때 $100=6\times16+4$이므로 소수점 아래 100번째 자리의 숫자는 순환마디의 4번째 숫자인 1과 같다.

$\therefore f(100)=1$

또 $200=6\times33+2$이므로 소수점 아래 200번째 자리의 숫자는 순환마디의 2번째 숫자인 4와 같다.

$\therefore f(200)=4$

$\therefore f(100)+f(200)=1+4=5$ **답** 5

0034 **전략** 소수점 아래 111번째 자리의 숫자는 순환하는 부분에서 몇 번째 숫자인지 구한다.

$4.2\dot{6}3\dot{5}$에서 순환마디를 이루는 숫자의 개수는 3개이고 소수점 아래 첫 번째 자리의 숫자 2는 순환하지 않는다.

따라서 소수점 아래 111번째 자리의 숫자는 순환하는 부분에서 $111-1=110$(번째) 숫자이고 $110=3\times36+2$이므로 순환마디의 2번째 숫자인 3과 같다. **답** 3

0035 $4.\dot{5}7\dot{1}$에서 순환마디를 이루는 숫자의 개수는 3개이다.

이때 $70=3\times23+1$이므로 $4.\dot{5}7\dot{1}$의 소수점 아래 70번째 자리의 숫자는 순환마디의 첫 번째 숫자인 5와 같다.

$\therefore a=5$

또한 $0.24\dot{7}8\dot{1}$에서 순환마디를 이루는 숫자의 개수는 3개이고 소수점 아래 첫 번째 자리의 숫자 2와 소수점 아래 2번째 자리의 숫자 4는 순환하지 않는다.

따라서 소수점 아래 70번째 자리의 숫자는 순환하는 부분에서 $70-2=68$(번째) 숫자이고 $68=3\times22+2$이므로 순환마디의 2번째 숫자인 8과 같다.

$\therefore b=8$

$\therefore a+b=5+8=13$ **답** 13

0036 **전략** 분수의 분모가 10의 거듭제곱 꼴이 되도록 분모, 분자에 같은 수를 곱한다.

$\frac{6}{160}=\frac{3}{\boxed{80}}=\frac{3}{\boxed{2^4}\times5}=\frac{3\times\boxed{5^3}}{10^4}=\frac{\boxed{375}}{10000}$

$=\boxed{0.0375}$ **답** ⑤

0037 $\frac{3}{200}=\frac{3}{2^3\times5^2}=\frac{3\times5}{2^3\times5^3}=\frac{15}{1000}=0.015$이므로

$A=5,\ B=15,\ C=0.015$

$\therefore A+B+C=5+15+0.015=20.015$ **답** 20.015

0038 $\frac{7}{250}=\frac{7}{2\times5^3}=\frac{7\times2^2}{2^3\times5^3}=\frac{28}{10^3}$

따라서 $a+n$의 최솟값은 $28+3=31$ **답** 31

0039 **전략** 유한소수로 나타낼 수 있는 분수는 기약분수로 나타낸 후 분모를 소인수분해하였을 때, 분모의 소인수가 2 또는 5뿐이다.

① $\frac{14}{2\times3\times7}=\frac{1}{\boxed{3}}$ ② $\frac{21}{75}=\frac{7}{25}=\frac{7}{5^2}$

③ $\frac{5}{12}=\frac{5}{2^2\times\boxed{3}}$ ④ $\frac{100}{21}=\frac{100}{\boxed{3\times7}}$

⑤ $\frac{15}{2^2\times3}=\frac{5}{2^2}$

따라서 유한소수로 나타낼 수 있는 것은 ②, ⑤이다.

답 ②, ⑤

0040 ① $\frac{5}{32}=\frac{5}{2^5}$ ② $\frac{22}{12}=\frac{11}{6}=\frac{11}{2\times\boxed{3}}$

③ $\frac{27}{5\times3^2}=\frac{3}{5}$ ④ $\frac{91}{35}=\frac{13}{5}$

⑤ $\frac{21}{2^3\times7}=\frac{3}{2^3}$

따라서 유한소수로 나타낼 수 없는 것은 ②이다. **답** ②

0041 ㉠ $\dfrac{11}{12}=\dfrac{11}{2^2\times\textbf{3}}$ ㉡ $\dfrac{6}{2^2\times3^2\times5}=\dfrac{1}{2\times\textbf{3}\times5}$

㉢ $\dfrac{5}{6}=\dfrac{5}{2\times\textbf{3}}$ ㉣ $\dfrac{21}{2^2\times5\times7}=\dfrac{3}{2^2\times5}$

㉤ $\dfrac{21}{48}=\dfrac{7}{16}=\dfrac{7}{2^4}$

따라서 유한소수로 나타낼 수 있는 것은 ㉣, ㉤의 2개이다.

답 2개

0042 전략 주어진 분수를 기약분수로 나타낸 후 분모의 소인수가 2 또는 5만 남도록 하는 a의 값을 구한다.

$\dfrac{21}{180}=\dfrac{7}{60}=\dfrac{7}{2^2\times\textbf{3}\times5}$ 이므로 $\dfrac{21}{180}\times a$가 유한소수가 되려면 a는 3의 배수이어야 한다.

따라서 a의 값이 될 수 있는 가장 작은 자연수는 3이다.

답 3

0043 $\dfrac{3x}{5\times7\times18}=\dfrac{x}{2\times\textbf{3}\times5\times\textbf{7}}$ 이므로 $\dfrac{3x}{5\times7\times18}$ 가 유한소수로 나타내어지려면 x는 3과 7의 공배수, 즉 21의 배수이어야 한다.

따라서 x의 값이 될 수 있는 것은 ④이다.

답 ④

0044 $\dfrac{x}{140}=\dfrac{x}{2^2\times5\times\textbf{7}}$ 이므로 $\dfrac{x}{140}$가 유한소수가 되려면 x는 7의 배수이어야 한다.

이때 7의 배수 중 가장 작은 두 자리 자연수는 14이고 가장 큰 두 자리 자연수는 98이므로

$a=14$, $b=98$

$\therefore a+b=14+98=112$

답 112

0045 전략 두 분수를 기약분수로 나타낸 후 각각의 분모의 소인수가 2 또는 5만 남도록 하는 A의 값을 구한다.

$\dfrac{13}{390}=\dfrac{1}{30}=\dfrac{1}{2\times\textbf{3}\times5}$, $\dfrac{7}{245}=\dfrac{1}{35}=\dfrac{1}{5\times\textbf{7}}$ 이므로 모두 유한소수로 나타내어지려면 A는 3과 7의 공배수, 즉 21의 배수이어야 한다.

따라서 A의 값이 될 수 있는 가장 작은 자연수는 21이다.

답 21

0046 $\dfrac{5}{12}=\dfrac{5}{2^2\times\textbf{3}}$, $\dfrac{7}{22}=\dfrac{7}{2\times\textbf{11}}$ 이므로 모두 유한소수로 나타내어지도록 하려면 A는 3과 11의 공배수, 즉 33의 배수이어야 한다.   …… ㈎

따라서 A의 값이 될 수 있는 가장 큰 두 자리 자연수는 99이다.   …… ㈏

답 99

채점 기준	비율
㈎ 두 분수가 유한소수로 나타내어지도록 하는 자연수 A의 조건 구하기	60 %
㈏ A의 값이 될 수 있는 가장 큰 두 자리 자연수 구하기	40 %

0047 $\dfrac{17\times x}{280}=\dfrac{17\times x}{2^3\times5\times\textbf{7}}$, $\dfrac{5\times x}{176}=\dfrac{5\times x}{2^4\times\textbf{11}}$ 이므로 두 분수가 모두 유한소수가 되려면 x는 7과 11의 공배수, 즉 77의 배수이어야 한다.

이때 77의 배수 중 세 자리 자연수는 154, 231, …, 924이므로 구하는 세 자리 자연수의 개수는 11개이다.   답 11개

0048 전략 분모의 소인수가 2 또는 5뿐이도록 하는 x의 값을 구한다.

$\dfrac{7}{2^2\times x}$ 이 유한소수로 나타내어지려면 x는 소인수가 2 또는 5로만 이루어진 수이거나 7의 약수이거나 이들의 곱으로 이루어진 수이어야 한다.

따라서 15 미만의 자연수 중 x의 값이 될 수 있는 수는 1, 2, 4, 5, 7, 8, 10, 14의 8개이다.   답 8개

0049 전략 보기의 값을 a에 대입하여 유한소수가 되는지 판단한다.

⑤ $a=9$일 때, $\dfrac{15}{2^2\times5\times9}=\dfrac{1}{2^2\times\textbf{3}}$ 이므로 유한소수가 될 수 없다.   답 ⑤

0050 $\dfrac{3}{5\times x}$ 이 유한소수가 되도록 하는 $1\leq x<10$인 자연수 x는 1, 2, 3, 4, 5, 6, 8이므로 구하는 합은

$1+2+3+4+5+6+8=29$ 답 29

0051 전략 분수를 소수로 나타내었을 때 순환소수가 되게 하려면 분모인 소인수에 2와 5 이외의 수가 있어야 한다.

$\dfrac{21}{2^3\times a}=\dfrac{3\times7}{2^3\times a}$ 이 순환소수가 되려면 기약분수로 고쳤을 때, 분모의 소인수에 2와 5 이외의 수가 있어야 한다.

따라서 가장 작은 자연수 a의 값은 9이다.   답 9

0052 전략 보기의 값을 a에 대입하여 유한소수인지 순환소수인지 판단한다.

① $\dfrac{7}{2^2\times5^3\times7}=\dfrac{1}{2^2\times5^3}$ ➡ 유한소수

② $\dfrac{7}{2^2\times5^3\times14}=\dfrac{1}{2^3\times5^3}$ ➡ 유한소수

③ $\dfrac{7}{2^2\times5^3\times21}=\dfrac{1}{2^2\times\textbf{3}\times5^3}$ ➡ 순환소수

④ $\dfrac{7}{2^2\times5^3\times35}=\dfrac{1}{2^2\times5^4}$ ➡ 유한소수

⑤ $\dfrac{7}{2^2\times5^3\times70}=\dfrac{1}{2^3\times5^4}$ ➡ 유한소수

답 ③

0053 $\dfrac{33}{2^3 \times a \times 5} = \dfrac{3 \times 11}{2^3 \times a \times 5}$이 순환소수가 되려면 기약분수로

고쳤을 때, 분모의 소인수에 2와 5 이외의 수가 있어야 한다.

이때 $1 < a < 20$이므로 자연수 a의 값은 7, 9, 13, 14, 17, 18,

19의 7개이다. **답** 7개

0054 <u>전략</u> $\dfrac{a}{90}$를 유한소수가 되도록 하는 a의 값을 구하여 대입한

후 약분해 본다.

$\dfrac{a}{90} = \dfrac{a}{2 \times 3^2 \times 5}$이므로 $\dfrac{a}{90}$가 유한소수가 되려면 a는 3^2,

즉 9의 배수이어야 한다.

이때 $10 < a < 20$이므로 $a = 18$

즉 $\dfrac{18}{90} = \dfrac{1}{5}$이므로 $b = 5$

$\therefore a + b = 18 + 5 = 23$ **답** 23

0055 $\dfrac{x}{120} = \dfrac{x}{2^3 \times 3 \times 5}$이므로 $\dfrac{x}{120}$가 유한소수가 되려면 x는 3

의 배수이어야 한다. ······ (가)

이때 $20 < x < 30$이므로 $x = 21$ 또는 $x = 24$ 또는 $x = 27$

$\dfrac{21}{120} = \dfrac{7}{40}$, $\dfrac{24}{120} = \dfrac{1}{5}$, $\dfrac{27}{120} = \dfrac{9}{40}$이므로

$x = 24$, $y = 5$ ······ (나)

$\therefore x - 3y = 24 - 3 \times 5 = 9$ ······ (다)

답 9

채점 기준	비율
(가) 분수가 유한소수가 되도록 하는 자연수 x의 조건 구하기	30 %
(나) x, y의 값 구하기	50 %
(다) $x - 3y$의 값 구하기	20 %

0056 $\dfrac{a}{180} = \dfrac{a}{2^2 \times 3^2 \times 5}$이므로 $\dfrac{a}{180}$가 유한소수가 되려면 a는

3^2, 즉 9의 배수이어야 한다. 또 기약분수로 나타내면 $\dfrac{7}{b}$이므

로 a는 7의 배수이어야 한다.

따라서 a는 9와 7의 공배수, 즉 63의 배수이고 a는 100 이하

의 자연수이므로 $a = 63$

$\dfrac{63}{180} = \dfrac{7}{20}$이므로 $b = 20$

$\therefore a + b = 63 + 20 = 83$ **답** 83

0057 <u>전략</u> 구하는 분수를 $\dfrac{a}{30}$로 놓고 a의 조건을 알아본다.

$\dfrac{1}{6} = \dfrac{5}{30}$, $\dfrac{3}{5} = \dfrac{18}{30}$이고 $30 = 2 \times 3 \times 5$이므로 유한소수로 나

타낼 수 있는 분수를 $\dfrac{a}{30}$라 하면 a는 $5 < a < 18$인 3의 배수

이어야 한다.

따라서 구하는 분수는 $\dfrac{6}{30}$, $\dfrac{9}{30}$, $\dfrac{12}{30}$, $\dfrac{15}{30}$의 4개이다.

답 4개

0058 $\dfrac{2}{3} = \dfrac{40}{60}$, $\dfrac{4}{5} = \dfrac{48}{60}$이고 $60 = 2^2 \times 3 \times 5$이므로 유한소수로

나타낼 수 있는 분수를 $\dfrac{a}{60}$라 하면 a는 $40 < a < 48$인 3의 배

수이어야 한다.

따라서 구하는 분수는 $\dfrac{42}{60}$, $\dfrac{45}{60}$이다. **답** $\dfrac{42}{60}$, $\dfrac{45}{60}$

0059 $\dfrac{1}{7} = \dfrac{8}{56}$, $\dfrac{5}{8} = \dfrac{35}{56}$이고 $56 = 2^3 \times 7$이므로 유한소수로 나타

낼 수 있는 분수를 $\dfrac{a}{56}$라 하면 a는 $8 < a < 35$인 7의 배수이

어야 하므로 14, 21, 28이다.

따라서 순환소수로만 나타낼 수 있는 분수는 $\dfrac{9}{56}$, $\dfrac{10}{56}$, $\cdots$,

$\dfrac{34}{56}$에서 유한소수로 나타낼 수 있는 분수인 $\dfrac{14}{56}$, $\dfrac{21}{56}$, $\dfrac{28}{56}$ 을

제외한 것이므로 그 개수는 $26 - 3 = 23$(개) **답** ③

0060 <u>전략</u> (가), (나)의 조건에서 x의 소인수가 될 수 있는 수를 찾는다.

(가)에서 x와 15는 서로소이고 (나)에서 $\dfrac{15}{x} = \dfrac{3 \times 5}{x}$는 유한

소수로 나타내어지므로 x의 소인수는 2뿐이다.

(다)에서 $20 \leq x \leq 100$이므로 이를 만족하는 소인수가 2뿐인

자연수 중 가장 큰 수는 64이다.

답 64

0061 (1) $\dfrac{x}{2 \times 3^2 \times 5}$가 유한소수로 나타내어지려면 x는 3^2, 즉 9의

배수이어야 한다.

(2) x는 2와 3의 공배수, 즉 6의 배수이다.

(3) (가), (나)에서 x는 9와 6의 공배수, 즉 18의 배수이고 (다)에서

x는 세 자리 자연수이므로 조건을 모두 만족하는 자연수

x의 값 중 가장 작은 수는 108이다.

답 (1) 9의 배수이다. (2) 6의 배수이다. (3) 108

0062 (다)에서 $\dfrac{n}{30} = \dfrac{n}{2 \times 3 \times 5}$이 유한소수가 되므로 n은 3의 배수

이어야 한다.

(나)에서 $\dfrac{n}{30}$이 정수가 아니므로 n은 30의 배수가 아니어야

한다.

(가)에서 $1 \leq n \leq 200$이므로 조건을 모두 만족하는 자연수 n

의 값의 개수는 $66 - 6 = 60$(개) **답** ①

0063 $12 = 2^2 \times 3$이므로 유한소수로 나타낼 수 있는 분수를 $\dfrac{a}{12}$라

하면 a는 $1 \leq a \leq 11$인 3의 배수이어야 한다.

따라서 유한소수로 나타낼 수 있는 분수는 $\dfrac{3}{12} = \dfrac{1}{4}$,

$\dfrac{6}{12} = \dfrac{1}{2}$, $\dfrac{9}{12} = \dfrac{3}{4}$이다. **답** $\dfrac{1}{4}$, $\dfrac{1}{2}$, $\dfrac{3}{4}$

0064 [전략] 유한소수가 아닌 분수의 개수는 전체 분수의 개수에서 유한소수가 되는 분수의 개수를 빼면 된다.

(i) 분모의 소인수가 2뿐인 수는

$\dfrac{1}{2}, \dfrac{1}{4}, \dfrac{1}{8}, \dfrac{1}{16}, \dfrac{1}{32}, \dfrac{1}{64}$의 6개

(ii) 분모의 소인수가 5뿐인 수는

$\dfrac{1}{5}, \dfrac{1}{25}$의 2개

(iii) 분모의 소인수가 2와 5뿐인 수는

$\dfrac{1}{10}, \dfrac{1}{20}, \dfrac{1}{40}, \dfrac{1}{50}, \dfrac{1}{80}, \dfrac{1}{100}$의 6개

(i), (ii), (iii)에서 주어진 분수 중 유한소수가 되는 분수는

$6+2+6=14$(개)

따라서 유한소수가 아닌 분수는

$99-14=85$(개) **답** 85개

0065 [전략] 분수를 순환소수로 나타내어 순환마디를 구한다.

$\dfrac{2}{7}=0.\dot{2}8571\dot{4}$이고 $50=6\times8+2$이므로 순환마디가 8번 반복되고 소수점 아래 49번째 자리의 숫자와 50번째 자리의 숫자는 각각 2, 8이다.

$\therefore x_1+x_2+\cdots+x_{50}$
$=(2+8+5+7+1+4)\times8+2+8$
$=226$ **답** 226

0066 $\dfrac{3}{14}=0.2\dot{1}4285\dot{7}$이므로 순환마디를 이루는 숫자의 개수는 6개이고 소수점 아래 첫 번째 자리의 숫자 2는 순환하지 않는다.

이때 $51=6\times8+3$이므로 순환마디가 8번 반복되고 소수점 아래 50번째, 51번째, 52번째 자리의 숫자는 각각 1, 4, 2이다.

따라서 구하는 합은

$2+(1+4+2+8+5+7)\times8+1+4+2=225$ **답** ②

0067 $\dfrac{7}{13}=0.\dot{5}3846\dot{1}$이므로 순환마디를 이루는 숫자의 개수는 6개이고 $18=6\times3$이므로

$a_1-a_2+a_3-a_4+\cdots+a_{17}-a_{18}$
$=3\times(a_1-a_2+a_3-a_4+a_5-a_6)$
$=3\times(5-3+8-4+6-1)=33$ **답** 33

0068 $\dfrac{3}{13}=\dfrac{a_1}{10}+\dfrac{a_2}{10^2}+\dfrac{a_3}{10^3}+\cdots+\dfrac{a_{30}}{10^{30}}+\cdots$
$=0.a_1a_2a_3\cdots a_{30}\cdots$
$=0.\dot{2}3076\dot{9}$

순환마디를 이루는 숫자의 개수는 6개이고 $30=6\times5$이므로

$a_1+a_2+a_3+\cdots+a_{30}$
$=(2+3+0+7+6+9)\times5=135$ **답** 135

0069 $0.1\dot{2}$를 x로 놓으면 $x=0.121212\cdots$

$100x=\boxed{12.121212\cdots}$

$-)x=0.121212\cdots$

$\boxed{99}\,x=\boxed{12}$

$\therefore x=\dfrac{\boxed{12}}{99}=\dfrac{4}{\boxed{33}}$

답 $12.121212\cdots$, 99, 12, 12, 33

0070 $0.2\dot{8}$을 x로 놓으면 $x=0.2888\cdots$

$100x=\boxed{28.888\cdots}$

$-)\boxed{10}\,x=2.888\cdots$

$\boxed{90}\,x=\boxed{26}$

$\therefore x=\dfrac{26}{\boxed{90}}=\dfrac{13}{45}$

답 $28.888\cdots$, 10, 90, 26, 90, $\dfrac{13}{45}$

0071 **답** 9

0072 **답** 37

0073 **답** 147

0074 **답** 25

0075 **답** $\dfrac{49}{99}$

0076 $1.\dot{3}=\dfrac{13-1}{9}=\dfrac{12}{9}=\dfrac{4}{3}$ **답** $\dfrac{4}{3}$

0077 $1.2\dot{8}=\dfrac{128-12}{90}=\dfrac{116}{90}=\dfrac{58}{45}$ **답** $\dfrac{58}{45}$

0078 $0.4\dot{3}\dot{2}=\dfrac{432-4}{990}=\dfrac{428}{990}=\dfrac{214}{495}$ **답** $\dfrac{214}{495}$

0079 **답** ○

0080 **답** ○

0081 무한소수 중 순환하지 않는 무한소수는 유리수가 아니다.

답 ×

0082 [전략] 첫 순환마디의 앞뒤로 소수점이 오도록 양변에 10의 거듭제곱을 곱한다.

$x=0.2\dot{3}\dot{6}$이므로 $x=0.236236\cdots$ ……㉠

⊙의 양변에 1000을 곱하면

$1000x = 236.236236\cdots$　　　　　……ⓛ

ⓛ-⊙을 하면 $999x = 236$

따라서 가장 편리한 식은 ④이다.　　　**답** ④

0083 ④ (라) 249　　　　　　　　　**답** ④

0084 $x = 0.34555\cdots$　　　　　　……⊙

⊙의 양변에 1000을 곱하면

$1000x = 345.555\cdots$　　　　　……ⓛ

⊙의 양변에 100을 곱하면

$100x = 34.555\cdots$　　　　　……ⓒ

ⓛ-ⓒ을 하면 $900x = 311$

따라서 가장 편리한 식은 ⑤이다.　　　**답** ⑤

0085 ③ $3.11\dot{5} \Rightarrow 1000x - 100x$　　　**답** ③

0086 $x = 1.3\dot{6}$이라 하면 $x = 1.3666\cdots$　……⊙　……(가)

⊙의 양변에 100을 곱하면 $100x = 136.666\cdots$　……ⓛ

⊙의 양변에 10을 곱하면 $10x = 13.666\cdots$　……ⓒ

ⓛ-ⓒ을 하면 $90x = 123$　　　　　……(나)

$\therefore x = \dfrac{123}{90} = \dfrac{41}{30}$　　　　　……(다)

답 풀이 참조

채점 기준	비율
(가) 순환소수를 x로 놓기	10 %
(나) 소수 부분이 같은 두 식의 차를 이용하여 계산하기	60 %
(다) x를 기약분수로 나타내기	30 %

0087 전략 주어진 식을 계산하여 순환소수로 나타낸다.

$0.26 + 0.006 + 0.0006 + 0.00006 + \cdots = 0.26666\cdots$이므로

$x = 0.26666\cdots$　……⊙이라 하고

⊙의 양변에 100을 곱하면 $100x = 26.666\cdots$　……ⓛ

⊙의 양변에 10을 곱하면 $10x = 2.6666\cdots$　……ⓒ

ⓛ-ⓒ을 하면 $90x = 24$

$\therefore x = \dfrac{24}{90} = \dfrac{4}{15}$

따라서 $a = 4,\ b = 15$이므로

$a + b = 4 + 15 = 19$　　　　　**답** 19

0088 전략 순환소수를 분수로 나타내는 공식을 이용한다.

① $0.0\dot{4} = \dfrac{4}{90} = \dfrac{2}{45}$　② $1.\dot{0}\dot{1} = \dfrac{101-1}{99} = \dfrac{100}{99}$

③ $0.\dot{5}\dot{9} = \dfrac{59}{99}$　④ $1.\dot{2}2\dot{0} = \dfrac{1220-1}{999} = \dfrac{1219}{999}$

⑤ $1.2\dot{0}\dot{3} = \dfrac{1203-12}{990} = \dfrac{1191}{990} = \dfrac{397}{330}$　**답** ④

0089 ② $3.4\dot{9} = \dfrac{349-34}{90}$　　　　　**답** ②

0090 전략 $0.8\dot{3}$을 분수로 나타내어 본다.

$0.8\dot{3} = \dfrac{83-8}{90} = \dfrac{75}{90} = \dfrac{5}{6}$　$\therefore x = 5$　　**답** 5

0091 ⑤ $x = \dfrac{3705-3}{999}$　　　　　**답** ⑤

0092 $0.\dot{5}\dot{4} = \dfrac{54}{99} = \dfrac{6}{11}$이므로 $A = 6$

$0.3\dot{2}\dot{7} = \dfrac{327-3}{990} = \dfrac{324}{990} = \dfrac{18}{55}$이므로 $B = 55$

$\therefore \dfrac{B}{A} = \dfrac{55}{6} = 9.1666\cdots = 9.1\dot{6}$　　**답** $9.1\dot{6}$

0093 $0.\dot{3} = \dfrac{3}{9} = \dfrac{1}{3}$이므로

$0.\dot{3}$의 역수는 3　$\therefore a = 3$

$1.\dot{6} = \dfrac{16-1}{9} = \dfrac{15}{9} = \dfrac{5}{3}$이므로

$1.\dot{6}$의 역수는 $\dfrac{3}{5}$　$\therefore b = \dfrac{3}{5}$

$\therefore \dfrac{a}{b} = a \div b = 3 \div \dfrac{3}{5} = 3 \times \dfrac{5}{3} = 5$　**답** 5

0094 전략 주어진 식의 좌변을 계산하여 순환소수로 나타낸다.

$2 + \dfrac{4}{10^2} + \dfrac{4}{10^3} + \dfrac{4}{10^4} + \cdots$

$= 2 + 0.04 + 0.004 + 0.0004 + \cdots$

$= 2.0444\cdots = 2.0\dot{4}$

$= \dfrac{204-20}{90} = \dfrac{184}{90} = \dfrac{92}{45}$

따라서 $a = 92,\ b = 45$이므로

$a + b = 92 + 45 = 137$　　　　　**답** 137

0095 전략 먼저 순환소수를 기약분수로 나타낸다.

$0.1\dot{3} = \dfrac{13-1}{90} = \dfrac{12}{90} = \dfrac{2}{15} = \dfrac{2}{3 \times 5}$이므로

$0.1\dot{3} \times a$가 유한소수가 되려면 a는 3의 배수이어야 한다.

따라서 a의 값이 될 수 있는 가장 작은 자연수는 3이다.

답 3

0096 $0.3\dot{5} = \dfrac{35-3}{90} = \dfrac{32}{90} = \dfrac{16}{45} = \dfrac{16}{3^2 \times 5}$이므로

$0.3\dot{5} \times x$가 유한소수가 되려면 x는 3^2, 즉 9의 배수이어야 한다. 이때 9의 배수 중 가장 작은 자연수는 9이고, 가장 큰 두 자리 자연수는 99이므로 $a = 9,\ b = 99$

$\therefore b - 3a = 99 - 3 \times 9 = 72$　　　　**답** 72

0097 $0.23\dot{6} = \dfrac{236-2}{990} = \dfrac{234}{990} = \dfrac{13}{55} = \dfrac{13}{5\times \boxed{11}}$ 이므로

$0.23\dot{6} \times a$ 가 유한소수가 되려면 a 는 11의 배수이어야 한다. ······ ㈎

또 $0.19\dot{4} = \dfrac{194-19}{900} = \dfrac{175}{900} = \dfrac{7}{36} = \dfrac{7}{2^2 \times 3^2}$ 이므로

$0.19\dot{4} \times a$ 가 유한소수가 되려면 a 는 3^2, 즉 9의 배수이어야 한다. ······ ㈏

따라서 a 는 11과 9의 공배수, 즉 99의 배수이어야 하므로 a 의 값 중 가장 작은 세 자리 자연수는 $99 \times 2 = 198$ ······ ㈐

답 198

채점 기준	비율
㈎ $0.23\dot{6} \times a$ 가 될 조건 구하기	30 %
㈏ $0.19\dot{4} \times a$ 가 될 조건 구하기	30 %
㈐ a 의 값 중 가장 작은 세 자리 자연수 구하기	40 %

0098 전략 준수는 분자를 제대로 보았고, 태양이는 분모를 제대로 보았음을 이용한다.

$0.7\dot{8} = \dfrac{78-7}{90} = \dfrac{71}{90}$ 이고 준수는 분자를 제대로 보았으므로 처음 기약분수의 분자는 71이다.

$0.\dot{7}\dot{6} = \dfrac{76}{99}$ 이고 태양이는 분모를 제대로 보았으므로 처음 기약분수의 분모는 99이다.

따라서 처음 기약분수는 $\dfrac{71}{99}$ 이고 소수로 나타내면

$\dfrac{71}{99} = 0.7171\cdots = 0.\dot{7}\dot{1}$

답 $0.\dot{7}\dot{1}$

0099 (1) $0.2\dot{6} = \dfrac{26-2}{90} = \dfrac{24}{90} = \dfrac{4}{15}$ ······ ㈎

(2) $0.58\dot{3} = \dfrac{583-58}{900} = \dfrac{525}{900} = \dfrac{7}{12}$ ······ ㈏

(3) 주리는 분모를 제대로 보고 인수는 분자를 제대로 보았으므로 처음 기약분수는 $\dfrac{7}{15}$ 이다. ······ ㈐

(4) $\dfrac{7}{15} = 0.4666\cdots = 0.4\dot{6}$ ······ ㈑

답 (1) $\dfrac{4}{15}$ (2) $\dfrac{7}{12}$ (3) $\dfrac{7}{15}$ (4) $0.4\dot{6}$

채점 기준	비율
㈎ 주리가 잘못 본 기약분수 구하기	30 %
㈏ 인수가 잘못 본 기약분수 구하기	30 %
㈐ 처음 기약분수 구하기	20 %
㈑ 처음 기약분수를 순환소수로 나타내기	20 %

0100 $2.\dot{5} = \dfrac{25-2}{9} = \dfrac{23}{9}$ 이고 원석이는 분자를 제대로 보았으므로 $a = 23$

0100 (이어서) $0.5\dot{2} = \dfrac{52-5}{90} = \dfrac{47}{90}$ 이고 수준이는 분모를 제대로 보았으므로 $b = 90$

$\therefore \dfrac{a}{b} = \dfrac{23}{90} = 0.2555\cdots = 0.25\dot{5}$

답 $0.25\dot{5}$

0101 전략 순환소수끼리의 대소 관계는 순환마디를 풀어 쓴 후 앞자리부터 각 자리의 숫자의 크기를 비교한다.

① $1.\dot{3}\dot{2} = 1.3232\cdots$, $1.3\dot{2} = 1.3222\cdots$ 이므로 $1.\dot{3}\dot{2} > 1.3\dot{2}$

② $0.\dot{6} = 0.666\cdots$ 이므로 $0.\dot{6} < 0.7$

③ $\dfrac{1}{2} = 0.5$, $0.\dot{5} = 0.555\cdots$ 이므로 $\dfrac{1}{2} < 0.\dot{5}$

④ $0.3\dot{5} = 0.3555\cdots$, $0.\dot{3}\dot{5} = 0.3535\cdots$ 이므로 $0.3\dot{5} > 0.\dot{3}\dot{5}$

⑤ $1.2\dot{5}\dot{3} = 1.25353\cdots$, $1.25\dot{3} = 1.25333\cdots$ 이므로 $1.2\dot{5}\dot{3} > 1.25\dot{3}$

답 ⑤

0102 ① $0.1\dot{8} = 0.1888\cdots$, $0.\dot{1}\dot{8} = 0.1818\cdots$ 이므로 $0.1\dot{8} > 0.\dot{1}\dot{8}$

② $0.\dot{5} = 0.5555\cdots$, $0.\dot{5}\dot{0} = 0.5050\cdots$ 이므로 $0.\dot{5} > 0.\dot{5}\dot{0}$

③ $0.1\dot{2}\dot{3} = 0.12323\cdots$, $0.\dot{1}2\dot{3} = 0.123123\cdots$ 이므로 $0.1\dot{2}\dot{3} > 0.\dot{1}2\dot{3}$

④ $\dfrac{37}{99} = 0.\dot{3}\dot{7}$ 이고 $0.3\dot{7} = 0.3777\cdots$, $0.\dot{3}\dot{7} = 0.3737\cdots$ 이므로 $0.3\dot{7} > \dfrac{37}{99}$

⑤ $3.\dot{4} = 3.444\cdots$ 이므로 $3.\dot{4} < 3.5$

답 ③

0103 ① $0.14\dot{1} = 0.14111\cdots$

② $0.\dot{1}4\dot{2} = 0.142142\cdots$

③ $0.14\dot{2} = 0.142222\cdots$

④ $0.1\dot{4}\dot{2} = 0.142424\cdots$

⑤ $0.142\dot{3} = 0.142333\cdots$

따라서 가장 큰 수는 ④이다.

답 ④

0104 전략 먼저 순환소수를 분수로 나타내어 계산한다.

$4.\dot{9} + 2.\dot{3} = \dfrac{49-4}{9} + \dfrac{23-2}{9} = \dfrac{45}{9} + \dfrac{21}{9} = \dfrac{66}{9} = \dfrac{22}{3}$

이므로 $a = 3$, $b = 22$

$\therefore a+b = 3 + 22 = 25$

답 25

0105 $0.\dot{8}\dot{4} + 0.\dot{3}\dot{8} = \dfrac{84}{99} + \dfrac{38}{99} = \dfrac{122}{99} = 1.\dot{2}\dot{3}$

답 ②

0106 $x = \dfrac{36}{99} = \dfrac{4}{11}$ 이므로 $\dfrac{1}{x} = 1 \div x = 1 \div \dfrac{4}{11} = \dfrac{11}{4}$

$$\therefore 1+\frac{1}{x}=1+\frac{11}{4}=\frac{15}{4}$$

답 ②

0107 $3+0.3+0.03+0.003+\cdots=3.333\cdots=3.\dot{3}$ 이므로

$$(좌변)=\frac{1}{90}\times3.\dot{3}=\frac{1}{90}\times\frac{33-3}{9}$$

$$=\frac{1}{90}\times\frac{30}{9}=\frac{1}{27}$$

$\therefore x=27$

답 27

0108 $\frac{17}{30}=x+0.2\dot{4}$ 에서 $\frac{17}{30}=x+\frac{24-2}{90}$

$$\frac{17}{30}=x+\frac{22}{90}$$

$$\therefore x=\frac{17}{30}-\frac{22}{90}=\frac{51}{90}-\frac{22}{90}=\frac{29}{90}$$

$$=0.3222\cdots=0.3\dot{2}$$

답 $0.3\dot{2}$

0109 $0.\dot{3}x+2=3.\dot{2}$ 에서 $\frac{3}{9}x+2=\frac{29}{9}$

$$\frac{3}{9}x=\frac{11}{9}\qquad\therefore x=\frac{11}{3}=3.\dot{6}$$

답 ④

0110 $0.12\dot{x}+0.0\dot{4}=1.\dot{5}$ 에서 $\frac{11}{90}x+\frac{4}{90}=\frac{14}{9}$ ······ ㈎

$$\frac{11}{90}x=\frac{136}{90}\qquad\therefore x=\frac{136}{11}=12.3\dot{6}$$ ······ ㈏

답 $x=12.3\dot{6}$

채점 기준	비율
㈎ 순환소수를 분수로 나타내기	40 %
㈏ x의 값을 구한 후 순환소수로 나타내기	60 %

0111 전략 무한소수는 순환소수와 순환하지 않는 무한소수로 나누어지고, 순환소수는 모두 유리수이다.

③ 순환소수는 모두 유리수이다.

④ 무한소수 중에는 순환하지 않는 무한소수도 있다.

답 ③, ④

0112 유리수는 $\frac{1}{4}$, $-\frac{5}{6}$, $-\frac{13}{27}$, $1.6\dot{5}$의 4개이다.

답 4개

0113 $\frac{a}{b}(b\neq0)$는 유리수이므로 순환하지 않는 무한소수가 될 수 없다.

따라서 계산 결과가 될 수 있는 것은 ㉠, ㉡, ㉢, ㉣이다.

답 ㉠, ㉡, ㉢, ㉣

0114 ① 정수는 유리수이다.

② 순환하지 않는 무한소수는 유리수가 아니다.

③ 분수를 소수로 나타내면 순환소수가 될 수도 있다.

④ 정수가 아닌 유리수는 순환소수로 나타내어질 수도 있다.

답 ⑤

0115 ② 무한소수 중에는 순환하지 않는 무한소수도 있다.

답 ②

0116 ㉠ 0은 유리수이다.

㉢ 모든 유한소수는 유리수이다.

답 ㉡, ㉣, ㉤

0117 전략 $0.\dot{a}\dot{b}=\frac{10a+b}{99}$, $0.\dot{b}\dot{a}=\frac{10b+a}{99}$ 임을 이용한다.

(1) $0.\dot{a}\dot{b}+0.\dot{b}\dot{a}=0.\dot{5}$ 에서

$$\frac{10a+b}{99}+\frac{10b+a}{99}=\frac{5}{9}$$

$$\frac{11(a+b)}{99}=\frac{5}{9}\qquad\therefore a+b=5$$

(2) $a>b$이고 a와 b는 소수이므로 $a=3$, $b=2$

(3) $0.\dot{a}\dot{b}=0.\dot{3}\dot{2}$, $0.\dot{b}\dot{a}=0.\dot{2}\dot{3}$ 이므로

$$0.\dot{a}\dot{b}-0.\dot{b}\dot{a}=0.\dot{3}\dot{2}-0.\dot{2}\dot{3}=\frac{32}{99}-\frac{23}{99}$$

$$=\frac{9}{99}=0.0909\cdots=0.\dot{0}\dot{9}$$

답 (1) 5 (2) $a=3$, $b=2$ (3) $0.\dot{0}\dot{9}$

0118 $a>b$이므로 $0.\dot{a}\dot{b}>0.\dot{b}\dot{a}$이고 두 수의 차가 $0.\dot{6}\dot{3}$이므로

$0.\dot{a}\dot{b}-0.\dot{b}\dot{a}=0.\dot{6}\dot{3}$ 에서

$$\frac{10a+b}{99}-\frac{10b+a}{99}=\frac{63}{99}$$

$$\frac{9(a-b)}{99}=\frac{63}{99}\qquad\therefore a-b=7$$

이때 $a>b$이고 a와 b는 9보다 작은 자연수이므로

$a=8$, $b=1$

답 $a=8$, $b=1$

0119 $0.\dot{a}\dot{b}-0.\dot{b}\dot{a}=0.\dot{4}$ 에서

$$\frac{10a+b-a}{90}-\frac{10b+a-b}{90}=\frac{4}{9}$$

$$\frac{8(a-b)}{90}=\frac{4}{9}\qquad\therefore a-b=5$$

답 5

STEP 3 내신 마스터   p.24 ~ p.27

0120 전략 순환하지 않는 무한소수는 유리수가 아니다.

⑤ 순환하지 않는 무한소수이므로 유리수가 아니다.

답 ⑤

Lecture

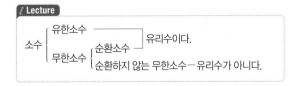

소수 {유한소수 — 유리수이다., 무한소수 {순환소수 — 유리수이다., 순환하지 않는 무한소수 — 유리수가 아니다.}}

0121 전략 순환소수는 첫 번째 순환마디의 양 끝의 숫자 위에 점을 찍어 나타낸다.

② $2.342342\cdots=2.\dot{3}4\dot{2}$

답 ②

0122 전략 순환마디를 이루는 숫자의 개수를 이용한다.

순환마디를 이루는 숫자의 개수는 4개이고 $100=4\times25$이므로 $0.\dot{7}42\dot{5}$의 소수점 아래 100번째 자리의 숫자는 순환마디의 4번째 숫자인 5와 같다.　　　　　　　　　**답** ④

0123 전략 기약분수의 분모를 소인수분해하였을 때, 소인수 2와 5의 지수가 같아지도록 분모, 분자에 적당한 수를 곱해 준다.

$\dfrac{11}{40}=\dfrac{11}{2^3\times5}=\dfrac{11\times5^2}{2^3\times5\times5^2}=\dfrac{275}{1000}=0.275$이므로

$a=5^2=25,\ b=275$

$\therefore a+b=25+275=300$　　　　　　　　**답** 300

0124 $\dfrac{2}{125}=\dfrac{2}{5^3}=\dfrac{2\times2^3}{5^3\times2^3}=\dfrac{16}{10^3}$

따라서 $a+n$의 최솟값은 $16+3=19$　　　　**답** ②

0125 전략 기약분수의 분모의 소인수에 2와 5 이외의 수가 있는 것을 찾는다.

㉠ $\dfrac{49}{42}=\dfrac{7}{6}=\dfrac{7}{2\times\boxed{3}}$　　　㉡ $\dfrac{33}{50}=\dfrac{33}{2\times5^2}$

㉢ $\dfrac{12}{75}=\dfrac{4}{25}=\dfrac{4}{5^2}$　　　㉣ $-\dfrac{15}{3^2\times5^2}=-\dfrac{1}{\boxed{3}\times5}$

㉤ $-\dfrac{42}{2^4\times3\times7^2}=-\dfrac{1}{2^3\times\boxed{7}}$

따라서 유한소수로 나타낼 수 없는 것은 ㉠, ㉣, ㉤의 3개이다.　　　　　　　　　　　　　　　　　　**답** ③

0126 전략 분모의 소인수가 2 또는 5만 남도록 하는 x의 조건을 구한다.

$\dfrac{x}{42}=\dfrac{x}{2\times3\times7}$가 유한소수로 나타내어지려면 x는 3과 7의 공배수, 즉 21의 배수이어야 한다.

따라서 x의 값 중 가장 작은 두 자리 자연수는 21이다.
　　　　　　　　　　　　　　　　　　　　　답 ②

0127 전략 두 분수의 분모의 소인수가 2 또는 5만 남도록 하는 n의 조건을 구한다.

(1) $\dfrac{13}{90}=\dfrac{13}{2\times\boxed{3^2}\times5}$이므로 $\dfrac{13}{90}\times n$이 유한소수로 나타내어지려면 자연수 n은 3^2, 즉 9의 배수이어야 한다.
　　　　　　　　　　　　　　　　　　　　……㈎

(2) $\dfrac{3}{140}=\dfrac{3}{2^2\times5\times\boxed{7}}$이므로 $\dfrac{3}{140}\times n$이 유한소수로 나타내어지려면 자연수 n은 7의 배수이어야 한다.　……㈏

(3) (1), (2)에서 n은 9와 7의 공배수, 즉 63의 배수이어야 한다. 따라서 n의 값이 될 수 있는 가장 작은 자연수는 63이다.
　　　　　　　　　　　　　　　　　　　　……㈐

답 (1) 9의 배수이다. (2) 7의 배수이다. (3) 63

채점 기준	비율
㈎ $\dfrac{13}{90}$에 곱해야 할 자연수 n의 조건 구하기	30 %
㈏ $\dfrac{3}{140}$에 곱해야 할 자연수 n의 조건 구하기	30 %
㈐ n의 값이 될 수 있는 가장 작은 자연수 구하기	40 %

0128 전략 보기의 값을 a에 대입하여 기약분수로 나타내었을 때 분모의 소인수에 2와 5 이외의 수가 있는 것을 찾는다.

③ $a=9$일 때, $\dfrac{21}{2^3\times7\times9}=\dfrac{1}{2^3\times\boxed{3}}$이므로 유한소수가 될 수 없다.　　　　　　　　　　　　　　　**답** ③

0129 전략 먼저 $\dfrac{x}{150}$가 유한소수가 되도록 하는 x의 조건을 구한다.

$\dfrac{x}{150}=\dfrac{x}{2\times\boxed{3}\times5^2}$이므로 $\dfrac{x}{150}$가 유한소수로 나타내어지려면 x는 3의 배수이어야 한다. 또 기약분수로 나타내면 $\dfrac{3}{y}$이므로 x는 3^2, 즉 9의 배수이다.

이때 $40<x<50$이므로 $x=45$

$\dfrac{45}{150}=\dfrac{3}{10}$이므로 $y=10$

$\therefore x+y=45+10=55$　　　　　　　　　**답** 55

0130 전략 구하는 분수를 $\dfrac{a}{15}$로 놓고 a의 조건을 구한다.

$\dfrac{1}{5}=\dfrac{3}{15},\ \dfrac{4}{3}=\dfrac{20}{15}$이고 $15=\boxed{3}\times5$이므로 정수가 아닌 유한소수로 나타낼 수 있는 분수를 $\dfrac{a}{15}$라 하면

a는 $3<a<20$인 3의 배수이어야 한다. (단, $a\neq15$)

따라서 구하는 분수는 $\dfrac{6}{15},\ \dfrac{9}{15},\ \dfrac{12}{15},\ \dfrac{18}{15}$의 4개이다.
　　　　　　　　　　　　　　　　　　　　　답 ②

0131 전략 양변에 10의 거듭제곱을 곱하여 소수 부분이 같은 두 식을 만든다.

$x=2.5\dot{7}$이므로 $x=2.5777\cdots$　　　　……㉠

㉠의 양변에 100을 곱하면

$100x=257.777\cdots$　　　　　　　　　　……㉡

㉠의 양변에 10을 곱하면

$10x=25.777\cdots$　　　　　　　　　　　……㉢

㉡-㉢을 하면 $90x=232$

따라서 가장 편리한 식은 ③이다.　　　　　　**답** ③

0132 전략 $a.b\dot{c}=\dfrac{abc-ab}{90}$임을 이용한다.

② $2.1\dot{5}=\dfrac{215-21}{90}$　　　　　　　　**답** ②

0133 전략 공식을 이용하여 순환소수를 분수로 나타내어 본다.

④ $0.3525252\cdots=0.3\dot{5}\dot{2}=\dfrac{352-3}{990}=\dfrac{349}{990}$ **답** ④

0134 [전략] 순환소수를 분수로 나타내어 a, b의 값을 구한다.

$0.5\dot{6}=\dfrac{56-5}{90}=\dfrac{51}{90}=\dfrac{17}{30}$이므로 $a=17$

$1.2\dot{3}=\dfrac{123-12}{90}=\dfrac{111}{90}=\dfrac{37}{30}$이므로 $b=30$

$\therefore a+b=17+30=47$ **답** 47

0135 [전략] 먼저 $0.5\dot{7}$을 분수로 바꾼다.

$0.5\dot{7}=\dfrac{57-5}{90}=\dfrac{52}{90}=\dfrac{26}{45}=\dfrac{26}{3^2\times5}$이므로

$0.5\dot{7}\times a$가 유한소수가 되려면 a는 3^2, 즉 9의 배수이어야 한다. 따라서 가장 작은 자연수 a의 값은 9이다.   **답** 9

0136 [전략] 지윤이는 분자를 제대로 보았고, 서준이는 분모를 제대로 보았음을 이용한다.

$1.3\dot{5}=\dfrac{135-13}{90}=\dfrac{122}{90}=\dfrac{61}{45}$이고 지윤이는 분자를 제대로 보았으므로 처음 기약분수의 분자는 61이다.   …… ㈎

$0.\dot{3}\dot{4}=\dfrac{34}{99}$이고 서준이는 분모를 제대로 보았으므로 처음 기약분수의 분모는 99이다.   …… ㈏

따라서 처음 기약분수는 $\dfrac{61}{99}$이고 순환소수로 나타내면

$\dfrac{61}{99}=0.6161\cdots=0.\dot{6}\dot{1}$ …… ㈐

   답 $0.\dot{6}\dot{1}$

채점 기준	비율
㈎ 처음 기약분수의 분자 구하기	40 %
㈏ 처음 기약분수의 분모 구하기	40 %
㈐ 처음 기약분수를 순환소수로 나타내기	20 %

✎ Lecture

기약분수를 소수로 나타낼 때
- 분모를 잘못 보았다. ➡ 분자는 제대로 보았다.
- 분자를 잘못 보았다. ➡ 분모는 제대로 보았다.

0137 [전략] 순환소수의 순환마디를 풀어 쓴 후 앞자리부터 각 자리의 숫자를 비교하거나 순환소수를 분수로 고쳐서 대소를 비교한다.

① $0.\dot{3}\dot{0}=0.3030\cdots$, $0.\dot{3}=0.333\cdots$이므로 $0.\dot{3}\dot{0}<0.\dot{3}$

② $1.\dot{9}\dot{0}=1.9090\cdots$, $1.\dot{9}=1.999\cdots$이므로
$1.\dot{9}\dot{0}<1.\dot{9}$

③ $0.\dot{7}=0.777\cdots$, $\dfrac{7}{10}=0.7$이므로 $0.\dot{7}>\dfrac{7}{10}$

④ $1.\dot{2}=\dfrac{12-1}{9}=\dfrac{11}{9}=\dfrac{110}{90}$이므로 $1.\dot{2}<\dfrac{111}{90}$

⑤ $0.\dot{4}\dot{3}=0.4343\cdots$이므로 $0.43<0.\dot{4}\dot{3}$ **답** ⑤

0138 [전략] 순환소수를 분수로 나타낸 후 $\dfrac{b}{a}$를 구한다.

$1.2\dot{7}\times\dfrac{b}{a}=0.\dot{5}$에서 $\dfrac{115}{90}\times\dfrac{b}{a}=\dfrac{5}{9}$

$\therefore \dfrac{b}{a}=\dfrac{5}{9}\times\dfrac{90}{115}=\dfrac{10}{23}$

이때 a, b는 서로소인 자연수이므로 $a=23$, $b=10$

$\therefore a+b=33$ **답** 33

0139 [전략] 순환소수를 분수로 나타낸 후 방정식을 푼다.

$\dfrac{8}{11}=x+0.\dot{3}\dot{2}$에서 $\dfrac{8}{11}=x+\dfrac{32}{99}$

$\therefore x=\dfrac{8}{11}-\dfrac{32}{99}=\dfrac{72}{99}-\dfrac{32}{99}=\dfrac{40}{99}$

$=0.4040\cdots=0.\dot{4}\dot{0}$ **답** ①

0140 [전략] 어떤 수 a에 대한 식을 세운 후 순환소수를 분수로 나타낸다.

$a\times1.\dot{5}=a\times1.5+0.\dot{3}$에서

$a\times\dfrac{15-1}{9}=a\times\dfrac{3}{2}+\dfrac{3}{9}$, $\dfrac{14}{9}a=\dfrac{3}{2}a+\dfrac{1}{3}$

양변에 18을 곱하면 $28a=27a+6$

$\therefore a=6$ **답** 6

0141 [전략] 유한소수와 순환소수는 모두 유리수이다.

㉡ 순환소수는 모두 유리수이다.

㉢ 순환소수는 유한소수로 나타낼 수 없지만 유리수이다.

㉣ 기약분수를 소수로 나타내면 유한소수 또는 순환소수로 나타낼 수 있다.   **답** ㉠, ㉢

0142 [전략] 악보에 그려진 음표를 대응하는 숫자로 바꾸어 나타낸다.

(1) 악보에 그려진 음표가 '도미솔'이므로 대응하는 숫자를 나열하면 '135'이고, 이것을 순환마디로 하는 순환소수는 $0.\dot{1}3\dot{5}$이다.   …… ㈎

(2) $0.\dot{1}3\dot{5}=\dfrac{135}{999}=\dfrac{5}{37}$ …… ㈏

   답 (1) $0.\dot{1}3\dot{5}$ (2) $\dfrac{5}{37}$

채점 기준	비율
㈎ 악보의 3개의 음에 대응되는 숫자를 순환마디로 하는 순환소수 구하기	50 %
㈏ (1)에서 구한 순환소수를 기약분수로 나타내기	50 %

0143 [전략] $\dfrac{5}{11}$를 순환소수로 나타내어 x의 값을 구한다.

$\dfrac{5}{11}=0.4545\cdots=\dfrac{4}{10}+\dfrac{5}{10^2}+\dfrac{4}{10^3}+\dfrac{5}{10^4}+\cdots$이므로

$a_1=a_3=a_5=\cdots=4$, $a_2=a_4=a_6=\cdots=5$

$\therefore x=a_1+a_2+a_3+\cdots+a_{41}$

$=20\times(a_1+a_2)+a_1$

$=20\times(4+5)+4$

$=184$

$184=18\times10+4$이므로 숫자판의 바늘이 시계 방향으로 184칸 회전하였을 때, 바늘이 가리키는 숫자는 4이다.

   답 4

0144   답 2^4

0145   답 $2^2 \times 5^5$

0146   답 $a^4 b^2$

0147 $2^4 \times 2^5 = 2^{4+5} = 2^9$ 답 2^9

0148 $x^5 \times x^3 = x^{5+3} = x^8$ 답 x^8

0149 $x^2 \times x \times x^3 = x^{2+1+3} = x^6$ 답 x^6

0150 $5^2 \times 5^3 \times 3^2 \times 3^4 = 3^{2+4} \times 5^{2+3} = 3^6 \times 5^5$ 답 $3^6 \times 5^5$

0151 $a^3 \times b \times a \times b^2 = a^{3+1} b^{1+2} = a^4 b^3$ 답 $a^4 b^3$

0152 $(2^3)^4 = 2^{3 \times 4} = 2^{12}$ 답 2^{12}

0153 $(a^5)^2 = a^{5 \times 2} = a^{10}$ 답 a^{10}

0154 $(a^2)^3 \times (a^4)^2 = a^6 \times a^8 = a^{6+8} = a^{14}$ 답 a^{14}

0155 $(x^2)^3 \times y^3 \times (y^4)^3 = x^6 \times y^3 \times y^{12} = x^6 y^{3+12} = x^6 y^{15}$

     답 $x^6 y^{15}$

0156 $a^2 \times b^2 \times (a^2)^2 \times (b^2)^3 = a^2 \times b^2 \times a^4 \times b^6$
$$= a^{2+4} b^{2+6} = a^6 b^8$$ 답 $a^6 b^8$

0157 $x^5 \div x = x^{5-1} = x^4$ 답 x^4

0158 $x^{10} \div x^2 = x^{10-2} = x^8$ 답 x^8

0159 $y^5 \div y^5 = 1$ 답 1

0160 $a^2 \div a^7 = \dfrac{1}{a^{7-2}} = \dfrac{1}{a^5}$ 답 $\dfrac{1}{a^5}$

0161 $y^8 \div y^{10} = \dfrac{1}{y^{10-8}} = \dfrac{1}{y^2}$ 답 $\dfrac{1}{y^2}$

0162 $(x^3 y)^2 = x^{3 \times 2} y^2 = x^6 y^2$ 답 $x^6 y^2$

0163 $(3xy^2)^4 = 3^4 x^4 y^{2 \times 4} = 81 x^4 y^8$ 답 $81 x^4 y^8$

0164 $(-2a^2 b^3)^3 = (-2)^3 a^{2 \times 3} b^{3 \times 3} = -8 a^6 b^9$ 답 $-8 a^6 b^9$

0165 $(-a^3 b^2 c)^4 = (-1)^4 a^{3 \times 4} b^{2 \times 4} c^4 = a^{12} b^8 c^4$ 답 $a^{12} b^8 c^4$

0166 $(-3x^2 y^5)^3 = (-3)^3 x^{2 \times 3} y^{5 \times 3} = -27 x^6 y^{15}$ 답 $-27 x^6 y^{15}$

0167 $\left(\dfrac{x}{y^2}\right)^3 = \dfrac{x^3}{y^{2 \times 3}} = \dfrac{x^3}{y^6}$ 답 $\dfrac{x^3}{y^6}$

0168 $\left(\dfrac{5y^2}{x}\right)^2 = \dfrac{5^2 y^{2 \times 2}}{x^2} = \dfrac{25 y^4}{x^2}$ 답 $\dfrac{25 y^4}{x^2}$

0169 $\left(-\dfrac{x^3}{2y^2}\right)^4 = \dfrac{(-1)^4 x^{3 \times 4}}{2^4 y^{2 \times 4}} = \dfrac{x^{12}}{16 y^8}$ 답 $\dfrac{x^{12}}{16 y^8}$

0170 $\left(-\dfrac{2x^2}{5y}\right)^2 = \dfrac{(-2)^2 x^{2 \times 2}}{5^2 y^2} = \dfrac{4 x^4}{25 y^2}$ 답 $\dfrac{4 x^4}{25 y^2}$

0171   전략 $a^m \times a^n = a^{m+n}$을 이용한다.
$3 \times 3^4 \times 3^a = 3^{1+4+a} = 3^{12}$이므로 $1+4+a=12$
$\therefore a=7$ 답 7

0172 $a^2 \times b^2 \times a^3 \times b = a^{2+3} \times b^{2+1} = a^5 b^3$ 답 $a^5 b^3$

0173 $x^{3a} \times x^3 = x^{3a+3} = x^{27}$이므로 $3a+3=27$
$3a=24$ $\therefore a=8$ 답 8

0174 $2^6 \times 2^a \times 2 = 2^{6+a+1} = 2^{a+7}$이고 $512 = 2^9$이므로
$2^{a+7} = 2^9$
즉 $a+7=9$이므로 $a=2$ 답 2

0175   전략 $(a^m)^n = a^{mn}$을 이용한다.
① $(x^4)^2 = x^{4 \times 2} = x^8$
② $x^4 + x^5$은 더 이상 간단히 할 수 없다.
③ $x \times x^2 \times x^5 = x^{1+2+5} = x^8$
④ $x \times x^4 \times y^3 \times y^2 \times x = x^{1+4+1} y^{3+2} = x^6 y^5$
⑤ $(x^3)^3 \times (y^5)^2 \times x^2 \times y^3 = x^9 \times y^{10} \times x^2 \times y^3$
$$= x^{9+2} y^{10+3} = x^{11} y^{13}$$ 답 ④

0176 $(x^3)^2 \times y^2 \times (y^2)^3 = x^6 \times y^2 \times y^6$
$$= x^6 \times y^{2+6}$$
$$= x^6 y^8$$ 답 $x^6 y^8$

0177 2^{300}은 $(2^{\boxed{3}})^{100}$이므로 $\boxed{8}^{100}$이고,
3^{200}은 $(3^{\boxed{2}})^{100}$이므로 $\boxed{9}^{100}$이다.
이때 두 수 중에서 밑은 $\boxed{9}^{100}$이 더 크고 지수는 같으므로
$\boxed{3^{200}}$이 $\boxed{2^{300}}$보다 더 크다.   답 풀이 참조

0178   ① $2^{30} = (2^3)^{10} = 8^{10}$
② $3^{20} = (3^2)^{10} = 9^{10}$
③ $4^{15} = (2^2)^{15} = 2^{30} = (2^3)^{10} = 8^{10}$
⑤ $9^5 = (3^2)^5 = 3^{10}$

이때 지수는 모두 10으로 같고 밑이 가장 큰 수는 9^{10}이므로
가장 큰 수는 ②이다. **답 ②**

0179 [전략] $a^m \div a^n = \begin{cases} a^{m-n} & (m>n) \\ 1 & (m=n) \\ \dfrac{1}{a^{n-m}} & (m<n) \end{cases}$ 임을 이용한다. (단, $a \neq 0$)

① $x^9 \div x^4 = x^{9-4} = x^5 = x^\square$에서
　$\square = 5$

② $x^{12} \div x^9 = x^{12-9} = x^3 = x^\square$에서
　$\square = 3$

③ $x^3 \div x^6 = \dfrac{1}{x^{6-3}} = \dfrac{1}{x^3} = \dfrac{1}{x^\square}$에서
　$\square = 3$

④ $x^3 \times x^5 \div x^4 = x^{3+5} \div x^4 = x^8 \div x^4 = x^{8-4} = x^4 = x^\square$에서
　$\square = 4$

⑤ $(x^3)^2 \div x^4 = x^6 \div x^4 = x^{6-4} = x^2 = x^\square$에서
　$\square = 2$

따라서 $\square$ 안에 들어갈 수가 가장 작은 것은 ⑤이다. **답 ⑤**

0180 $(a^2)^4 \div (a^3)^2 \div a^2 = a^8 \div a^6 \div a^2$
　　$= a^{8-6} \div a^2$
　　$= a^2 \div a^2 = 1$ **답 ③**

0181 $a^{10} \div a^4 \div a^3 = a^{10-4} \div a^3 = a^6 \div a^3 = a^{6-3} = a^3$

① $a^{10} \div (a^4 \div a^3) = a^{10} \div a^{4-3} = a^{10} \div a$
　　$= a^{10-1} = a^9$

② $a^{10} \div a^4 \times a^3 = a^{10-4} \times a^3 = a^6 \times a^3$
　　$= a^{6+3} = a^9$

③ $a^{10} \div (a^4 \times a^3) = a^{10} \div a^{4+3} = a^{10} \div a^7$
　　$= a^{10-7} = a^3$

④ $a^{10} \times a^4 \div a^3 = a^{10+4} \div a^3 = a^{14} \div a^3$
　　$= a^{14-3} = a^{11}$

⑤ $a^{10} \times (a^4 \div a^3) = a^{10} \times a^{4-3} = a^{10} \times a$
　　$= a^{10+1} = a^{11}$

따라서 $a^{10} \div a^4 \div a^3$과 계산 결과가 같은 것은 ③이다.
답 ③

0182 [전략] $(a^m b^n)^l = a^{ml} b^{nl}$, $\left(\dfrac{a^m}{b^n}\right)^l = \dfrac{a^{ml}}{b^{nl}}$ (단, $b \neq 0$)임을 이용한다.

① $(4xy^4)^3 = 4^3 x^3 y^{4 \times 3} = 64 x^3 y^{12}$

② $(-2x^2 y^3)^5 = (-2)^5 x^{2 \times 5} y^{3 \times 5} = -32 x^{10} y^{15}$

③ $(-3x^3 y^5)^4 = (-3)^4 x^{3 \times 4} y^{5 \times 4} = 81 x^{12} y^{20}$

④ $\left(\dfrac{2b}{a^2}\right)^6 = \dfrac{2^6 b^6}{a^{2 \times 6}} = \dfrac{64 b^6}{a^{12}}$

⑤ $\left(-\dfrac{a^3}{b^4}\right)^5 = (-1)^5 \times \dfrac{a^{3 \times 5}}{b^{4 \times 5}} = -\dfrac{a^{15}}{b^{20}}$ **답 ⑤**

0183 ㉠ $(x^3 y)^4 = x^{3 \times 4} y^4 = x^{12} y^4$
㉡ $(-3a^3)^2 = (-3)^2 a^{3 \times 2} = 9 a^6$

㉢ $(3xy^2)^3 = 3^3 x^3 y^{2 \times 3} = 27 x^3 y^6$

㉣ $\left(\dfrac{2x^2}{y}\right)^4 = \dfrac{2^4 x^{2 \times 4}}{y^4} = \dfrac{16 x^8}{y^4}$

㉤ $\left(-\dfrac{xy}{2}\right)^4 = (-1)^4 \times \dfrac{x^4 y^4}{2^4} = \dfrac{x^4 y^4}{16}$

답 ㉠, ㉡, ㉣

0184 $\left(\dfrac{2x^3 y}{z^5}\right)^4 = \dfrac{16 x^a y^b}{z^c}$에서

$\left(\dfrac{2x^3 y}{z^5}\right)^4 = \dfrac{2^4 x^{3 \times 4} y^4}{z^{5 \times 4}} = \dfrac{16 x^{12} y^4}{z^{20}}$이므로

$a = 12, b = 4, c = 20$
$\therefore a + b + c = 12 + 4 + 20 = 36$ **답 36**

0185 [전략] 지수법칙을 이용한다.

① $x^8 \div x^4 = x^{8-4} = x^4$

② $x^2 \times x^2 \times x^2 = x^{2+2+2} = x^6$

③ $\left(\dfrac{x^3}{-2y^2}\right)^3 = \dfrac{x^{3 \times 3}}{(-2)^3 y^{2 \times 3}} = -\dfrac{x^9}{8y^6}$

④ $(x^3)^5 \div (x^2)^4 \div (x^5)^3 = x^{15} \div x^8 \div x^{15}$
　　$= x^{15-8} \div x^{15} = x^7 \div x^{15}$
　　$= \dfrac{1}{x^{15-7}} = \dfrac{1}{x^8}$

⑤ $(y^3)^2 \times (x^5)^2 \times (y^4)^2 = y^6 \times x^{10} \times y^8$
　　$= x^{10} y^{6+8} = x^{10} y^{14}$ **답 ③, ⑤**

0186 ① $(x^4)^2 = x^{4 \times 2} = x^8$

② $x^2 \times x^6 = x^{2+6} = x^8$

③ $x^{10} \div x^2 = x^{10-2} = x^8$

④ $x^{10} \div x^5 \div x^3 = x^{10-5} \div x^3 = x^5 \div x^3$
　　$= x^{5-3} = x^2$

⑤ $\dfrac{(x^4 y^2)^2}{(y^2)^4} = \dfrac{x^{4 \times 2} y^{4 \times 2}}{y^{2 \times 4}} = \dfrac{x^8 y^8}{y^8} = x^8$

따라서 계산 결과가 나머지 넷과 다른 하나는 ④이다.
답 ④

0187 ① $x^2 \times (x^3 \times x^4) = x^2 \times x^{3+4} = x^2 \times x^7$
　　$= x^{2+7} = x^9$

② $a^2 \div (a \times a^5) = a^2 \div a^{1+5} = a^2 \div a^6$
　　$= \dfrac{1}{a^{6-2}} = \dfrac{1}{a^4}$

③ $\left(-\dfrac{a^2}{b^5}\right)^5 = (-1)^5 \times \dfrac{a^{2 \times 5}}{b^{5 \times 5}} = -\dfrac{a^{10}}{b^{25}}$

④ $(3x^2 y)^3 = 3^3 x^{2 \times 3} y^3 = 27 x^6 y^3$

⑤ $x^4 \div (x^5 \div x^3) = x^4 \div x^{5-3} = x^4 \div x^2$
　　$= x^{4-2} = x^2$ **답 ③**

0188 [전략] 지수법칙을 이용하여 좌변을 간단히 한 후 우변과 비교한다.

① $a^5 \div a^\square = \dfrac{1}{a}$에서 $\dfrac{1}{a^{\square - 5}} = \dfrac{1}{a}$
　$\square - 5 = 1$　　$\therefore \square = 6$

② $(a^2)^\square \div a^6 = 1$에서 $a^{2 \times \square} \div a^6 = 1$

  $2 \times \square = 6$ ∴ $\square = 3$

③ $(xy^\square)^3 = x^3 y^6$에서 $x^3 y^{\square \times 3} = x^3 y^6$

  $\square \times 3 = 6$ ∴ $\square = 2$

④ $\left(\dfrac{y^\square}{x^2}\right)^2 = \dfrac{y^8}{x^4}$에서 $\dfrac{y^{\square \times 2}}{x^4} = \dfrac{y^8}{x^4}$

  $\square \times 2 = 8$ ∴ $\square = 4$

⑤ $x^3 \times (x^2)^3 \div x^\square = x^5$에서 $x^3 \times x^6 \div x^\square = x^5$

  $x^9 \div x^\square = x^5$, $x^{9-\square} = x^5$

  $9 - \square = 5$ ∴ $\square = 4$

따라서 $\square$ 안에 들어갈 수가 가장 작은 것은 ③이다. 답 ③

0189 (좌변)$= a^{3x} \times b^{4y} \times a \times b^6$

   $= a^{3x+1} b^{4y+6}$

이때 $a^{3x+1} b^{4y+6} = a^{10} b^{18}$이므로

$3x+1 = 10$에서 $3x = 9$ ∴ $x = 3$

$4y+6 = 18$에서 $4y = 12$ ∴ $y = 3$

∴ $x+y = 3+3 = 6$ 답 6

0190 $(a^3)^2 \times a^x = a^6 \times a^x = a^{6+x} = a^{10}$이므로

$6+x = 10$ ∴ $x = 4$ ······ (가)

$(b^2)^y \div b^8 = b^{2y} \div b^8 = \dfrac{1}{b^{8-2y}} = \dfrac{1}{b^2}$이므로

$8-2y = 2$, $-2y = -6$ ∴ $y = 3$ ······ (나)

∴ $x-y = 4-3 = 1$ ······ (다)

답 1

채점 기준	비율
(가) x의 값 구하기	40 %
(나) y의 값 구하기	40 %
(다) $x-y$의 값 구하기	20 %

0191 $\left(-\dfrac{2x^a}{y^3}\right)^b = \dfrac{cx^{21}}{y^9}$에서

$\dfrac{(-2)^b x^{ab}}{y^{3b}} = \dfrac{cx^{21}}{y^9}$이므로

$3b = 9$ ∴ $b = 3$

$(-2)^b = (-2)^3 = c$ ∴ $c = -8$

$ab = 3a = 21$ ∴ $a = 7$

∴ $a+b+c = 7+3+(-8) = 2$ 답 2

0192 전략 지수법칙을 이용하여 좌변을 간단히 한다.

$3^{14} \div 3^x \times 3^2 = 3^{14-x+2} = 3^{16-x} = 3^5$이므로

$16-x = 5$ ∴ $x = 11$ 답 11

0193 $(3^3)^x \times (3^2)^4 = 3^{3x} \times 3^8 = 3^{3x+8} = 3^{23}$이므로

$3x+8 = 23$, $3x = 15$ ∴ $x = 5$

$5^{20} \div (5^2)^y = 5^{20} \div 5^{2y} = 5^{20-2y} = 5^4$이므로

$20-2y = 4$, $-2y = -16$ ∴ $y = 8$

∴ $x+y = 5+8 = 13$ 답 13

0194 $\dfrac{3^{3a-1}}{3^{a+1}} = 3^{3a-1} \div 3^{a+1} = 3^{3a-1-(a+1)} = 3^{2a-2}$이고

$81 = 3^4$이므로 $3^{2a-2} = 3^4$

$2a-2 = 4$, $2a = 6$ ∴ $a = 3$ 답 ③

0195 $(x^a y^b z^c)^d = x^{ad} y^{bd} z^{cd} = x^{15} y^9 z^{21}$이므로

$ad = 15$, $bd = 9$, $cd = 21$

이때 d의 값은 15, 9, 21의 최대공약수일 때 가장 크므로

$d = 3$

따라서 $a = 5$, $b = 3$, $c = 7$이므로

$a+b+c+d = 5+3+7+3 = 18$ 답 18

0196 전략 밑을 통일하여 지수법칙을 이용한다.

$4 = 2^2$, $8 = 2^3$, $128 = 2^7$이므로

$4^x \times 8^{x-1} = 128$에서 $(2^2)^x \times (2^3)^{x-1} = 2^7$

$2^{2x} \times 2^{3x-3} = 2^7$

$2x + (3x-3) = 7$

$5x - 3 = 7$, $5x = 10$ ∴ $x = 2$ 답 2

0197 (1) $4^2 = (2^2)^2 = 2^4$, $32 = 2^5$이므로

   $2^a \times 4^2 \times 32 = 2^a \times 2^4 \times 2^5 = 2^{a+9} = 2^{11}$

   $a+9 = 11$ ∴ $a = 2$ ······ (가)

(2) $27^2 = (3^3)^2 = 3^6$, $9^2 = (3^2)^2 = 3^4$, $81 = 3^4$이므로

   $27^2 \div (9^2 \div 3^b) = 3^6 \div (3^4 \div 3^b) = 3^6 \div 3^{4-b}$

   $= 3^{6-(4-b)} = 3^{b+2} = 3^4$

   $b+2 = 4$ ∴ $b = 2$ ······ (나)

(3) $ab = 2 \times 2 = 4$ ······ (다)

답 (1) 2 (2) 2 (3) 4

채점 기준	비율
(가) a의 값 구하기	40 %
(나) b의 값 구하기	40 %
(다) ab의 값 구하기	20 %

0198 $8 = 2^3$, $16 = 2^4$, $32 = 2^5$이므로

$8^{2x-1} \times 16^{x+2} = 32^{x+6}$에서

$(2^3)^{2x-1} \times (2^4)^{x+2} = (2^5)^{x+6}$

$2^{6x-3} \times 2^{4x+8} = 2^{5x+30}$

$(6x-3) + (4x+8) = 5x+30$

$10x+5 = 5x+30$, $5x = 25$ ∴ $x = 5$ 답 5

0199 전략 108을 소인수분해한다.

$108^3 = (2^2 \times 3^3)^3 = 2^6 \times 3^9$이므로

$m = 6$, $n = 9$

∴ $m+n = 6+9 = 15$ 답 15

0200 $144^3 = (2^4 \times 3^2)^3 = 2^{12} \times 3^6$이므로 $x = 4$, $y = 6$

∴ $x+y = 4+6 = 10$ 답 10

0201 $1 \times 2 \times 3 \times 4 \times 5 \times 6 \times 7 \times 8 \times 9 \times 10$

   $= 1 \times 2 \times 3 \times 2^2 \times 5 \times (2 \times 3) \times 7 \times 2^3 \times 3^2 \times (2 \times 5)$

   $= 2^8 \times 3^4 \times 5^2 \times 7$

따라서 $a=8$, $b=4$, $c=2$, $d=1$이므로
$a+b+c+d=8+4+2+1=15$ **답** 15

0202 [전략] 먼저 덧셈식을 곱셈식으로 바꾼 후 지수법칙을 이용한다.
$9^4+9^4+9^4=3\times9^4=3\times(3^2)^4=3\times3^8=3^9$
즉 $3^9=3^a$이므로 $a=9$
$5^3+5^3+5^3+5^3+5^3=5\times5^3=5^4$
즉 $5^4=5^b$이므로 $b=4$
$\therefore a+b=9+4=13$ **답** 13

0203 $6^6+6^6+6^6+6^6+6^6+6^6=6\times6^6=6^7$ **답** ②

0204 $2^4+2^4+2^4+2^4=4\times2^4=2^2\times2^4=2^6$
즉 $2^6=2^a$이므로 $a=6$ ······ (가)
$3^b+3^b+3^b=3\times3^b=3^{b+1}$
즉 $3^{b+1}=3^5$이므로 $b+1=5$ $\therefore b=4$ ······ (나)
$(7^2)^3=7^c$에서 $7^6=7^c$ $\therefore c=6$ ······ (다)
$\therefore a+b-c=6+4-6=4$ ······ (라)
답 4

채점 기준	비율
(가) a의 값 구하기	30 %
(나) b의 값 구하기	30 %
(다) c의 값 구하기	30 %
(라) $a+b-c$의 값 구하기	10 %

0205 $\dfrac{2^3+2^3}{3^6+3^6+3^6}\times\dfrac{9^4+9^4}{8^2+8^2+8^2+8^2}$
$=\dfrac{2\times2^3}{3\times3^6}\times\dfrac{2\times9^4}{4\times8^2}=\dfrac{2^4}{3^7}\times\dfrac{2\times(3^2)^4}{2^2\times(2^3)^2}$
$=\dfrac{2^4}{3^7}\times\dfrac{2\times3^8}{2^2\times2^6}=\dfrac{2^4}{3^7}\times\dfrac{3^8}{2^7}$
$=\dfrac{3}{2^3}=\dfrac{3}{8}$ **답** $\dfrac{3}{8}$

0206 [전략] 27을 3의 거듭제곱으로 고친다.
$27^{10}=(3^3)^{10}=3^{30}=3^{5\times6}=(3^5)^6=A^6$ **답** A^6

0207 $32^3=(2^5)^3=2^{15}=2^{3\times5}=(2^3)^5=A^5$ **답** ⑤

0208 $24^2=(2^3\times3)^2=2^6\times3^2=(2^3)^2\times3^2=A^2B$ **답** A^2B

0209 $180^x=(2^2\times3^2\times5)^x=2^{2x}\times3^{2x}\times5^x$
$=(2^x)^2\times(3^x)^2\times5^x=A^2B^2C$ **답** A^2B^2C

0210 [전략] 2와 5를 지수가 같게 묶는다.
$2^{16}\times5^{20}=2^{16}\times5^{16}\times5^4=5^4\times(2\times5)^{16}$
$=625\times10^{16}$
따라서 $2^{16}\times5^{20}$은 19자리 자연수이므로 $n=19$ **답** 19

0211 (1) $5^4\times20^6=5^4\times(2^2\times5)^6=5^4\times2^{12}\times5^6$
$=2^{12}\times5^{10}=2^2\times2^{10}\times5^{10}$
$=2^2\times(2\times5)^{10}=4\times10^{10}$
$\therefore a=4$, $b=10$

(2) $5^4\times20^6$은 11자리 자연수이므로 $n=11$
답 (1) $a=4$, $b=10$ (2) 11

0212 $A=\dfrac{2^{43}\times35^{20}}{14^{20}}=\dfrac{2^{43}\times(5\times7)^{20}}{(2\times7)^{20}}=\dfrac{2^{43}\times5^{20}\times7^{20}}{2^{20}\times7^{20}}$
$=2^{23}\times5^{20}=2^3\times2^{20}\times5^{20}$
$=2^3\times(2\times5)^{20}=8\times10^{20}$
따라서 A는 21자리 자연수이다. **답** 21자리

0213 [전략] 같은 수의 덧셈식을 곱셈식으로 바꾼다.
$(5^5+5^5+5^5+5^5)(2^6+2^6+2^6+2^6+2^6)$
$=(4\times5^5)\times(5\times2^6)=2^2\times5^5\times5\times2^6$
$=2^8\times5^6=2^2\times2^6\times5^6$
$=2^2\times(2\times5)^6=4\times10^6$
따라서 주어진 식은 7자리 자연수이다. **답** 7자리

0214 $a=2^{x-1}=2^x\div2=\dfrac{2^x}{2}$에서 $2^x=2a$
$b=3^{x+1}=3^x\times3$에서 $3^x=\dfrac{b}{3}$
$\therefore 6^x=(2\times3)^x=2^x\times3^x=2a\times\dfrac{b}{3}=\dfrac{2}{3}ab$ **답** $\dfrac{2}{3}ab$

0215 $b=3^{x-1}=3^x\div3=\dfrac{3^x}{3}$에서 $3^x=3b$
$\therefore 72^x=(2^3\times3^2)^x=2^{3x}\times3^{2x}$
$=(2^x)^3\times(3^x)^2=a^3\times(3b)^2$
$=a^3\times9b^2=9a^3b^2$ **답** $9a^3b^2$

0216 $a=2^{x+2}=2^x\times2^2=2^x\times4$에서 $2^x=\dfrac{a}{4}$
$\therefore 8^x=(2^3)^x=(2^x)^3=\left(\dfrac{a}{4}\right)^3=\dfrac{a^3}{64}$ **답** $\dfrac{a^3}{64}$

0217 $a=3^{x-1}=3^x\div3=\dfrac{3^x}{3}$에서 $3^x=3a$
$\therefore 27^{2x}\times\left(\dfrac{1}{9}\right)^{x+3}=(3^3)^{2x}\times\left(\dfrac{1}{3^2}\right)^{x+3}=3^{6x}\times\dfrac{1}{3^{2x+6}}$
$=3^{6x}\times\dfrac{1}{3^{2x}}\times\dfrac{1}{3^6}=3^{4x}\times\dfrac{1}{3^6}$
$=(3^x)^4\times\dfrac{1}{3^6}=(3a)^4\times\dfrac{1}{3^6}$
$=3^4a^4\times\dfrac{1}{3^6}=\dfrac{a^4}{3^2}$
$=\dfrac{a^4}{9}$ **답** $\dfrac{a^4}{9}$

0218 [전략] 10억$=1000000000=10^9$이므로 1 nm$=\dfrac{1}{10^9}$ m임을 이용한다.
1 m의 10억분의 1이 1 nm이므로
1 nm$=\dfrac{1}{10^9}$ m, 즉 1 m$=10^9$ nm

$$\therefore 100\,\text{m}=100\times10^9\,\text{nm}=10^2\times10^9\,\text{nm}$$
$$=10^{2+9}\,\text{nm}=10^{11}\,\text{nm} \qquad \text{답 } 10^{11}\,\text{nm}$$

0219 4 GB와 8 MB를 바이트로 나타내면
$$4\,\text{GB}=4\times2^{30}\text{바이트}$$
$$=2^2\times2^{30}\text{바이트}$$
$$=2^{32}\text{바이트}$$
$$8\,\text{MB}=8\times2^{20}\text{바이트}$$
$$=2^3\times2^{20}\text{바이트}$$
$$=2^{23}\text{바이트}$$
이때 $2^{32}\div2^{23}=2^{32-23}=2^9$이므로 용량이 4 GB인 메모리 카드에 용량이 8 MB인 사진을 2^9장까지 저장할 수 있다.
답 2^9장

0220 전략 1 L$=1000$ mL임을 이용하여 단위를 통일시킨다.
1 L$=1000$ mL$=10^3$ mL이므로
$$2\times10^5\,\text{L}=2\times10^5\times10^3\,\text{mL}=2\times10^8\,\text{mL}$$
또 400 mL$=2^2\times10^2$ mL이므로
$$(2\times10^8)\div(2^2\times10^2)=\frac{1}{2}\times10^6$$
이때 $\frac{1}{2}\times10^6=\frac{1}{2}\times10\times10^5=5\times10^5$이므로 5×10^5명의 학생에게 나누어 줄 수 있다.
$\therefore a=5,\ n=5$
답 $a=5,\ n=5$

STEP **1** 개념 마스터   p.39

0221 $-4ab\times6b^2=-4\times6\times a\times b\times b^2$
$$=-24ab^3 \qquad \text{답 } -24ab^3$$

0222 $a^2b^3\times(-6a^3b^2)\times3ab$
$$=-6\times3\times a^2\times a^3\times a\times b^3\times b^2\times b$$
$$=-18a^6b^6 \qquad \text{답 } -18a^6b^6$$

0223 $(-3x)^2\times(-5xy)=9x^2\times(-5xy)$
$$=9\times(-5)\times x^2\times x\times y$$
$$=-45x^3y \qquad \text{답 } -45x^3y$$

0224 $(2a^2)^2\times\left(-\frac{1}{3}a^3\right)^2=4a^4\times\frac{1}{9}a^6$
$$=4\times\frac{1}{9}\times a^4\times a^6$$
$$=\frac{4}{9}a^{10} \qquad \text{답 } \frac{4}{9}a^{10}$$

0225 $6a^4\div3ab=\dfrac{6a^4}{3ab}=\dfrac{2a^3}{b} \qquad \text{답 } \dfrac{2a^3}{b}$

0226 $\dfrac{2}{3}x^2y\div\dfrac{1}{6}xy^2=\dfrac{2}{3}x^2y\times\dfrac{6}{xy^2}=\dfrac{4x}{y} \qquad \text{답 } \dfrac{4x}{y}$

0227 $(-2x^3y)^3\div(4xy^3)^2=-8x^9y^3\div16x^2y^6$
$$=\frac{-8x^9y^3}{16x^2y^6}=-\frac{x^7}{2y^3} \qquad \text{답 } -\frac{x^7}{2y^3}$$

0228 $(10xy^2)^2\div(-2x^2y)^3\div5xy$
$$=100x^2y^4\div(-8x^6y^3)\div5xy$$
$$=100x^2y^4\times\frac{1}{-8x^6y^3}\times\frac{1}{5xy}$$
$$=-\frac{5}{2x^5} \qquad \text{답 } -\frac{5}{2x^5}$$

0229 $-4a^2\times\dfrac{9}{4}a\div9a=-4a^2\times\dfrac{9}{4}a\times\dfrac{1}{9a}=-a^2$
답 $-a^2$

0230 $12x^2y\div(-4xy)\times3y^2=12x^2y\times\dfrac{1}{-4xy}\times3y^2$
$$=-9xy^2 \qquad \text{답 } -9xy^2$$

0231 $(2x^3y^4)^2\times(3x^2y)^2\div x^4y^2=4x^6y^8\times9x^4y^2\div x^4y^2$
$$=4x^6y^8\times9x^4y^2\times\frac{1}{x^4y^2}$$
$$=36x^6y^8 \qquad \text{답 } 36x^6y^8$$

STEP **2** 유형 마스터   p.40~ p.43

0232 전략 지수법칙을 이용하여 괄호를 풀고 계수는 계수끼리, 문자는 문자끼리 곱한다.
$$(a^2b)^2\times(-ab^3)^2\times(-2ab)^3$$
$$=a^4b^2\times a^2b^6\times(-8a^3b^3)$$
$$=-8a^9b^{11} \qquad \text{답 } -8a^9b^{11}$$

0233 ② $(-2ab)^2\times4b=4a^2b^2\times4b=16a^2b^3$
③ $(-a^2b)^3\times2ab^2=-a^6b^3\times2ab^2=-2a^7b^5$
④ $-5x\times(-2xy)^3=-5x\times(-8x^3y^3)=40x^4y^3$
⑤ $(-3x^2y)^3\times(-xy)^2=-27x^6y^3\times x^2y^2=-27x^8y^5$
따라서 옳지 않은 것은 ③이다. 답 ③

0234 $3ab\times(-2a)^2\times(-3ab^2)^3$
$$=3ab\times4a^2\times(-27a^3b^6)$$
$$=-324a^6b^7 \qquad \text{답 } -324a^6b^7$$

0235 전략 지수법칙을 이용하여 괄호를 풀고 나눗셈을 역수의 곱셈으로 바꾸어 계산한다.
$$\frac{1}{8}x^2y^3\div\left(\frac{1}{4}x^3y\right)^2\div\frac{1}{(-3x^2y^3)^3}$$
$$=\frac{1}{8}x^2y^3\div\frac{1}{16}x^6y^2\div\frac{1}{-27x^6y^9}$$
$$=\frac{1}{8}x^2y^3\times\frac{16}{x^6y^2}\times(-27x^6y^9)$$
$$=-54x^2y^{10} \qquad \text{답 } -54x^2y^{10}$$

0236 $12x^3y \div \left(-\dfrac{3}{2}xy\right) = 12x^3y \times \left(-\dfrac{2}{3xy}\right)$

$\qquad\qquad\qquad\qquad\quad = -8x^2$ 　　　　**답** $-8x^2$

0237 $\dfrac{3}{4}x^4y^3 \div \dfrac{1}{2}x^2y \div \dfrac{6x}{y} = \dfrac{3}{4}x^4y^3 \times \dfrac{2}{x^2y} \times \dfrac{y}{6x}$

$\qquad\qquad\qquad\qquad\qquad = \dfrac{1}{4}xy^3$ 　　…… ㈎

따라서 $a = \dfrac{1}{4},\ b = 1,\ c = 3$이므로 　　…… ㈏

$a \times (b + c) = \dfrac{1}{4} \times (1 + 3) = 1$ 　　…… ㈐

답 1

채점 기준	비율
㈎ 좌변을 간단히 하기	60 %
㈏ a, b, c의 값 구하기	20 %
㈐ $a \times (b+c)$의 값 구하기	20 %

0238 **전략** $a : b : c = 1 : 2 : 3$이므로 $a = k,\ b = 2k,\ c = 3k\ (k \neq 0)$
로 놓는다.

$(3ab^2c)^2 \div (-2a)^4c^3 \div 6b$

$= 9a^2b^4c^2 \div 16a^4c^3 \div 6b$

$= 9a^2b^4c^2 \times \dfrac{1}{16a^4c^3} \times \dfrac{1}{6b} = \dfrac{3b^3}{32a^2c}$

$a : b : c = 1 : 2 : 3$이므로 $a = k,\ b = 2k,\ c = 3k\ (k \neq 0)$라
하면

$\dfrac{3b^3}{32a^2c} = \dfrac{3 \times (2k)^3}{32 \times k^2 \times 3k} = \dfrac{3 \times 8k^3}{96k^3} = \dfrac{24k^3}{96k^3} = \dfrac{1}{4}$ 　　**답** $\dfrac{1}{4}$

0239 **전략** 지수법칙을 이용하여 괄호를 풀고 나눗셈은 역수의 곱셈
으로 바꾸어 계산한다.

① $-\dfrac{3}{8}x^4y^2 \div \left(-\dfrac{3}{4}x^3y^2\right)$

$\qquad = -\dfrac{3}{8}x^4y^2 \times \left(-\dfrac{4}{3x^3y^2}\right) = \dfrac{1}{2}x$

② $6x^2y^2 \div 3x^3y^2 \times 4xy$

$\qquad = 6x^2y^2 \times \dfrac{1}{3x^3y^2} \times 4xy = 8y$

③ $(-2a^2x^2)^2 \div (3ax^2)^3 \times 27a^2x$

$\qquad = 4a^4x^4 \div 27a^3x^6 \times 27a^2x$

$\qquad = 4a^4x^4 \times \dfrac{1}{27a^3x^6} \times 27a^2x = \dfrac{4a^3}{x}$

④ $-81x^3y^2 \times (-2x^2y)^4 \div (3x^2y)^3$

$\qquad = -81x^3y^2 \times 16x^8y^4 \div 27x^6y^3$

$\qquad = -81x^3y^2 \times 16x^8y^4 \times \dfrac{1}{27x^6y^3} = -48x^5y^3$

⑤ $\dfrac{7}{3}x^4 \div \dfrac{7}{12}x^3y \div \left(-\dfrac{1}{4}xy^2\right)$

$\qquad = \dfrac{7}{3}x^4 \times \dfrac{12}{7x^3y} \times \left(-\dfrac{4}{xy^2}\right) = -\dfrac{16}{y^3}$ 　　**답** ④

0240 $(5x^2)^2 \div (-2x^3y)^3 \times 4x^2y$

$= 25x^4 \div (-8x^9y^3) \times 4x^2y$

$= 25x^4 \times \dfrac{1}{-8x^9y^3} \times 4x^2y$

$= -\dfrac{25}{2x^3y^2}$ 　　**답** $-\dfrac{25}{2x^3y^2}$

0241 $(-x^2y)^3 \div \left(\dfrac{x}{y^2}\right)^3 \times xy^2$

$= -x^6y^3 \div \dfrac{x^3}{y^6} \times xy^2$

$= -x^6y^3 \times \dfrac{y^6}{x^3} \times xy^2$

$= -x^4y^{11}$

따라서 $a = 4,\ b = 11$이므로

$a + b = 4 + 11 = 15$ 　　**답** 15

0242 **전략** $A \times \square \div B = C$이면 $\square = C \div A \times B$임을 이용한다.

$\square = 4x^3y^3 \div \left(-\dfrac{4}{3}xy^2\right)^2 \times (-2y)^3$

$= 4x^3y^3 \div \dfrac{16}{9}x^2y^4 \times (-8y^3)$

$= 4x^3y^3 \times \dfrac{9}{16x^2y^4} \times (-8y^3)$

$= -18xy^2$ 　　**답** $-18xy^2$

0243 $\square = 8x^2y^3 \times 12xy^2 \div (-24x^3y)$

$= 8x^2y^3 \times 12xy^2 \times \dfrac{1}{-24x^3y}$

$= -4y^4$ 　　**답** $-4y^4$

0244 $(3x^2y)^3 \times \dfrac{1}{\square} \times (-x^2y) = \dfrac{3}{2}x^2y^4$

$\square = (3x^2y)^3 \times (-x^2y) \div \dfrac{3}{2}x^2y^4$

$= 27x^6y^3 \times (-x^2y) \times \dfrac{2}{3x^2y^4} = -18x^6$ 　　**답** $-18x^6$

0245 $\dfrac{3}{2}y^2 \times A = \dfrac{1}{2}xy^2$이므로

$A = \dfrac{1}{2}xy^2 \div \dfrac{3}{2}y^2 = \dfrac{1}{2}xy^2 \times \dfrac{2}{3y^2} = \dfrac{x}{3}$ 　　…… ㈎

$\dfrac{9}{2}x^2 \times B = \dfrac{3}{2}y^2$이므로

$B = \dfrac{3}{2}y^2 \div \dfrac{9}{2}x^2 = \dfrac{3}{2}y^2 \times \dfrac{2}{9x^2} = \dfrac{y^2}{3x^2}$ 　　…… ㈏

$B \times C = A$이므로 $\dfrac{y^2}{3x^2} \times C = \dfrac{x}{3}$

$\therefore C = \dfrac{x}{3} \div \dfrac{y^2}{3x^2} = \dfrac{x}{3} \times \dfrac{3x^2}{y^2} = \dfrac{x^3}{y^2}$ 　　…… ㈐

답 $A = \dfrac{x}{3},\ B = \dfrac{y^2}{3x^2},\ C = \dfrac{x^3}{y^2}$

채점 기준	비율
(개) A의 식 구하기	30 %
(내) B의 식 구하기	30 %
(대) C의 식 구하기	40 %

0246 전략 좌변을 간단히 한 후 좌변과 우변을 비교한다. 이때 계수는 계수끼리, 지수는 밑이 같은 지수끼리 비교한다.

$(-2x^4y)^A \div 4xy^B \times 2x^3y^4$

$= (-2)^A x^{4A} y^A \times \dfrac{1}{4xy^B} \times 2x^3y^4$

$= \dfrac{(-2)^A}{2} x^{4A+2} y^{A+4-B}$

$= Cx^6y^3$

$4A+2=6$에서 $4A=4$ $\therefore A=1$

$A+4-B=3$에서 $1+4-B=3$ $\therefore B=2$

$\dfrac{(-2)^A}{2}=C$에서 $C=\dfrac{-2}{2}=-1$

$\therefore A+B+C=1+2+(-1)=2$ 답 2

0247 $(3x^3y)^A \times 2x^4y^2 \div 6x^By$

$= 3^A x^{3A} y^A \times 2x^4y^2 \times \dfrac{1}{6x^By}$

$= \dfrac{3^A}{3} x^{3A+4-B} y^{A+1}$

$= Cx^5y^4$ ······ (개)

$A+1=4$에서 $A=3$

$3A+4-B=5$에서 $9+4-B=5$ $\therefore B=8$

$\dfrac{3^A}{3}=C$에서 $C=\dfrac{3^3}{3}=9$ ······ (내)

$\therefore A+B+C=3+8+9=20$ ······ (대)

답 20

채점 기준	비율
(개) 좌변을 간단히 하기	50 %
(내) A, B, C의 값 구하기	30 %
(대) $A+B+C$의 값 구하기	20 %

0248 $\left(\dfrac{1}{2}x^3y^2\right)^A \div (x^2y^4)^2 \times \left(-\dfrac{2x}{3y^2}\right)^A$

$= \dfrac{1}{2^A} x^{3A} y^{2A} \times \dfrac{1}{x^4y^{2A}} \times (-1)^A \times \dfrac{2^A x^A}{3^A y^{2A}}$

$= \dfrac{x^{4A-4}}{(-3)^A y^{2A}} = \dfrac{x^8}{By^C}$

$4A-4=8$에서 $4A=12$ $\therefore A=3$

$(-3)^A=B$에서 $B=(-3)^3=-27$

$2A=C$에서 $C=2\times3=6$

$\therefore A-B+C=3-(-27)+6=36$ 답 36

0249 전략 어떤 식 A에 X를 곱해야 할 것을 잘못하여 나누었더니 Y가 되었다면 $A \div X = Y$에서 A를 구한다.

$A \div \left(-\dfrac{3}{2}a^3b^2\right)=10b$에서

$A=10b \times \left(-\dfrac{3}{2}a^3b^2\right)=-15a^3b^3$

따라서 바르게 계산한 식은

$-15a^3b^3 \times \left(-\dfrac{3}{2}a^3b^2\right)=\dfrac{45}{2}a^6b^5$ 답 $\dfrac{45}{2}a^6b^5$

0250 (1) $A \div \left(-\dfrac{5}{6}a^2b^4\right)=20ab^2$에서 ······ (개)

$A=20ab^2 \times \left(-\dfrac{5}{6}a^2b^4\right)=-\dfrac{50}{3}a^3b^6$ ······ (내)

(2) 바르게 계산한 식은

$\left(-\dfrac{50}{3}a^3b^6\right) \times \left(-\dfrac{5}{6}a^2b^4\right)=\dfrac{125}{9}a^5b^{10}$ ······ (대)

답 (1) $-\dfrac{50}{3}a^3b^6$ (2) $\dfrac{125}{9}a^5b^{10}$

채점 기준	비율
(개) 잘못 계산한 식 세우기	30 %
(내) 어떤 식 A 구하기	30 %
(대) 바르게 계산한 식 구하기	40 %

0251 어떤 식을 A라 하면

$A \times \dfrac{1}{3}xy^2=6x^3y^5$에서

$A=6x^3y^5 \div \dfrac{1}{3}xy^2=6x^3y^5 \times \dfrac{3}{xy^2}=18x^2y^3$

따라서 바르게 계산한 식은

$18x^2y^3 \div \dfrac{1}{3}xy^2=18x^2y^3 \times \dfrac{3}{xy^2}=54xy$ 답 $54xy$

0252 전략 (원기둥의 부피)=(밑넓이)×(높이)임을 이용한다.

물의 높이를 h라 하면

$\pi \times (3ab)^2 \times h=24\pi a^3b^3$에서 $9\pi a^2b^2 \times h=24\pi a^3b^3$

$h=24\pi a^3b^3 \div 9\pi a^2b^2$

$=24\pi a^3b^3 \times \dfrac{1}{9\pi a^2b^2}=\dfrac{8}{3}ab$ 답 $\dfrac{8}{3}ab$

0253 (부피)$=\left(\dfrac{1}{2}\times2ab^2\times3a^2\right)\times5ab=15a^4b^3$ 답 ②

0254 $\overline{AB} \times 4a^6b^2=(6a^3b^3)^2$에서

$\overline{AB}=(6a^3b^3)^2 \div 4a^6b^2$

$=36a^6b^6 \times \dfrac{1}{4a^6b^2}=9b^4$ 답 $9b^4$

0255 원뿔의 높이를 h라 하면

$\dfrac{1}{3}\pi \times (3a^2b^3)^2 \times h=21\pi a^8b^9$에서

$\dfrac{1}{3}\pi \times 9a^4b^6 \times h=21\pi a^8b^9$, $3\pi a^4b^6 \times h=21\pi a^8b^9$

$\therefore h=21\pi a^8b^9 \div 3\pi a^4b^6=21\pi a^8b^9 \times \dfrac{1}{3\pi a^4b^6}=7a^4b^3$

답 $7a^4b^3$

0256 $V_1=\pi\times(3a^2b)^2\times4ab^2=\pi\times9a^4b^2\times4ab^2=36\pi a^5b^4$

$V_2=\pi\times(4ab^2)^2\times3a^2b=\pi\times16a^2b^4\times3a^2b=48\pi a^4b^5$

$\therefore \dfrac{V_1}{V_2}=\dfrac{36\pi a^5b^4}{48\pi a^4b^5}=\dfrac{3a}{4b}$ **답** ③

0257 전략 찰흙의 부피와 구의 부피를 각각 구한다.

(찰흙의 부피)$=(2x^2y^2)^2\times\dfrac{\pi x^2}{y}$

$=4x^4y^4\times\dfrac{\pi x^2}{y}$

$=4\pi x^6y^3$

(구의 부피)$=\dfrac{4}{3}\times\pi\times(x^2y)^3$

$=\dfrac{4}{3}\pi x^6y^3$

이때 $4\pi x^6y^3\div\dfrac{4}{3}\pi x^6y^3=4\pi x^6y^3\times\dfrac{3}{4\pi x^6y^3}=3$이므로 찰흙으로 만들 수 있는 구의 개수는 3개이다. **답** 3개

> **Lecture**
> 반지름의 길이가 r인 구에서
> (겉넓이)$=4\pi r^2$, (부피)$=\dfrac{4}{3}\pi r^3$

STEP 3 내신 마스터 p.44 ~ p.47

0258 전략 지수법칙을 이용하여 좌변을 간단히 한다.

(2) ㉠ $x^2\times x^4=x^{2+4}=x^6$ ㉡ $(x^3)^4=x^{3\times4}=x^{12}$

㉢ $x^{10}\div x^5=x^{10-5}=x^5$ ㉣ $\left(\dfrac{b^3}{a^4}\right)^2=\dfrac{b^{3\times2}}{a^{4\times2}}=\dfrac{b^6}{a^8}$

답 (1) ㉣, ㉢ (2) 풀이 참조

0259 전략 지수법칙을 이용한다.

$x^{5a+2}\times x^2=x^{24}$에서 $(5a+2)+2=24$

$5a=20$ $\therefore a=4$ **답** ①

0260 전략 지수법칙을 이용하여 좌변의 괄호를 푼 후 우변과 지수를 비교한다.

$\left(\dfrac{x^a}{2y^2}\right)^b=\dfrac{x^3}{8y^c}$에서 $\dfrac{x^{ab}}{2^by^{2b}}=\dfrac{x^3}{8y^c}$

$2^b=8=2^3$에서 $b=3$

$x^{ab}=x^3$에서 $ab=3$, $3a=3$ $\therefore a=1$

$y^{2b}=y^c$에서 $c=2b=2\times3=6$

$\therefore a+b+c=1+3+6=10$ **답** 10

0261 전략 지수법칙을 이용하여 좌변을 간단히 한 후 우변과 지수를 비교한다.

① $x^{4+\square-1}=x^6$에서 $4+\square-1=6$ $\therefore \square=3$

② $x^{4-\square+1}=x^2$에서 $4-\square+1=2$ $\therefore \square=3$

③ $x^{1-3+\square}=x$에서 $1-3+\square=1$ $\therefore \square=3$

④ $x^{6-\square-1}=x^3$에서 $6-\square-1=3$ $\therefore \square=2$

⑤ $x^3\div x^{\square-3}=x^{3-\square+3}=x^3$에서 $3-\square+3=3$ $\therefore \square=3$

따라서 □ 안에 들어갈 수가 나머지 넷과 다른 하나는 ④이다. **답** ④

0262 전략 지수법칙을 이용하여 좌변을 간단히 한 후 우변과 지수를 비교한다.

$\dfrac{2^{3a-2}}{2^{a+1}}=2^{3a-2}\div2^{a+1}=2^{3a-2-(a+1)}=2^{2a-3}$이고

$128=2^7$이므로 $2a-3=7$, $2a=10$

$\therefore a=5$ **답** ②

0263 전략 밑을 통일하여 지수법칙을 이용한다.

$4=2^2$, $8=2^3$, $16=2^4$이므로

$4^{2x-1}\times8^{x-2}=16^{x+1}$에서

$(2^2)^{2x-1}\times(2^3)^{x-2}=(2^4)^{x+1}$ ……㈎

$2^{4x-2}\times2^{3x-6}=2^{4x+4}$ ……㈏

$(4x-2)+(3x-6)=4x+4$ ……㈐

$3x=12$ $\therefore x=4$ ……㈑

답 4

채점 기준	비율
㈎ 주어진 등식의 밑을 2로 나타내기	30 %
㈏ 지수법칙을 이용하여 지수 정리하기	20 %
㈐ 지수법칙을 이용하여 x에 대한 방정식 세우기	30 %
㈑ x의 값 구하기	20 %

0264 전략 16과 36을 소인수분해한 후 주어진 식을 $2^a\times3^b$ 꼴로 나타낸다.

$16^2\times36^2=(2^4)^2\times(2^2\times3^2)^2=2^8\times2^4\times3^4=2^{12}\times3^4$이므로

$a=12$, $b=4$

$\therefore a+b=12+4=16$ **답** ④

0265 전략 소인수분해가 되는 수는 모두 소인수분해한 후 지수법칙을 이용한다.

$2\times3\times4\times5\times6\times7\times8\times9\times10\times11\times12$

$=2\times3\times2^2\times5\times(2\times3)\times7\times2^3\times3^2\times(2\times5)$

$\qquad\qquad\qquad\qquad\times11\times(2^2\times3)$

$=2^{10}\times3^5\times5^2\times7\times11$

따라서 $a=10$, $b=5$, $c=2$, $d=1$, $e=1$이므로

$a+b+c+d+e=10+5+2+1+1=19$ **답** ③

0266 전략 지수법칙을 이용하여 좌변을 간단히 한다.

① $5^2\times5^2\times5^2=5^6$

② $3^5+3^5+3^5=3\times3^5=3^6$

③ $5^3\div\dfrac{1}{5^3}=5^3\times5^3=5^6$

④ $3^6\div3^2\div3^3=3^4\div3^3=3$

⑤ $(5^2)^3\times(5^2)^3=5^6\times5^6=5^{12}$ **답** ④

Lecture

지수법칙

m, n이 자연수일 때

① $a^m \times a^n = a^{m+n}$

② $(a^m)^n = a^{mn}$

③ $a^m \div a^n = \begin{cases} a^{m-n} & (m>n) \\ 1 & (m=n) \text{(단, } a\neq0) \\ \dfrac{1}{a^{n-m}} & (m<n) \end{cases}$

④ $(ab)^n = a^n b^n$, $\left(\dfrac{a}{b}\right)^n = \dfrac{a^n}{b^n}$ (단, $b\neq0$)

0267 〈전략〉 덧셈식을 곱셈식으로 바꾼 후 지수법칙을 이용한다.

$(3^2+3^2+3^2+3^2)(5^4+5^4+5^4)(15^6+15^6)$

$=(4\times3^2)\times(3\times5^4)\times(2\times15^6)$ ······ ㈎

$=2^2\times3^2\times3\times5^4\times2\times(3\times5)^6$

$=2^2\times3^2\times3\times5^4\times2\times3^6\times5^6$

$=2^3\times3^9\times5^{10}$ ······ ㈏

따라서 $a=3$, $b=9$, $c=10$이므로

$a+b+c=3+9+10=22$ ······ ㈐

답 22

채점 기준	비율
㈎ 좌변의 덧셈식을 곱셈식으로 바꾸기	30 %
㈏ 좌변을 간단히 하기	40 %
㈐ $a+b+c$의 값 구하기	30 %

0268 〈전략〉 15, 45를 소인수분해한다.

$\dfrac{2^{20}\times15^{40}}{45^{20}}=\dfrac{2^{20}\times(3\times5)^{40}}{(3^2\times5)^{20}}=\dfrac{2^{20}\times3^{40}\times5^{40}}{3^{40}\times5^{20}}$

$=2^{20}\times5^{20}=(2\times5)^{20}=10^{20}$

따라서 21자리 자연수이므로 $n=21$　**답** 21

Lecture

자릿수 구하기 ➡ $a\times10^n$ 꼴로 만들기

➡ 주어진 수의 자릿수는 $\{(a$의 자릿수$)+n\}$

0269 〈전략〉 27을 3의 거듭제곱으로 고친다.

$27^{x+1}=(3^3)^{x+1}=3^{3x+3}=3^{3x}\times3^3$

$=27\times(3^x)^3=27a^3$　**답** ⑤

0270 〈전략〉 3^x을 a를 사용한 식으로, 2^x를 b를 사용한 식으로 나타낸다.

$a=3^{x+1}=3^x\times3$에서 $3^x=\dfrac{a}{3}$

$b=2^{x-2}=2^x\div2^2=\dfrac{2^x}{4}$에서 $2^x=4b$

$\therefore 12^x=(2^2\times3)^x=2^{2x}\times3^x=(2^x)^2\times3^x$

$=(4b)^2\times\dfrac{a}{3}=16b^2\times\dfrac{a}{3}=\dfrac{16}{3}ab^2$　**답** $\dfrac{16}{3}ab^2$

0271 〈전략〉 30 ℃에서 대장균의 수가 135분 후에 몇 배로 증가하는지 알아본다.

30 ℃에서 대장균의 수는 45분마다 2배로 증가하고, $135=45\times3$이므로 135분 후에는 2^3배로 증가한다.

따라서 30 ℃에서 대장균이 5^3마리 있을 때, 135분 후에는 $5^3\times2^3=(2\times5)^3=10^3$(마리)가 된다.　**답** ⑤

0272 〈전략〉 (시간)$=\dfrac{(거리)}{(속력)}$임을 이용하여 태양의 빛이 태양을 출발하여 지구까지 오는 데 걸리는 시간을 구한다.

빛의 속력이 초속 3.0×10^5 km이므로

$\dfrac{1.5\times10^8}{3.0\times10^5}=0.5\times10^3=500$(초)

따라서 현재 우리가 보고 있는 태양의 빛은 500초 전에 태양을 출발한 것이다.　**답** 500초

0273 〈전략〉 7의 거듭제곱의 일의 자리의 숫자를 구해 본다.

$7^{50}\div7^{30}=7^{50-30}=7^{20}$

한편 7의 거듭제곱의 일의 자리의 숫자는 7, 9, 3, 1이 반복된다.

이때 $20=4\times5$이므로 7^{20}의 일의 자리의 숫자는 1이다.

답 ①

0274 〈전략〉 $(2,8,4)$ 또는 $(8,4,2)$ 또는 $(4,2,8)$로 만들어지는 수를 구해 본다.

세 숫자를 시계 방향으로 돌아가며 한 번씩 사용할 수 있는 수는 $(2,8,4)$ 또는 $(8,4,2)$ 또는 $(4,2,8)$로 만들어지는 수이다.

(i) $(2,8,4)$일 때

$2^8\div4=2^8\div2^2=2^6$

(ii) $(8,4,2)$일 때

$8^4\div2=(2^3)^4\div2=2^{12}\div2=2^{11}$

(iii) $(4,2,8)$일 때

$4^2\div8=(2^2)^2\div2^3=2^4\div2^3=2$

따라서 가장 작은 수는 2이다.　**답** 2

0275 〈전략〉 지수법칙을 이용하여 괄호를 풀고 나눗셈은 역수의 곱셈으로 바꾸어 계산한다.

$A=(-2x^2)^3\times5x^3y^2=-8x^6\times5x^3y^2=-40x^9y^2$

$B=(2xy^2)^3\div(-4x^2y^4)^2$

$=8x^3y^6\div16x^4y^8$

$=\dfrac{8x^3y^6}{16x^4y^8}$

$=\dfrac{1}{2xy^2}$

답 $A=-40x^9y^2$, $B=\dfrac{1}{2xy^2}$

0276 전략 먼저 지수법칙을 이용하여 괄호를 푼다.

$$(ab^2)^3 \div (a^2b^3)^4 \times a^6b^7 = a^3b^6 \div a^8b^{12} \times a^6b^7$$
$$= a^3b^6 \times \frac{1}{a^8b^{12}} \times a^6b^7$$
$$= ab$$

답 ②

0277 전략 지수법칙을 이용하여 괄호를 풀고 나눗셈은 역수의 곱셈으로 바꾸어 계산한다.

① $9a \times 4a^5 \div 3a^3 = 9a \times 4a^5 \times \dfrac{1}{3a^3} = 12a^3$

② $6ab^2 \times (-a^3) \div 2b^2 = 6ab^2 \times (-a^3) \times \dfrac{1}{2b^2} = -3a^4$

③ $(3x^4y^3)^2 \div x^3y^2 \times (2x^2y)^3$
  $= 9x^8y^6 \times \dfrac{1}{x^3y^2} \times 8x^6y^3 = 72x^{11}y^7$

④ $(2x^2y^3)^2 \times (-xy^2) \div (x^2y)^3$
  $= 4x^4y^6 \times (-xy^2) \times \dfrac{1}{x^6y^3} = -\dfrac{4y^5}{x}$

⑤ $4x^3y^4 \div \left(-\dfrac{2}{5}x^2\right) \times \left(-\dfrac{1}{3}y\right)^2$
  $= 4x^3y^4 \times \left(-\dfrac{5}{2x^2}\right) \times \dfrac{1}{9}y^2 = -\dfrac{10}{9}xy^6$

따라서 옳지 않은 것은 ⑤이다.

답 ⑤

0278 전략 괄호가 있을 때에는 괄호 안의 식을 먼저 계산한다.

$A = (-3x^2y^5)^2 \times \dfrac{4}{3}xy^3 \div \dfrac{1}{2}x^2y$

$\quad = 9x^4y^{10} \times \dfrac{4}{3}xy^3 \div \dfrac{1}{2}x^2y$

$\quad = 9x^4y^{10} \times \dfrac{4}{3}xy^3 \times \dfrac{2}{x^2y} = 24x^3y^{12}$ ······ (가)

$B = \dfrac{3}{2}x^2y^5 \div \left\{\left(\dfrac{1}{4}x^2y\right)^2 \times (-3xy)\right\}$

$\quad = \dfrac{3}{2}x^2y^5 \div \left\{\dfrac{1}{16}x^4y^2 \times (-3xy)\right\}$

$\quad = \dfrac{3}{2}x^2y^5 \div \left(-\dfrac{3}{16}x^5y^3\right)$

$\quad = \dfrac{3}{2}x^2y^5 \times \left(-\dfrac{16}{3x^5y^3}\right) = -\dfrac{8y^2}{x^3}$ ······ (나)

$\therefore \dfrac{A}{B} = 24x^3y^{12} \div \left(-\dfrac{8y^2}{x^3}\right)$

$\quad = 24x^3y^{12} \times \left(-\dfrac{x^3}{8y^2}\right)$

$\quad = -3x^6y^{10}$ ······ (다)

답 $-3x^6y^{10}$

채점 기준	비율
(가) A를 간단히 하기	40 %
(나) B를 간단히 하기	40 %
(다) $\dfrac{A}{B}$를 간단히 하기	20 %

0279 전략 먼저 가로의 세 식의 곱을 구한다.

가로의 세 식의 곱을 구하면

$(-ab)^3 \times \{-(-a^2b)^2\} \times \dfrac{b}{a^2}$

$= -a^3b^3 \times (-a^4b^2) \times \dfrac{b}{a^2} = a^5b^6$

한편 가로의 세 식의 곱과 세로의 세 식의 곱이 같으므로

$A \times \{-(-a^2b)^2\} \times (-a^3b^2) = a^5b^6$

$A \times (-a^4b^2) \times (-a^3b^2) = a^5b^6,\ A \times a^7b^4 = a^5b^6$

$\therefore A = a^5b^6 \div a^7b^4 = \dfrac{a^5b^6}{a^7b^4} = \dfrac{b^2}{a^2} = \left(\dfrac{b}{a}\right)^2$

답 ⑤

0280 전략 $A \div \square \times B = C$이면 $\square = A \times B \div C$임을 이용한다.

$\square = \left(-\dfrac{2}{3}xy^2z\right)^3 \times \left(-\dfrac{3}{2}xyz^2\right)^2 \div \left(-\dfrac{4}{15}x^7y^{12}z^8\right)$

$= -\dfrac{8}{27}x^3y^6z^3 \times \dfrac{9}{4}x^2y^2z^4 \times \left(-\dfrac{15}{4x^7y^{12}z^8}\right)$

$= \dfrac{5}{2x^2y^4z}$

답 ①

0281 전략 좌변을 간단히 한 후 좌변과 우변을 비교한다. 이때 계수는 계수끼리, 지수는 밑이 같은 지수끼리 비교한다.

$\dfrac{1}{3}x^ay^4z \div (-4xy^bz^6) \times (-2xy^bz^3)^2$

$= \dfrac{1}{3}x^ay^4z \times \left(-\dfrac{1}{4xy^bz^6}\right) \times 4x^2y^{2b}z^6$

$= -\dfrac{1}{3}x^{a+1}y^{4+b}z = cx^3y^5z$

$a+1=3$에서 $a=2$, $4+b=5$에서 $b=1$, $c=-\dfrac{1}{3}$

$\therefore a-b+c = 2-1+\left(-\dfrac{1}{3}\right) = \dfrac{2}{3}$

답 ③

0282 전략 어떤 식을 A라 하고 $A \div 3xy = 9x^3y$에서 A를 구한다.

어떤 식을 A라 하면

$A \div 3xy = 9x^3y$에서

$A = 9x^3y \times 3xy = 27x^4y^2$

따라서 바르게 계산한 식은

$27x^4y^2 \times 3xy = 81x^5y^3$

답 ③

0283 전략 (직육면체의 부피)=(밑넓이)×(높이)임을 이용하여 등식을 세운다.

직육면체의 높이를 h cm라 하면

$4a \times 3b \times h = 24a^2b^3$에서 $12abh = 24a^2b^3$

$\therefore h = 24a^2b^3 \div 12ab = \dfrac{24a^2b^3}{12ab} = 2ab^2$

따라서 직육면체의 높이는 $2ab^2$ cm이다.

답 ②

3 다항식의 계산

STEP 1 개념 마스터　　　　　　p.50~p.51

0284 (주어진 식)$=2a+3b+3a-4b=5a-b$　　답 $5a-b$

0285 (주어진 식)$=2x+y+5-3x-2y$
　　　　　　$=-x-y+5$　　　답 $-x-y+5$

0286 (주어진 식)$=-x-3y+x-y=-4y$　　답 $-4y$

0287 (주어진 식)$=4x-3y+6-2x-y+1$
　　　　　　$=2x-4y+7$　　　답 $2x-4y+7$

0288 (주어진 식)$=x+2y-(3x-y+x)$
　　　　　　$=x+2y-(4x-y)$
　　　　　　$=x+2y-4x+y$
　　　　　　$=-3x+3y$　　　답 $-3x+3y$

0289 (주어진 식)$=a-\{2a+(a-b+2a+2b)\}$
　　　　　　$=a-\{2a+(3a+b)\}$
　　　　　　$=a-(5a+b)$
　　　　　　$=a-5a-b$
　　　　　　$=-4a-b$　　　답 $-4a-b$

0290　　　　　　　　　　　　답 $\bigcirc$

0291 x에 대한 일차식이다.　　　　답 $\times$

0292 $2x^2+5x-2x^2+3=5x+3$이므로 x에 대한 일차식이다.
　　　　　　　　　　　　답 $\times$

0293 $x^2-3x+2x^2=3x^2-3x$이므로 x에 대한 이차식이다.
　　　　　　　　　　　　답 $\bigcirc$

0294 (주어진 식)$=a^2-a+3+2a^2+4a-2$
　　　　　　$=3a^2+3a+1$　　　답 $3a^2+3a+1$

0295 (주어진 식)$=-3x^2+4x+2-2x^2+3x-1$
　　　　　　$=-5x^2+7x+1$　　　답 $-5x^2+7x+1$

0296 (주어진 식)$=4x^2+8x-2-x^2-4x-3$
　　　　　　$=3x^2+4x-5$　　　답 $3x^2+4x-5$

0297　　　　　　　　　　　답 $-6x^2+2xy$

0298　　　　　　　　　　　답 $-2a^2+a$

0299　　　　　　　　　　　답 $xy+7y^2-10y$

0300　　　　　　　　　　　답 $-4x^3+20x^2-16x$

0301 (주어진 식)$=-2x^2+6x-3x^2+6x$
　　　　　　$=-5x^2+12x$　　　답 $-5x^2+12x$

0302 (주어진 식)$=6x^2-3xy-4xy-2y^2$
　　　　　　$=6x^2-7xy-2y^2$　　答 $6x^2-7xy-2y^2$

0303 (주어진 식)$=\dfrac{8ab}{-2a}+\dfrac{4a}{-2a}=-4b-2$　　답 $-4b-2$

0304 (주어진 식)$=\dfrac{-9a^2}{3a}+\dfrac{15ab}{3a}=-3a+5b$
　　　　　　　　　　　　답 $-3a+5b$

0305 (주어진 식)$=\dfrac{4x^2}{-2x}-\dfrac{6xy}{-2x}+\dfrac{2x}{-2x}$
　　　　　　$=-2x+3y-1$　　答 $-2x+3y-1$

0306 (주어진 식)$=\left(2xy-\dfrac{1}{2}y\right)\times\dfrac{2}{y}$
　　　　　　$=2xy\times\dfrac{2}{y}-\dfrac{1}{2}y\times\dfrac{2}{y}$
　　　　　　$=4x-1$　　　답 $4x-1$

0307 (주어진 식)$=(a^2-2ab+3ac)\times\left(-\dfrac{4}{a}\right)$
　　　　　　$=a^2\times\left(-\dfrac{4}{a}\right)-2ab\times\left(-\dfrac{4}{a}\right)+3ac\times\left(-\dfrac{4}{a}\right)$
　　　　　　$=-4a+8b-12c$
　　　　　　　　　　답 $-4a+8b-12c$

STEP 2 유형 마스터　　　　　　p.52 ~ p.57

0308 전략 분모의 최소공배수로 통분하여 계산한다.
$$\dfrac{x-2y}{3}-\dfrac{5x-2y}{2}=\dfrac{2(x-2y)-3(5x-2y)}{6}$$
$$=\dfrac{2x-4y-15x+6y}{6}$$
$$=\dfrac{-13x+2y}{6}=-\dfrac{13}{6}x+\dfrac{1}{3}y$$
답 $-\dfrac{13}{6}x+\dfrac{1}{3}y$

0309 $3(x+2y)-2(x-y)=3x+6y-2x+2y$
　　　　　　$=x+8y$　　　답 $x+8y$

0310 $\dfrac{3x-2y}{3}-\dfrac{x+3y}{4}+\dfrac{x-y}{2}$

$=\dfrac{4(3x-2y)-3(x+3y)+6(x-y)}{12}$

$=\dfrac{12x-8y-3x-9y+6x-6y}{12}$

$=\dfrac{15x-23y}{12}=\dfrac{5}{4}x-\dfrac{23}{12}y$

따라서 $a=\dfrac{5}{4}, b=-\dfrac{23}{12}$이므로

$a+3b=\dfrac{5}{4}+3\times\left(-\dfrac{23}{12}\right)=-\dfrac{9}{2}$　　　답 $-\dfrac{9}{2}$

0311 ⑰의 규칙은 아랫줄의 이웃한 칸에 있는 두 다항식을 더하여 윗줄을 채우는 것이다.

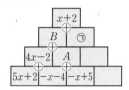

따라서 위의 그림에서

$A=(-x-4)+(-x+5)=-2x+1$

$B=(4x-2)+(-2x+1)=2x-1$

$\therefore \bigcirc=(x+2)-(2x-1)=-x+3$　　　답 $-x+3$

0312 〔전략〕먼저 분배법칙을 이용하여 괄호를 푼다.

$3(x^2+2x+4)-(4x^2-3x-5)$

$=3x^2+6x+12-4x^2+3x+5$

$=-x^2+9x+17$

따라서 x의 계수는 9이다.　　　답 9

0313 ③ $(2x^2+5x+2)-3(x^2+2x-2)$

$=2x^2+5x+2-3x^2-6x+6$

$=-x^2-x+8$

④ $(3x^2+5x+3)-4(x^2-2x+3)$

$=3x^2+5x+3-4x^2+8x-12$

$=-x^2+13x-9$

⑤ $(5x^2-4x+1)-3(x^2+x+3)$

$=5x^2-4x+1-3x^2-3x-9$

$=2x^2-7x-8$

따라서 옳지 않은 것은 ④이다.　　　답 ④

0314 $2x^2-3x-2-(ax^2-4x+5)$

$=2x^2-3x-2-ax^2+4x-5$

$=(2-a)x^2+x-7$

이때 $(2-a)x^2+x-7=4x^2+bx-7$이므로

$2-a=4, 1=b$에서 $a=-2, b=1$

$\therefore a+b=-2+1=-1$　　　답 -1

0315 〔전략〕( )➡{ }➡[ ]의 순서로 괄호를 푼다.

$7x-[y-\{5x+8y-(x+2y)\}]$

$=7x-\{y-(5x+8y-x-2y)\}$

$=7x-\{y-(4x+6y)\}$

$=7x-(y-4x-6y)$

$=7x-(-4x-5y)$

$=7x+4x+5y$

$=11x+5y$

따라서 $a=11, b=5$이므로

$a-b=11-5=6$　　　답 6

0316 $7x^2+3x-\{3x^2+5x-(x^2-4x-1)\}$

$=7x^2+3x-(3x^2+5x-x^2+4x+1)$

$=7x^2+3x-(2x^2+9x+1)$

$=7x^2+3x-2x^2-9x-1$

$=5x^2-6x-1$　　　　　　　　…… ⑰

따라서 $a=5, b=-6, c=-1$이므로　　　…… ⑭

$a+2b+c=5+2\times(-6)+(-1)=-8$　…… ⑮

답 -8

채점 기준	비율
⑰ 주어진 식 간단히 하기	60 %
⑭ a, b, c의 값 구하기	20 %
⑮ $a+2b+c$의 값 구하기	20 %

0317 〔전략〕어떤 식을 A로 놓고 식을 세운다.

어떤 식을 A라 하면

$A-(3x^2-4x+1)+(2x-9)=-x+1$

$\therefore A=-x+1+(3x^2-4x+1)-(2x-9)$

$=-x+1+3x^2-4x+1-2x+9$

$=3x^2-7x+11$　　　답 $3x^2-7x+11$

0318 $a-2b+5+A=4a-b+3$에서

$A=4a-b+3-(a-2b+5)$

$=4a-b+3-a+2b-5$

$=3a+b-2$

$4a+5b+1-B=10a+b$에서

$B=4a+5b+1-(10a+b)$

$=4a+5b+1-10a-b$

$=-6a+4b+1$

$\therefore A-B=3a+b-2-(-6a+4b+1)$

$=3a+b-2+6a-4b-1$

$=9a-3b-3$　　　답 $9a-3b-3$

0319 〔전략〕먼저 세 다항식이 모두 주어진 줄에서 세 다항식의 합을 구한다.

a^2+4	$-2a-2$	
$2a^2-2a$	㉠	
$-a+1$	㉡	a^2-2a-1

세로 첫 번째 줄에서

$(a^2+4)+(2a^2-2a)+(-a+1)=3a^2-3a+5$

가로 세 번째 줄에서

$(-a+1)+$㉡$+(a^2-2a-1)=3a^2-3a+5$

$\therefore$ ㉡$=3a^2-3a+5-(-a+1)-(a^2-2a-1)$

$\quad\quad =3a^2-3a+5+a-1-a^2+2a+1$

$\quad\quad =2a^2+5$

세로 두 번째 줄에서

$(-2a-2)+$㉠$+(2a^2+5)=3a^2-3a+5$

$\therefore$ ㉠$=3a^2-3a+5-(-2a-2)-(2a^2+5)$

$\quad\quad =3a^2-3a+5+2a+2-2a^2-5$

$\quad\quad =a^2-a+2$ **답** a^2-a+2

0320 $6x-[x-3y+\{4x-2y-(y+\boxed{})\}]$

$=6x-\{x-3y+(4x-2y-y-\boxed{})\}$

$=6x-(x-3y+4x-3y-\boxed{})$

$=6x-(5x-6y-\boxed{})$

$=6x-5x+6y+\boxed{}$

$=x+6y+\boxed{}$

이때 $x+6y+\boxed{}=2x-y$이므로

$\boxed{}=2x-y-(x+6y)$

$\quad\quad =2x-y-x-6y$

$\quad\quad =x-7y$ **답** $x-7y$

0321 **전략** 어떤 식을 A로 놓고 잘못 계산한 식을 세운다.

어떤 식을 A라 하면

$A-(x-2y+1)=4x-5y+2$

$\therefore A=4x-5y+2+(x-2y+1)=5x-7y+3$

따라서 바르게 계산한 식은

$5x-7y+3+(x-2y+1)=6x-9y+4$ **답** $6x-9y+4$

0322 (1) $A-(2x^2+3x-1)=-x^2-x+4$

$\therefore A=-x^2-x+4+(2x^2+3x-1)$

$\quad\quad =x^2+2x+3$ ……㉮

(2) 바르게 계산한 식은

$(x^2+2x+3)+(2x^2+3x-1)=3x^2+5x+2$ ……㉯

답 (1) x^2+2x+3 (2) $3x^2+5x+2$

채점 기준	비율
㉮ 어떤 식 A 구하기	60 %
㉯ 바르게 계산한 식 구하기	40 %

0323 어떤 식을 A라 하면

$x^2-\dfrac{1}{2}x-1+A=\dfrac{5}{3}x^2-\dfrac{3}{4}x+1$

$\therefore A=\dfrac{5}{3}x^2-\dfrac{3}{4}x+1-\left(x^2-\dfrac{1}{2}x-1\right)$

$\quad\quad =\dfrac{5}{3}x^2-\dfrac{3}{4}x+1-x^2+\dfrac{1}{2}x+1$

$\quad\quad =\dfrac{2}{3}x^2-\dfrac{1}{4}x+2$

따라서 바르게 계산한 식은

$x^2-\dfrac{1}{2}x-1-\left(\dfrac{2}{3}x^2-\dfrac{1}{4}x+2\right)$

$=x^2-\dfrac{1}{2}x-1-\dfrac{2}{3}x^2+\dfrac{1}{4}x-2$

$=\dfrac{1}{3}x^2-\dfrac{1}{4}x-3$ **답** $\dfrac{1}{3}x^2-\dfrac{1}{4}x-3$

0324 **전략** $A(B+C+D)=AB+AC+AD$임을 이용한다.

$-2x(5x+y-1)=-10x^2-2xy+2x$이므로

$a=-10,\ b=-2,\ c=2$

$\therefore a-b+c=-10-(-2)+2=-6$ **답** -6

0325 ① $2x(x+3)=2x^2+6x$

② $-2x(2x-y-1)=-4x^2+2xy+2x$

⑤ $-y(2x+y-3)=-2xy-y^2+3y$ **답** ③, ④

0326 $-5x(y-3x)+y(4x-1)=-5xy+15x^2+4xy-y$

$\quad\quad\quad\quad\quad\quad\quad\quad\quad\quad =15x^2-xy-y$

따라서 x^2의 계수는 15, xy의 계수는 -1이므로 그 합은

$15+(-1)=14$ **답** 14

0327 **전략** 나누는 단항식이 분수 꼴이면 나눗셈을 역수의 곱셈으로 바꾸어 계산한다.

$(12x^2y-8xy^2-4xy)\div\dfrac{2}{3}xy$

$=(12x^2y-8xy^2-4xy)\times\dfrac{3}{2xy}$

$=12x^2y\times\dfrac{3}{2xy}-8xy^2\times\dfrac{3}{2xy}-4xy\times\dfrac{3}{2xy}$

$=18x-12y-6$ **답** $18x-12y-6$

0328 $(6x^2y-3xy)\div(-2xy)$

$=(6x^2y-3xy)\times\left(-\dfrac{1}{2xy}\right)$

$=6x^2y\times\left(-\dfrac{1}{2xy}\right)-3xy\times\left(-\dfrac{1}{2xy}\right)$

$=-3x+\dfrac{3}{2}$

따라서 $a=-3,\ b=\dfrac{3}{2}$이므로

$a\div b=-3\div\dfrac{3}{2}=-3\times\dfrac{2}{3}=-2$ **답** -2

0329
$$(3x^2y^2+2x^2y)\div\frac{1}{5}xy=(3x^2y^2+2x^2y)\times\frac{5}{xy}$$
$$=3x^2y^2\times\frac{5}{xy}+2x^2y\times\frac{5}{xy}$$
$$=15xy+10x$$
따라서 $A=15$, $B=10$이므로
$$A-B=15-10=5$$
답 5

0330
$$(12x^2y-6xy^2)\div(-3xy)-(6x^2-2xy)\div\frac{1}{2}x$$
$$=(12x^2y-6xy^2)\times\left(-\frac{1}{3xy}\right)-(6x^2-2xy)\times\frac{2}{x}$$
$$=12x^2y\times\left(-\frac{1}{3xy}\right)-6xy^2\times\left(-\frac{1}{3xy}\right)$$
$$\qquad-\left(6x^2\times\frac{2}{x}-2xy\times\frac{2}{x}\right)$$
$$=-4x+2y-(12x-4y)$$
$$=-4x+2y-12x+4y$$
$$=-16x+6y$$
답 $-16x+6y$

0331 **전략** 나눗셈을 역수의 곱셈으로 바꾸어 계산한다.
$$(4x^3y^2-6x^2y^3)\div2xy-(x^2-2xy)\times3y$$
$$=(4x^3y^2-6x^2y^3)\times\frac{1}{2xy}-(x^2-2xy)\times3y$$
$$=2x^2y-3xy^2-3x^2y+6xy^2$$
$$=-x^2y+3xy^2$$
답 $-x^2y+3xy^2$

0332
① $(6a^3-8a^2)\div(-2a)=(6a^3-8a^2)\times\left(-\frac{1}{2a}\right)$
$$=-3a^2+4a$$
② $(15a^2+5a)\div5a=(15a^2+5a)\times\frac{1}{5a}$
$$=3a+1$$
③ $(x-3)x-3(x^2+4x-5)$
$$=x^2-3x-3x^2-12x+15$$
$$=-2x^2-15x+15$$
④ $(-3x+2y)y+(24y^3-18xy^2)\div6y$
$$=-3xy+2y^2+(24y^3-18xy^2)\times\frac{1}{6y}$$
$$=-3xy+2y^2+4y^2-3xy$$
$$=6y^2-6xy$$
⑤ $(12x^2-9xy)\div3x+(2x^2+xy)\div x$
$$=(12x^2-9xy)\times\frac{1}{3x}+(2x^2+xy)\times\frac{1}{x}$$
$$=4x-3y+2x+y$$
$$=6x-2y$$
답 ⑤

0333
$$3x(x-1)-\{x^2-x(-2x+3)\}\div(-x)$$
$$=3x^2-3x-(x^2+2x^2-3x)\div(-x)$$
$$=3x^2-3x-(3x^2-3x)\div(-x)$$
$$=3x^2-3x-(3x^2-3x)\times\left(-\frac{1}{x}\right)$$
$$=3x^2-3x-(-3x+3)$$
$$=3x^2-3x+3x-3=3x^2-3$$
따라서 $a=3$, $b=0$, $c=-3$이므로
$$a+b-c=3+0-(-3)=6$$
답 6

0334 **전략** 색칠한 부분의 넓이는 세 직각삼각형의 넓이의 합과 같음을 이용한다.
(색칠한 부분의 넓이)
$=$ (세 직각삼각형의 넓이의 합)
$$=\frac{1}{2}\times(2a-2b)\times2b$$
$$\quad+\frac{1}{2}\times2b\times b+\frac{1}{2}\times2a\times b$$
$$=2ab-2b^2+b^2+ab$$
$$=3ab-b^2$$
답 $3ab-b^2$

0335
$$(길의\ 넓이)=x(4x+2)+x(3x+1)-x^2$$
$$=4x^2+2x+3x^2+x-x^2$$
$$=6x^2+3x\ (\text{m}^2)$$
답 $(6x^2+3x)\ \text{m}^2$

0336 **전략** (원뿔의 부피)$=\frac{1}{3}\pi\times$(밑넓이)$\times$(높이)임을 이용한다.
원뿔의 높이를 h라 하면
$$\frac{1}{3}\pi\times(6a)^2\times h=48\pi a^2b^3-24\pi a^2b^2\text{에서}$$
$$12\pi a^2\times h=48\pi a^2b^3-24\pi a^2b^2$$
$$\therefore h=(48\pi a^2b^3-24\pi a^2b^2)\div12\pi a^2$$
$$=(48\pi a^2b^3-24\pi a^2b^2)\times\frac{1}{12\pi a^2}$$
$$=4b^3-2b^2$$
답 $4b^3-2b^2$

0337 **전략** 먼저 주어진 식을 계산한 후 x, y의 값을 대입한다.
$$\frac{x^2y-xy^2}{xy}-\frac{3xy^2-x^2y^2}{xy^2}=x-y-(3-x)$$
$$=x-y-3+x$$
$$=2x-y-3$$
$$=2\times5-(-3)-3$$
$$=10$$
답 10

0338
$$xy(x-y)-y(xy+x^2)=x^2y-xy^2-xy^2-x^2y$$
$$=-2xy^2$$
$$=-2\times(-2)\times1^2$$
$$=4$$
답 4

0339
$(-a^2b)^2 \div (-a^3b^2) - \dfrac{6b^2 - 12ab}{3b}$

$= a^4b^2 \times \left(-\dfrac{1}{a^3b^2}\right) - (2b - 4a)$

$= -a - 2b + 4a$

$= 3a - 2b$ ······ (가)

$= 3 \times (-2) - 2 \times 3 = -12$ ······ (나)

답 -12

채점 기준	비율
(가) 주어진 식 계산하기	60 %
(나) 식의 값 구하기	40 %

0340 전략 먼저 주어진 식을 간단히 한다.

$2(3A + 2B) - 2(2A - B)$

$= 6A + 4B - 4A + 2B = 2A + 6B$

$= 2(3x - 2y) + 6(2x + y)$

$= 6x - 4y + 12x + 6y$

$= 18x + 2y$ 답 $18x + 2y$

0341 $3x - y = 3(a + 2b) - (2a - b)$

     $= 3a + 6b - 2a + b$

     $= a + 7b$ 답 $a + 7b$

0342 $A - 5B - (3B - 2A)$

$= A - 5B - 3B + 2A = 3A - 8B$

$= 3 \times \dfrac{3x + y}{3} - 8 \times \dfrac{x + y - 1}{2}$

$= 3x + y - 4(x + y - 1)$

$= 3x + y - 4x - 4y + 4$

$= -x - 3y + 4$ 답 $-x - 3y + 4$

0343 $B = (-6x^3y + 9x^2y) \div 3xy$

   $= (-6x^3y + 9x^2y) \times \dfrac{1}{3xy}$

   $= -2x^2 + 3x$ ······ (가)

$C = (2x^3y^2)^3 \div (2x^4y^3)^2$

   $= 8x^9y^6 \div 4x^8y^6 = \dfrac{8x^9y^6}{4x^8y^6} = 2x$ ······ (나)

$\therefore 2A - [2B + 2C + 3\{A - (B + C)\}]$

  $= 2A - \{2B + 2C + 3(A - B - C)\}$

  $= 2A - (2B + 2C + 3A - 3B - 3C)$

  $= 2A - (3A - B - C)$

  $= 2A - 3A + B + C$

  $= -A + B + C$ ······ (다)

  $= -(x^2 - 2x) + (-2x^2 + 3x) + 2x$

  $= -x^2 + 2x - 2x^2 + 3x + 2x$

  $= -3x^2 + 7x$ ······ (라)

답 $-3x^2 + 7x$

채점 기준	비율
(가) B를 계산하기	20 %
(나) C를 계산하기	20 %
(다) 주어진 식 간단히 하기	30 %
(라) x의 식으로 나타내기	30 %

0344 전략 x, y에 대한 다항식을 x의 식으로 나타내려면 주어진 등식을 $y = (x$의 식$)$으로 정리한다.

(1) $2x + y = 3x + 2y + 3$에서 $y = -x - 3$이므로

 $x + 3y + 3 = x + 3(-x - 3) + 3$

     $= x - 3x - 9 + 3 = -2x - 6$

(2) $2x + y = 3x + 2y + 3$에서 $x = -y - 3$이므로

 $x + 3y + 3 = -y - 3 + 3y + 3 = 2y$

답 (1) $-2x - 6$ (2) $2y$

0345 $x + y = 6$에서 $x = -y + 6$

$5x + 3y = 5(-y + 6) + 3y$

   $= -5y + 30 + 3y$

   $= -2y + 30$ 답 ③

0346 $7y + x + 5 = 2x + y$에서 $x = 6y + 5$

$5x - 15y - 13 = 5(6y + 5) - 15y - 13$

      $= 30y + 25 - 15y - 13$

      $= 15y + 12$ 답 $15y + 12$

0347 $(2x + y) : (x - y) = 3 : 2$에서 $2(2x + y) = 3(x - y)$

$4x + 2y = 3x - 3y$, $5y = -x$

$\therefore y = -\dfrac{1}{5}x$

$4x + 5y = 4x + 5 \times \left(-\dfrac{1}{5}x\right) = 4x - x = 3x$

따라서 $a = 3$, $b = 0$이므로

$a + b = 3 + 0 = 3$ 답 3

STEP 3 내신 마스터   p.58 ~ p.61

0348 전략 먼저 분배법칙을 이용하여 괄호를 푼다.

$2(4x + 2y + 1) - (x - 2y)$

$= 8x + 4y + 2 - x + 2y$

$= 7x + 6y + 2$ 답 $7x + 6y + 2$

0349 전략 식을 계산한 후 차수가 가장 큰 항의 차수가 2인 것을 찾는다.

① 일차식이다.

③ x^3이 있으므로 이차식이 아니다.

④ $6x - 5 + x - 8 = 7x - 13$이므로 일차식이다.

⑤ $2x^2-4-2(x^2+x)=2x^2-4-2x^2-2x=-2x-4$이
므로 일차식이다. **답** ②

0350 **전략** 이차항은 이차항끼리, 일차항은 일차항끼리, 상수항은 상수항끼리 계산한다.
① $(a+2b)+(2a-5b)=3a-3b$
② $2a^2-\{1+2a^2-3(a-2)\}=2a^2-(1+2a^2-3a+6)$
$\qquad\qquad\qquad\qquad\qquad =2a^2-(2a^2-3a+7)$
$\qquad\qquad\qquad\qquad\qquad =2a^2-2a^2+3a-7$
$\qquad\qquad\qquad\qquad\qquad =3a-7$
③ $(a-2b+5)-(3a+7b-6)=a-2b+5-3a-7b+6$
$\qquad\qquad\qquad\qquad\qquad\qquad\quad =-2a-9b+11$
④ $(a^2+5a-2)+(-3a^2+a-2)=-2a^2+6a-4$
⑤ $(x^2+7x+3)-(5x^2-3x-4)$
$\quad =x^2+7x+3-5x^2+3x+4$
$\quad =-4x^2+10x+7$ **답** ③, ⑤

0351 **전략** (소괄호) ➡ {중괄호} ➡ [대괄호]의 순서로 푼다.
$-2x^2-6-[x+3x^2-\{4+5x-2x^2+(-x+x^2)\}]$
$=-2x^2-6-\{x+3x^2-(\boxed{-x^2+4x+4})\}$
$=-2x^2-6-(x+3x^2+x^2-4x-4)$
$=-2x^2-6-(\boxed{4x^2-3x-4})$
$=-2x^2-6-4x^2+3x+4$
$=\boxed{-6x^2+3x-2}$
따라서 $A=-x^2+4x+4$, $B=4x^2-3x-4$,
$C=-6x^2+3x-2$이므로
$A+B-C=(-x^2+4x+4)+(4x^2-3x-4)$
$\qquad\qquad\qquad\qquad\qquad -(-6x^2+3x-2)$
$\quad =-x^2+4x+4+4x^2-3x-4+6x^2-3x+2$
$\quad =9x^2-2x+2$ **답** $9x^2-2x+2$

Lecture
(소괄호) ➡ {중괄호} ➡ [대괄호]의 순서로 괄호를 푼다.
이때 괄호 앞에 ⎡⊕가 있으면 : 괄호 안의 부호는 그대로
　　　　　 ⎣⊖가 있으면 : 괄호 안의 부호는 반대로

0352 **전략** $A+B=C$에서 $A=C-B$임을 이용한다.
$\boxed{}=-2x^2+4x-5-(3x^2-5x+2)$
$\quad =-2x^2+4x-5-3x^2+5x-2$
$\quad =-5x^2+9x-7$ **답** ②

0353 **전략** 가로 첫 번째 줄에서 ㈎에 알맞은 식을 먼저 구한다.
㈎$+(x+y)=3x$에서
㈎$=3x-(x+y)=2x-y$
㈎$+(-x-y)=$㈏에서
$(2x-y)+(-x-y)=$㈏
$\therefore$ ㈏$=x-2y$ **답** ②

0354 **전략** 조건을 이용하여 A, B에 대한 식을 각각 세운다.
㈎ $A+(-x^2+1)=x^2-3$에서
$A=x^2-3-(-x^2+1)$
$\quad =x^2-3+x^2-1=2x^2-4$
㈏ $A-(3x^2+5x-2)=B$에서
$A=2x^2-4$를 대입하면
$B=2x^2-4-(3x^2+5x-2)$
$\quad =2x^2-4-3x^2-5x+2$
$\quad =-x^2-5x-2$ **답** $-x^2-5x-2$

Lecture
어떤 식 A 구하기
$A+B=C$ ➡ $A=C-B$
$A-B=C$ ➡ $A=C+B$
$A\times B=C$ ➡ $A=C\div B$
$A\div B=C$ ➡ $A=C\times B$
$B\div A=C$ ➡ $A=B\div C$

0355 **전략** (소괄호) ➡ {중괄호} ➡ [대괄호]의 순서로 푼다.
$7x-2\{5x+3y-(\boxed{})+5y\}$
$=7x-2\{5x+8y-(\boxed{})\}$
$=7x-10x-16y+2(\boxed{})$
$=-3x-16y+2(\boxed{})$
이때 $-3x-16y+2(\boxed{})=3x-12y$이므로
$2(\boxed{})=3x-12y-(-3x-16y)$
$\qquad\quad =3x-12y+3x+16y$
$\qquad\quad =6x+4y$
$\therefore \boxed{}=(6x+4y)\div2=3x+2y$ **답** ④

0356 **전략** 어떤 식을 A로 놓고 잘못 계산한 식을 세운다.
어떤 식을 A라 하면
$A+(2x^2+x-1)=3x^2+3x$에서 　　$\cdots\cdots$ ㈎
$A=3x^2+3x-(2x^2+x-1)$
$\quad =3x^2+3x-2x^2-x+1$
$\quad =x^2+2x+1$ 　　$\cdots\cdots$ ㈏
따라서 바르게 계산한 식은
$x^2+2x+1-(2x^2+x-1)$
$=x^2+2x+1-2x^2-x+1$
$=-x^2+x+2$ 　　$\cdots\cdots$ ㈐
답 $-x^2+x+2$

채점 기준	비율
㈎ 어떤 식을 A로 놓고 잘못 계산한 식 세우기	30 %
㈏ 어떤 식 A 구하기	30 %
㈐ 바르게 계산한 식 구하기	40 %

0357 **전략** 먼저 분배법칙을 이용하여 괄호를 푼다.
$a(2a-3b)-3a(a-2b)=2a^2-3ab-3a^2+6ab$
$\qquad\qquad\qquad\qquad\qquad =-a^2+3ab$ **답** ①

0358 전략 나눗셈을 역수의 곱셈으로 바꾸어 계산한다.

$(-4xy+2y^2) \div \left(-\dfrac{2}{5}y\right)$

$=(-4xy+2y^2) \times \left(-\dfrac{5}{2y}\right)$

$=-4xy \times \left(-\dfrac{5}{2y}\right)+2y^2 \times \left(-\dfrac{5}{2y}\right)$

$=10x-5y$ **답** $10x-5y$

0359 전략 (소괄호) ➡ {중괄호} ➡ [대괄호]의 순서로 푼다.

③ $4x-\{y-(5y-4x)\}=4x-(y-5y+4x)$
$\qquad\qquad\qquad\qquad\quad =4x-(4x-4y)$
$\qquad\qquad\qquad\qquad\quad =4x-4x+4y$
$\qquad\qquad\qquad\qquad\quad =4y$

④ $2x-[2y-x-\{3x-(x-y)\}]$
$\quad =2x-\{2y-x-(3x-x+y)\}$
$\quad =2x-\{2y-x-(2x+y)\}$
$\quad =2x-(2y-x-2x-y)$
$\quad =2x-(-3x+y)$
$\quad =2x+3x-y$
$\quad =5x-y$

⑤ $(x^2-3x+4)-2(x^2-2x+4)$
$\quad =x^2-3x+4-2x^2+4x-8$
$\quad =-x^2+x-4$

따라서 옳지 않은 것은 ③이다.   **답** ③

0360 전략 나눗셈을 역수의 곱셈으로 바꾸어 계산한다.

$(12x^2y-4x^2y^3) \div (-4xy) \div \dfrac{x}{y}$

$=(12x^2y-4x^2y^3) \times \left(-\dfrac{1}{4xy}\right) \times \dfrac{y}{x}$

$=(-3x+xy^2) \times \dfrac{y}{x}$

$=-3y+y^3$ **답** ⑤

0361 전략 식을 계산하여 xy의 계수와 y의 계수를 구한다.

$-5x(3x+2y)-\dfrac{x^2y+3x^2y^2-4xy^2}{xy}$

$=-15x^2-10xy-(x+3xy-4y)$

$=-15x^2-10xy-x-3xy+4y$

$=-15x^2-13xy-x+4y$ ······ (가)

따라서 $a=-13$, $b=4$이므로   ······ (나)

$a+b=-13+4=-9$ ······ (다)

    답 -9

채점 기준	비율
(가) 주어진 식 계산하기	60 %
(나) a, b의 값 구하기	20 %
(다) $a+b$의 값 구하기	20 %

0362 전략 나눗셈은 분수 꼴 또는 단항식의 역수의 곱셈으로 바꾸어 계산한다.

$A=(6x^2+8xy) \div (-2x)-(12xy-3y^2) \div (-3y)$

$\quad =(6x^2+8xy) \times \left(-\dfrac{1}{2x}\right)-(12xy-3y^2) \times \left(-\dfrac{1}{3y}\right)$

$\quad =-3x-4y-(-4x+y)$

$\quad =-3x-4y+4x-y$

$\quad =x-5y$

$B=\dfrac{4x^2y-8x^2y^2}{4xy}-\dfrac{6xy^2-12xy}{-3y}$

$\quad =x-2xy-(-2xy+4x)$

$\quad =x-2xy+2xy-4x$

$\quad =-3x$

$\therefore A+B=(x-5y)+(-3x)$
$\qquad\qquad =-2x-5y$ **답** ③

0363 전략 $A \div B=C$에서 $A=C \times B$임을 이용한다.

$\boxed{}=(4a^2b-5a+3) \times 2ab$
$\qquad =8a^3b^2-10a^2b+6ab$ **답** $8a^3b^2-10a^2b+6ab$

0364 전략 어떤 다항식을 A로 놓고 잘못 계산한 식을 세운다.

어떤 다항식을 A라 하면
$A \div 3x=2x+4y-1$이므로
$A=(2x+4y-1) \times 3x=6x^2+12xy-3x$
따라서 바르게 계산한 식은
$(6x^2+12xy-3x) \times 3x=18x^3+36x^2y-9x^2$ **답** ④

0365 전략 마당을 직사각형 두 개로 나누어서 넓이의 합을 구한다.

마당을 오른쪽 그림과 같이 두 부
분으로 나누면
(마당의 넓이)
$=㉠+㉡$
$=2x \times 6x$
$\quad +\{(3x+4)-2x\} \times 3x$
$=12x^2+(x+4) \times 3x$
$=12x^2+3x^2+12x$
$=15x^2+12x$ **답** ②

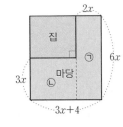

0366 전략 $A \times B=C$에서 $A=C \div B$임을 이용한다.

(직사각형의 넓이)=(가로의 길이)×(세로의 길이)이므로

(가로의 길이)$\times \dfrac{2}{5}xy=8x^3y^2-6xy^4$

$\therefore$ (가로의 길이)$=(8x^3y^2-6xy^4) \div \dfrac{2}{5}xy$

$\qquad\qquad\qquad\quad =(8x^3y^2-6xy^4) \times \dfrac{5}{2xy}$

$\qquad\qquad\qquad\quad =20x^2y-15y^3$

    답 ②

0367 전략 원기둥의 높이를 h로 놓고 부피에 대한 식을 세운다.

(1) 원기둥의 밑면인 원의 반지름의 길이가 $2a$이므로

(밑면의 넓이)$=\pi\times(2a)^2=4\pi a^2$ ······ (가)

(2) 원기둥의 높이를 h라 하면

(원기둥의 부피)$=$(밑넓이)$\times h=4\pi a^2\times h$이므로

$4\pi a^2\times h=2\pi a^3+4a^2 b$

$\therefore h=(2\pi a^3+4a^2 b)\div 4\pi a^2$

$=(2\pi a^3+4a^2 b)\times\dfrac{1}{4\pi a^2}$

$=2\pi a^3\times\dfrac{1}{4\pi a^2}+4a^2 b\times\dfrac{1}{4\pi a^2}$

$=\dfrac{a}{2}+\dfrac{b}{\pi}$

따라서 원기둥의 높이는 $\dfrac{a}{2}+\dfrac{b}{\pi}$이다. ······ (나)

답 (1) $4\pi a^2$ (2) $\dfrac{a}{2}+\dfrac{b}{\pi}$

채점 기준	비율
(가) 원기둥의 밑면의 넓이 구하기	30 %
(나) 원기둥의 높이 구하기	70 %

Lecture

(기둥의 부피)$=$(밑넓이)$\times$(높이)

(뿔의 부피)$=\dfrac{1}{3}\times$(밑넓이)$\times$(높이)

0368 전략 삼각기둥 모양의 그릇에서의 물의 부피와 직육면체 모양의 그릇에서의 물의 부피가 같음을 이용하여 식을 세운다.

삼각기둥 모양의 그릇에 가득 들어 있는 물의 부피는

$\left\{\dfrac{1}{2}\times 2a\times(3b+1)\right\}\times 3a=(3ab+a)\times 3a$

$=9a^2 b+3a^2$

직육면체 모양의 그릇에 물을 옮겼을 때의 물의 높이를 h라 하면 $9a^2 b+3a^2=3a\times 2a\times h$에서

$9a^2 b+3a^2=6a^2\times h$

$\therefore h=(9a^2 b+3a^2)\times\dfrac{1}{6a^2}=\dfrac{3}{2}b+\dfrac{1}{2}$ 답 $\dfrac{3}{2}b+\dfrac{1}{2}$

0369 전략 먼저 주어진 식을 계산한 후 x, y의 값을 대입한다.

$\dfrac{x^2-2xy}{x}-\dfrac{3xy-4y^2}{y}=x-2y-(3x-4y)$

$=x-2y-3x+4y$

$=-2x+2y$

$=-2\times 1+2\times(-2)$

$=-6$ 답 ①

0370 전략 먼저 주어진 식을 간단히 한다.

$3(A-4B)+2A+8B$

$=3A-12B+2A+8B$

$=5A-4B$

$=5(2x-y)-4(-x+3y)$

$=10x-5y+4x-12y$

$=14x-17y$ 답 ③

0371 전략 먼저 주어진 등식을 $x=$(y의 식)으로 정리한다.

$4x+3y=6(x-1)+2y$에서

$4x+3y=6x-6+2y$

$-2x=-y-6$ $\therefore x=\dfrac{1}{2}y+3$

$6x-y+3=6\left(\dfrac{1}{2}y+3\right)-y+3$

$=3y+18-y+3$

$=2y+21$ 답 $2y+21$

0372 전략 먼저 주어진 비례식을 $y=$(x의 식)으로 정리한다.

$(2x-4y+3):(-x+2y-4)=3:1$에서

$2x-4y+3=3(-x+2y-4)$

$2x-4y+3=-3x+6y-12$

$-10y=-5x-15$ $\therefore y=\dfrac{1}{2}x+\dfrac{3}{2}$

$x+2y-3=x+2\left(\dfrac{1}{2}x+\dfrac{3}{2}\right)-3$

$=x+x+3-3$

$=2x$ 답 ②

4 일차부등식

0373   답 $x<2$

0374   답 $2x+3\geq-5$

0375 부등식에 $x=2$를 대입하면
$2\leq-2+4\times2$ (참)   답 ◯

0376 부등식에 $x=-2$를 대입하면
$-2>2\times(-2)+2$ (거짓)   답 ✕

0377   답 $>$

0378   답 $>$

0379   답 $>$

0380   답 $<$

0381   답 $<$

0382   답 $>$

0383   답 $\geq$

0384 $2x+3=7$은 일차방정식이다.   답 ✕

0385 $2x<2(x-1)$에서 $2x<2x-2, 0<-2$ 답 ✕

0386   답 ◯

0387 $\dfrac{1}{x}-1$은 분모에 문자가 있으므로 일차식이 아니다. 따라서
주어진 부등식은 일차부등식이 아니다.   답 ✕

0388 $x+1>2$의 양변에서 1을 빼면 $x>1$
답 $x>1$,

0389 $3x\leq9$의 양변을 3으로 나누면 $x\leq3$
답 $x\leq3$,

0390 $-2x<-4$의 양변을 -2로 나누면 $x>2$
답 $x>2$,

0391 $2x-5>1$에서 $2x>1+5$
$2x>6$ $\therefore x>3$

답 $x>3$,

0392 $3x+4\leq x$에서 $3x-x\leq-4$
$2x\leq-4$ $\therefore x\leq-2$
답 $x\leq-2$,

0393 $2-x<2x-10$에서 $-x-2x<-10-2$
$-3x<-12$ $\therefore x>4$
답 $x>4$,

0394 $2(x-3)>-x$에서 $2x-6>-x$
$3x>6$ $\therefore x>2$ 답 $x>2$

0395 양변에 10을 곱하면 $5x>2x-9$
$3x>-9$ $\therefore x>-3$ 답 $x>-3$

0396 양변에 6을 곱하면 $3x+18\geq x+4$
$2x\geq-14$ $\therefore x\geq-7$ 답 $x\geq-7$

0397 양변에 10을 곱하면 $2(x-1)<5(x+2)$
$2x-2<5x+10, -3x<12$ $\therefore x>-4$ 답 $x>-4$

0398 전략 주어진 보기의 식에 부등호가 있는지 확인한다.
ㄴ 방정식   ㅁ 다항식   답 ㄱ, ㄷ, ㄹ, ㅂ

0399 ⑤ 방정식   답 ⑤

0400 ② 방정식   ③ 다항식   ⑤ 부등식이 아니다. 답 ①, ④

0401 전략 수 또는 식의 대소 관계를 결정하는 표현을 찾아 부등식
으로 나타낸다.
① $x\leq5$ ② $2x+3\geq5$
④ $x+10<2x$ ⑤ $4+3x<20$ 답 ③

0402   답 $4x+7\leq2(x+3)$

0403 전략 $x=2$를 주어진 부등식에 각각 대입한다.
$x=2$를 주어진 부등식에 각각 대입하면
① $2-2>0$ (거짓)   ② $3-2<0$ (거짓)
③ $3\times2\leq5$ (거짓)   ④ $3\times2+1\geq9$ (거짓)
⑤ $-5+4\times2\geq3$ (참)
따라서 $x=2$가 해인 것은 ⑤이다.   답 ⑤

0404 $x=-2$를 주어진 부등식에 각각 대입하면
ㄱ $-3\times(-2)\leq-12$ (거짓)

ⓛ $2 \times (-2) + 1 > 5$ (거짓)

ⓒ $2 \times (-2) + 3 > -6$ (참)

ⓔ $-(-2) + 1 \geq -2$ (참)

ⓜ $5 \times (-2) \leq 3 \times (-2) + 6$ (참)

ⓗ $-2 - 1 < 4 \times (-2) - 4$ (거짓)

따라서 $x = -2$가 해인 것은 ⓒ, ⓔ, ⓜ이다.

답 ⓒ, ⓔ, ⓜ

0405 ① $3 \times 3 - 4 < 8$ (참) ② $1 - 3 \times (-2) > 5$ (참)

③ $2 \times 2 + 1 \geq 5$ (참) ④ $4 \times 0 \geq 5 \times 0$ (참)

⑤ $1 - 1 < -2$ (거짓)

따라서 주어진 부등식의 해가 아닌 것은 ⑤이다. **답** ⑤

0406 $x = -1$일 때, $-1 + 2 < 2 \times (-1) + 3$ (거짓)

$x = 0$일 때, $0 + 2 < 2 \times 0 + 3$ (참)

$x = 1$일 때, $1 + 2 < 2 \times 1 + 3$ (참)

$x = 2$일 때, $2 + 2 < 2 \times 2 + 3$ (참)

$x = 3$일 때, $3 + 2 < 2 \times 3 + 3$ (참) …… (가)

따라서 주어진 부등식의 해는 0, 1, 2, 3의 4개이다. …… (나)

답 4개

채점 기준	비율
(가) x의 값을 각각 부등식에 대입하여 참이 되는지 확인하기	70 %
(나) 부등식의 해의 개수 구하기	30 %

0407 전략 부등식의 성질을 이용하여 식을 변형한다.

③ $a > b$이면 $5a > 5b$이므로 $5a - 5 > 5b - 5$

④ $a > b$이면 $-1 + a > -1 + b$ **답** ③, ④

0408 $-3a - 4 < -3b - 4$에서 $-3a < -3b$ ∴ $a > b$

① $a > b$ ② $-3a < -3b$

④ $3 - \dfrac{a}{2} < 3 - \dfrac{b}{2}$ ⑤ $\dfrac{a}{4} > \dfrac{b}{4}$ **답** ③

0409 ① $3a + 1 < 3b + 1$이면 $3a < 3b$이므로 $a \boxed{<} b$

② $-a - 1 < -b - 1$이면 $-a < -b$이므로 $a \boxed{>} b$

③ $-2a + 1 < -2b + 1$이면 $-2a < -2b$이므로 $a \boxed{>} b$

④ $2a - 3 > 2b - 3$이면 $2a > 2b$이므로 $a \boxed{>} b$

⑤ $a + 2 > b + 2$이면 $a \boxed{>} b$

따라서 부등호의 방향이 나머지 넷과 다른 하나는 ①이다.

답 ①

0410 ① $a > b$이므로 $-5a < -5b$

② $a > b$이므로 $2a > 2b$ ∴ $2a - 3 > 2b - 3$

③ $a > b$이므로 $\dfrac{a}{2} > \dfrac{b}{2}$ ∴ $\dfrac{a}{2} + 1 > \dfrac{b}{2} + 1$

④ $a = -1$, $b = -2$일 때, $a > b$이지만 $\dfrac{1}{a} < \dfrac{1}{b}$

⑤ $b < a$이고 $b < 0$이므로 $b^2 > ab$ **답** ②

0411 전략 부등식의 각 변에 x의 계수를 곱한 후 상수항을 더한다.

$-1 \leq x < 2$에서 $-6 < -3x \leq 3$, $-4 < -3x + 2 \leq 5$

∴ $-4 < A \leq 5$ **답** $-4 < A \leq 5$

0412 $-3 < x \leq 1$에서 $-6 < 2x \leq 2$

∴ $-8 < 2x - 2 \leq 0$ …… (가)

따라서 $2x - 2$의 값이 될 수 있는 정수는 -7, -6, -5, -4, -3, -2, -1, 0의 8개이다. …… (나)

답 8개

채점 기준	비율
(가) $2x - 2$의 값의 범위 구하기	60 %
(나) $2x - 2$의 값이 될 수 있는 정수의 개수 구하기	40 %

0413 $3x - y = 4$에서 $y = 3x - 4$

$0 < x < 5$에서 $0 < 3x < 15$, $-4 < 3x - 4 < 11$

∴ $-4 < y < 11$ **답** $-4 < y < 11$

0414 전략 부등식의 모든 항을 좌변으로 이항하여 정리한다.

① $-2 > 0$이므로 일차부등식이 아니다.

② 부등식이 아니다.

③ $2x + 2 \leq 0$이므로 일차부등식이다.

④ $6 > 0$이므로 일차부등식이 아니다.

⑤ $-x^2 - 2x + 2 < 0$이므로 일차부등식이 아니다.

따라서 일차부등식인 것은 ③이다. **답** ③

0415 ㉠ $-x - 10 > 0$이므로 일차부등식이다.

ㄴ, ㅁ, ㅂ 부등식이 아니다.

ㄷ $0 > 0$이므로 일차부등식이 아니다.

ㄹ $-x \geq 0$이므로 일차부등식이다.

따라서 일차부등식인 것은 ㉠, ㄹ의 2개이다. **답** 2개

0416 $\dfrac{1}{2}x - 5 \geq ax - 4 + \dfrac{3}{2}x$에서

$(-a - 1)x - 1 \geq 0$

이 부등식이 일차부등식이 되려면

$-a - 1 \neq 0$ ∴ $a \neq -1$ **답** ②

0417 전략 미지수 x를 포함한 항은 좌변으로, 상수항은 우변으로 이항하여 부등식을 정리한다.

$-2x - 3 > 7$에서 $-2x > 10$ ∴ $x < -5$

① $2x + 10 > 0$에서 $2x > -10$ ∴ $x > -5$

② $x - 1 < 2x + 4$에서 $-x < 5$ ∴ $x > -5$

③ $4x > 3x - 5$에서 $x > -5$

④ $3x + 6 < 1$에서 $3x < -5$ ∴ $x < -\dfrac{5}{3}$

⑤ $-\dfrac{x}{5} > 1$에서 $x < -5$

따라서 주어진 부등식과 해가 같은 것은 ⑤이다. **답** ⑤

0418 $3x+5 \leq x+13$에서 $2x \leq 8$ $\therefore x \leq 4$
따라서 부등식을 만족하는 자연수 x의 값은 1, 2, 3, 4이므로
그 합은 $1+2+3+4=10$ **답** 10

0419 $-3x+2 \geq x+6$
$-3x-x \geq 6-2$
$-4x \geq 4$ $\Big\}$㉠
$\therefore x \geq -1$ ↙㉠

㉠에서 해는 $x \leq -1$이어야 하므로 풀이 과정 중 틀린 부분
은 ㉠이고, 이를 설명할 수 있는 부등식의 성질은 ⑤이다.
답 ⑤

0420 전략 먼저 부등식의 해를 구한다.
$-6x > 36+10x$에서 $-16x > 36$ $\therefore x < -\dfrac{9}{4}$
따라서 부등식의 해를 수직선 위에
나타내면 오른쪽 그림과 같다.
답 ②

0421 (1) $3x+8 < 5x+2$에서
$-2x < -6$ $\therefore x > 3$ $\qquad$ ……㉮
(2) (1)에서 구한 해를 수직선 위에 나
타내면 오른쪽 그림과 같다.
$\qquad$ ……㉯
답 (1) $x>3$ (2) 풀이 참조

채점 기준	비율
㉮ 부등식 풀기	50 %
㉯ 부등식의 해를 수직선 위에 나타내기	50 %

0422 수직선 위에 나타낸 부등식의 해는 $x \leq -2$이다.
① $5-2x \geq -9$에서 $-2x \geq -14$ $\therefore x \leq 7$
② $x+5 < 6$에서 $x < 1$
③ $2x-1 < -5$에서 $2x < -4$ $\therefore x < -2$
④ $5-2x \geq 9$에서 $-2x \geq 4$ $\therefore x \leq -2$
⑤ $2x-5 < 1$에서 $2x < 6$ $\therefore x < 3$ **답** ④

0423 전략 분배법칙을 이용하여 괄호를 먼저 푼다.
$3(x+2) < 2(x+3)+5x$에서
$3x+6 < 2x+6+5x$, $-4x < 0$ $\therefore x > 0$ **답** $x>0$

0424 $4x+2 \geq 3(x-1)$에서
$4x+2 \geq 3x-3$ $\therefore x \geq -5$
따라서 부등식의 해를 수직선 위에 바르게 나타낸 것은 ③이
다.
답 ③

0425 $5(3-x) \geq 2x-1$에서 $15-5x \geq 2x-1$

$-7x \geq -16$ $\therefore x \leq \dfrac{16}{7}$
따라서 부등식을 만족하는 자연수 x는 1, 2의 2개이다.
답 2개

0426 $2(x-3) > 7x+4$에서 $2x-6 > 7x+4$
$-5x > 10$ $\therefore x < -2$
따라서 부등식을 만족하는 x의 값 중 가장 큰 정수는 -3이
다.
답 -3

0427 전략 부등식의 양변에 분모의 최소공배수를 곱하여 x의 계수
를 정수로 바꾼다.
$\dfrac{1-2x}{3} > 2-\dfrac{x}{4}$의 양변에 12를 곱하면
$4(1-2x) > 24-3x$, $4-8x > 24-3x$
$-5x > 20$ $\therefore x < -4$
따라서 부등식을 만족하는 x의 값 중 가장 큰 정수는 -5이
다.
답 -5

0428 $0.4x+1.2 \geq 0.9x-1$의 양변에 10을 곱하면
$4x+12 \geq 9x-10$, $-5x \geq -22$ $\therefore x \leq \dfrac{22}{5}$
답 ㉠, $x \leq \dfrac{22}{5}$

0429 $\dfrac{1}{2}x-\dfrac{x-2}{4} > 2+x$의 양변에 4를 곱하면
$2x-(x-2) > 4(2+x)$, $2x-x+2 > 8+4x$
$-3x > 6$ $\therefore x < -2$ **답** $x<-2$

0430 $\dfrac{2x-4}{3}-\dfrac{3x-1}{2} < 1$의 양변에 6을 곱하면
$2(2x-4)-3(3x-1) < 6$, $4x-8-9x+3 < 6$
$-5x < 11$ $\therefore x > -\dfrac{11}{5}$ $\qquad$ ……㉮
따라서 부등식을 만족하는 x의 값 중 가장 작은 정수는 -2
이다.
$\qquad$ ……㉯
답 -2

채점 기준	비율
㉮ 부등식 풀기	60 %
㉯ 부등식을 만족하는 x의 값 중 가장 작은 정수 구하기	40 %

0431 $\dfrac{1}{5}(3x+2) \geq 0.4x+1$의 양변에 10을 곱하면
$2(3x+2) \geq 4x+10$, $6x+4 \geq 4x+10$
$2x \geq 6$ $\therefore x \geq 3$
따라서 부등식의 해를 수직선 위에 바르게 나타낸 것은 ⑤이
다.
답 ⑤

0432 $\dfrac{1}{5}x+0.4 > x-2$의 양변에 10을 곱하면
$2x+4 > 10x-20$, $-8x > -24$ $\therefore x < 3$

따라서 부등식을 만족하는 자연수 x의 값은 1, 2이므로 그 합은 $1+2=3$ **답** 3

0433 $\dfrac{2}{3}x-0.5\leq\dfrac{x+1}{3}$의 양변에 30을 곱하면

$20x-15\leq10(x+1)$, $20x-15\leq10x+10$

$10x\leq25$ $\qquad\therefore x\leq\dfrac{5}{2}$

따라서 부등식을 만족하는 자연수 x는 1, 2의 2개이다.

답 2개

0434 전략 x의 계수가 미지수인 경우 나누는 x의 계수가 양수인지 음수인지 확인하여 부등호의 방향을 정한다.

$-ax+3\geq2$에서

$-ax\geq-1$ $\quad$ ($a<0$일 때, $-a>0$이므로 부등호의 방향이 바뀌지 않는다.)

$\therefore x\geq\dfrac{1}{a}$ **답** $x\geq\dfrac{1}{a}$

0435 $ax-a>0$에서

$ax>a$ $\quad$ ($a<0$이므로 부등호의 방향이 바뀐다.)

$\therefore x<1$ **답** $x<1$

0436 $(a-2)x\geq3a-6$에서

$(a-2)x\geq3(a-2)$ $\quad$ ($a<2$일 때, $a-2<0$이므로 부등호의 방향이 바뀐다.)

$x\leq\dfrac{3(a-2)}{a-2}$

$\therefore x\leq3$

따라서 부등식을 만족하는 자연수 x는 1, 2, 3의 3개이다.

답 3개

0437 $-2a+3>a+6$에서 $-3a>3$ $\qquad\therefore a<-1$

$ax-2>-(x-2a)$에서 $ax-2>-x+2a$

$(a+1)x>2(a+1)$ $\quad$ ($a<-1$일 때, $a+1<0$이므로 부등호의 방향이 바뀐다.)

$x<\dfrac{2(a+1)}{a+1}$

$\therefore x<2$ **답** $x<2$

0438 전략 주어진 부등식을 $x<$(수), $x>$(수), $x\leq$(수), $x\geq$(수) 중 어느 하나의 꼴로 고친 후 주어진 부등식의 해와 비교한다.

$5x-a\leq2x$에서 $3x\leq a$ $\qquad\therefore x\leq\dfrac{a}{3}$

이때 해가 $x\leq5$이므로

$\dfrac{a}{3}=5$ $\qquad\therefore a=15$ **답** 15

0439 $\dfrac{1}{5}(x-a)\leq0.1x+0.7$의 양변에 10을 곱하면

$2(x-a)\leq x+7$, $2x-2a\leq x+7$ $\qquad\therefore x\leq2a+7$

이때 해가 $x\leq13$이므로 $2a+7=13$

$2a=6$ $\qquad\therefore a=3$ **답** 3

0440 전략 x의 계수가 미지수인 경우 주어진 해의 부등호의 방향을 보고 x의 계수의 부호를 정한다.

$ax+2>0$에서 $ax>-2$

이때 해가 $x<4$이므로 $a<0$

따라서 $x<-\dfrac{2}{a}$이므로 $-\dfrac{2}{a}=4$

$\therefore a=-\dfrac{1}{2}$ **답** $-\dfrac{1}{2}$

Lecture

일차부등식을 정리하여 $ax>b$ 꼴로 만들었을 때

(1) 주어진 해가 $x>k$이면 $a>0$이고, $\dfrac{b}{a}=k$

(2) 주어진 해가 $x<k$이면 $a<0$이고, $\dfrac{b}{a}=k$

0441 $8-5x\leq a+x$에서

$-6x\leq a-8$ $\qquad\therefore x\geq\dfrac{-a+8}{6}$ $\quad$ ……⑺

이때 부등식의 해 중 가장 작은 수가 1이므로 부등식의 해는 $x\geq1$ ……⑷

따라서 $\dfrac{-a+8}{6}=1$이므로 $-a+8=6$

$\therefore a=2$ ……⒟

답 2

채점 기준	비율
⑺ 부등식의 해를 a를 사용하여 나타내기	40 %
⑷ 부등식의 해 구하기	30 %
⒟ a의 값 구하기	30 %

0442 전략 미지수가 없는 부등식을 먼저 푼다.

$2x-1>4x-3$에서 $-2x>-2$ $\qquad\therefore x<1$ ……㉠

$5x+2<a$에서 $5x<a-2$ $\qquad\therefore x<\dfrac{a-2}{5}$ ……㉡

㉠, ㉡이 서로 같으므로 $\dfrac{a-2}{5}=1$

$a-2=5$ $\qquad\therefore a=7$ **답** 7

0443 $x-6\leq5(x+2)$에서 $x-6\leq5x+10$

$-4x\leq16$ $\qquad\therefore x\geq-4$ ……㉠

$3x\geq a-4$에서 $x\geq\dfrac{a-4}{3}$ ……㉡

㉠, ㉡이 서로 같으므로 $\dfrac{a-4}{3}=-4$

$a-4=-12$ $\qquad\therefore a=-8$ **답** -8

0444 $\dfrac{3}{4}x-4\geq-1$의 양변에 4를 곱하면

$3x-16\geq-4$, $3x\geq12$ $\qquad\therefore x\geq4$ ……㉠

$4(5-x)\leq a$에서 $20-4x\leq a$

$-4x\leq a-20$ $\qquad\therefore x\geq\dfrac{20-a}{4}$ ……㉡

$\bigcirc$, $\bigcirc$이 서로 같으므로 $\dfrac{20-a}{4}=4$

$20-a=16$ $\therefore a=4$ **답** 4

0445 $2-0.8x \le 0.2x-1$의 양변에 10을 곱하면

$20-8x \le 2x-10$, $-10x \le -30$ $\therefore x \ge 3$ ······ $\bigcirc$

$\dfrac{x-5}{2} \ge \dfrac{x}{4}-a$의 양변에 4를 곱하면

$2(x-5) \ge x-4a$, $2x-10 \ge x-4a$

$\therefore x \ge 10-4a$ ······ $\bigcirc$

$\bigcirc$, $\bigcirc$이 서로 같으므로 $10-4a=3$

$-4a=-7$ $\therefore a=\dfrac{7}{4}$ **답** $\dfrac{7}{4}$

0446 　**전략** 주어진 부등식을 만족하는 자연수 x의 개수가 3개가 되도록 부등식의 해를 수직선 위에 나타내어 본다.

$4x-1 < 2x+a$에서 $2x < a+1$ $\therefore x < \dfrac{a+1}{2}$

이때 부등식을 만족하는 자연수 x의 개수가 3개이려면 오른쪽 그림과 같아야 하므로

$3 < \dfrac{a+1}{2} \le 4$, $6 < a+1 \le 8$

$\therefore 5 < a \le 7$ **답** $5 < a \le 7$

0447 $3-x > 2(x-k)$에서 $3-x > 2x-2k$

$-3x > -2k-3$ $\therefore x < \dfrac{2k+3}{3}$

이때 부등식을 만족하는 자연수 x의 개수가 2개이려면 오른쪽 그림과 같아야 하므로

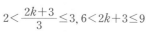

$2 < \dfrac{2k+3}{3} \le 3$, $6 < 2k+3 \le 9$

$3 < 2k \le 6$ $\therefore \dfrac{3}{2} < k \le 3$ **답** $\dfrac{3}{2} < k \le 3$

0448 $1-\dfrac{2x+3}{6} \ge \dfrac{x}{3}-\dfrac{a}{2}$의 양변에 6을 곱하면

$6-(2x+3) \ge 2x-3a$, $6-2x-3 \ge 2x-3a$

$-4x \ge -3a-3$ $\therefore x \le \dfrac{3a+3}{4}$

이때 부등식을 만족하는 자연수 x의 개수가 3개이려면 오른쪽 그림과 같아야 하므로

$3 \le \dfrac{3a+3}{4} < 4$, $12 \le 3a+3 < 16$

$9 \le 3a < 13$ $\therefore 3 \le a < \dfrac{13}{3}$ **답** $3 \le a < \dfrac{13}{3}$

0449 　**전략** 주어진 부등식을 $x<(수)$, $x>(수)$, $x \le (수)$, $x \ge (수)$ 중 어느 하나의 꼴로 고친 후 부등식의 해와 비교한다.

$(a+b)x+2a-3b < 0$에서 $(a+b)x < -2a+3b$

이 부등식의 해가 $x > -\dfrac{3}{4}$이므로 $a+b < 0$

$\therefore x > \dfrac{-2a+3b}{a+b}$

즉 $\dfrac{-2a+3b}{a+b}=-\dfrac{3}{4}$이므로 $-8a+12b=-3a-3b$

$-5a=-15b$ $\therefore a=3b$

이때 $a+b < 0$에 $a=3b$를 대입하면

$4b < 0$ $\therefore b < 0$

따라서 $(a-2b)x+3a-b < 0$에 $a=3b$를 대입하면

$bx+9b-b < 0$, $bx < -8b$

$\therefore x > -8$ ($\because b < 0$) **답** $x > -8$

0450 $(-2a+b)x-a+3b > 0$에서 $(-2a+b)x > a-3b$

이 부등식의 해가 $x > -1$이므로 $-2a+b > 0$

$\therefore x > \dfrac{a-3b}{-2a+b}$

즉 $\dfrac{a-3b}{-2a+b}=-1$이므로 $a-3b=2a-b$

$-a=2b$ $\therefore a=-2b$

이때 $-2a+b > 0$에 $a=-2b$를 대입하면

$5b > 0$ $\therefore b > 0$

따라서 $(a-b)x-2a+2b < 0$에 $a=-2b$를 대입하면

$-3bx+4b+2b < 0$, $-3bx < -6b$

$\therefore x > 2$ ($\because -3b < 0$) **답** $x > 2$

0451 $ax+b < 0$에서 $ax < -b$

이 부등식의 해가 $x > 3$이므로 $a < 0$

$\therefore x > -\dfrac{b}{a}$

즉 $-\dfrac{b}{a}=3$이므로 $b=-3a$

따라서 $(a+b)x+2a-b > 0$에 $b=-3a$를 대입하면

$-2ax+5a > 0$, $-2ax > -5a$

$\therefore x > \dfrac{5}{2}$ ($\because -2a > 0$) **답** $x > \dfrac{5}{2}$

STEP 1 **개념 마스터** p.74

0452 (2) $3x+5 \le 11$에서

$3x \le 6$ $\therefore x \le 2$

따라서 자연수 x는 1, 2의 2개이다.

답 (1) $3x+5 \le 11$ (2) 2개

0453 (3) $900x+200 \le 12000$에서

$900x \le 11800$ $\therefore x \le \dfrac{118}{9}=13.111\cdots$

따라서 공책을 최대 13권까지 담을 수 있다.

답 (1) $900x$원 (2) $900x+200 \le 12000$ (3) 13권

0454 (1) 집에서 학교까지 갈 때 걸린 시간은 $\dfrac{x}{3}$시간, 학교에서 집

으로 올 때 걸린 시간은 $\dfrac{x}{5}$시간이므로

$$\dfrac{x}{3}+\dfrac{x}{5}\leq 1$$

(2) $\dfrac{x}{3}+\dfrac{x}{5}\leq 1$의 양변에 15를 곱하면

$$5x+3x\leq 15,\ 8x\leq 15\qquad \therefore x\leq \dfrac{15}{8}$$

따라서 집에서 학교까지의 거리는 $\dfrac{15}{8}$ km 이하이다.

답 (1) $\dfrac{x}{3}+\dfrac{x}{5}\leq 1$ (2) $\dfrac{15}{8}$ km

0455 (1) $\dfrac{9}{100}\times 400=36$ (g)

(2) $36\leq \dfrac{8}{100}\times (400+x)$

(3) $36\leq \dfrac{8}{100}\times (400+x)$의 양변에 100을 곱하면

$$3600\leq 8(400+x),\ 3600\leq 3200+8x$$

$$-8x\leq -400\qquad \therefore x\geq 50$$

따라서 물을 50 g 이상 넣어야 한다.

답 (1) 36 g (2) $36\leq \dfrac{8}{100}\times (400+x)$ (3) 50 g

---

STEP 2 유형 마스터

p.75 ~ p.83

0456 전략 두 정수 중 작은 수가 x이면 큰 수는 $x+4$임을 이용한다.

두 정수는 x, $x+4$이므로

$$x+(x+4)<12\qquad \therefore x<4$$

따라서 정수 x의 최댓값은 3이다. **답** 3

0457 어떤 홀수를 x라 하면

$$5x-14<3x\qquad \therefore x<7$$

따라서 이를 만족하는 홀수 중에서 가장 큰 수는 5이다.

답 5

0458 연속하는 세 자연수를 $x-1$, x, $x+1$이라 하면 $\cdots\cdots$ (개)

$$(x-1)+x+(x+1)<57 \qquad\cdots\cdots\text{(나)}$$

$$\therefore x<19$$

따라서 x의 값 중 가장 큰 자연수는 18이므로 구하는 세 자연

수는 17, 18, 19이다. $\cdots\cdots$ (다)

답 17, 18, 19

채점 기준	비율
(개) 세 자연수를 $x-1$, x, $x+1$로 놓기	20 %
(나) 일차부등식 세우기	40 %
(다) 문제의 뜻에 맞는 답 구하기	40 %

0459 전략 다음 달 시험에서 받아야 하는 점수를 x점으로 놓고 부등식을 세운다.

다음 달 시험에서 x점을 받는다고 하면

$$\dfrac{94+88+x}{3}\geq 92\qquad \therefore x\geq 94$$

따라서 다음 달 시험에서 94점 이상을 받아야 한다.

답 94점

0460 세 번째 시험에서 x점을 받는다고 하면

$$\dfrac{83+88+x}{3}\geq 85\qquad \therefore x\geq 84$$

따라서 세 번째 시험에서 최소 84점을 받아야 한다.

답 84점

0461 여섯 번째 시험에서 x점을 받는다고 하면

$$\dfrac{83+87+90+82+86+x}{6}\geq 86\qquad \therefore x\geq 88$$

따라서 여섯 번째 시험에서 88점 이상을 받아야 한다.

답 88점

0462 전략 참외의 개수를 x개로 놓고 부등식을 세운다.

참외를 x개 담는다고 하면

$$2000x+1200\leq 20000\qquad \therefore x\leq \dfrac{47}{5}$$

따라서 참외는 최대 9개까지 담을 수 있다. **답** 9개

0463 장미를 x송이 산다고 하면

$$1500x+1000\leq 15000\qquad \therefore x\leq \dfrac{28}{3}$$

따라서 장미는 최대 9송이까지 살 수 있다. **답** 9송이

0464 볼펜을 x자루 넣는다고 하면

$$600\times 5+1000x+2000\leq 10000\qquad \therefore x\leq 5$$

따라서 볼펜은 최대 5자루까지 넣을 수 있다. **답** 5자루

0465 전략 공책을 x권 산다고 할 때, 살 수 있는 수첩의 권수를 x를 사용하여 나타낸다.

공책을 x권 산다고 하면 수첩은 $(8-x)$권 살 수 있으므로

$$300(8-x)+500x\leq 3000\qquad \therefore x\leq 3$$

따라서 공책은 최대 3권까지 살 수 있다. **답** 3권

0466 아이스크림을 x개 산다고 하면 과자는 $(18-x)$개 살 수 있으므로

$$500(18-x)+1000x\leq 15000\qquad \therefore x\leq 12$$

따라서 아이스크림은 최대 12개까지 살 수 있다. **답** 12개

0467 800원짜리 사과를 x개 산다고 하면 500원짜리 사과는

$(15-x)$개 살 수 있으므로 $\cdots\cdots$ (개)

$$800x+500(15-x)\leq 10000 \qquad\cdots\cdots\text{(나)}$$

$$\therefore x\leq \dfrac{25}{3}$$

따라서 800원짜리 사과는 최대 8개까지 살 수 있다.

⋯⋯ (다)

답 8개

채점 기준	비율
㈎ 800원짜리 사과와 500원짜리 사과의 개수를 x로 나타내기	30 %
㈏ 일차부등식 세우기	40 %
㈐ 문제의 뜻에 맞는 답 구하기	30 %

0468 **전략** 주차 시간을 x분으로 놓고 (기본요금)+(추가 요금)을 구하여 부등식을 세운다.

주차를 x분 동안 한다고 하면

$3000+50(x-30)\leq 8000$ $\therefore x\leq 130$

따라서 최대 130분 동안 주차할 수 있다.   **답** 130분

0469 한 달 동안 x통의 전화를 건다고 하면

$6500+40x\leq 13500$ $\therefore x\leq 175$

따라서 한 달 동안 최대 175통의 전화를 걸 수 있다.

답 175통

0470 동물원에 x명이 입장한다고 하면

$3000\times 5+1200(x-5)\leq 75000$ $\therefore x\leq 55$

따라서 최대 55명까지 입장할 수 있다.   **답** 55명

0471 **전략** x개월 후의 지현이의 예금액과 보검이의 예금액을 각각 구하여 부등식을 세운다.

x개월 후부터 보검이의 예금액이 지현이의 예금액보다 많아진다고 하면

$20000+2000x<5000+4000x$ $\therefore x>\dfrac{15}{2}$

따라서 8개월 후부터이다.   **답** 8개월 후

0472 x개월 후부터 동생의 저금액이 누나의 저금액보다 많아진다고 하면

$16000+1000x<8000+2000x$ $\therefore x>8$

따라서 9개월 후부터이다.   **답** 9개월 후

0473 x개월 후부터 혜림이의 예금액이 은아의 예금액의 3배 이상이 된다고 하면

$7000+17000x\geq 3(10000+5000x)$ $\therefore x\geq\dfrac{23}{2}$

따라서 12개월 후부터이다.   **답** 12개월 후

0474 **전략** 대형 할인점에서 사는 가격과 왕복 차비의 합이 집 앞의 문방구에서 사는 가격보다 적어야 한다.

공책을 x권 산다고 하면

$1000x>800x+1200$ $\therefore x>6$

따라서 공책을 7권 이상 살 때 대형 할인점에서 사는 것이 유리하다.   **답** 7권

0475 장미를 x송이 산다고 하면

$2000x>1500x+3000$ $\therefore x>6$

따라서 장미를 7송이 이상 사는 경우 도매 시장에서 사는 것이 유리하다.   **답** 7송이

0476 과자를 x개 산다고 하면

$500x>500\times\dfrac{80}{100}\times x+1200$ $\therefore x>12$

따라서 과자를 13개 이상 사는 경우 할인 매장에서 사는 것이 유리하다.   **답** 13개

0477 놀이 기구를 x개 탄다고 하면

$13000+3000(x-2)>27000$ $\therefore x>\dfrac{20}{3}$

따라서 놀이 기구를 7개 이상 탈 때 자유이용권을 이용하는 것이 유리하다.   **답** 7개

0478 티셔츠를 x장 구입했다고 하면

$6000\times\dfrac{90}{100}\times x<6000x-10000$ $\therefore x>\dfrac{50}{3}$

따라서 최소 17장의 티셔츠를 구입하였다.   **답** 17장

0479 **전략** 택시를 탈 때, 2 km 이후로는 200 m당 100원씩 요금이 올라가므로 1 km당 500원씩 요금이 올라간다.

2 km 이후 택시 요금은 200 m당 100원씩 올라가므로 1 km당 500원씩 올라간다.

x km 떨어진 지점까지 이동한다고 하면

$1100\times 4>2400+500(x-2)$ $\therefore x<6$

따라서 6 km 미만 떨어진 지점까지 이동할 때 택시를 타는 것이 유리하다.   **답** 6 km

참고 1 km=1000 m

0480 **전략** 입장하는 사람 수를 x명으로 놓고, x명의 입장료와 50명의 단체 입장권의 가격을 각각 구하여 부등식을 세운다.

x명이 입장한다고 하면

$3000x>3000\times\dfrac{80}{100}\times 50$ $\therefore x>40$

따라서 41명 이상이면 50명의 단체 입장권을 구입하는 것이 유리하다.   **답** 41명

0481 x명이 입장한다고 하면

$50000\times\dfrac{90}{100}\times x>50000\times\dfrac{80}{100}\times 30$ $\therefore x>\dfrac{80}{3}$

따라서 27명 이상이면 30명의 단체권을 구입하는 것이 유리하다.   **답** 27명

0482 x명이 입장한다고 하면

$10000\times\dfrac{90}{100}\times x>10000\times\dfrac{80}{100}\times 50$ $\therefore x>\dfrac{400}{9}$

따라서 45명 이상이면 50명의 단체 입장료보다 더 많은 입장료를 지불하게 된다. **답** 45명

0483 **전략** 정가를 x원으로 놓고 (이익금)=(판매 가격)−(원가)임을 이용하여 부등식을 세운다.

정가를 x원이라 하면

$0.9x - 4500 \geq 4500 \times 0.3$ $\therefore x \geq 6500$

따라서 정가는 6500원 이상으로 정해야 한다.   **답** 6500원

0484 정가를 x원이라 하면

$0.9x - 1200 \geq 1200 \times 0.2$ $\therefore x \geq 1600$

따라서 정가가 될 수 없는 것은 ① 1550원이다.   **답** ①

0485 원가를 x원이라 하면

$(1.2x - 1500) - x \geq 0.05x$ $\therefore x \geq 10000$

따라서 원가의 최솟값은 10000원이다.

답 10000원

0486 **전략** (삼각형의 넓이)$=\dfrac{1}{2} \times$ (밑변의 길이)$\times$(높이)임을 이용한다.

삼각형의 높이를 x cm라 하면

$\dfrac{1}{2} \times 6 \times x \geq 36$ $\therefore x \geq 12$

따라서 높이는 12 cm 이상이어야 한다.   **답** 12 cm

0487 (가장 긴 변의 길이)<(나머지 두 변의 길이의 합)이므로

$x + 8 < (x + 3) + (x + 1)$ $\therefore x > 4$

따라서 x의 값이 될 수 없는 것은 ①이다.   **답** ①

0488 $2(10 + x) < 36$ $\therefore x < 8$

따라서 x의 값이 될 수 있는 가장 큰 자연수는 7이다.

답 7

0489 윗변의 길이를 x cm라 하면

$\dfrac{1}{2} \times (x + 16) \times 9 \geq 90$ ……㈎

$\therefore x \geq 4$

따라서 윗변의 길이는 4 cm 이상이어야 한다.   ……㈏

답 4 cm

채점 기준	비율
㈎ 일차부등식 세우기	50 %
㈏ 문제의 뜻에 맞는 답 구하기	50 %

0490 **전략** 뛰어간 거리를 x km로 놓고 걸어간 거리를 x를 사용하여 나타낸다.

뛰어간 거리를 x km라 하면 걸어간 거리는 $(14 - x)$ km이므로

$\dfrac{14 - x}{3} + \dfrac{x}{5} \leq 4$ $\therefore x \geq 5$

따라서 뛰어간 거리는 5 km 이상이다.   **답** 5 km

0491 인라인스케이트를 타고 간 거리를 x km라 하면 걸어간 거리는 $(5 - x)$ km이므로   ……㈎

$\dfrac{x}{3} + \dfrac{5 - x}{2} \leq 2$ ……㈏

$\therefore x \geq 3$

따라서 인라인스케이트를 타고 간 거리는 최소 3 km이다.

……㈐

답 3 km

채점 기준	비율
㈎ 인라인스케이트를 타고 간 거리와 걸어간 거리를 x로 나타내기	30 %
㈏ 일차부등식 세우기	30 %
㈐ 문제의 뜻에 맞는 답 구하기	40 %

0492 **전략** 2시간 15분을 $\dfrac{9}{4}$시간으로 고친 후 부등식을 세운다.

올라갈 때의 거리를 x km라 하면 내려올 때의 거리는 $(x + 2)$ km이고

2시간 15분은 $2\dfrac{15}{60}$시간$=\dfrac{9}{4}$시간이므로

$\dfrac{x}{3} + \dfrac{x + 2}{4} \leq \dfrac{9}{4}$ $\therefore x \leq 3$

따라서 올라갈 수 있는 거리는 최대 3 km이다.   **답** 3 km

참고 거리, 속력, 시간에 대한 문제는 반드시 단위를 통일시킨 후 식을 세운다.

0493 **전략** 총 걸린 시간은 (왕복하여 걷는 시간)+(물건을 사는 데 걸린 시간)임을 이용한다.

역에서 상점까지의 거리를 x km라 하면

$\dfrac{x}{3} + \dfrac{20}{60} + \dfrac{x}{3} \leq 1$ $\therefore x \leq 1$

따라서 역에서 1 km 이내에 있는 상점을 이용할 수 있다.

답 1 km

0494 집에서 도서관까지의 거리를 x m라 하면

$\dfrac{x}{60} + 15 + \dfrac{x}{80} \leq 50$ $\therefore x \leq 1200$

따라서 집에서 도서관까지의 거리는 최대 1200 m이다.

답 1200 m

0495 역에서 상점까지의 거리를 x km라 하면

$\dfrac{x}{3} + \dfrac{15}{60} + \dfrac{x}{4} \leq 1$ $\therefore x \leq \dfrac{9}{7}$

따라서 역에서 $\dfrac{9}{7}$ km 이내에 있는 상점을 이용할 수 있다.

답 $\dfrac{9}{7}$ km

0496 형이 출발한 지 x시간 후에 동생을 추월한다고 하면

$$4\left(x+\frac{1}{3}\right)<6x \qquad \therefore x>\frac{2}{3}$$

즉 $\frac{2}{3}$(시간)$=\frac{2}{3}\times 60$(분)$=40$(분)이므로 형이 출발한 지 40

분 후에 동생을 추월한다. **답** 40분 후

0497 지효가 출발한 지 x분 후에 정아가 지효를 추월한다고 하면

$$60x<100(x-10) \qquad \therefore x>25$$

따라서 지효가 출발한 지 25분 후에 정아가 지효를 추월한다. **답** 25분 후

0498 전략 (소금의 양)$=\dfrac{(소금물의 농도)}{100}\times$(소금물의 양)임을 이용한다.

10 %의 소금물의 양을 x g이라 하면 섞은 후의 소금물의 양은 $(300+x)$ g이므로

$$\frac{5}{100}\times 300+\frac{10}{100}\times x\geq\frac{8}{100}\times(300+x)$$

$$\therefore x\geq 450$$

따라서 10 %의 소금물을 450 g 이상 섞어야 한다.

답 450 g

0499 5 %의 소금물의 양을 x g이라 하면 섞은 후의 소금물의 양은 $(200+x)$ g이므로

$$\frac{8}{100}\times 200+\frac{5}{100}\times x\leq\frac{7}{100}\times(200+x)$$

$$\therefore x\geq 100$$

따라서 5 %의 소금물을 100 g 이상 섞어야 한다.

답 100 g

0500 10 %의 설탕물의 양을 x g이라 하면 5 %의 설탕물의 양은 $(500-x)$ g이므로

$$\frac{10}{100}\times x+\frac{5}{100}\times(500-x)\geq\frac{8}{100}\times 500$$

$$\therefore x\geq 300$$

따라서 10 %의 설탕물을 300 g 이상 섞어야 한다.

답 300 g

0501 전략 (소금의 양)$=\dfrac{(소금물의 농도)}{100}\times$(소금물의 양)임을 이용한다.

20 %의 소금물 300 g에 들어 있는 소금의 양은

$$\frac{20}{100}\times 300=60\,(g)$$

이때 물을 x g 더 넣는다고 하면

$$60\leq\frac{10}{100}\times(300+x) \qquad \therefore x\geq 300$$

따라서 물을 300 g 이상 넣어야 한다. **답** 300 g

0502 5 %의 소금물 200 g에 들어 있는 소금의 양은

$$\frac{5}{100}\times 200=10\,(g)$$

이때 물을 x g 증발시킨다고 하면

$$10\geq\frac{8}{100}\times(200-x) \qquad \therefore x\geq 75$$

따라서 물을 75 g 이상 증발시켜야 한다. **답** 75 g

0503 6 %의 소금물 200 g에 들어 있는 소금의 양은

$$\frac{6}{100}\times 200=12\,(g)$$

이때 소금을 x g 더 넣는다고 하면

$$12+x\geq\frac{10}{100}\times(200+x) \qquad \therefore x\geq\frac{80}{9}$$

따라서 소금을 $\frac{80}{9}$ g 이상 넣어야 한다. **답** $\frac{80}{9}$ g

0504 $\overline{BP}=x$ cm라 하면 $\overline{CP}=(10-x)$ cm

$$\triangle APD=\frac{1}{2}\times(6+10)\times 10$$
$$-\left\{\frac{1}{2}\times 6\times x+\frac{1}{2}\times(10-x)\times 10\right\}$$
$$=80-(3x+50-5x)$$
$$=2x+30\,(cm^2)$$

이때 $2x+30\geq 40$이므로 $2x\geq 10$ $\therefore x\geq 5$

따라서 $\overline{BP}$의 길이가 될 수 없는 것은 ①이다. **답** ①

0505 $\overline{BP}=x$ cm라 하면

$$\triangle APM$$
$$=20\times 16-\left\{\frac{1}{2}\times 16\times x+\frac{1}{2}\times 8\times(20-x)+\frac{1}{2}\times 20\times 8\right\}$$
$$=320-(8x+80-4x+80)$$
$$=160-4x\,(cm^2)$$

이때 $160-4x\leq 100$이므로 $-4x\leq -60$ $\therefore x\geq 15$

따라서 $\overline{BP}$의 길이를 15 cm 이상으로 해야 한다.

답 15 cm

0506 구멍을 x개 뚫었다고 하면

(입체도형의 겉넓이)

$$=\pi\times 4^2\times 2+2\pi\times 4\times 7-\pi\times\left(\frac{1}{2}\right)^2\times 2\times x$$
$$+2\pi\times\frac{1}{2}\times 7\times x$$
$$=32\pi+56\pi-\frac{1}{2}\pi x+7\pi x$$
$$=\frac{13}{2}\pi x+88\pi\,(cm^2)$$

이때 $\frac{13}{2}\pi x+88\pi\geq 88\pi\times 2$이므로 $\frac{13}{2}x\geq 88$

$$\therefore x\geq\frac{176}{13}=13.5\cdots$$

따라서 구멍을 최소 14개 뚫어야 한다. **답** 14개

0507 집에서 축구장까지의 거리를 x km라 하면

$$\frac{x}{50}-\frac{x}{60}\geq\frac{1}{6} \qquad \therefore x\geq 50$$

따라서 집에서 축구장까지의 거리는 50 km 이상이므로

시속 25 km로 달린다면 최소한 $\dfrac{50}{25}=2$(시간)이 걸린다.

답 ②

0508 집에서 수목원까지의 거리를 x km라 하면

$\dfrac{x}{40}-\dfrac{x}{50}\geq\dfrac{1}{10}$ $\therefore x\geq20$

따라서 집에서 수목원까지의 거리는 20 km 이상이므로

시속 40 km로 달릴 때 최소한 $\dfrac{20}{40}=\dfrac{1}{2}$(시간)이 걸린다.

답 $\dfrac{1}{2}$시간

0509 학교에서 현준이네 집까지의 거리를 x m라 하면

$\dfrac{x}{24}-\dfrac{x}{30}<5$ $\therefore x<600$

따라서 학교에서 현준이네 집까지의 거리는 600 m 미만이다.

답 600 m

STEP 3 내신 마스터

p.84 ~ p.87

0510 **전략** 수 또는 식의 대소 관계를 결정하는 표현을 찾아 부등식으로 나타낸다.

① $3x-2\geq7$ ② $200-x>100$

③ $\dfrac{x}{60}<\dfrac{5}{6}$ ④ $100x+600<7000$

답 ⑤

Lecture

(시간)$=\dfrac{(거리)}{(속력)}$, $1\,\text{kg}=1000\,\text{g}$

0511 **전략** 최저 기온의 의미를 알고 부등식으로 나타낸다.

최저 기온은 기온이 가장 낮을 때의 기온이므로 바르게 표현한 것은 ③이다.

답 ③

Lecture

최저 기온이 $a\,^{\circ}\text{C}$이면 기온이 $a\,^{\circ}\text{C}$ 이상임을 의미하고, 최고 기온이 $a\,^{\circ}\text{C}$이면 기온이 $a\,^{\circ}\text{C}$ 이하임을 의미한다.

0512 **전략** $x=1$을 주어진 부등식에 각각 대입한다.

$x=1$을 주어진 부등식에 각각 대입하면

① $1-3>0$ (거짓)   ② $2\times1-1<1$ (거짓)

③ $-2\times1+3<5$ (참)   ④ $3\times1+2<4-1$ (거짓)

⑤ $1+1>6-1$ (거짓)

따라서 $x=1$이 해인 것은 ③이다.

답 ③

0513 **전략** 부등식의 성질을 이용하여 식을 변형한다.

① $a>b$이면 $-4a<-4b$이므로 $-4a+2$ $\boxed{<}$ $-4b+2$

② $a<b$이면 $\dfrac{a}{7}<\dfrac{b}{7}$이므로 $\dfrac{a}{7}-1$ $\boxed{<}$ $\dfrac{b}{7}-1$

③ $a+1<b+1$이면 a $\boxed{<}$ b

④ $\dfrac{2-a}{3}<\dfrac{2-b}{3}$이면 $2-a<2-b$이므로

$-a<-b$ $\therefore a$ $\boxed{>}$ b

⑤ $\dfrac{a}{2}<\dfrac{b}{2}$이면 $\dfrac{2}{5}a$ $\boxed{<}$ $\dfrac{2}{5}b$

따라서 부등호의 방향이 나머지 넷과 다른 하나는 ④이다.

답 ④

0514 **전략** 부등식의 각 변에 x의 계수를 곱한 후 상수항을 더한다.

① $2x<8\Rightarrow 2x+1<9$

② $\dfrac{x}{4}<1\Rightarrow\dfrac{x}{4}+4<5$

③ $-\dfrac{3}{2}x>-6\Rightarrow 4-\dfrac{3}{2}x>-2$

④ $-3x>-12\Rightarrow -3x-1>-13$

⑤ $\dfrac{x}{8}<\dfrac{1}{2}\Rightarrow\dfrac{x}{8}-\dfrac{1}{2}<0$

따라서 식의 값의 범위로 옳지 않은 것은 ③이다.

답 ③

0515 **전략** 주어진 부등식에서 x의 값의 범위를 먼저 구한다.

$-5<3x+1<10$에서 $-6<3x<9$

$\therefore -2<x<3$

$-2<x<3$에서 $-15<-5x<10$

$\therefore -17<-5x-2<8$

따라서 $a=-17$, $b=8$이므로

$a+b=-17+8=-9$

답 -9

0516 **전략** 부등식의 모든 항을 좌변으로 이항하여 정리한다.

④ $-2x-3<0$이므로 일차부등식이다.

⑤ $x^2-x-8<0$이므로 일차부등식이 아니다.

답 ⑤

0517 **전략** 일차부등식이 되려면 부등식의 모든 항을 좌변으로 이항하여 정리하였을 때, x의 계수가 0이 아니어야 한다.

$\dfrac{5}{3}x-3\geq ax-2+\dfrac{2}{3}x$에서 $(1-a)x-1\geq0$

이 부등식이 일차부등식이 되려면

$1-a\neq0$ $\therefore a\neq1$

답 ④

Lecture

부등식의 모든 항을 좌변으로 이항하여 정리하였을 때, (일차식)<0, (일차식)>0, (일차식)≤0, (일차식)≥0 중 어느 하나의 꼴이면 일차부등식이다.

0518 **전략** 부등식의 양변에 10을 곱하여 x의 계수를 정수로 바꾼다.

$0.7x+1.6<-\dfrac{1}{5}x+\dfrac{5}{2}$의 양변에 10을 곱하면

$7x+16<-2x+25$

$9x<9$ $\therefore x<1$

답 ①

0519 전략 부등식의 양변에 분모의 최소공배수를 곱하여 x의 계수를 정수로 바꾼다.

$\dfrac{2x+1}{3}>x-\dfrac{3x+1}{5}$ 의 양변에 15를 곱하면

$5(2x+1)>15x-3(3x+1)$, $10x+5>15x-9x-3$

$4x>-8$ $\quad\therefore x>-2$

따라서 부등식을 만족하는 가장 작은 정수 x의 값은 -1이다.

답 -1

0520 전략 수직선 위에 나타낸 부등식의 해와 각 부등식의 해를 구하여 비교한다.

수직선 위에 나타낸 부등식의 해는 $x<2$이다.

① $-2x<4$에서 $x>-2$

② $2x-3<3x-5$에서 $-x<-2$ $\quad\therefore x>2$

③ $\dfrac{x-2}{3}<\dfrac{x}{2}-1$의 양변에 6을 곱하면

$\quad 2(x-2)<3x-6$

$\quad 2x-4<3x-6$, $-x<-2$ $\quad\therefore x>2$

④ $4(x-1)-5<2x-5$에서

$\quad 4x-4-5<2x-5$

$\quad 2x<4$ $\quad\therefore x<2$

⑤ $0.3x-0.2\geq\dfrac{2(x-1)}{5}$의 양변에 10을 곱하면

$\quad 3x-2\geq4(x-1)$

$\quad 3x-2\geq4x-4$, $-x\geq-2$

$\quad\therefore x\leq2$

따라서 해가 주어진 그림과 같은 것은 ④이다.

답 ④

0521 전략 x의 계수가 미지수인 경우 x의 계수의 부호에 따라 부등호의 방향을 정한다.

$-3+ax<-5$에서 $ax<-2$

이때 $a<0$이므로 $x>-\dfrac{2}{a}$

답 ②

0522 전략 주어진 부등식을 $x<$(수), $x>$(수), $x\leq$(수), $x\geq$(수) 중 어느 하나의 꼴로 고친 후 주어진 부등식의 해와 비교한다.

$x+a-1<2(x+1)$에서 $x+a-1<2x+2$

$-x<3-a$ $\quad\therefore x>a-3$

이때 해가 $x>2$이므로

$a-3=2$ $\quad\therefore a=5$

답 ⑤

0523 전략 두 부등식을 각각 풀어 그 해를 비교한다.

(1) $1-\dfrac{3}{2}x\geq3$의 양변에 2를 곱하면

$\quad 2-3x\geq6$, $-3x\geq4$ $\quad\therefore x\leq-\dfrac{4}{3}$ $\quad$ …… (가)

(2) $3x-2(x+1)\leq a$에서 $3x-2x-2\leq a$

$\quad\therefore x\leq a+2$ $\quad$ …… (나)

(3) 두 부등식의 해가 서로 같으므로

$\quad a+2=-\dfrac{4}{3}$ $\quad\therefore a=-\dfrac{10}{3}$ $\quad$ …… (다)

답 (1) $x\leq-\dfrac{4}{3}$ (2) $x\leq a+2$ (3) $-\dfrac{10}{3}$

채점 기준	비율
(가) 부등식 $1-\dfrac{3}{2}x\geq3$의 해 구하기	40 %
(나) 부등식 $3x-2(x+1)\leq a$의 해 구하기	40 %
(다) 상수 a의 값 구하기	20 %

0524 전략 주어진 부등식을 만족하는 자연수 x의 개수가 4개가 되도록 부등식의 해를 수직선 위에 나타내어 본다.

$2+x\leq a-2x$에서 $3x\leq a-2$ $\quad\therefore x\leq\dfrac{a-2}{3}$

이때 부등식을 만족하는 자연수 x의 개수가 4개이려면 오른쪽 그림과 같아야 하므로

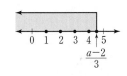

$4\leq\dfrac{a-2}{3}<5$, $12\leq a-2<15$

$\therefore 14\leq a<17$

답 $14\leq a<17$

0525 전략 어떤 자연수를 x로 놓고 부등식을 세운다.

어떤 자연수를 x라 하면

$3x-10<45$ $\quad\therefore x<\dfrac{55}{3}$

따라서 가장 큰 자연수는 18이다.

답 ②

0526 전략 $1\,\mathrm{kg}=1000\,\mathrm{g}$임을 이용하여 단위를 통일시킨다.

(1) $500+200x\leq4000$ $\quad$ …… (가)

(2) $500+200x\leq4000$에서 $200x\leq3500$

$\quad\therefore x\leq\dfrac{35}{2}$

따라서 물건을 최대 17개까지 넣을 수 있다. $\quad$ …… (나)

답 (1) $500+200x\leq4000$ (2) 17개

채점 기준	비율
(가) 일차부등식 세우기	40 %
(나) 문제의 뜻에 맞는 답 구하기	60 %

Lecture

$1\,\mathrm{kg}=1000\,\mathrm{g}$

0527 전략 x년 후의 아버지의 나이와 딸의 나이를 각각 구하여 부등식을 세운다.

x년 후에 아버지의 나이가 딸의 나이의 2배 이하가 된다고 하면

$50+x\leq2(16+x)$

$50+x\leq32+2x$ $\quad\therefore x\geq18$

따라서 18년 후이다.

답 18년 후

0528 전략 x개월 후의 혜원이의 예금액과 은조의 예금액을 각각 구하여 부등식을 세운다.

x개월 후부터 혜원이의 예금액이 은조의 예금액보다 많아진다고 하면

$30000+5000x>50000+2500x$ ∴ $x>8$

따라서 9개월 후부터이다. **답** ③

0529 전략 출력소 B에서 출력한 요금이 출력소 A에서 출력한 요금보다 적어야 한다.

사진을 x장 출력한다면

$500x>6000+300(x-10)$ ∴ $x>15$

따라서 사진을 16장 이상 출력할 때 출력소 B를 이용하는 것이 유리하다. **답** 16장

0530 전략 정가를 x원으로 놓고 (이익금)=(판매 가격)-(원가)임을 이용하여 부등식을 세운다.

정가를 x원이라 하면

$0.9x-5400\geq5400\times0.2$ ∴ $x\geq7200$

따라서 정가는 7200원 이상으로 정하면 된다. **답** ④

0531 전략 1시간 20분을 $\dfrac{4}{3}$시간으로 고친 후 부등식을 세운다.

출발 지점에서 x km 떨어진 곳까지 갔다온다고 하면

1시간 20분=$\dfrac{4}{3}$시간이므로

$\dfrac{x}{6}+\dfrac{x}{4}\leq\dfrac{4}{3}$ ∴ $x\leq\dfrac{16}{5}=3.2$

따라서 출발 지점에서 최대 3.2 km 떨어진 곳까지 갔다올 수 있다. **답** ③

/ Lecture

(거리)=(속력)×(시간), (속력)=$\dfrac{(거리)}{(시간)}$, (시간)=$\dfrac{(거리)}{(속력)}$

0532 전략 총 걸린 시간은 (왕복하여 걷는 시간)+(물건을 사는 데 걸린 시간)임을 이용한다.

터미널에서 상점까지의 거리를 x km라 하면

$\dfrac{x}{4}+\dfrac{15}{60}+\dfrac{x}{4}\leq1$ ...... (가)

∴ $x\leq\dfrac{3}{2}$

따라서 터미널에서 $\dfrac{3}{2}$ km 이내에 있는 상점을 이용할 수 있다. ...... (나)

답 $\dfrac{3}{2}$ km

채점 기준	비율
(가) 일차부등식 세우기	50 %
(나) 문제의 뜻에 맞는 답 구하기	50 %

0533 전략 5 %의 소금물의 양을 x g이라 하면 9 %의 소금물의 양은 $(300-x)$ g이다.

5 %의 소금물의 양을 x g이라 하면 9 %의 소금물의 양은 $(300-x)$ g이므로

$\dfrac{5}{100}\times x+\dfrac{9}{100}\times(300-x)\geq\dfrac{6}{100}\times300$

∴ $x\leq225$

따라서 5 %의 소금물을 225 g 이하 섞어야 한다.

답 225 g

/ Lecture

(소금물의 농도)=$\dfrac{(소금의 양)}{(소금물의 양)}\times100$ (%)

(소금의 양)=$\dfrac{(소금물의 농도)}{100}\times(소금물의 양)$

0534 전략 모조 금반지가 진짜 금반지보다 가볍다는 사실을 이용하여 모조 금반지를 찾는다.

양팔 저울 첫 번째 사용에서 왼쪽 접시가 기울었으므로 기울지 않은 오른쪽 접시에 담긴 3개의 금반지 D, E, F 중에 모조 금반지가 있다는 사실을 알 수 있다.

양팔 저울 두 번째 사용에서 금반지 E, F의 무게가 같으므로 접시에 올리지 않은 금반지 D가 모조 금반지라는 것을 알 수 있다. **답** ③

0535 전략 정사각형이 1개 늘어날 때마다 성냥개비가 3개씩 더 필요함을 이용한다.

정사각형이 1개 늘어날 때마다 성냥개비가 3개씩 더 필요하므로 정사각형의 개수를 x개라 하면

정사각형의 개수(개)	성냥개비의 개수(개)
1	1+3
2	1+3+3
3	1+3+3+3
⋮	⋮
x	1+3x

이때 성냥개비가 100개이므로

$1+3x\leq100$ ∴ $x\leq33$

따라서 정사각형은 최대 33개까지 만들 수 있다. **답** 33개

5 연립방정식의 풀이

0536   답 ○

0537   답 ○

0538 x가 분모에 있으므로 일차방정식이 아니다.   답 ×

0539 y^2이 있으므로 일차방정식이 아니다.   답 ×

0540

x	1	2	3	4	5	6
y	12	9	6	3	0	-3

따라서 x, y가 자연수일 때, 일차방정식 $3x+y=15$의 해는 $(1, 12)$, $(2, 9)$, $(3, 6)$, $(4, 3)$이다.

답 표는 풀이 참조, 해: $(1, 12)$, $(2, 9)$, $(3, 6)$, $(4, 3)$

0541 (1) ㉠

x	1	2	3	4	5	6
y	3	2	1	0	-1	-2

㉡

x	1	2	3	4	5	6
y	-1	0	1	2	3	4

(2) ㉠, ㉡을 동시에 만족하는 해는 $x=3$, $y=1$이다.

답 (1) 풀이 참조 (2) $x=3$, $y=1$

0542 ㉠ $x+y=6$

x	1	2	3	4	5
y	5	4	3	2	1

㉡ $2x+y=7$

x	1	2	3
y	5	3	1

따라서 ㉠, ㉡을 동시에 만족하는 해는 $x=1$, $y=5$이다.

답 $x=1$, $y=5$

0543   답 $2x$, $2x$, 0, 2, 0

0544 $\begin{cases} y=1-x & \cdots\cdots ㉠ \\ x-2y+8=0 & \cdots\cdots ㉡ \end{cases}$

㉠을 ㉡에 대입하면

$x-2(1-x)+8=0$, $3x=-6$ $\therefore x=-2$

$x=-2$를 ㉠에 대입하면 $y=1+2=3$

따라서 연립방정식의 해는 $x=-2$, $y=3$

답 $x=-2$, $y=3$

0545 $\begin{cases} x+2y=21 & \cdots\cdots ㉠ \\ x=3y-4 & \cdots\cdots ㉡ \end{cases}$

㉡을 ㉠에 대입하면

$3y-4+2y=21$, $5y=25$ $\therefore y=5$

$y=5$를 ㉡에 대입하면 $x=15-4=11$

따라서 연립방정식의 해는 $x=11$, $y=5$

답 $x=11$, $y=5$

0546 $\begin{cases} y=2x-9 & \cdots\cdots ㉠ \\ y=1-3x & \cdots\cdots ㉡ \end{cases}$

㉠을 ㉡에 대입하면

$2x-9=1-3x$, $5x=10$ $\therefore x=2$

$x=2$를 ㉠에 대입하면 $y=4-9=-5$

따라서 연립방정식의 해는 $x=2$, $y=-5$

답 $x=2$, $y=-5$

0547 $\begin{cases} 2x+y=11 & \cdots\cdots ㉠ \\ -x+4y=8 & \cdots\cdots ㉡ \end{cases}$

㉠에서 $y=-2x+11$ $\cdots\cdots ㉢$

㉢을 ㉡에 대입하면

$-x+4(-2x+11)=8$, $-9x=-36$ $\therefore x=4$

$x=4$를 ㉢에 대입하면 $y=-8+11=3$

따라서 연립방정식의 해는 $x=4$, $y=3$ 답 $x=4$, $y=3$

0548   답 6, 3, 24, 10, 20, 2, 2, -4, 2, -4

0549 $\begin{cases} 2x-y=5 & \cdots\cdots ㉠ \\ x+y=1 & \cdots\cdots ㉡ \end{cases}$

㉠+㉡을 하면 $3x=6$ $\therefore x=2$

$x=2$를 ㉡에 대입하면 $2+y=1$ $\therefore y=-1$

따라서 연립방정식의 해는 $x=2$, $y=-1$

답 $x=2$, $y=-1$

0550 $\begin{cases} x-y=2 & \cdots\cdots ㉠ \\ x+3y=2 & \cdots\cdots ㉡ \end{cases}$

㉠-㉡을 하면 $-4y=0$ $\therefore y=0$

$y=0$을 ㉠에 대입하면 $x=2$

따라서 연립방정식의 해는 $x=2$, $y=0$ 답 $x=2$, $y=0$

0551 $\begin{cases} x+2y=20 & \cdots\cdots ㉠ \\ 2x-3y=5 & \cdots\cdots ㉡ \end{cases}$

㉠×2-㉡을 하면 $7y=35$ $\therefore y=5$

$y=5$를 ㉠에 대입하면 $x+10=20$ $\therefore x=10$

따라서 연립방정식의 해는 $x=10$, $y=5$ 답 $x=10$, $y=5$

0552 $\begin{cases} 2x-3y=-8 & \cdots\cdots ㉠ \\ 3x-y=2 & \cdots\cdots ㉡ \end{cases}$

㉠-㉡×3을 하면 $-7x=-14$ $\therefore x=2$

$x=2$를 ⓒ에 대입하면 $6-y=2$ $\therefore y=4$
따라서 연립방정식의 해는 $x=2, y=4$ **답** $x=2, y=4$

STEP **2** 유형 마스터 p.92~p.99

0553 전략 미지수가 2개인 일차방정식은 $ax+by+c=0(a, b, c$는
상수, $a\neq0, b\neq0)$ 꼴이다.
① $3x-1=2x-5$에서 $x+4=0$
➡ 미지수가 1개인 일차방정식
② $2x-5y$ ➡ 미지수가 2개인 일차식
③ $y-4x-7=x$에서 $-5x+y-7=0$
➡ 미지수가 2개인 일차방정식
④ $x^2-3y=6$ ➡ x^2이 있으므로 일차방정식이 아니다.
⑤ $\dfrac{1}{2}(2x-4y)=x-y+7$에서 $-y-7=0$
➡ 미지수가 1개인 일차방정식
따라서 미지수가 2개인 일차방정식은 ③이다. **답** ③

0554 미지수가 2개인 일차방정식은 ⓒ, ② 의 2개이다. **답** 2개

0555 $ax+2y+3=2x+y+1$에서
$(a-2)x+y+2=0$
이 식이 x, y에 대한 일차방정식이므로
$a-2\neq0$ $\therefore a\neq2$ **답** ②

0556 전략 주어진 상황을 x, y에 대한 등식으로 나타낸다.
③ $10000-3000x=y$ **답** ③

0557 $3x+5y=50$에서 $3x+5y-50=0$ **답** ④

0558 (2) (시간)$=\dfrac{(거리)}{(속력)}$이므로 $\dfrac{x}{6}+\dfrac{y}{8}=4$
답 (1) $500x+700y=4600$ (2) $\dfrac{x}{6}+\dfrac{y}{8}=4$

0559 전략 일차방정식에 각 순서쌍의 x, y의 값을 대입하여 등식이
성립하지 않는 것을 찾는다.
일차방정식에 각 순서쌍의 x, y의 값을 대입하면
① $3\times1+17=20$ ② $3\times2+14=20$
③ $3\times3+11=20$ ④ $3\times4+7=19\neq20$
⑤ $3\times6+2=20$
따라서 일차방정식 $3x+y=20$의 해가 아닌 것은 ④이다.
답 ④

0560 $x=2, y=1$을 각각의 일차방정식에 대입하면
① $2-2\times1=0\neq3$ ② $2\times2-1=3\neq7$
③ $3\times2+2\times1=8\neq10$ ④ $7\times2-2\times1=12$

⑤ $7\times2+4\times1=18\neq11$
따라서 $x=2, y=1$을 해로 갖는 것은 ④이다. **답** ④

0561 $x=1, y=-2$를 각각의 일차방정식에 대입하면
① $1+(-2)=-1$
② $2\times1-3\times(-2)=8\neq1$
③ $1-2\times(-2)=5\neq-3$
④ $2\times1+(-2)=0$
⑤ $3\times1-(-2)=5\neq1$
따라서 $(1, -2)$를 해로 갖는 것은 ①, ④이다. **답** ①, ④

0562 전략 $x=1, 2, 3, \cdots$을 차례로 대입하여 y의 값이 자연수가 되
는 것을 찾는다.
$(1, 7), (2, 5), (3, 3), (4, 1)$의 4개 **답** 4개

0563 **답** $(1, 4), (3, 1)$

0564 해의 개수를 각각 구해 보면
① $(5, 1)$의 1개
② $(1, 1), (4, 3), (7, 5), \cdots$이므로 해는 무수히 많다.
③ $(2, 10), (4, 5)$의 2개
④ $(1, 2)$의 1개
⑤ 해가 없다.
따라서 해의 개수가 가장 많은 것은 ②이다. **답** ②

0565 전략 $x=2, y=3$을 $x-ay+7=0$에 대입하면 등식이 성립한
다.
$x=2, y=3$을 $x-ay+7=0$에 대입하면
$2-3a+7=0, -3a=-9$ $\therefore a=3$ **답** 3

0566 $x=A, y=5$를 $2x+y=9$에 대입하면
$2A+5=9, 2A=4$ $\therefore A=2$
$x=5, y=B$를 $2x+y=9$에 대입하면
$10+B=9$ $\therefore B=-1$
$\therefore A+B=2+(-1)=1$ **답** 1

0567 $x=-a, y=2a$를 $2x-3y+8=0$에 대입하면
$-2a-6a+8=0, -8a=-8$ $\therefore a=1$ **답** 1

0568 $x=a, y=1$을 $-3x+2y=8$에 대입하면
$-3a+2=8, -3a=6$ $\therefore a=-2$ $\cdots\cdots$ (가)
$x=-4, y=b$를 $-3x+2y=8$에 대입하면
$12+2b=8, 2b=-4$ $\therefore b=-2$ $\cdots\cdots$ (나)
$\therefore ab=-2\times(-2)=4$ $\cdots\cdots$ (다)
답 4

채점 기준	비율
(가) a의 값 구하기	40 %
(나) b의 값 구하기	40 %
(다) ab의 값 구하기	20 %

0569 전략 $x=1, y=2$를 각 연립방정식에 대입하여 등식이 모두 성립하는 것을 찾는다.

⑤ $x=1, y=2$를 $\begin{cases} x+2y=5 \\ 2x+3y=8 \end{cases}$ 에 대입하면

$\begin{cases} 1+2\times 2=5 \\ 2\times 1+3\times 2=8 \end{cases}$
답 ⑤

0570 ② $x=2, y=-1$을 $\begin{cases} 2x+3y=1 \\ x-2y=4 \end{cases}$ 에 대입하면

$\begin{cases} 2\times 2+3\times(-1)=1 \\ 2-2\times(-1)=4 \end{cases}$
답 ②

0571 $4x+y=11$의 해는
$(1, 7), (2, 3)$
$3x-y=3$의 해는
$(2, 3), (3, 6), \cdots$
따라서 연립방정식의 해는 $(2, 3)$이다.
답 $(2, 3)$

0572 전략 $x=2, y=1$을 각 일차방정식에 대입하여 a, b의 값을 구한다.

$x=2, y=1$을 $x-by=5$에 대입하면
$2-b=5$ ∴ $b=-3$
$x=2, y=1$을 $ax+3y=7$에 대입하면
$2a+3=7, 2a=4$ ∴ $a=2$
∴ $a+b=2+(-3)=-1$
답 -1

0573 $x=a, y=-3$을 $x-2y=4$에 대입하면
$a+6=4$ ∴ $a=-2$
$x=-2, y=-3$을 $2x+by=2$에 대입하면
$-4-3b=2, -3b=6$ ∴ $b=-2$
답 $a=-2, b=-2$

0574 $x=b, y=b-1$을 $2x+3y=17$에 대입하면
$2b+3(b-1)=17, 5b=20$ ∴ $b=4$
$x=4, y=3$을 $ax+y=15$에 대입하면
$4a+3=15, 4a=12$ ∴ $a=3$
∴ $ab=3\times 4=12$
답 12

0575 전략 $x=(y$에 대한 식$)$ 또는 $y=(x$에 대한 식$)$을 다른 일차방정식에 대입한다.

$\begin{cases} 5x+2y=7 & \cdots\cdots ㉠ \\ x=3y-2 & \cdots\cdots ㉡ \end{cases}$

㉡을 ㉠에 대입하면
$5(3y-2)+2y=7, 17y=17$ ∴ $y=1$
$y=1$을 ㉡에 대입하면 $x=3-2=1$
따라서 $a=1, b=1$이므로
$a+b=1+1=2$
답 2

0576 ㉠을 ㉡에 대입하면 $5x-2(3x-1)=4$
$5x-6x+2=4, -x=2$
∴ $a=-1$
답 -1

0577
답 ㈎ $-x+11$ ㈏ 4 ㈐ 7

0578 (1) $\begin{cases} y=2x+5 & \cdots\cdots ㉠ \\ 3x+y=10 & \cdots\cdots ㉡ \end{cases}$

㉠을 ㉡에 대입하면
$3x+2x+5=10, 5x=5$ ∴ $x=1$
$x=1$을 ㉠에 대입하면 $y=2+5=7$
따라서 연립방정식의 해는 $x=1, y=7$

(2) $\begin{cases} 2x+3y=6 & \cdots\cdots ㉠ \\ x+2y=5 & \cdots\cdots ㉡ \end{cases}$

㉡에서 x를 y에 대한 식으로 나타내면
$x=5-2y$ $\cdots\cdots ㉢$
㉢을 ㉠에 대입하면
$2(5-2y)+3y=6, -y=-4$ ∴ $y=4$
$y=4$를 ㉢에 대입하면 $x=5-8=-3$
따라서 연립방정식의 해는 $x=-3, y=4$
답 (1) $x=1, y=7$ (2) $x=-3, y=4$

0579 전략 x를 없애는 경우와 y를 없애는 경우를 모두 생각한다.
㉠$\times 3-$㉡$\times 2$를 하면 x가 없어지고,
㉠$\times 4+$㉡$\times 3$을 하면 y가 없어진다.
답 ②, ③

0580
답 ②

0581 ㉠$\times 3-$㉡을 하면 x의 계수는 $3a-3$
이때 x가 없어지려면 $3a-3=0$
$3a=3$ ∴ $a=1$
답 1

0582 전략 두 일차방정식의 x의 계수 또는 y의 계수의 절댓값이 같도록 적당한 수를 곱한다.

$\begin{cases} 4x-3y=10 & \cdots\cdots ㉠ \\ 3x+7y=-11 & \cdots\cdots ㉡ \end{cases}$

㉠$\times 7+$㉡$\times 3$을 하면 $37x=37$ ∴ $x=1$
$x=1$을 ㉠에 대입하면
$4-3y=10, -3y=6$ ∴ $y=-2$
따라서 $a=1, b=-2$이므로
$3a-2b=3\times 1-2\times(-2)=7$
답 7

0583 $\begin{cases} x-2y=5 & \cdots\cdots ㉠ \\ 2x+3y=3 & \cdots\cdots ㉡ \end{cases}$

㉠$\times 2-$㉡을 하면 $-7y=7$ ∴ $y=-1$
$y=-1$을 ㉠에 대입하면 $x+2=5$ ∴ $x=3$

따라서 연립방정식의 해는 $x=3$, $y=-1$이므로
$x+y=3+(-1)=2$ **답** 2

0584 $\begin{cases} x+y=5 & \cdots\cdots \text{㉠} \\ x+3y=11 & \cdots\cdots \text{㉡} \end{cases}$

㉠$-$㉡을 하면 $-2y=-6$ $\quad\therefore y=3$
$y=3$을 ㉠에 대입하면 $x+3=5$ $\quad\therefore x=2$
따라서 $x=2$, $y=3$을 각각의 일차방정식에 대입하여 등식이 성립하는 것을 찾으면 ④ $3\times2+3=9$이다.
답 ④

0585 $\begin{cases} 3x+5y=4 & \cdots\cdots \text{㉠} \\ x+2y=-1 & \cdots\cdots \text{㉡} \end{cases}$

㉠$-$㉡$\times3$을 하면 $-y=7$ $\quad\therefore y=-7$
$y=-7$을 ㉡에 대입하면 $x-14=-1$ $\quad\therefore x=13$
$x=13$, $y=-7$을 $2x+ay=5$에 대입하면
$26-7a=5$, $-7a=-21$ $\quad\therefore a=3$
답 3

0586 (1) $\begin{cases} -3x+4y=1 & \cdots\cdots \text{㉠} \\ 4x-5y=2 & \cdots\cdots \text{㉡} \end{cases}$

㉠$\times4+$㉡$\times3$을 하면 $y=10$
$y=10$을 ㉠에 대입하면
$-3x+40=1$, $-3x=-39$ $\quad\therefore x=13$
따라서 연립방정식의 해는 $x=13$, $y=10$

(2) $\begin{cases} 2x-4y=1 & \cdots\cdots \text{㉠} \\ x+2y=5 & \cdots\cdots \text{㉡} \end{cases}$

㉠$-$㉡$\times2$를 하면 $-8y=-9$ $\quad\therefore y=\dfrac{9}{8}$

$y=\dfrac{9}{8}$를 ㉡에 대입하면 $x+\dfrac{9}{4}=5$ $\quad\therefore x=\dfrac{11}{4}$

따라서 연립방정식의 해는 $x=\dfrac{11}{4}$, $y=\dfrac{9}{8}$

답 (1) $x=13$, $y=10$ (2) $x=\dfrac{11}{4}$, $y=\dfrac{9}{8}$

0587 [전략] 주어진 해를 연립방정식에 대입하여 a, b에 대한 연립방정식을 만든다.

$x=-1$, $y=3$을 주어진 연립방정식에 대입하면
$\begin{cases} -a+3b=-9 \\ -b+3a=11 \end{cases}$, 즉 $\begin{cases} -a+3b=-9 & \cdots\cdots \text{㉠} \\ 3a-b=11 & \cdots\cdots \text{㉡} \end{cases}$

㉠$\times3+$㉡을 하면 $8b=-16$ $\quad\therefore b=-2$
$b=-2$를 ㉠에 대입하면 $-a-6=-9$ $\quad\therefore a=3$
$\therefore ab=3\times(-2)=-6$
답 -6

0588 $x=3$, $y=-2$를 주어진 연립방정식에 대입하면
$\begin{cases} 3a-2b=-7 \\ 3b+4a=2 \end{cases}$, 즉 $\begin{cases} 3a-2b=-7 & \cdots\cdots \text{㉠} \\ 4a+3b=2 & \cdots\cdots \text{㉡} \end{cases}$

㉠$\times3+$㉡$\times2$를 하면 $17a=-17$ $\quad\therefore a=-1$
$a=-1$을 ㉡에 대입하면

$-4+3b=2$, $3b=6$ $\quad\therefore b=2$
$\therefore b-a=2-(-1)=3$
답 3

0589 $x=1$, $y=2$를 주어진 연립방정식에 대입하면
$\begin{cases} -2a+3b=4 & \cdots\cdots \text{㉠} \\ -2a+b=0 & \cdots\cdots \text{㉡} \end{cases}$

㉠$-$㉡을 하면 $2b=4$ $\quad\therefore b=2$
$b=2$를 ㉡에 대입하면 $-2a+2=0$ $\quad\therefore a=1$
$\therefore 3a-b=3\times1-2=1$
답 1

0590 $x=1$, $y=-2$와 $x=-2$, $y=3$을 $2ax-by=4$에 각각 대입하면
$\begin{cases} 2a+2b=4 & \cdots\cdots \text{㉠} \\ -4a-3b=4 & \cdots\cdots \text{㉡} \end{cases}$

㉠$\times2+$㉡을 하면 $b=12$
$b=12$를 ㉠에 대입하면
$2a+24=4$, $2a=-20$ $\quad\therefore a=-10$
$\therefore b-a=12-(-10)=22$
답 22

0591 [전략] 세 일차방정식 중 미지수가 없는 두 일차방정식으로 연립방정식을 세워 해를 구한다.

주어진 연립방정식의 해는 세 일차방정식을 모두 만족하므로 연립방정식 $\begin{cases} 2x-3y=-1 & \cdots\cdots \text{㉠} \\ 3x-2y=1 & \cdots\cdots \text{㉡} \end{cases}$의 해와 같다.

㉠$\times3-$㉡$\times2$를 하면 $-5y=-5$ $\quad\therefore y=1$
$y=1$을 ㉠에 대입하면
$2x-3=-1$, $2x=2$ $\quad\therefore x=1$
따라서 $x=1$, $y=1$을 $x+2y=a$에 대입하면
$1+2=a$ $\quad\therefore a=3$
답 3

0592 주어진 연립방정식의 해는 세 일차방정식을 모두 만족하므로
연립방정식 $\begin{cases} 3x+y=9 & \cdots\cdots \text{㉠} \\ x+2y=-2 & \cdots\cdots \text{㉡} \end{cases}$의 해와 같다.

㉠$\times2-$㉡을 하면 $5x=20$ $\quad\therefore x=4$
$x=4$를 ㉠에 대입하면 $12+y=9$ $\quad\therefore y=-3$
$\therefore p=4$, $q=-3$
한편 $x=4$, $y=-3$을 $2x-a=y$에 대입하면
$8-a=-3$ $\quad\therefore a=11$
$\therefore a+p+q=11+4+(-3)=12$
답 12

0593 세 일차방정식의 모두 같은 해는 연립방정식
$\begin{cases} 2x+3y=4 & \cdots\cdots \text{㉠} \\ 3y-x=7 & \cdots\cdots \text{㉡} \end{cases}$의 해와 같다.

㉠$-$㉡을 하면 $3x=-3$ $\quad\therefore x=-1$
$x=-1$을 ㉡에 대입하면
$3y+1=7$, $3y=6$ $\quad\therefore y=2$
따라서 $x=-1$, $y=2$를 $3x-4y=a$에 대입하면
$-3-8=a$ $\quad\therefore a=-11$
답 -11

0594 전략 y의 값이 x의 값의 3배이므로 $y=3x$이다.

$\begin{cases} x+2y=14 & \cdots\cdots \text{㉠} \\ 4x-y=a & \cdots\cdots \text{㉡} \end{cases}$ 를 만족하는 y의 값이 x의 값의 3배

이므로

$y=3x$ $\cdots\cdots$ ㉢

㉢을 ㉠에 대입하면 $x+6x=14$, $7x=14$ $\therefore x=2$

$x=2$를 ㉢에 대입하면 $y=6$

따라서 $x=2$, $y=6$을 ㉡에 대입하면

$8-6=a$ $\therefore a=2$ **답 2**

0595 $\begin{cases} 2x-y=-7 & \cdots\cdots \text{㉠} \\ x+2y=a-3 & \cdots\cdots \text{㉡} \end{cases}$ 을 만족하는 y의 값이

x의 값보다 2만큼 크므로

$y=x+2$ $\cdots\cdots$ ㉢ $\cdots\cdots$ (가)

㉢을 ㉠에 대입하면 $2x-(x+2)=-7$ $\therefore x=-5$

$x=-5$를 ㉢에 대입하면 $y=-3$ $\cdots\cdots$ (나)

따라서 $x=-5$, $y=-3$을 ㉡에 대입하면

$-5-6=a-3$ $\therefore a=-8$ $\cdots\cdots$ (다)

답 -8

채점 기준	비율
(가) 주어진 조건을 이용하여 일차방정식 세우기	30 %
(나) 미지수가 없는 두 일차방정식을 연립하여 풀기	50 %
(다) a의 값 구하기	20 %

0596 $\begin{cases} -4x+ay=1 & \cdots\cdots \text{㉠} \\ 2x+y=7 & \cdots\cdots \text{㉡} \end{cases}$ 을 만족하는 x와 y의 값

의 비가 $2:3$이므로

$x:y=2:3$, 즉 $3x=2y$

$\therefore y=\dfrac{3}{2}x$ $\cdots\cdots$ ㉢

㉢을 ㉡에 대입하면

$2x+\dfrac{3}{2}x=7$, $\dfrac{7}{2}x=7$ $\therefore x=2$

$x=2$를 ㉢에 대입하면 $y=3$

따라서 $x=2$, $y=3$을 ㉠에 대입하면

$-8+3a=1$, $3a=9$ $\therefore a=3$ **답 3**

0597 $\begin{cases} 3x-5y=2 & \cdots\cdots \text{㉠} \\ 4x-3y=k & \cdots\cdots \text{㉡} \end{cases}$ 를 만족하는 x의 값이

y의 값의 2배이므로

$x=2y$ $\cdots\cdots$ ㉢

㉢을 ㉠에 대입하면 $6y-5y=2$ $\therefore y=2$

$y=2$를 ㉢에 대입하면 $x=4$

따라서 $x=4$, $y=2$를 ㉡에 대입하면

$16-6=k$ $\therefore k=10$ **답 10**

0598 전략 네 일차방정식 중 미지수가 없는 두 일차방정식으로 연립방정식을 세워 해를 구한다.

$\begin{cases} 3x-y=5 & \cdots\cdots \text{㉠} \\ 4x+ay=7 & \cdots\cdots \text{㉡} \end{cases}$, $\begin{cases} -7x+5y=-9 & \cdots\cdots \text{㉢} \\ bx+23y=1 & \cdots\cdots \text{㉣} \end{cases}$

㉠$\times5+$㉢을 하면 $8x=16$ $\therefore x=2$

$x=2$를 ㉠에 대입하면 $6-y=5$ $\therefore y=1$

따라서 두 연립방정식의 해는 $x=2$, $y=1$이므로

$x=2$, $y=1$을 ㉡에 대입하면

$8+a=7$ $\therefore a=-1$

$x=2$, $y=1$을 ㉣에 대입하면

$2b+23=1$, $2b=-22$ $\therefore b=-11$

답 $a=-1$, $b=-11$

0599 $\begin{cases} ax+by=-7 & \cdots\cdots \text{㉠} \\ 2y=3x-10 & \cdots\cdots \text{㉡} \end{cases}$, $\begin{cases} bx-ay=6 & \cdots\cdots \text{㉢} \\ x-6y=-2 & \cdots\cdots \text{㉣} \end{cases}$

㉡을 ㉣에 대입하면 $x-3(3x-10)=-2$

$-8x=-32$ $\therefore x=4$

$x=4$를 ㉡에 대입하면 $2y=2$ $\therefore y=1$

따라서 두 연립방정식의 해는 $x=4$, $y=1$이므로

$x=4$, $y=1$을 ㉠에 대입하면 $4a+b=-7$ $\cdots\cdots$ ㉤

$x=4$, $y=1$을 ㉢에 대입하면 $4b-a=6$ $\cdots\cdots$ ㉥

㉤$+$㉥$\times4$를 하면 $17b=17$ $\therefore b=1$

$b=1$을 ㉥에 대입하면 $4-a=6$ $\therefore a=-2$

$\therefore a+b=-2+1=-1$ **답 -1**

0600 $\begin{cases} 2x-3y=-10 & \cdots\cdots \text{㉠} \\ ax+5y=14 & \cdots\cdots \text{㉡} \end{cases}$, $\begin{cases} x+by=-6 & \cdots\cdots \text{㉢} \\ 2x-25y=34 & \cdots\cdots \text{㉣} \end{cases}$

㉠$-$㉣을 하면 $22y=-44$ $\therefore y=-2$

$y=-2$를 ㉠에 대입하면

$2x+6=-10$, $2x=-16$ $\therefore x=-8$

$x=-8$, $y=-2$를 ㉡에 대입하면

$-8a-10=14$, $-8a=24$ $\therefore a=-3$

$x=-8$, $y=-2$를 ㉢에 대입하면

$-8-2b=-6$, $-2b=2$ $\therefore b=-1$

$\therefore ab=-3\times(-1)=3$ **답 3**

0601 전략 채연이는 a를 잘못 보고 풀었으므로 $x=2$, $y=-1$은 $2x+by=3$을 만족하고, 수연이는 b를 잘못 보고 풀었으므로 $x=2$, $y=3$은 $ax-y=1$을 만족한다.

$x=2$, $y=-1$은 $2x+by=3$의 해이므로

$4-b=3$ $\therefore b=1$

$x=2$, $y=3$은 $ax-y=1$의 해이므로

$2a-3=1$, $2a=4$ $\therefore a=2$

따라서 주어진 연립방정식은

$$\begin{cases} 2x-y=1 & \cdots\cdots \text{㉠} \\ 2x+y=3 & \cdots\cdots \text{㉡} \end{cases}$$

㉠+㉡을 하면 $4x=4$ $\therefore x=1$

$x=1$을 ㉡에 대입하면 $2+y=3$ $\therefore y=1$

따라서 연립방정식의 해는 $x=1, y=1$ **답** $x=1, y=1$

0602 $x=0, y=-1$은 $ax+by=3$의 해이므로

$-b=3$ $\therefore b=-3$ $\cdots\cdots$ (가)

따라서 $\begin{cases} ax-3y=3 \\ 5x+cy=-1 \end{cases}$ 의 해가 $x=3, y=4$이므로

$3a-12=3, 3a=15$ $\therefore a=5$ $\cdots\cdots$ (나)

$15+4c=-1, 4c=-16$ $\therefore c=-4$ $\cdots\cdots$ (다)

$\therefore 2a+b+c=2\times5+(-3)+(-4)=3$ $\cdots\cdots$ (라)

답 3

채점 기준	비율
(가) b의 값 구하기	30 %
(나) a의 값 구하기	30 %
(다) c의 값 구하기	30 %
(라) $2a+b+c$의 값 구하기	10 %

0603 $\begin{cases} ax+by=4 \\ bx-ay=3 \end{cases}$ 에서 a와 b를 서로 바꾸면 $\begin{cases} bx+ay=4 \\ ax-by=3 \end{cases}$

이 연립방정식의 해가 $x=2, y=1$이므로

$$\begin{cases} 2b+a=4 & \cdots\cdots \text{㉠} \\ 2a-b=3 & \cdots\cdots \text{㉡} \end{cases}$$

㉠+㉡×2를 하면 $5a=10$ $\therefore a=2$

$a=2$를 ㉡에 대입하면 $4-b=3$ $\therefore b=1$

$\therefore a+b=2+1=3$

답 3

STEP 1 개념 마스터 p.100~p.101

0604 **답** $2x-4y, 4x-9y, 12, -\dfrac{11}{2}$

0605 $\begin{cases} 5(2x-1)+y=3 & \cdots\cdots \text{㉠} \\ x-(y-3)=6 & \cdots\cdots \text{㉡} \end{cases}$

㉠을 정리하면 $10x+y=8$ $\cdots\cdots$ ㉢

㉡을 정리하면 $x-y=3$ $\cdots\cdots$ ㉣

㉢+㉣을 하면 $11x=11$ $\therefore x=1$

$x=1$을 ㉢에 대입하면 $1-y=3$ $\therefore y=-2$

따라서 연립방정식의 해는 $x=1, y=-2$

답 $x=1, y=-2$

0606 $\begin{cases} 2(x-y)-y=5 & \cdots\cdots \text{㉠} \\ 4x=3(x-2y)+1 & \cdots\cdots \text{㉡} \end{cases}$

㉠을 정리하면 $2x-3y=5$ $\cdots\cdots$ ㉢

㉡을 정리하면 $x+6y=1$ $\cdots\cdots$ ㉣

㉢−㉣×2를 하면 $-15y=3$ $\therefore y=-\dfrac{1}{5}$

$y=-\dfrac{1}{5}$을 ㉣에 대입하면 $x-\dfrac{6}{5}=1$ $\therefore x=\dfrac{11}{5}$

따라서 연립방정식의 해는 $x=\dfrac{11}{5}, y=-\dfrac{1}{5}$

답 $x=\dfrac{11}{5}, y=-\dfrac{1}{5}$

0607 $\begin{cases} \dfrac{1}{2}x-\dfrac{1}{3}y=\dfrac{2}{3} & \cdots\cdots \text{㉠} \\ \dfrac{1}{3}x+\dfrac{1}{6}y=\dfrac{5}{6} & \cdots\cdots \text{㉡} \end{cases}$

㉠×6을 하면 $3x-2y=4$ $\cdots\cdots$ ㉢

㉡×6을 하면 $2x+y=5$ $\cdots\cdots$ ㉣

㉢+㉣×2를 하면 $7x=14$ $\therefore x=2$

$x=2$를 ㉣에 대입하면 $4+y=5$ $\therefore y=1$

따라서 연립방정식의 해는 $x=2, y=1$

답 $x=2, y=1$

0608 **답** $2x-3y, 3x-5y, 24, -13$

0609 $\begin{cases} 0.5x-y=2 & \cdots\cdots \text{㉠} \\ 0.3x-1.2y=0.6 & \cdots\cdots \text{㉡} \end{cases}$

㉠×10을 하면 $5x-10y=20$ $\therefore x-2y=4$ $\cdots\cdots$ ㉢

㉡×10을 하면 $3x-12y=6$ $\therefore x-4y=2$ $\cdots\cdots$ ㉣

㉢−㉣을 하면 $2y=2$ $\therefore y=1$

$y=1$을 ㉢에 대입하면 $x-2=4$ $\therefore x=6$

따라서 연립방정식의 해는 $x=6, y=1$ **답** $x=6, y=1$

0610 $\begin{cases} 0.1x+0.2y=0.3 & \cdots\cdots \text{㉠} \\ \dfrac{1}{2}x+\dfrac{2}{3}y=-\dfrac{1}{6} & \cdots\cdots \text{㉡} \end{cases}$

㉠×10을 하면 $x+2y=3$ $\cdots\cdots$ ㉢

㉡×6을 하면 $3x+4y=-1$ $\cdots\cdots$ ㉣

㉢×2−㉣을 하면 $-x=7$ $\therefore x=-7$

$x=-7$을 ㉢에 대입하면

$-7+2y=3, 2y=10$ $\therefore y=5$

따라서 연립방정식의 해는 $x=-7, y=5$

답 $x=-7, y=5$

0611 $\begin{cases} 0.5x-y=2 & \cdots\cdots \text{㉠} \\ \dfrac{1}{2}(x-1)=\dfrac{1}{3}(y+2) & \cdots\cdots \text{㉡} \end{cases}$

㉠×10을 하면 $5x-10y=20$ $\therefore x-2y=4$ $\cdots\cdots$ ㉢

ⓒ×6을 하면 $3(x-1)=2(y+2)$, $3x-3=2y+4$

∴ $3x-2y=7$ ...... ⓔ

ⓒ-ⓔ을 하면 $-2x=-3$ ∴ $x=\dfrac{3}{2}$

$x=\dfrac{3}{2}$을 ⓒ에 대입하면

$\dfrac{3}{2}-2y=4$, $-2y=\dfrac{5}{2}$ ∴ $y=-\dfrac{5}{4}$

따라서 연립방정식의 해는 $x=\dfrac{3}{2}$, $y=-\dfrac{5}{4}$

답 $x=\dfrac{3}{2}$, $y=-\dfrac{5}{4}$

0612 **답** $3x+5y-6$, $3x+5y$, 2, 2, $\dfrac{1}{5}$

0613 $\begin{cases} 2x+y=5 & \cdots\cdots ㉠ \\ 3x-y=5 & \cdots\cdots ㉡ \end{cases}$

㉠+㉡을 하면 $5x=10$ ∴ $x=2$

$x=2$를 ㉠에 대입하면 $4+y=5$ ∴ $y=1$

따라서 방정식의 해는 $x=2$, $y=1$ **답** $x=2$, $y=1$

0614 $\begin{cases} 3x-5=2y \\ x-y-4=2y \end{cases}$ 에서 $\begin{cases} 3x-2y=5 & \cdots\cdots ㉠ \\ x-3y=4 & \cdots\cdots ㉡ \end{cases}$

㉠-㉡×3을 하면 $7y=-7$ ∴ $y=-1$

$y=-1$을 ㉡에 대입하면 $x+3=4$ ∴ $x=1$

따라서 방정식의 해는 $x=1$, $y=-1$

답 $x=1$, $y=-1$

0615 $\begin{cases} x+2y=2x+1 \\ 5x+4y=2x+1 \end{cases}$ 에서 $\begin{cases} -x+2y=1 & \cdots\cdots ㉠ \\ 3x+4y=1 & \cdots\cdots ㉡ \end{cases}$

㉠×2-㉡을 하면 $-5x=1$ ∴ $x=-\dfrac{1}{5}$

$x=-\dfrac{1}{5}$을 ㉠에 대입하면

$\dfrac{1}{5}+2y=1$, $2y=\dfrac{4}{5}$ ∴ $y=\dfrac{2}{5}$

따라서 방정식의 해는 $x=-\dfrac{1}{5}$, $y=\dfrac{2}{5}$

답 $x=-\dfrac{1}{5}$, $y=\dfrac{2}{5}$

0616 ㉠ $\begin{cases} 2x-3y=5 \\ 4x-6y=10 \end{cases}$ ➡ $\begin{cases} 4x-6y=10 \\ 4x-6y=10 \end{cases}$

즉 x, y의 계수와 상수항이 각각 같으므로 해가 무수히 많다.

ⓗ $\begin{cases} x-3y=1 \\ -3x+9y=-3 \end{cases}$ ➡ $\begin{cases} -3x+9y=-3 \\ -3x+9y=-3 \end{cases}$

즉 x, y의 계수와 상수항이 각각 같으므로 해가 무수히 많다.

답 ㉠, ⓗ

0617 ⓒ $\begin{cases} x-2y=4 \\ -2x+4y=4 \end{cases}$ ➡ $\begin{cases} -2x+4y=-8 \\ -2x+4y=4 \end{cases}$

즉 x, y의 계수는 각각 같고 상수항은 다르므로 해가 없다.

ⓔ $\begin{cases} x-2y=4 \\ -x+2y=1 \end{cases}$ ➡ $\begin{cases} x-2y=4 \\ x-2y=-1 \end{cases}$

즉 x, y의 계수는 각각 같고 상수항은 다르므로 해가 없다.

ⓜ $\begin{cases} x-2y=-1 \\ 2x-4y=-1 \end{cases}$ ➡ $\begin{cases} 2x-4y=-2 \\ 2x-4y=-1 \end{cases}$

즉 x, y의 계수는 각각 같고 상수항은 다르므로 해가 없다. **답** ⓒ, ⓔ, ⓜ

0618 $\begin{cases} 4x+2y=8 \\ 2x+y=4 \end{cases}$ ➡ $\begin{cases} 4x+2y=8 \\ 4x+2y=8 \end{cases}$

즉 x, y의 계수와 상수항이 각각 같으므로 해가 무수히 많다.
답 해가 무수히 많다.

0619 $\begin{cases} 2x-3y=4 \\ 4x-6y=-8 \end{cases}$ ➡ $\begin{cases} 4x-6y=8 \\ 4x-6y=-8 \end{cases}$

즉 x, y의 계수는 각각 같고 상수항은 다르므로 해가 없다.
답 해가 없다.

STEP 2 유형 마스터　　　p.102 ~ p.105

0620 전략 분배법칙을 이용하여 괄호를 푼다.

$\begin{cases} -3(x-2y)=-8x+7 \\ 2(x+4y)-3=4y+3 \end{cases}$ ➡ $\begin{cases} 5x+6y=7 & \cdots\cdots ㉠ \\ x+2y=3 & \cdots\cdots ㉡ \end{cases}$

㉠-㉡×3을 하면 $2x=-2$ ∴ $x=-1$

$x=-1$을 ㉡에 대입하면

$-1+2y=3$, $2y=4$ ∴ $y=2$

따라서 연립방정식의 해는 $x=-1$, $y=2$

답 $x=-1$, $y=2$

0621 $\begin{cases} 3-(x+2y)=2x \\ 3x-(x-3y)=2 \end{cases}$ ➡ $\begin{cases} -3x-2y=-3 & \cdots\cdots ㉠ \\ 2x+3y=2 & \cdots\cdots ㉡ \end{cases}$

㉠×2+㉡×3을 하면 $5y=0$ ∴ $y=0$

$y=0$을 ㉡에 대입하면 $2x=2$ ∴ $x=1$

따라서 $a=1$, $b=0$이므로 $ab=0$ **답** 0

0622 $\begin{cases} 5(x-2y)+y=-12 \\ 2x-3(x-y)=2 \end{cases}$ ➡ $\begin{cases} 5x-9y=-12 & \cdots\cdots ㉠ \\ -x+3y=2 & \cdots\cdots ㉡ \end{cases}$

㉠+㉡×5를 하면 $6y=-2$ ∴ $y=-\dfrac{1}{3}$

$y=-\dfrac{1}{3}$을 ㉡에 대입하면 $-x-1=2$ $\therefore x=-3$

따라서 $x=-3,\ y=-\dfrac{1}{3}$을 $x-6y+2=a$에 대입하면

$-3+2+2=a$ $\therefore a=1$ **답** 1

0623 전략 ▶ 양변에 분모의 최소공배수를 곱하여 계수를 모두 정수로 바꾼다.

$$\begin{cases} \dfrac{x-1}{2}+y=3 & \cdots\cdots ㉠ \\ \dfrac{1}{6}x+\dfrac{1}{4}y=1 & \cdots\cdots ㉡ \end{cases}$$

㉠$\times 2$를 하면 $x-1+2y=6$

$\therefore x+2y=7$ $\cdots\cdots ㉢$

㉡$\times 12$를 하면 $2x+3y=12$ $\cdots\cdots ㉣$

㉢$\times 2-㉣$을 하면 $y=2$

$y=2$를 ㉢에 대입하면 $x+4=7$ $\therefore x=3$

따라서 $a=3,\ b=2$이므로

$a-b=3-2=1$ **답** 1

0624

$$\begin{cases} 4(x-2)-3(y+5)=-30 & \cdots\cdots ㉠ \\ \dfrac{x+4}{3}=\dfrac{y+1}{2} & \cdots\cdots ㉡ \end{cases}$$

㉠을 정리하면 $4x-3y=-7$ $\cdots\cdots ㉢$

㉡$\times 6$을 하면 $2(x+4)=3(y+1)$

$\therefore 2x-3y=-5$ $\cdots\cdots ㉣$

㉢$-㉣$을 하면 $2x=-2$ $\therefore x=-1$

$x=-1$을 ㉣에 대입하면

$-2-3y=-5,\ -3y=-3$ $\therefore y=1$

따라서 연립방정식의 해는 $x=-1,\ y=1$

답 $x=-1,\ y=1$

0625

$$\begin{cases} x-\dfrac{y-5}{2}=8 & \cdots\cdots ㉠ \\ \dfrac{5}{6}x-\dfrac{1}{4}y=\dfrac{19}{4} & \cdots\cdots ㉡ \end{cases}$$

㉠$\times 2$를 하면 $2x-(y-5)=16$

$\therefore 2x-y=11$ $\cdots\cdots ㉢$

㉡$\times 12$를 하면 $10x-3y=57$ $\cdots\cdots ㉣$

㉢$\times 3-㉣$을 하면 $-4x=-24$ $\therefore x=6$

$x=6$을 ㉢에 대입하면 $12-y=11$ $\therefore y=1$

따라서 $x=6,\ y=1$을 $ax+y=5$에 대입하면

$6a+1=5,\ 6a=4$ $\therefore a=\dfrac{2}{3}$ **답** $\dfrac{2}{3}$

0626 전략 ▶ 양변에 10의 거듭제곱을 곱하여 계수를 모두 정수로 바꾼다.

$$\begin{cases} 0.25x-0.5y=0.25 & \cdots\cdots ㉠ \\ 0.3x-0.1y=0.8 & \cdots\cdots ㉡ \end{cases}$$

㉠$\times 100$을 하면 $25x-50y=25$

$\therefore x-2y=1$ $\cdots\cdots ㉢$

㉡$\times 10$을 하면 $3x-y=8$ $\cdots\cdots ㉣$

㉢$-㉣\times 2$를 하면 $-5x=-15$ $\therefore x=3$

$x=3$을 ㉣에 대입하면 $9-y=8$ $\therefore y=1$

따라서 $a=3,\ b=1$이므로

$a-b=3-1=2$ **답** 2

0627

$$\begin{cases} \dfrac{1}{3}x+\dfrac{5}{6}y=\dfrac{4}{3} & \cdots\cdots ㉠ \\ 0.2x+0.3y=0.4 & \cdots\cdots ㉡ \end{cases}$$

㉠$\times 6$을 하면 $2x+5y=8$ $\cdots\cdots ㉢$

㉡$\times 10$을 하면 $2x+3y=4$ $\cdots\cdots ㉣$

㉢$-㉣$을 하면 $2y=4$ $\therefore y=2$

$y=2$를 ㉣에 대입하면

$2x+6=4,\ 2x=-2$ $\therefore x=-1$

따라서 연립방정식의 해는 $x=-1,\ y=2$

답 $x=-1,\ y=2$

0628

$$\begin{cases} \dfrac{3}{4}(2x-1)-\dfrac{1}{2}y+3=1 & \cdots\cdots ㉠ \\ 0.4(x+2)-0.3x=-0.5 & \cdots\cdots ㉡ \end{cases}$$

㉠$\times 4$를 하면 $3(2x-1)-2y+12=4$

$\therefore 6x-2y=-5$ $\cdots\cdots ㉢$ $\cdots\cdots$ (가)

㉡$\times 10$을 하면 $4(x+2)-3x=-5$

$\therefore x+8y=-5$ $\cdots\cdots ㉣$ $\cdots\cdots$ (나)

㉢$\times 4+㉣$을 하면 $25x=-25$ $\therefore x=-1$

$x=-1$을 ㉣에 대입하면

$-1+8y=-5,\ 8y=-4$ $\therefore y=-\dfrac{1}{2}$ $\cdots\cdots$ (다)

따라서 $x=-1,\ y=-\dfrac{1}{2}$을 $x-ay=3$에 대입하면

$-1+\dfrac{1}{2}a=3,\ \dfrac{1}{2}a=4$ $\therefore a=8$ $\cdots\cdots$ (라)

답 8

채점 기준	비율
(가) ㉠의 계수를 정수로 고쳐 간단히 정리하기	20 %
(나) ㉡의 계수를 정수로 고쳐 간단히 정리하기	20 %
(다) 연립방정식의 해 구하기	30 %
(라) a의 값 구하기	30 %

0629 전략 ▶ $a:b=c:d$이면 $ad=bc$임을 이용하여 비례식을 일차방정식으로 바꾼다.

$$\begin{cases} 2x-(x-1)=3(y-1) & \cdots\cdots ㉠ \\ (3-x):(6-y)=3:2 & \cdots\cdots ㉡ \end{cases}$$

㉠을 정리하면 $x-3y=-4$ $\cdots\cdots ㉢$

㉡에서 $2(3-x)=3(6-y)$

$\therefore -2x+3y=12$ $\cdots\cdots ㉣$

㉢$+㉣$을 하면 $-x=8$ $\therefore x=-8$

$x=-8$을 ㉢에 대입하면

$-8-3y=-4,\ -3y=4$ $\therefore y=-\dfrac{4}{3}$

따라서 연립방정식의 해는 $x=-8,\ y=-\dfrac{4}{3}$

답 $x=-8,\ y=-\dfrac{4}{3}$

0630 $\begin{cases} x-(y+4)=1 & \cdots\cdots ㉠ \\ (2x+y):(y+5)=1:2 & \cdots\cdots ㉡ \end{cases}$

㉠을 정리하면 $x-y=5$ $\cdots\cdots ㉢$

㉡에서 $2(2x+y)=y+5$

$\therefore 4x+y=5$ $\cdots\cdots ㉣$

㉢+㉣을 하면 $5x=10$ $\therefore x=2$

$x=2$를 ㉢에 대입하면 $2-y=5$ $\therefore y=-3$

따라서 $a=2,\ b=-3$이므로

$a+b=2+(-3)=-1$

답 -1

0631 $4x-5y=12$의 한 해가 $(a,\ b)$이므로

$4a-5b=12$ $\cdots\cdots ㉠$

$(2a+4):(b+2)=5:1$에서 $2a+4=5(b+2)$

$\therefore 2a-5b=6$ $\cdots\cdots ㉡$

㉠-㉡을 하면 $2a=6$ $\therefore a=3$

$a=3$을 ㉡에 대입하면 $6-5b=6$ $\therefore b=0$

$\therefore a+b=3+0=3$

답 3

0632 전략 방정식을 연립방정식으로 바꾸어 푼다.

$\begin{cases} 2x-2y+1=-5y-3 \\ x-4y+5=-5y-3 \end{cases} \Rightarrow \begin{cases} 2x+3y=-4 & \cdots\cdots ㉠ \\ x+y=-8 & \cdots\cdots ㉡ \end{cases}$

㉠-㉡×2를 하면 $y=12$

$y=12$를 ㉡에 대입하면 $x+12=-8$ $\therefore x=-20$

따라서 방정식의 해는 $x=-20,\ y=12$

답 $x=-20,\ y=12$

0633 (1) $\begin{cases} x+5y-26=-10 \\ 2x-11y=-10 \end{cases} \Rightarrow \begin{cases} x+5y=16 & \cdots\cdots ㉠ \\ 2x-11y=-10 & \cdots\cdots ㉡ \end{cases}$

㉠×2-㉡을 하면 $21y=42$ $\therefore y=2$

$y=2$를 ㉠에 대입하면 $x+10=16$ $\therefore x=6$

따라서 방정식의 해는 $x=6,\ y=2$

(2) $\begin{cases} 5x-3y=4(x-y) \\ 4(x-y)=3x+2y-7 \end{cases} \Rightarrow \begin{cases} x+y=0 & \cdots\cdots ㉠ \\ x-6y=-7 & \cdots\cdots ㉡ \end{cases}$

㉠-㉡을 하면 $7y=7$ $\therefore y=1$

$y=1$을 ㉠에 대입하면 $x+1=0$ $\therefore x=-1$

따라서 방정식의 해는 $x=-1,\ y=1$

(3) $\begin{cases} \dfrac{2x+5}{5}=x-\dfrac{1}{2}y & \cdots\cdots ㉠ \\ \dfrac{x+y}{3}=x-\dfrac{1}{2}y & \cdots\cdots ㉡ \end{cases}$

㉠×10을 하면 $2(2x+5)=10x-5y$

$\therefore -6x+5y=-10$ $\cdots\cdots ㉢$

㉡×6을 하면 $2(x+y)=6x-3y$

$\therefore -4x+5y=0$ $\cdots\cdots ㉣$

㉢-㉣을 하면 $-2x=-10$ $\therefore x=5$

$x=5$를 ㉣에 대입하면

$-20+5y=0,\ 5y=20$ $\therefore y=4$

따라서 방정식의 해는 $x=5,\ y=4$

답 (1) $x=6,\ y=2$ (2) $x=-1,\ y=1$ (3) $x=5,\ y=4$

0634 $\begin{cases} \dfrac{x+3}{2}=\dfrac{2y+2}{3} & \cdots\cdots ㉠ \\ \dfrac{x+3}{2}=\dfrac{2x+y+4}{4} & \cdots\cdots ㉡ \end{cases}$

㉠×6을 하면 $3(x+3)=2(2y+2)$

$\therefore 3x-4y=-5$ $\cdots\cdots ㉢$

㉡×4를 하면 $2(x+3)=2x+y+4$ $\therefore y=2$

$y=2$를 ㉢에 대입하면

$3x-8=-5,\ 3x=3$ $\therefore x=1$

따라서 $x=1,\ y=2$를 $3x-2y=k$에 대입하면

$3-4=k$ $\therefore k=-1$

답 -1

0635 전략 해가 무수히 많다. ⇒ 두 일차방정식의 $x,\ y$의 계수와 상수항이 각각 같다.

$\begin{cases} x+3y=12 \\ ax-by=-3 \end{cases}$, 즉 $\begin{cases} x+3y=12 \\ -4ax+4by=12 \end{cases}$ 의 해가 무수히 많으므로

$-4a=1$에서 $a=-\dfrac{1}{4}$, $4b=3$에서 $b=\dfrac{3}{4}$

$\therefore a-b=-\dfrac{1}{4}-\dfrac{3}{4}=-1$

답 -1

0636 ⑤ $\begin{cases} -x+2y=-3 \\ 4x-8y=12 \end{cases} \Rightarrow \begin{cases} 4x-8y=12 \\ 4x-8y=12 \end{cases}$

즉 $x,\ y$의 계수와 상수항이 각각 같으므로 해가 무수히 많다.

답 ⑤

0637 $\begin{cases} (a+8)x-3y=-12 \\ 3x+3y=b-3 \end{cases}$, 즉 $\begin{cases} (a+8)x-3y=-12 \\ -3x-3y=-b+3 \end{cases}$ 의 해가 무수히 많으므로

$a+8=-3$에서 $a=-11$

$-12=-b+3$에서 $b=15$

$\therefore a+b=-11+15=4$

답 4

0638 전략 해가 없다. ⇒ 두 일차방정식의 $x,\ y$의 계수는 각각 같고 상수항은 다르다.

$\begin{cases} 2x+y=1 \\ ax-3y=b \end{cases}$, 즉 $\begin{cases} -6x-3y=-3 \\ ax-3y=b \end{cases}$ 의 해가 없으므로

$a=-6,\ b\neq-3$

답 ④

0639 ③ $\begin{cases} 4x-6y=-2 \\ 2x-3y=-1 \end{cases}$ ➡ $\begin{cases} 4x-6y=-2 \\ 4x-6y=-2 \end{cases}$

즉 x, y의 계수와 상수항이 각각 같으므로 해가 무수히 많다.

④ $\begin{cases} x-2y=5 \\ 2x-4y=-9 \end{cases}$ ➡ $\begin{cases} 2x-4y=10 \\ 2x-4y=-9 \end{cases}$

즉 x, y의 계수는 각각 같고 상수항은 다르므로 해가 없다.

답 ④

0640 $\begin{cases} 2x+y=4 \\ 10x+ay=25 \end{cases}$, 즉 $\begin{cases} 10x+5y=20 \\ 10x+ay=25 \end{cases}$의 해가 없으므로

$a=5$

답 5

0641 전략 $\frac{1}{x}=X, \frac{1}{y}=Y$로 놓고 X, Y에 대한 연립방정식을 세운다.

$\begin{cases} \dfrac{2}{x}+\dfrac{3}{y}=10 \\ \dfrac{1}{x}+\dfrac{4}{y}=20 \end{cases}$ 에서 $\frac{1}{x}=X, \frac{1}{y}=Y$라 하면

$\begin{cases} 2X+3Y=10 \quad\cdots\cdots \text{㉠} \\ X+4Y=20 \quad\cdots\cdots \text{㉡} \end{cases}$

㉠$-$㉡$\times 2$를 하면 $-5Y=-30$ $\therefore Y=6$

$Y=6$을 ㉡에 대입하면 $X+24=20$ $\therefore X=-4$

$X=\frac{1}{x}=-4$에서 $x=-\frac{1}{4}$

$Y=\frac{1}{y}=6$에서 $y=\frac{1}{6}$

따라서 연립방정식의 해는 $x=-\dfrac{1}{4}, y=\dfrac{1}{6}$

답 $x=-\dfrac{1}{4}, y=\dfrac{1}{6}$

0642 $\begin{cases} -\dfrac{1}{x}+\dfrac{3}{y}=10 \\ \dfrac{2}{x}-\dfrac{1}{y}=-5 \end{cases}$ 에서 $\frac{1}{x}=X, \frac{1}{y}=Y$라 하면

$\begin{cases} -X+3Y=10 \quad\cdots\cdots \text{㉠} \\ 2X-Y=-5 \quad\cdots\cdots \text{㉡} \end{cases}$

㉠$\times 2+$㉡을 하면 $5Y=15$ $\therefore Y=3$

$Y=3$을 ㉠에 대입하면

$-X+9=10$ $\therefore X=-1$

$X=\frac{1}{x}=-1$에서 $x=-1$

$Y=\frac{1}{y}=3$에서 $y=\frac{1}{3}$

따라서 $a=-1, b=\frac{1}{3}$이므로

$a+3b=-1+3\times\frac{1}{3}=0$

답 0

0643 $\begin{cases} \dfrac{2}{x}+\dfrac{1}{y}=\dfrac{3}{2} \\ \dfrac{1}{x}+\dfrac{3}{y}=2 \end{cases}$ 에서 $\frac{1}{x}=X, \frac{1}{y}=Y$라 하면

$\begin{cases} 2X+Y=\dfrac{3}{2} \\ X+3Y=2 \end{cases}$ ➡ $\begin{cases} 4X+2Y=3 \quad\cdots\cdots \text{㉠} \\ X+3Y=2 \quad\cdots\cdots \text{㉡} \end{cases}$

㉠$-$㉡$\times 4$를 하면 $-10Y=-5$ $\therefore Y=\frac{1}{2}$

$Y=\frac{1}{2}$을 ㉡에 대입하면 $X+\frac{3}{2}=2$ $\therefore X=\frac{1}{2}$

$X=\frac{1}{x}=\frac{1}{2}$에서 $x=2$

$Y=\frac{1}{y}=\frac{1}{2}$에서 $y=2$

따라서 연립방정식의 해는 $x=2, y=2$ **답** $x=2, y=2$

STEP 3 **내신 마스터** p.106 ~ p.109

0644 전략 미지수가 2개인 일차방정식은 $ax+by+c=0(a, b, c$는 상수, $a\neq 0, b\neq 0)$ 꼴이다.

미지수가 2개인 일차방정식은 ㉢, ㉣의 2개이다. **답** ②

0645 전략 미지수가 2개인 일차방정식이 되려면 모든 항을 좌변으로 이항하여 정리하였을 때, x, y의 계수가 0이 아니어야 한다.

$x-ay=3x-5y$에서 $-2x+(5-a)y=0$

이 식이 미지수가 2개인 일차방정식이 되려면

$5-a\neq 0$ $\therefore a\neq 5$ **답** ⑤

0646 전략 주어진 상황을 x, y에 대한 등식으로 나타낸다.

답 $2x+y=13$

0647 전략 $x=1, 2, 3, \cdots$을 차례로 대입하여 y의 값이 자연수가 되는 것을 찾는다.

$(1, 9), (2, 7), (3, 5), (4, 3), (5, 1)$의 5개 **답** ⑤

0648 전략 주어진 해를 일차방정식에 대입하면 등식이 성립한다.

$x=a, y=1$을 $x+2y+9=0$에 대입하면

$a+2+9=0$ $\therefore a=-11$

$x=-5, y=b$를 $x+2y+9=0$에 대입하면

$-5+2b+9=0, 2b=-4$ $\therefore b=-2$

$\therefore a-b=-11-(-2)=-9$ **답** -9

0649 전략 $x=-1, y=4$를 각 연립방정식에 대입하여 등식이 성립하는 것을 찾는다.

② $x=-1, y=4$를 $\begin{cases} x+3y=11 \\ x=y-5 \end{cases}$ 에 대입하면

$\begin{cases} -1+3\times 4=11 \\ -1=4-5 \end{cases}$ **답** ②

0650 [전략] $x=-4$를 미지수가 없는 방정식에 대입하여 y의 값을 먼저 구한다.

$x=-4$를 $y=3x-1$에 대입하면

$y=-12-1=-13$

따라서 $x=-4$, $y=-13$을 $2x-y=a$에 대입하면

$-8+13=a$ ∴ $a=5$ **답** 5

0651 [전략] ㉠을 $x=(y$에 대한 식$)$으로 고친 후 ㉡에 대입한다.

㉠에서 x를 y에 대한 식으로 나타내면 $x=5y+3$

$x=5y+3$을 ㉡에 대입하면

$3(5y+3)-9y=5$, $15y+9-9y=5$ ∴ $6y=-4$

∴ $k=6$ **답** ④

0652 [전략] y의 계수의 절댓값이 같아지도록 두 일차방정식에 적당한 수를 곱한다.

답 ④

0653 [전략] 가감법으로 풀 때, 계수의 부호가 같으면 두 식을 빼고 다르면 두 식을 더한다.

(1) $\begin{cases} 4x+y=7 & \cdots\cdots ㉠ \\ y=3x & \cdots\cdots ㉡ \end{cases}$

㉡을 ㉠에 대입하면

$4x+3x=7$, $7x=7$ ∴ $x=1$

$x=1$을 ㉡에 대입하면 $y=3$

따라서 연립방정식의 해는 $x=1$, $y=3$ $\cdots\cdots$ (가)

(2) $\begin{cases} 2x+y=7 & \cdots\cdots ㉠ \\ x-y=2 & \cdots\cdots ㉡ \end{cases}$

㉠+㉡을 하면 $3x=9$ ∴ $x=3$

$x=3$을 ㉡에 대입하면 $3-y=2$ ∴ $y=1$

따라서 연립방정식의 해는 $x=3$, $y=1$ $\cdots\cdots$ (나)

답 (1) $x=1$, $y=3$ (2) $x=3$, $y=1$

채점 기준	비율
(가) 대입법을 이용하여 해 구하기	50 %
(나) 가감법을 이용하여 해 구하기	50 %

0654 [전략] 주어진 해를 연립방정식에 대입하여 a, b에 대한 연립방정식을 만든다.

$x=1$, $y=-2$를 주어진 연립방정식에 대입하면

$\begin{cases} a+2b=-3 & \cdots\cdots ㉠ \\ -2a+b=-4 & \cdots\cdots ㉡ \end{cases}$

㉠$-$㉡$\times2$를 하면 $5a=5$ ∴ $a=1$

$a=1$을 ㉠에 대입하면 $1+2b=-3$

$2b=-4$ ∴ $b=-2$

∴ $(a+b)(a-b)=(1-2)\times(1+2)=-3$ **답** ①

0655 [전략] 세 일차방정식 중 미지수가 없는 두 일차방정식으로 연립방정식을 세워 해를 구한다.

주어진 연립방정식의 해는 세 일차방정식을 모두 만족하므로 연립방정식 $\begin{cases} 2x+2y=1 & \cdots\cdots ㉠ \\ 3x+y=1 & \cdots\cdots ㉡ \end{cases}$ 의 해와 같다.

㉠$-$㉡$\times2$를 하면 $-4x=-1$ ∴ $x=\dfrac{1}{4}$

$x=\dfrac{1}{4}$을 ㉡에 대입하면

$\dfrac{3}{4}+y=1$ ∴ $y=\dfrac{1}{4}$

따라서 $x=\dfrac{1}{4}$, $y=\dfrac{1}{4}$을 $4x+8y=a$에 대입하면

$1+2=a$ ∴ $a=3$ **답** ①

0656 [전략] y의 값이 x의 값의 2배이므로 $y=2x$이다.

$\begin{cases} x+y=3k & \cdots\cdots ㉠ \\ -3x+2y=6-k & \cdots\cdots ㉡ \end{cases}$ 을 만족하는 y의 값이 x의

값의 2배이므로

$y=2x$ $\cdots\cdots$ ㉢ $\cdots\cdots$ (가)

㉢을 ㉠에 대입하면 $x+2x=3k$, $3x=3k$ ∴ $x=k$

$x=k$를 ㉢에 대입하면 $y=2k$ $\cdots\cdots$ (나)

따라서 $x=k$, $y=2k$를 ㉡에 대입하면

$-3k+4k=6-k$, $2k=6$ ∴ $k=3$ $\cdots\cdots$ (다)

답 3

채점 기준	비율
(가) y의 값이 x의 값의 2배임을 이용하여 y를 x에 대한 식으로 나타내기	30 %
(나) x, y를 k에 대한 식으로 나타내기	30 %
(다) k의 값 구하기	40 %

0657 [전략] 네 일차방정식 중 미지수가 없는 두 일차방정식으로 연립방정식을 세워 해를 구한다.

$\begin{cases} ax+y=4 & \cdots\cdots ㉠ \\ 2x-y=4 & \cdots\cdots ㉡ \end{cases}$, $\begin{cases} 3x-y=2 & \cdots\cdots ㉢ \\ x+by=6 & \cdots\cdots ㉣ \end{cases}$

㉡$-$㉢을 하면 $-x=2$ ∴ $x=-2$

$x=-2$를 ㉡에 대입하면 $-4-y=4$ ∴ $y=-8$

따라서 두 연립방정식의 해는 $x=-2$, $y=-8$이므로

$x=-2$, $y=-8$을 ㉠에 대입하면

$-2a-8=4$, $-2a=12$ ∴ $a=-6$

$x=-2$, $y=-8$을 ㉣에 대입하면

$-2-8b=6$, $-8b=8$ ∴ $b=-1$

∴ $a+b=-6+(-1)=-7$ **답** -7

Lecture

두 연립방정식의 해가 서로 같을 때

① 미지수가 없는 두 일차방정식으로 연립방정식을 세워 해를 구한다.

② ①에서 구한 해를 나머지 두 일차방정식에 각각 대입하여 미지수의 값을 구한다.

0658 [전략] a는 b로, b는 a로 바꾸어 새로운 연립방정식을 만든다.

$\begin{cases} ax+by=2 \\ bx+ay=-10 \end{cases}$ 에서 a와 b를 서로 바꾸면

$\begin{cases} bx+ay=2 \\ ax+by=-10 \end{cases}$

이 연립방정식의 해가 $x=-4,\ y=2$이므로

$\begin{cases} -4b+2a=2 & \cdots\cdots\ \text{㉠} \\ -4a+2b=-10 & \cdots\cdots\ \text{㉡} \end{cases}$

㉠$\times 2$+㉡을 하면 $-6b=-6$ $\quad\therefore b=1$

$b=1$을 ㉠에 대입하면 $-4+2a=2$

$2a=6$ $\quad\therefore a=3$

$\therefore a-b=3-1=2$ **답** 2

0659 [전략] c를 d로 잘못 보았으므로 $cx-7y=8$을 $dx-7y=8$로 두고 구한 해를 대입한다.

$x=3,\ y=-2$를 $\begin{cases} ax+by=2 \\ cx-7y=8 \end{cases}$ 에 대입하면

$3a-2b=2$ $\qquad\cdots\cdots\ \text{㉠}$

$3c+14=8,\ 3c=-6$ $\quad\therefore c=-2$

$x=-2,\ y=2$를 $\begin{cases} ax+by=2 \\ dx-7y=8 \end{cases}$ 에 대입하면

$-2a+2b=2$ $\qquad\cdots\cdots\ \text{㉡}$

$-2d-14=8,\ -2d=22$ $\quad\therefore d=-11$

㉠+㉡을 하면 $a=4$

$a=4$를 ㉠에 대입하면

$12-2b=2,\ -2b=-10$ $\quad\therefore b=5$

$\therefore a+b+c+d=4+5+(-2)+(-11)=-4$

답 -4

0660 [전략] 분배법칙을 이용하여 괄호를 풀고 동류항끼리 정리한다.

$\begin{cases} 2(x+y)-4x=-6 \\ 3x+4(x-y)=27 \end{cases} \Rightarrow \begin{cases} -2x+2y=-6 & \cdots\cdots\ \text{㉠} \\ 7x-4y=27 & \cdots\cdots\ \text{㉡} \end{cases}$

㉠$\times 2$+㉡을 하면 $3x=15$ $\quad\therefore x=5$

$x=5$를 ㉠에 대입하면 $-10+2y=-6$

$2y=4$ $\quad\therefore y=2$

따라서 연립방정식의 해는 $x=5,\ y=2$ **답** ④

0661 [전략] 연립방정식의 해를 구한 후 보기의 일차방정식에 각각 대입하여 등식이 성립하는 것을 찾는다.

$\begin{cases} 0.2(x+y)-0.1y=0.8 & \cdots\cdots\ \text{㉠} \\ \dfrac{1}{6}x+\dfrac{3}{4}y=2 & \cdots\cdots\ \text{㉡} \end{cases}$

㉠$\times 10$을 하면 $2(x+y)-y=8$

$\therefore 2x+y=8$ $\qquad\cdots\cdots\ \text{㉢}$

㉡$\times 12$를 하면 $2x+9y=24$ $\qquad\cdots\cdots\ \text{㉣}$

㉢-㉣을 하면 $-8y=-16$ $\quad\therefore y=2$

$y=2$를 ㉢에 대입하면 $2x+2=8,\ 2x=6$ $\quad\therefore x=3$

따라서 $x=3,\ y=2$를 각각의 일차방정식에 대입하여 등식이 성립하는 것을 찾으면 ④ $3\times 3+2\times 2=13$이다. **답** ④

> **Lecture**
>
> 계수가 분수이면 ➡ 분모의 최소공배수를 곱한다.
> 계수가 소수이면 ➡ 10의 거듭제곱을 곱한다.

0662 [전략] $a:b=c:d$이면 $ad=bc$임을 이용하여 비례식을 일차방정식으로 바꾼다.

$\begin{cases} (x-1):(y+2)=2:3 & \cdots\cdots\ \text{㉠} \\ 2x+y=5 & \cdots\cdots\ \text{㉡} \end{cases}$

㉠에서 $3(x-1)=2(y+2)$

$\therefore 3x-2y=7$ $\qquad\cdots\cdots\ \text{㉢}$

㉡$\times 2$+㉢을 하면 $7x=17$ $\quad\therefore x=\dfrac{17}{7}$

$x=\dfrac{17}{7}$을 ㉡에 대입하면 $\dfrac{34}{7}+y=5$ $\quad\therefore y=\dfrac{1}{7}$

따라서 $m=\dfrac{17}{7},\ n=\dfrac{1}{7}$이므로

$\dfrac{m}{n}=m\div n=\dfrac{17}{7}\div\dfrac{1}{7}=17$ **답** ④

0663 [전략] $A=B=C$ 꼴의 방정식은 $\begin{cases} A=B \\ A=C \end{cases}$ 또는 $\begin{cases} A=B \\ B=C \end{cases}$ 또는

$\begin{cases} A=C \\ B=C \end{cases}$ 의 세 연립방정식 중 가장 간단한 것을 선택하여 푼다.

$\begin{cases} \dfrac{x+3}{5}=\dfrac{x-y}{2} & \cdots\cdots\ \text{㉠} \\ \dfrac{x+y}{3}=\dfrac{x-y}{2} & \cdots\cdots\ \text{㉡} \end{cases}$

㉠$\times 10$을 하면 $2(x+3)=5(x-y)$

$\therefore 3x-5y=6$ $\qquad\cdots\cdots\ \text{㉢}$

㉡$\times 6$을 하면 $2(x+y)=3(x-y)$

$\therefore x-5y=0$ $\qquad\cdots\cdots\ \text{㉣}$

㉢-㉣을 하면 $2x=6$ $\quad\therefore x=3$

$x=3$을 ㉣에 대입하면 $3-5y=0$ $\quad\therefore y=\dfrac{3}{5}$

따라서 방정식의 해는 $x=3,\ y=\dfrac{3}{5}$ **답** $x=3,\ y=\dfrac{3}{5}$

0664 [전략] 해가 없다. ➡ 두 일차방정식의 $x,\ y$의 계수는 각각 같고 상수항은 다르다.

① $\begin{cases} 2x-3y=5 \\ 4x-6y=10 \end{cases} \Rightarrow \begin{cases} 4x-6y=10 \\ 4x-6y=10 \end{cases}$

즉 $x,\ y$의 계수와 상수항이 각각 같으므로 해가 무수히 많다.

③ $\begin{cases} 6x+2y=8 \\ y=-3x+4 \end{cases} \Rightarrow \begin{cases} 6x+2y=8 \\ 6x+2y=8 \end{cases}$

즉 $x,\ y$의 계수와 상수항이 각각 같으므로 해가 무수히 많다.

④ $\begin{cases} 3x+2y=-1 \\ 6x+4y=2 \end{cases}$ ➡ $\begin{cases} 6x+4y=-2 \\ 6x+4y=2 \end{cases}$

즉 x, y의 계수는 각각 같고 상수항이 다르므로 해가 없다.

따라서 연립방정식의 해가 없는 것은 ④이다. **답** ④

0665 [전략] 두 방정식 중 어느 한 방정식을 변형하였을 때, 나머지 방정식과

$\begin{bmatrix} x, y의 \ 계수와 \ 상수항이 \ 각각 \ 같다. ➡ 해가 \ 무수히 \ 많다. \\ x, y의 \ 계수는 \ 각각 \ 같고 \ 상수항은 \ 다르다. ➡ 해가 \ 없다. \end{bmatrix}$

$\begin{cases} x+ay=3 \\ 2x+(5-b)y=9 \end{cases}$, 즉 $\begin{cases} 2x+2ay=6 \\ 2x+(5-b)y=9 \end{cases}$ 의 해가 없으므로

$2a=5-b$ ∴ $2a+b=5$ ...... ㉠

$\begin{cases} 2x-(a-3)y=4 \\ 3x+by=6 \end{cases}$, 즉 $\begin{cases} 6x-3(a-3)y=12 \\ 6x+2by=12 \end{cases}$ 의 해가 무수

히 많으므로

$-3(a-3)=2b$ ∴ $3a+2b=9$ ...... ㉡

㉠×2−㉡을 하면 $a=1$

$a=1$을 ㉠에 대입하면 $2+b=5$ ∴ $b=3$

∴ $a-b=1-3=-2$ **답** -2

0666 [전략] x항, y항을 모두 좌변으로 이항하여 간단히 한 후 두 일차방정식을 비교한다.

$\begin{cases} x+y=2 & \cdots\cdots ㉠ \\ x+3y=-2x+6 & \cdots\cdots ㉡ \end{cases}$

㉡을 정리하면 $x+y=2$, 즉 ㉠과 x, y의 계수와 상수항이 각각 같으므로 이 연립방정식은 해가 무수히 많다. ...... ㈎

그런데 영주는 연립방정식의 해가 항상 하나뿐이라고 잘못 생각하였다. ...... ㈏

답 풀이 참조

채점 기준	비율
㈎ 연립방정식의 해 구하기	60 %
㈏ 잘못 생각한 부분 말하기	40 %

0667 [전략] 먼저 순환소수를 분수로 나타낸다.

$\begin{cases} 0.0\dot{3}x+0.1\dot{2}y=0.2 \\ x+y=3.\dot{3} \end{cases}$ 에서

$\begin{cases} \dfrac{3}{90}x+\dfrac{11}{90}y=\dfrac{1}{5} \\ x+y=\dfrac{30}{9} \end{cases}$ ➡ $\begin{cases} 3x+11y=18 & \cdots\cdots ㉠ \\ 3x+3y=10 & \cdots\cdots ㉡ \end{cases}$

㉠−㉡을 하면 $8y=8$ ∴ $y=1$

$y=1$을 ㉡에 대입하면

$3x+3=10, 3x=7$ ∴ $x=\dfrac{7}{3}$

따라서 $a=\dfrac{7}{3}$, $b=1$이므로

$3a+b=3\times\dfrac{7}{3}+1=8$ **답** 8

---

6 연립방정식의 활용

0668 (3) $\begin{cases} x+y=10 \\ 300x+500y=4200 \end{cases}$ ➡ $\begin{cases} x+y=10 & \cdots\cdots ㉠ \\ 3x+5y=42 & \cdots\cdots ㉡ \end{cases}$

㉠×3−㉡을 하면 $-2y=-12$ ∴ $y=6$

$y=6$을 ㉠에 대입하면 $x+6=10$ ∴ $x=4$

따라서 연필은 4자루, 볼펜은 6자루를 샀다.

답 (1) 10, 500, 4200 (2) $\begin{cases} x+y=10 \\ 300x+500y=4200 \end{cases}$

(3) 연필 : 4자루, 볼펜 : 6자루

0669 (3) $\begin{cases} x+y=17 \\ \dfrac{x}{3}+\dfrac{y}{4}=5 \end{cases}$ ➡ $\begin{cases} x+y=17 & \cdots\cdots ㉠ \\ 4x+3y=60 & \cdots\cdots ㉡ \end{cases}$

㉠×3−㉡을 하면 $-x=-9$ ∴ $x=9$

$x=9$를 ㉠에 대입하면 $9+y=17$ ∴ $y=8$

따라서 걸어간 거리는 9 km, 뛰어간 거리는 8 km이다.

답 (1) $\dfrac{y}{4}$, 17, $\dfrac{y}{4}$ (2) $\begin{cases} x+y=17 \\ \dfrac{x}{3}+\dfrac{y}{4}=5 \end{cases}$

(3) 걸어간 거리 : 9 km, 뛰어간 거리 : 8 km

0670 [전략] 큰 수를 작은 수로 나누면 몫이 2이고 나머지가 3이므로 (큰 수)=2×(작은 수)+3이다.

큰 수를 x, 작은 수를 y라 하면

$\begin{cases} x+y=48 \\ x=2y+3 \end{cases}$ ∴ $x=33, y=15$

따라서 큰 수에서 작은 수를 뺀 값은

$33-15=18$ **답** 18

0671 큰 수를 x, 작은 수를 y라 하면

$\begin{cases} x+y=7 \\ 2x=y+20 \end{cases}$ ∴ $x=9, y=-2$

따라서 두 정수의 곱은

$9\times(-2)=-18$ **답** -18

0672 큰 수를 x, 작은 수를 y라 하면

$\begin{cases} x=3y+3 \\ y+35=2x+4 \end{cases}$ ➡ $\begin{cases} x-3y=3 \\ 2x-y=31 \end{cases}$

∴ $x=18, y=5$

따라서 작은 수는 5이다. **답** 5

0673 **전략** 십의 자리의 숫자가 x, 일의 자리의 숫자가 y인 두 자리 자연수는 $10x+y$이다.

처음 수의 십의 자리의 숫자를 x, 일의 자리의 숫자를 y라 하면

$$\begin{cases} x+y=14 \\ 10y+x=10x+y+36 \end{cases} \Rightarrow \begin{cases} x+y=14 \\ x-y=-4 \end{cases}$$

$\therefore x=5,\ y=9$

따라서 처음 수는 59이다.　　　　　　　　**답** 59

0674 십의 자리의 숫자를 x, 일의 자리의 숫자를 y라 하면

$$\begin{cases} y=2x-5 \\ x+y=16 \end{cases} \quad \therefore x=7,\ y=9$$

따라서 일의 자리의 숫자는 9이다.　　　　**답** 9

0675 처음 수의 십의 자리의 숫자를 x, 일의 자리의 숫자를 y라 하면　　　　　　　　　　　　…… ㈎

$$\begin{cases} 2x=y+1 \\ 10y+x=10x+y+9 \end{cases} \Rightarrow \begin{cases} 2x-y=1 \\ x-y=-1 \end{cases}$$
　　　　　　　　　　　　　　　　…… ㈏

$\therefore x=2,\ y=3$

따라서 처음 수는 23이다.　　　　　　　…… ㈐

답 23

채점 기준	비율
㈎ 미지수 x, y 정하기	20 %
㈏ 연립방정식 세우기	40 %
㈐ 처음 수 구하기	40 %

0676 **전략** 아이스크림 A 한 개의 가격을 x원, 아이스크림 B 한 개의 가격을 y원으로 놓고 연립방정식을 세운다.

아이스크림 A 한 개의 가격을 x원, 아이스크림 B 한 개의 가격을 y원이라 하면

$$\begin{cases} y=x+500 \\ 5x+3y=9500 \end{cases} \quad \therefore x=1000,\ y=1500$$

따라서 아이스크림 B 한 개의 가격은 1500원이다.

답 1500원

0677 (1) $\begin{cases} x=y+350 \\ x+y=1350 \end{cases}$　　　　…… ㈎

(2) $\begin{cases} x=y+350 & \cdots\cdots ㉠ \\ x+y=1350 & \cdots\cdots ㉡ \end{cases}$

㉠을 ㉡에 대입하면

$y+350+y=1350,\ 2y=1000$　　$\therefore y=500$

$y=500$을 ㉠에 대입하면 $x=850$

따라서 도넛 한 개의 가격은 850원, 음료수 한 병의 가격은 500원이다.　　　　　　　…… ㈏

답 (1) $\begin{cases} x=y+350 \\ x+y=1350 \end{cases}$

(2) 도넛 : 850원, 음료수 : 500원

채점 기준	비율
㈎ 연립방정식 세우기	40 %
㈏ 도넛과 음료수의 가격 구하기	60 %

0678 대인 1명의 요금을 x원, 소인 1명의 요금을 y원이라 하면

$$\begin{cases} 3x+y=46000 \\ 2x+3y=47000 \end{cases} \quad \therefore x=13000,\ y=7000$$

따라서 소인 1명의 요금은 7000원이다.　　**답** 7000원

0679 **전략** 입장한 어른의 수를 x명, 어린이의 수를 y명으로 놓고 연립방정식을 세운다.

입장한 어른의 수를 x명, 어린이의 수를 y명이라 하면

$$\begin{cases} x+y=14 \\ 2500x+900y=27000 \end{cases} \Rightarrow \begin{cases} x+y=14 \\ 25x+9y=270 \end{cases}$$

$\therefore x=9,\ y=5$

따라서 어린이는 5명 입장하였다.　　　　**답** 5명

0680 지영이가 산 치즈 케이크의 개수를 x개, 초콜릿 머핀의 개수를 y개라 하면

$$\begin{cases} x+y=12 \\ 2500x+1000y=18000 \end{cases} \Rightarrow \begin{cases} x+y=12 \\ 5x+2y=36 \end{cases}$$

$\therefore x=4,\ y=8$

따라서 지영이가 산 치즈 케이크의 개수는 4개, 초콜릿 머핀의 개수는 8개이므로 초콜릿 머핀을 $8-4=4$(개) 더 샀다.

답 초콜릿 머핀, 4개

0681 연주 시간이 4분인 연주곡의 수를 x곡, 연주 시간이 5분인 연주곡의 수를 y곡이라 하면

$$\begin{cases} x+y=13 \\ 4x+5y+\dfrac{10}{60}\times 12=60 \end{cases} \Rightarrow \begin{cases} x+y=13 \\ 4x+5y=58 \end{cases}$$

$\therefore x=7,\ y=6$

따라서 연주 시간이 5분인 연주곡은 6곡이다.　**답** 6곡

0682 **전략** 현재 아버지의 나이를 x살, 아들의 나이를 y살이라 하면 10년 후 아버지의 나이는 $(x+10)$살, 아들의 나이는 $(y+10)$살이다.

현재 아버지의 나이를 x살, 아들의 나이를 y살이라 하면

$$\begin{cases} x-y=28 \\ x+10=3(y+10)-4 \end{cases} \Rightarrow \begin{cases} x-y=28 \\ x-3y=16 \end{cases}$$

$\therefore x=34,\ y=6$

따라서 현재 아버지의 나이는 34살, 아들의 나이는 6살이다.

답 아버지 : 34살, 아들 : 6살

0683 현재 어머니의 나이를 x살, 딸의 나이를 y살이라 하면

$$\begin{cases} x+y=55 \\ x+16=2(y+16) \end{cases} \Rightarrow \begin{cases} x+y=55 \\ x-2y=16 \end{cases} \quad \therefore x=42,\ y=13$$

따라서 현재 어머니의 나이는 42살, 딸의 나이는 13살이므로 16년 후 어머니의 나이는 $42+16=58$(살), 딸의 나이는 $13+16=29$(살)이다.　　**답** 어머니 : 58살, 딸 : 29살

0684 현재 삼촌의 나이를 x살, 동준이의 나이를 y살이라 하면

$\begin{cases} x-10=3(y-10) \\ x+4=2(y+4) \end{cases} \Rightarrow \begin{cases} x-3y=-20 \\ x-2y=4 \end{cases}$

$\therefore x=52, y=24$

따라서 현재 삼촌의 나이는 52살, 동준이의 나이는 24살이다.

답 삼촌 : 52살, 동준 : 24살

0685 <전략> (직사각형의 둘레의 길이)$=2\times\{$(가로의 길이)$+$(세로의 길이)$\}$임을 이용한다.

처음 직사각형의 가로의 길이를 x cm, 세로의 길이를 y cm라 하면

$\begin{cases} 2(x+y)=110 \\ x+4=y-5 \end{cases} \Rightarrow \begin{cases} x+y=55 \\ x-y=-9 \end{cases}$

$\therefore x=23, y=32$

따라서 처음 직사각형의 가로의 길이는 23 cm, 세로의 길이는 32 cm이다.

답 가로의 길이 : 23 cm, 세로의 길이 : 32 cm

0686 직사각형 모양의 종이 한 장의 가로의 길이를 x cm, 세로의 길이를 y cm라 하면

$\begin{cases} 3x=4y \\ 2(x+y)\times 6=84 \end{cases} \Rightarrow \begin{cases} 3x-4y=0 \\ x+y=7 \end{cases}$

$\therefore x=4, y=3$

따라서 색칠한 부분의 넓이는

$(4\times 3)\times 6=72\,(\text{cm}^2)$

답 $72\,\text{cm}^2$

0687 타일 한 장의 가로의 길이를 x cm, 세로의 길이를 y cm라 하면 (단, $x>y$)

$\begin{cases} 2\{3x+(x+y)\}=46 \\ 3x=5y \end{cases} \Rightarrow \begin{cases} 4x+y=23 \\ 3x-5y=0 \end{cases}$

$\therefore x=5, y=3$

따라서 타일 한 장의 둘레의 길이는

$2\times(5+3)=16\,(\text{cm})$

답 16 cm

0688 <전략> 덕선이가 이긴 횟수를 x회, 진 횟수를 y회라 하면 현지가 이긴 횟수는 y회, 진 횟수는 x회이다.

덕선이가 이긴 횟수를 x회, 진 횟수를 y회라 하면 현지가 이긴 횟수는 y회, 진 횟수는 x회이므로

$\begin{cases} 3x-2y=19 \\ 3y-2x=9 \end{cases} \Rightarrow \begin{cases} 3x-2y=19 \\ 2x-3y=-9 \end{cases}$

$\therefore x=15, y=13$

따라서 덕선이가 이긴 횟수는 15회이다.

답 15회

0689 민수가 맞힌 문제 수를 x문제, 틀린 문제 수를 y문제라 하면

$\begin{cases} x+y=30 \\ 3x-y=62 \end{cases} \qquad \therefore x=23, y=7$

따라서 민수가 틀린 문제 수는 7문제이다.

답 7문제

0690 노새의 짐을 x자루, 당나귀의 짐을 y자루라 하면

$\begin{cases} x+1=2(y-1) \\ x-1=y+1 \end{cases} \Rightarrow \begin{cases} x-2y=-3 \\ x-y=2 \end{cases}$

$\therefore x=7, y=5$

따라서 당나귀의 짐은 5자루이다.

답 5자루

0691 <전략> 작년 남학생 수를 x명, 여학생 수를 y명으로 놓고 연립방정식을 세운다.

작년 남학생 수를 x명, 여학생 수를 y명이라 하면

$\begin{cases} x+y=1000 \\ -\dfrac{2}{100}x+\dfrac{5}{100}y=22 \end{cases} \Rightarrow \begin{cases} x+y=1000 \\ -2x+5y=2200 \end{cases}$

$\therefore x=400, y=600$

따라서 작년 남학생 수는 400명, 여학생 수는 600명이므로 올해 남학생 수는 $400\times\dfrac{98}{100}=392$(명), 여학생 수는

$600\times\dfrac{105}{100}=630$(명)이다.

답 남학생 : 392명, 여학생 : 630명

0692 작년 사과의 수확량을 x상자, 배의 수확량을 y상자라 하면

$\begin{cases} x+y=514+16 \\ -\dfrac{20}{100}x+\dfrac{30}{100}y=-16 \end{cases} \Rightarrow \begin{cases} x+y=530 \\ -2x+3y=-160 \end{cases}$

$\therefore x=350, y=180$

따라서 작년 사과의 수확량은 350상자, 배의 수확량은 180상자이므로 올해 배의 수확량은

$180\times\dfrac{130}{100}=234$(상자)

답 234상자

0693 중간고사에서 영희의 영어 점수를 x점, 수학 점수를 y점이라 하면

$\begin{cases} \dfrac{x+y}{2}=80 \\ \dfrac{5}{100}x-\dfrac{15}{100}y=-10 \end{cases} \Rightarrow \begin{cases} x+y=160 \\ x-3y=-200 \end{cases}$

$\therefore x=70, y=90$

따라서 중간고사에서 영희의 영어 점수는 70점, 수학 점수는 90점이므로 기말고사에서 영희의 영어 점수는

$70\times\dfrac{105}{100}=73.5$(점), 수학 점수는 $90\times\dfrac{85}{100}=76.5$(점)이다.

답 영어 : 73.5점, 수학 : 76.5점

0694 <전략> (시간)$=\dfrac{(거리)}{(속력)}$임을 이용하여 걸린 시간에 대한 방정식을 세운다.

갈 때의 거리를 x km, 올 때의 거리를 y km라 하면

$\begin{cases} x+y=21 \\ \dfrac{x}{6}+\dfrac{y}{8}=3 \end{cases} \Rightarrow \begin{cases} x+y=21 \\ 4x+3y=72 \end{cases}$

$\therefore x=9, y=12$

따라서 갈 때의 거리는 9 km, 올 때의 거리는 12 km이다.

답 갈 때의 거리 : 9 km, 올 때의 거리 : 12 km

0695 올라간 거리를 x km, 내려온 거리를 y km라 하면

$$\begin{cases} y=x+1 \\ \dfrac{x}{2}+\dfrac{y}{5}=3 \end{cases} \Rightarrow \begin{cases} y=x+1 \\ 5x+2y=30 \end{cases}$$

$\therefore x=4, y=5$

따라서 내려온 거리는 5 km이다. **답** 5 km

0696 갈 때의 거리를 x km, 올 때의 거리를 y km라 하면

$\cdots\cdots$ (개)

$$\begin{cases} x+y=4.5 \\ \dfrac{x}{3}+\dfrac{1}{6}+\dfrac{y}{4}=\dfrac{3}{2} \end{cases} \Rightarrow \begin{cases} 2x+2y=9 \\ 4x+3y=16 \end{cases}$$

$\cdots\cdots$ (나)

$\therefore x=2.5, y=2$

따라서 갈 때의 거리는 2.5 km, 올 때의 거리는 2 km이다.

$\cdots\cdots$ (다)

답 갈 때의 거리 : 2.5 km, 올 때의 거리 : 2 km

채점 기준	비율
(개) 미지수 x, y 정하기	20 %
(나) 연립방정식 세우기	40 %
(다) 갈 때의 거리와 올 때의 거리 구하기	40 %

0697 [전략] (시간)$=\dfrac{(거리)}{(속력)}$임을 이용하여 걸린 시간에 대한 방정식을 세운다.

해리가 달려간 거리를 x km, 걸어간 거리를 y km라 하면

$$\begin{cases} x+y=10 \\ \dfrac{x}{6}+\dfrac{y}{4}=2 \end{cases} \Rightarrow \begin{cases} x+y=10 \\ 2x+3y=24 \end{cases}$$

$\therefore x=6, y=4$

따라서 해리가 달려간 거리는 6 km, 걸어간 거리는 4 km이다. **답** 달려간 거리 : 6 km, 걸어간 거리 : 4 km

0698 시아가 뛰어간 거리를 x km, 버스를 타고 간 거리를 y km라 하면

$$\begin{cases} x+y=15 \\ \dfrac{x}{6}+\dfrac{y}{30}=\dfrac{38}{60} \end{cases} \Rightarrow \begin{cases} x+y=15 \\ 5x+y=19 \end{cases}$$

$\therefore x=1, y=14$

따라서 시아가 뛰어간 거리는 1 km이다. **답** 1 km

0699 현은이가 버스를 타고 간 거리를 x km, 걸어간 거리를 y km라 하면

$$\begin{cases} x+y=20 \\ \dfrac{x}{60}+\dfrac{20}{60}+\dfrac{y}{3}=\dfrac{50}{60} \end{cases} \Rightarrow \begin{cases} x+y=20 \\ x+20y=30 \end{cases}$$

$\therefore x=\dfrac{370}{19}, y=\dfrac{10}{19}$

따라서 현은이가 걸어간 거리는 $\dfrac{10}{19}$ km이다. **답** $\dfrac{10}{19}$ km

0700 [전략] 혜성이와 민수가 이동한 거리는 같음을 이용하여 방정식을 세운다.

혜성이가 출발한 지 x분, 민수가 출발한 지 y분 후에 두 사람이 만난다고 하면

$$\begin{cases} x=y+10 \\ 300x=400y \end{cases} \Rightarrow \begin{cases} x=y+10 \\ 3x=4y \end{cases}$$

$\therefore x=40, y=30$

따라서 두 사람이 만나게 되는 것은 민수가 출발한 지 30분 후이다. **답** 30분 후

0701 A가 출발한 지 x분, B가 출발한 지 y분 후에 A와 B가 만났다고 하면

$\cdots\cdots$ (개)

$$\begin{cases} x=y+15 \\ 80x=200y \end{cases}$$

$\cdots\cdots$ (나)

$\Rightarrow \begin{cases} x=y+15 \\ 2x=5y \end{cases} \quad \therefore x=25, y=10$

따라서 B가 출발한 지 10분 후에 A를 만났다. $\cdots\cdots$ (다)

답 10분 후

채점 기준	비율
(개) 미지수 x, y 정하기	20 %
(나) 연립방정식 세우기	40 %
(다) B가 출발한 지 몇 분 후에 A를 만났는지 구하기	40 %

0702 동생이 산책을 나간 지 x분, 형이 산책을 나간 지 y분 후에 형과 동생이 만난다고 하면

$$\begin{cases} x=y+24 \\ 40x=100y \end{cases} \Rightarrow \begin{cases} x=y+24 \\ 2x=5y \end{cases}$$

$\therefore x=40, y=16$

따라서 형이 산책을 나간 지 16분 후에 동생을 만나게 된다.

답 16분 후

0703 [전략] 두 사람이 호수의 둘레를 같은 방향으로 돌 때와 반대 방향으로 돌 때 각각의 방정식을 세운다.

A의 속력을 시속 x km, B의 속력을 시속 y km라 하면

$$\begin{cases} 2x-2y=2 \\ \dfrac{1}{2}x+\dfrac{1}{2}y=2 \end{cases} \Rightarrow \begin{cases} x-y=1 \\ x+y=4 \end{cases}$$

$\therefore x=\dfrac{5}{2}, y=\dfrac{3}{2}$

따라서 A의 속력은 시속 $\dfrac{5}{2}$ km이고, B의 속력은 시속 $\dfrac{3}{2}$ km이다. **답** A : 시속 $\dfrac{5}{2}$ km, B : 시속 $\dfrac{3}{2}$ km

0704 진우의 속력을 분속 x m, 서연이의 속력을 분속 y m라 하면

$$\begin{cases} 5x+5y=1800 \\ 60x-60y=1800 \end{cases} \Rightarrow \begin{cases} x+y=360 \\ x-y=30 \end{cases}$$

$\therefore x=195, y=165$

따라서 진우의 속력은 분속 195 m이다. **답** 분속 195 m

0705 동완이의 속력을 분속 x m, 소희의 속력을 분속 y m라 하면

$$\begin{cases} x:y=600:500 \\ 15x+15y=1650 \end{cases} \Rightarrow \begin{cases} 5x-6y=0 \\ x+y=110 \end{cases}$$

$$\therefore x=60, y=50$$

따라서 소희의 속력은 분속 50 m이므로 소희가 호수를 한 바퀴 도는 데 걸리는 시간은

$$\frac{1650}{50}=33(분) \qquad\qquad \text{답 } 33분$$

0706 **전략** (소금의 양)$=\dfrac{(소금물의 농도)}{100}\times(소금물의 양)$임을 이용하여 방정식을 세운다.

6 %의 소금물의 양을 x g, 2 %의 소금물의 양을 y g이라 하면

$$\begin{cases} x+y=300 \\ \dfrac{6}{100}x+\dfrac{2}{100}y=\dfrac{5}{100}\times300 \end{cases} \Rightarrow \begin{cases} x+y=300 \\ 3x+y=750 \end{cases}$$

$$\therefore x=225, y=75$$

따라서 6 %의 소금물 225 g과 2 %의 소금물 75 g을 섞으면 된다. **답** 6 %의 소금물 : 225 g, 2 %의 소금물 : 75 g

0707 12 %의 소금물의 양을 x g, 더 넣어야 하는 소금의 양을 y g이라 하면

$$\begin{cases} x+y=400 \\ \dfrac{12}{100}x+y=\dfrac{34}{100}\times400 \end{cases} \Rightarrow \begin{cases} x+y=400 \\ 3x+25y=3400 \end{cases}$$

$$\therefore x=300, y=100$$

따라서 더 넣어야 하는 소금의 양은 100 g이다. **답** 100 g

0708 6 %의 설탕물의 양을 x g, 10 %의 설탕물의 양을 y g이라 하면

$$\begin{cases} x+y+200=1200 \\ \dfrac{6}{100}x+\dfrac{10}{100}y=\dfrac{7}{100}\times1200 \end{cases} \Rightarrow \begin{cases} x+y=1000 \\ 3x+5y=4200 \end{cases}$$

$$\therefore x=400, y=600$$

따라서 6 %의 설탕물 400 g과 10 %의 설탕물 600 g을 섞었다. **답** 6 %의 설탕물 : 400 g, 10 %의 설탕물 : 600 g

0709 **전략** 소금의 양은 변하지 않으므로 소금의 양에 대한 방정식을 세운다.

소금물 A의 농도를 x %, 소금물 B의 농도를 y %라 하면

$$\begin{cases} \dfrac{x}{100}\times100+\dfrac{y}{100}\times200=\dfrac{6}{100}\times300 \\ \dfrac{x}{100}\times200+\dfrac{y}{100}\times100=\dfrac{8}{100}\times300 \end{cases}$$

$$\Rightarrow \begin{cases} x+2y=18 \\ 2x+y=24 \end{cases} \quad\therefore x=10, y=4$$

따라서 소금물 A의 농도는 10 %, 소금물 B의 농도는 4 %이다. **답** 소금물 A : 10 %, 소금물 B : 4 %

0710 소금물 A의 농도를 x %, 소금물 B의 농도를 y %라 하면 ······ ㈎

$$\begin{cases} \dfrac{x}{100}\times300+\dfrac{y}{100}\times200=\dfrac{8}{100}\times500 \\ \dfrac{x}{100}\times200+\dfrac{y}{100}\times300=\dfrac{9}{100}\times500 \end{cases}$$ ······ ㈏

$$\Rightarrow \begin{cases} 3x+2y=40 \\ 2x+3y=45 \end{cases} \quad\therefore x=6, y=11$$

따라서 소금물 A의 농도는 6 %, 소금물 B의 농도는 11 %이다. ······ ㈐

답 소금물 A : 6 %, 소금물 B : 11 %

채점 기준	비율
㈎ 미지수 x, y 정하기	20 %
㈏ 연립방정식 세우기	40 %
㈐ 두 소금물 A, B의 농도 구하기	40 %

0711 설탕물 A의 농도를 x %, 설탕물 B의 농도를 y %라 하면

$$\begin{cases} \dfrac{x}{100}\times400+\dfrac{y}{100}\times200=\dfrac{10}{100}\times600 \\ \dfrac{x}{100}\times200+\dfrac{y}{100}\times400=\dfrac{6}{100}\times600 \end{cases}$$

$$\Rightarrow \begin{cases} 2x+y=30 \\ x+2y=18 \end{cases} \quad\therefore x=14, y=2$$

따라서 설탕물 B의 농도는 2 %이다. **답** 2 %

0712 **전략** 원가 a원에 x %의 이익을 붙였을 때, 이익은 $\left(a\times\dfrac{x}{100}\right)$ 원이다.

판매한 A 상품의 개수를 x개, B 상품의 개수를 y개라 하면

$$\begin{cases} x+y=80 \\ 400\times\dfrac{70}{100}x+300\times\dfrac{30}{100}y=10240 \end{cases}$$

$$\Rightarrow \begin{cases} x+y=80 \\ 28x+9y=1024 \end{cases} \quad\therefore x=16, y=64$$

따라서 A 상품은 16개 팔았다. **답** 16개

0713 케이크 1개의 원가를 x원, 쿠키 1개의 원가를 y원이라 하면 ······ ㈎

$$\begin{cases} x+11y=25200 \\ \dfrac{110}{100}x+(y+100)\times11=27500 \end{cases}$$ ······ ㈏

$$\Rightarrow \begin{cases} x+11y=25200 \\ x+10y=24000 \end{cases} \quad\therefore x=12000, y=1200$$

따라서 케이크 1개의 원가는 12000원이므로 케이크 1개의 정가는 $12000\times\dfrac{110}{100}=13200$(원)이다. ······ ㈐

답 13200원

채점 기준	비율
㈎ 미지수 x, y 정하기	20 %
㈏ 연립방정식 세우기	40 %
㈐ 케이크 1개의 정가 구하기	40 %

0714 A 상품의 원가를 x원, B 상품의 원가를 y원이라 하면

	A 상품	B 상품	합계
원가(원)	x	y	6000
정가(원)	$\dfrac{120}{100}\times x$	$\dfrac{120}{100}\times y$	✕
판매가(원)	$\dfrac{120}{100}x\times\dfrac{80}{100}$	$\dfrac{120}{100}y\times\dfrac{90}{100}$	6390

$$\begin{cases} x+y=6000 \\ \dfrac{120}{100}x \times \dfrac{80}{100} + \dfrac{120}{100}y \times \dfrac{90}{100} = 6390 \end{cases}$$

$$\Rightarrow \begin{cases} x+y=6000 \\ 8x+9y=53250 \end{cases} \quad \therefore x=750, y=5250$$

따라서 A 상품의 원가는 750원, B 상품의 원가는 5250원이다.

답 A 상품 : 750원, B 상품 : 5250원

0715 전략 전체 일의 양을 1, 정민이와 혜원이가 하루에 할 수 있는 일의 양을 각각 x, y로 놓고 연립방정식을 세운다.

전체 일의 양을 1이라 하고, 정민이와 혜원이가 하루에 할 수 있는 일의 양을 각각 x, y라 하면

$$\begin{cases} 15x+15y=1 \\ 18x+10y=1 \end{cases} \quad \therefore x=\dfrac{1}{24}, y=\dfrac{1}{40}$$

따라서 정민이 혼자 하면 24일이 걸린다. **답** 24일

0716 전체 일의 양을 1이라 하고, 종석이와 현우가 하루에 할 수 있는 일의 양을 각각 x, y라 하면

$$\begin{cases} 4x+10y=1 \\ 10x+7y=1 \end{cases} \quad \therefore x=\dfrac{1}{24}, y=\dfrac{1}{12}$$

따라서 두 사람이 함께 일을 할 때 하루에 할 수 있는 일의 양은 $\dfrac{1}{24}+\dfrac{1}{12}=\dfrac{1}{8}$이므로 두 사람이 함께 한다면 8일이 걸린다. **답** 8일

0717 물탱크에 물을 가득 채웠을 때의 물의 양을 1이라 하고, A 호스와 B 호스로 1시간 동안 채울 수 있는 물의 양을 각각 x, y라 하면

$$\begin{cases} 4x+9y=1 \\ 15y=1 \end{cases} \quad \therefore x=\dfrac{1}{10}, y=\dfrac{1}{15}$$

따라서 A 호스만 사용하면 10시간이 걸린다. **답** 10시간

0718 전략 배가 강을 거슬러 올라갈 때와 강을 따라 내려올 때의 거리에 대한 방정식을 각각 세운다.

정지한 물에서의 배의 속력을 시속 x km, 강물의 속력을 시속 y km라 하면

$$\begin{cases} 4(x-y)=40 \\ 2(x+y)=40 \end{cases} \Rightarrow \begin{cases} x-y=10 \\ x+y=20 \end{cases}$$

$$\therefore x=15, y=5$$

따라서 정지한 물에서의 배의 속력은 시속 15 km, 강물의 속력은 시속 5 km이다.

답 정지한 물에서의 배의 속력 : 시속 15 km,
강물의 속력 : 시속 5 km

0719 정지한 물에서의 유람선의 속력을 시속 x km, 강물의 속력을 시속 y km라 하면

$$\begin{cases} \dfrac{5}{3}(x-y)=15 \\ x+y=15 \end{cases} \Rightarrow \begin{cases} x-y=9 \\ x+y=15 \end{cases}$$

$$\therefore x=12, y=3$$

따라서 정지한 물에서의 유람선의 속력은 시속 12 km이다.

답 시속 12 km

0720 정지한 물에서의 보트의 속력을 시속 x km, 강물의 속력을 시속 y km라 하면

$$\begin{cases} 3(x-y)+y=20+2y \\ x+y=20 \end{cases} \Rightarrow \begin{cases} 3x-4y=20 \\ x+y=20 \end{cases}$$

$$\therefore x=\dfrac{100}{7}, y=\dfrac{40}{7}$$

따라서 정지한 물에서의 보트의 속력은 시속 $\dfrac{100}{7}$ km이다.

답 시속 $\dfrac{100}{7}$ km

0721 전략 기차가 터널 또는 철교를 완전히 지날 때 이동한 거리는 (기차의 길이)+(터널 또는 철교의 길이)이다.

기차의 길이를 x m, 기차의 속력을 분속 y m라 하면

$$\begin{cases} x+1700=y \\ x+3500=2y \end{cases} \quad \therefore x=100, y=1800$$

따라서 기차의 길이는 100 m, 기차의 속력은 분속 1800 m이다.

답 기차의 길이 : 100 m, 기차의 속력 : 분속 1800 m

0722 기차의 길이를 x m, 기차의 속력을 초속 y m라 하면

$$\cdots\cdots \text{㈎}$$

$$\begin{cases} x+320=30y \\ x+440=40y \end{cases} \quad \therefore x=40, y=12 \qquad \cdots\cdots \text{㈏}$$

따라서 기차의 길이는 40 m이다. $\cdots\cdots$ ㈐

답 40 m

채점 기준	비율
㈎ 미지수 x, y 정하기	20 %
㈏ 연립방정식 세우기	50 %
㈐ 기차의 길이 구하기	30 %

0723 화물 열차의 길이를 x m, 화물 열차의 속력을 초속 y m라 하면 일반 열차의 길이는 $(x-60)$ m, 일반 열차의 속력은 초속 $2y$ m이므로

$$\begin{cases} x+570=50y \\ (x-60)+570=23 \times 2y \end{cases} \Rightarrow \begin{cases} x-50y=-570 \\ x-46y=-510 \end{cases}$$

$$\therefore x=180, y=15$$

따라서 화물 열차의 길이는 180 m이다. **답** 180 m

0724 전략 전체 지원자 중 남녀의 수의 비가 5 : 3이므로 남자 지원자의 수는 (전체 지원자 수)$\times\dfrac{5}{8}$이다.

(3) $\begin{cases} 100+y=x \\ 60+\dfrac{7}{11}y=\dfrac{5}{8}x \end{cases} \Rightarrow \begin{cases} x=100+y \\ 55x-56y=5280 \end{cases}$

$$\therefore x=320, y=220$$

(4) $320 \times \dfrac{5}{8} = 200$(명)

$$\text{답 (1) } 60, 7, \frac{5}{8} \quad \text{(2) } \begin{cases} 100+y=x \\ 60+\dfrac{7}{11}y=\dfrac{5}{8}x \end{cases}$$

$$\text{(3) } x=320, y=220 \quad \text{(4) } 200명$$

0725 지원자 중 남학생 수를 x명, 여학생 수를 y명이라 하면
불합격자 중 남학생 수는 $(x-50)$명, 여학생 수는 $(y-20)$명이므로

$$\begin{cases} x:y=2:1 \\ (x-50):(y-20)=15:8 \end{cases} \Rightarrow \begin{cases} x=2y \\ 8x-15y=100 \end{cases}$$

$$\therefore x=200, y=100$$

따라서 지원자 중 남학생 수는 200명, 여학생 수는 100명이므로 전체 지원자의 수는 $200+100=300$(명)이다.

답 300명

0726 **전략** $(금속의 양)=\dfrac{(금속의 비율)}{100}\times(합금의 양)$임을 이용한다.

$$(2) \begin{cases} \dfrac{30}{100}x+\dfrac{20}{100}y=6 \\ \dfrac{20}{100}x+\dfrac{30}{100}y=5 \end{cases} \Rightarrow \begin{cases} 3x+2y=60 \\ 2x+3y=50 \end{cases}$$

$$\therefore x=16, y=6$$

$$\text{답 (1) } \begin{cases} \dfrac{30}{100}x+\dfrac{20}{100}y=6 \\ \dfrac{20}{100}x+\dfrac{30}{100}y=5 \end{cases} \text{(2) } x=16, y=6$$

$$\text{(3) 합금 A : 16 kg, 합금 B : 6 kg}$$

0727 섭취해야 하는 식품 A의 양을 x g, 식품 B의 양을 y g이라 하면

$$\begin{cases} \dfrac{20}{100}x+\dfrac{40}{100}y=30 \\ \dfrac{30}{100}x+\dfrac{10}{100}y=25 \end{cases} \Rightarrow \begin{cases} x+2y=150 \\ 3x+y=250 \end{cases}$$

$$\therefore x=70, y=40$$

따라서 식품 A는 70 g 섭취해야 한다. **답** 70 g

0728 A 회사 제품이 x병, B 회사 제품이 y병 필요하다고 하면

$$\begin{cases} 200x+200y=1000 \\ \dfrac{40}{100}\times200x+\dfrac{90}{100}\times200y=\dfrac{70}{100}\times1000 \end{cases}$$

$$\Rightarrow \begin{cases} x+y=5 \\ 4x+9y=35 \end{cases} \quad \therefore x=2, y=3$$

따라서 A 회사 제품은 2병이 필요하다. **답** 2병

STEP 3 내신 마스터 p.123 ~ p.125

0729 **전략** a를 b로 나누었을 때 몫이 q이고 나머지가 r이면 $a=bq+r \ (0 \le r < b)$임을 이용한다.

$$\begin{cases} a=3b+8 \\ 3a=11b+2 \end{cases} \quad \therefore a=41, b=11$$

$$\therefore a+b=41+11=52$$

답 52

0730 **전략** 십의 자리의 숫자가 x, 일의 자리의 숫자가 y인 두 자리의 자연수는 $10x+y$이다.

처음 수의 십의 자리의 숫자를 x, 일의 자리의 숫자를 y라 하면

$$\begin{cases} y=x+3 \\ 10y+x=2(10x+y)+2 \end{cases} \Rightarrow \begin{cases} y=x+3 \\ 19x-8y=-2 \end{cases}$$

$$\therefore x=2, y=5$$

따라서 처음 수는 25이다. **답** 25

0731 **전략** 가격에 대한 방정식을 세운다.

$$\begin{cases} 200x+100y=2800 \\ 200y+100x=2600 \end{cases} \Rightarrow \begin{cases} 2x+y=28 \\ x+2y=26 \end{cases}$$

따라서 필요한 식은 ㉠, ㉣이다. **답** ②

0732 **전략** 연필 1자루의 가격을 x원, 공책 1권의 가격을 y원으로 놓고 연립방정식을 세운다.

연필 1자루의 가격을 x원, 공책 1권의 가격을 y원이라 하면

$$\begin{cases} 6x+4y=6400 \\ 8x+2y=5200 \end{cases} \Rightarrow \begin{cases} 3x+2y=3200 \\ 4x+y=2600 \end{cases}$$

$$\therefore x=400, y=1000$$

따라서 연필 1자루의 가격은 400원이다. **답** ③

0733 **전략** 현재 어머니의 나이를 x살, 딸의 나이를 y살이라 하면 10년 전 어머니의 나이는 $(x-10)$살, 딸의 나이는 $(y-10)$살이다.

현재 어머니의 나이를 x살, 딸의 나이를 y살이라 하면 …… (개)

$$\begin{cases} x=3y \\ x-10=4(y-10)+15 \end{cases} \quad \text{…… (내)}$$

$$\Rightarrow \begin{cases} x=3y \\ x-4y=-15 \end{cases} \quad \therefore x=45, y=15$$

따라서 현재 어머니의 나이는 45살, 딸의 나이는 15살이다.

…… (대)

답 어머니 : 45살, 딸 : 15살

채점 기준	비율
(개) 미지수 x, y 정하기	20 %
(내) 연립방정식 세우기	40 %
(대) 현재 어머니와 딸의 나이 구하기	40 %

0734 **전략** $(직사각형의 둘레의 길이)=2\times\{(가로의 길이)+(세로의 길이)\}$임을 이용한다.

직사각형의 가로의 길이를 x cm, 세로의 길이를 y cm라 하면

$$\begin{cases} x=y+8 \\ 2(x+y)=56 \end{cases} \Rightarrow \begin{cases} x=y+8 \\ x+y=28 \end{cases}$$

$$\therefore x=18, y=10$$

따라서 직사각형의 세로의 길이는 10 cm이다. **답** 10 cm

0735 전략 정삼각형의 변의 개수는 3개, 정사각형의 변의 개수는 4개임을 이용한다.

만들 수 있는 정삼각형의 개수를 x개, 정사각형의 개수를 y개라 하면

$$\begin{cases} x+y=8 \\ 3x+4y=28 \end{cases} \therefore x=4, y=4$$

따라서 만들 수 있는 정삼각형의 개수는 4개이다. **답** ④

0736 전략 (직사각형의 둘레의 길이)$=2\times\{$(가로의 길이)$+$(세로의 길이)$\}$임을 이용한다.

처음 직사각형의 가로의 길이를 x cm, 세로의 길이를 y cm라 하면

$$\begin{cases} 2(x+y)=56 \\ 2\left(\dfrac{150}{100}x+\dfrac{80}{100}y\right)=56\times\dfrac{125}{100} \end{cases}$$

$$\Rightarrow \begin{cases} x+y=28 \\ 15x+8y=350 \end{cases} \therefore x=18, y=10$$

따라서 처음 직사각형의 가로의 길이는 18 cm, 세로의 길이는 10 cm이므로 넓이는 $18\times10=180\,(\text{cm}^2)$

답 180 cm²

0737 전략 주연이가 이긴 횟수를 x회, 진 횟수를 y회라 하면 상현이가 이긴 횟수는 y회, 진 횟수는 x회이다.

주연이가 이긴 횟수를 x회, 진 횟수를 y회라 하면 상현이가 이긴 횟수는 y회, 진 횟수는 x회이므로

$$\begin{cases} 4x-2y=16 \\ 4y-2x=4 \end{cases} \Rightarrow \begin{cases} 2x-y=8 \\ x-2y=-2 \end{cases}$$

$$\therefore x=6, y=4$$

따라서 주연이가 이긴 횟수는 6회이다. **답** ③

0738 전략 작년 사과와 배의 수확량을 각각 x상자, y상자로 놓고 연립방정식을 세운다.

작년 사과의 수확량을 x상자, 배의 수확량을 y상자라 하면

...... ㈎

$$\begin{cases} x+y=500 \\ -\dfrac{5}{100}x+\dfrac{10}{100}y=500\times\dfrac{4}{100} \end{cases}$$

...... ㈏

$$\Rightarrow \begin{cases} x+y=500 \\ x-2y=-400 \end{cases} \therefore x=200, y=300$$

따라서 작년 사과의 수확량은 200상자, 배의 수확량은 300상자이므로 올해 사과의 수확량은 $200\times\dfrac{95}{100}=190$(상자),

배의 수확량은 $300\times\dfrac{110}{100}=330$(상자)이다.

...... ㈐

답 사과 : 190상자, 배 : 330상자

채점 기준	비율
㈎ 미지수 x, y 정하기	20 %
㈏ 연립방정식 세우기	40 %
㈐ 올해 사과와 배의 수확량 구하기	40 %

0739 전략 (시간)$=\dfrac{(거리)}{(속력)}$임을 이용하여 걸린 시간에 대한 방정식을 세운다.

학교에서 도서관까지의 거리를 x km, 도서관에서 미술관까지의 거리를 y km라 하면

$$\begin{cases} x+y=27 \\ \dfrac{x}{32}+\dfrac{y}{4}=\dfrac{3}{2} \end{cases}$$

$$\Rightarrow \begin{cases} x+y=27 \\ x+8y=48 \end{cases} \therefore x=24, y=3$$

따라서 도서관에서 미술관까지의 거리는 3 km이다.

답 3 km

Lecture

(속력)$=\dfrac{(거리)}{(시간)}$, (거리)$=$(속력)$\times$(시간), (시간)$=\dfrac{(거리)}{(속력)}$

0740 전략 형과 동생이 이동한 거리는 같음을 이용하여 방정식을 세운다.

형과 동생이 만날 때까지 동생이 걸은 시간을 x시간, 형이 걸은 시간을 y시간이라 하면

$$\begin{cases} x=y+\dfrac{1}{2} \\ x=1.5y \end{cases} \Rightarrow \begin{cases} 2x-2y=1 \\ 2x=3y \end{cases} \therefore x=\dfrac{3}{2}, y=1$$

따라서 형과 동생이 만날 때까지 형이 걸은 시간은 1시간이다. **답** ①

0741 전략 태영이와 선화가 호수의 둘레를 같은 방향으로 돌 때와 반대 방향으로 돌 때 각각의 방정식을 세운다.

태영이의 속력을 분속 x m, 선화의 속력을 분속 y m라 하면

$$\begin{cases} 10x-10y=1000 \\ 2x+2y=1000 \end{cases} \Rightarrow \begin{cases} x-y=100 \\ x+y=500 \end{cases}$$

$$\therefore x=300, y=200$$

따라서 태영이의 속력은 분속 300 m이다. **답** ③

0742 전략 (소금의 양)$=\dfrac{(소금물의 농도)}{100}\times$(소금물의 양)임을 이용하여 방정식을 세운다.

4 %의 소금물의 양을 x g, 7 %의 소금물의 양을 y g이라 하면

$$\begin{cases} x+y=1200 \\ \dfrac{4}{100}x+\dfrac{7}{100}y=\dfrac{5}{100}\times1200 \end{cases} \Rightarrow \begin{cases} x+y=1200 \\ 4x+7y=6000 \end{cases}$$

$$\therefore x=800, y=400$$

따라서 4 %의 소금물은 800 g 섞었다. **답** ③

Lecture

(소금물의 농도)$=\dfrac{(소금의 양)}{(소금물의 양)}\times100\,(\%)$

(소금의 양)$=\dfrac{(소금물의 농도)}{100}\times$(소금물의 양)

0743 전략 물을 증발시켜도 소금의 양은 변하지 않는다는 것을 이용한다.

4 %의 소금물의 양을 x g, 증발시킨 물의 양을 y g이라 하면
                                                    …… (가)

$$\begin{cases} y=x-60 \\ \dfrac{4}{100}x=\dfrac{10}{100}(x-y) \end{cases}$$ …… (나)

$$\Rightarrow \begin{cases} y=x-60 \\ 3x-5y=0 \end{cases} \quad \therefore x=150, y=90$$ …… (다)

따라서 증발시킨 물의 양은 90 g이다.

답 90 g

채점 기준	비율
(가) 미지수 x, y 정하기	20 %
(나) 연립방정식 세우기	40 %
(다) 증발시킨 물의 양 구하기	40 %

0744 전략 전체 일의 양을 1, A와 B가 하루에 할 수 있는 일의 양을 각각 x, y로 놓고 연립방정식을 세운다.

전체 일의 양을 1이라 하고, A와 B가 하루에 할 수 있는 일의 양을 각각 x, y라 하면

$$\begin{cases} 10x+10y=1 \\ 5x+20y=1 \end{cases} \quad \therefore x=\dfrac{1}{15}, y=\dfrac{1}{30}$$

따라서 B가 혼자하면 30일이 걸린다. **답** 30일

0745 전략 배가 강을 거슬러 올라갈 때와 강을 따라 내려올 때의 거리에 대한 방정식을 각각 세운다.

정지한 물에서의 배의 속력을 시속 x km, 강물의 속력을 시속 y km라 하면

$$\begin{cases} 3(x-y)=60 \\ 2(x+y)=60 \end{cases} \Rightarrow \begin{cases} x-y=20 \\ x+y=30 \end{cases} \quad \therefore x=25, y=5$$

따라서 정지한 물에서의 배의 속력은 시속 25 km이다.

답 시속 25 km

0746 전략 어른을 x명, 아이를 y명으로 놓고 연립방정식을 세운다.

어른이 x명, 아이가 y명이라 하면

$$\begin{cases} x+y=100 \\ 3x+\dfrac{1}{3}y=100 \end{cases} \Rightarrow \begin{cases} x+y=100 \\ 9x+y=300 \end{cases}$$

$\therefore x=25, y=75$

따라서 어른이 25명, 아이가 75명이다.

답 어른 : 25명, 아이 : 75명

---

7 일차함수와 그래프 (1)

STEP 1 개념 마스터 p.128~p.131

0747 하루는 24시간이므로

x	1	2	3	4	5	…
y	23	22	21	20	19	…

답 22, 21, 20, 19

0748 x의 값이 정해지면 y의 값이 하나로 정해지므로 함수이다.

답 함수이다.

0749 (낮의 길이)+(밤의 길이)=24(시간)이므로

$x+y=24$

$\therefore y=24-x$ **답** $y=24-x$

0750 1시간은 60분이므로 x의 값의 60배가 y의 값이 된다.

따라서 $y=60x$이고 x의 값이 정해지면 y의 값이 하나로 정해지므로 y는 x의 함수이다. **답** ○

0751 예 자연수 x가 3으로 정해질 때 3의 약수 y는 1, 3으로 2개가 정해지므로 y는 x의 함수가 아니다. **답** ×

0752 전체 학생이 35명인 학급에서 출석한 학생 수 x가 정해지면 결석한 학생 수 y는 하나로 정해지므로 y는 x의 함수이다.

답 ○

0753 $f(x)=-2x$에 $x=1$을 대입하면

$f(1)=-2\times1=-2$ **답** -2

0754 $f(x)=-2x$에 $x=-4$를 대입하면

$f(-4)=-2\times(-4)=8$ **답** 8

0755 $f(1)+f(-4)=-2+8=6$ **답** 6

0756 $f(x)=\dfrac{150}{x}$에 $x=6$을 대입하면

$f(6)=\dfrac{150}{6}=25$ **답** 25

0757 $f(x)=\dfrac{150}{x}$에 $x=30$을 대입하면

$f(30)=\dfrac{150}{30}=5$ **답** 5

0758 $f(6)-f(30)=25-5=20$ **답** 20

0759 $f(x)=2x+5$에 $x=0$을 대입하면
$f(0)=2\times0+5=5$ **답** 5

0760 $f(x)=2x+5$에 $x=7$을 대입하면
$f(7)=2\times7+5=14+5=19$ **답** 19

0761 $f(x)=2x+5$에 $x=-3$을 대입하면
$f(-3)=2\times(-3)+5=-6+5=-1$ **답** -1

0762 $f(x)=2x+5$에 $x=\dfrac{1}{4}$을 대입하면
$f\left(\dfrac{1}{4}\right)=2\times\dfrac{1}{4}+5=\dfrac{1}{2}+5=\dfrac{11}{2}$ **답** $\dfrac{11}{2}$

0763 **답** $\times$

0764 **답** $\bigcirc$

0765 **답** $\times$

0766 **답** $\times$

0767 **답** $y=x+8$, 일차함수이다.

0768 (거리)$=$(속력)$\times$(시간)이므로 $y=2x$
답 $y=2x$, 일차함수이다.

0769 $xy=150$이므로 $y=\dfrac{150}{x}$
답 $y=\dfrac{150}{x}$, 일차함수가 아니다.

0770 **답**
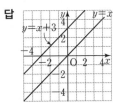

0771 **답**
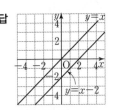

0772 **답** $y=-\dfrac{3}{4}x-5$

0773 **답** $y=2x+4$

0774 $y=-x+5-2$, 즉 $y=-x+3$ **답** $y=-x+3$

0775 $y=-3(x+2)+4$, 즉 $y=-3x-2$ **답** $y=-3x-2$

0776 **답** x절편: 4, y절편: 3

0777 **답** x절편: $\dfrac{4}{3}$, y절편: -2

0778 $y=-4x+4$에 $y=0$을 대입하면
$0=-4x+4$ ∴ $x=1$
$y=-4x+4$에 $x=0$을 대입하면
$y=-4\times0+4=4$ **답** x절편: 1, y절편: 4

0779 $y=\dfrac{1}{3}x-1$에 $y=0$을 대입하면 $0=\dfrac{1}{3}x-1$ ∴ $x=3$
$y=\dfrac{1}{3}x-1$에 $x=0$을 대입하면 $y=\dfrac{1}{3}\times0-1=-1$
답 x절편: 3, y절편: -1

0780 x의 값이 2만큼 증가할 때, y의 값은 3만큼 증가하므로
(기울기)$=\dfrac{\boxed{+3}}{+2}=\boxed{\dfrac{3}{2}}$ **답** $+3, +3, \dfrac{3}{2}$

0781 x의 값이 2만큼 증가할 때, y의 값은 4만큼 감소하므로
(기울기)$=\dfrac{\boxed{-4}}{+2}=\boxed{-2}$ **답** $-4, -4, -2$

0782 **답** 1

0783 **답** -2

0784 **답** $\dfrac{1}{3}$

0785 $y=\dfrac{1}{2}x-1$의 그래프는 두 점
$(0, \boxed{-1}), (2, \boxed{0})$을 지나는 직선
이므로 오른쪽 그림과 같다.
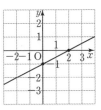
답 풀이 참조

0786 $y=-2x+1$의 그래프는 두 점
$(0, \boxed{1}), (2, \boxed{-3})$을 지나는 직선
이므로 오른쪽 그림과 같다.
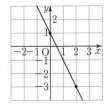
답 풀이 참조

0787 $y=2x-2$의 그래프의 x절편은 1, y절편은 $\boxed{-2}$이다. 따라서 두 점 $(1, 0)$, $(0, -2)$를 지나는 직선이므로 오른쪽 그림과 같다.

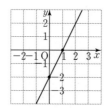

답 풀이 참조

0788 $y=-2x+4$의 그래프의 x절편은 $\boxed{2}$, y절편은 $\boxed{4}$이다. 따라서 두 점 $(2, 0)$, $(0, 4)$를 지나는 직선이므로 오른쪽 그림과 같다.

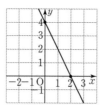

답 풀이 참조

0789 $y=x-1$의 그래프의 y절편은 $\boxed{-1}$, 기울기는 1이다. 따라서 두 점 $(0, -1)$, $(1, 0)$을 지나는 직선이므로 오른쪽 그림과 같다.

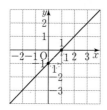

답 풀이 참조

0790 $y=\dfrac{3}{2}x-2$의 그래프의 y절편은 $\boxed{-2}$, 기울기는 $\boxed{\dfrac{3}{2}}$이다. 따라서 두 점 $(0, -2)$, $(2, 1)$을 지나는 직선이므로 오른쪽 그림과 같다.

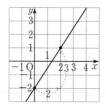

답 풀이 참조

STEP 2 유형 마스터 p.132 ~ p.141

0791 전략 x의 값이 변함에 따라 y의 값이 하나씩 정해질 때 y는 x의 함수임을 알고, y가 x의 함수가 아닌 것을 찾는다.

① $y=4x$

② $2(x+y)=20$에서 $x+y=10$
  $\therefore y=10-x$

③ $x=2$일 때 2와 서로소인 수 y는 $1, 3, 5, 7, \cdots$이다. 즉 x의 값이 2일 때 y의 값이 하나로 정해지지 않으므로 y는 x의 함수가 아니다.

④ 자연수 x의 약수의 개수 y는 x의 값이 정해지면 y의 값이 하나로 정해지므로 y는 x의 함수이다.

⑤ $y=\dfrac{100}{x}$

따라서 y가 x의 함수가 아닌 것은 ③이다. 답 ③

0792 ㉠ 자연수 x를 5로 나누면 나머지 y는 $0, 1, 2, 3, 4$ 중 하나로 정해지므로 y는 x의 함수이다.

㉡ $x=4$일 때 4보다 작은 자연수 y는 $1, 2, 3$이다. 즉 x의 값이 4일 때 y의 값이 하나로 정해지지 않으므로 y는 x의 함수가 아니다.

㉢ $y=x+3$

㉣ 몸무게가 x kg인 사람의 키 y cm가 2개 이상 정해지는 경우도 있으므로 y는 x의 함수가 아니다.

㉤ $y=6x$ ㉥ $y=100x$ ㉦ $y=300x$

따라서 y가 x의 함수인 것은 ㉠, ㉢, ㉤, ㉥, ㉦의 5개이다.

답 ④

0793 ① $x=2$일 때, 2의 2배인 4보다 작은 자연수 y는 $1, 2, 3$이다. 즉 x의 값이 2일 때 y의 값이 하나로 정해지지 않으므로 y는 x의 함수가 아니다.

② $y=20x$ ③ $y=3x$

④ $y=500x$ ⑤ $y=\dfrac{24}{x}$

따라서 y가 x의 함수가 아닌 것은 ①이다. 답 ①

0794 전략 주어진 함수의 식에 x의 값을 대입하여 함숫값을 구한다.

$f(1)=3\times1-3=0$, $f(0)=3\times0-3=-3$

$\therefore 3f(1)+f(0)=3\times0+(-3)=-3$ 답 -3

0795 ③ $f(x)=\dfrac{10}{x}$에서 $f(-2)=\dfrac{10}{-2}=-5$ 답 ③

0796 10 이하의 소수는 $2, 3, 5, 7$이므로 $f(10)=4$

15 이하의 소수는 $2, 3, 5, 7, 11, 13$이므로 $f(15)=6$

$\therefore f(10)-f(15)=4-6=-2$ 답 -2

0797 $4=3\times1+1$이므로 $f(4)=1$

$10=3\times3+1$이므로 $f(10)=1$

$\therefore 2f(4)\times f(10)=2\times1\times1=2$ 답 ①

0798 $f(a)=-5$이므로 $2a+3=-5$

$2a=-8$ $\therefore a=-4$ 답 -4

0799 $f(a)=7$이므로 $-3a+1=7$

$-3a=6$ $\therefore a=-2$ ······ ㈎

$f(-3)=-3\times(-3)+1=10$ $\therefore b=10$ ······ ㈏

$\therefore a-b=-2-10=-12$ ······ ㈐

답 -12

채점 기준	비율
㈎ a의 값 구하기	40 %
㈏ b의 값 구하기	40 %
㈐ $a-b$의 값 구하기	20 %

0800 전략 $f(2)=6$임을 이용하여 a의 값을 구한다.

$f(2)=6$에서 $2a=6$ $\therefore a=3$, 즉 $f(x)=3x$

$f(-1)=3\times(-1)=-3,\ f\left(\dfrac{1}{3}\right)=3\times\dfrac{1}{3}=1$

$\therefore f(-1)+f\left(\dfrac{1}{3}\right)=-3+1=-2$ 답 ②

0801 $f(-1)=2$에서 $\dfrac{a}{-1}=2$ $\therefore a=-2$, 즉 $f(x)=-\dfrac{2}{x}$

$\therefore f(-8)=-\dfrac{2}{-8}=\dfrac{1}{4}$ 답 $\dfrac{1}{4}$

0802 $f(3)=-9$에서 $3a=-9$ $\therefore a=-3$

$g(4)=3$에서 $\dfrac{b}{4}=3$ $\therefore b=12$

$\therefore a+b=-3+12=9$ 답 ⑤

0803 전략 y항은 좌변으로, 나머지 항은 우변으로 이항하여 정리한 후 $y=ax+b\,(a\neq0)$의 꼴인 것을 찾는다.

① $y=\dfrac{1}{2}x-\dfrac{1}{2}$ ➡ 일차함수이다.

② $y=\dfrac{3}{x}$ ➡ x가 분모에 있으므로 일차함수가 아니다.

③ $y=-x^2+6x$ ➡ x^2항이 있으므로 일차함수가 아니다.

④ $y=\dfrac{1}{5}x$ ➡ 일차함수이다.

⑤ $y=-2x+1$ ➡ 일차함수이다.

따라서 일차함수가 아닌 것은 ②, ③이다.   답 ②, ③

0804 ② x가 분모에 있으므로 일차함수가 아니다.

③ $y=x^2-2x$ ➡ x^2항이 있으므로 일차함수가 아니다.

⑤ $y=3$ ➡ x항이 없으므로 일차함수가 아니다.

따라서 일차함수인 것은 ①, ④이다.   답 ①, ④

0805 전략 x와 y 사이의 관계식을 구하고 $y=ax+b\,(a\neq0)$의 꼴이 아닌 것을 찾는다.

① $y=5000-800x$ ➡ 일차함수이다.

② $y=\dfrac{1}{2}\times x\times12$, 즉 $y=6x$ ➡ 일차함수이다.

③ $y=2(x+6)$, 즉 $y=2x+12$ ➡ 일차함수이다.

④ $y=x^2$ ➡ 일차함수가 아니다.

⑤ $y=\dfrac{x}{15}$ ➡ 일차함수이다.

따라서 일차함수가 아닌 것은 ④이다.   답 ④

0806 ㉠ $y=400x+1500$ ➡ 일차함수이다.

㉡ $y=4x$ ➡ 일차함수이다.

㉢ $xy=10$ $\therefore y=\dfrac{10}{x}$ ➡ 일차함수가 아니다.

㉣ $y=80x$ ➡ 일차함수이다.

㉤ $xy=50$ $\therefore y=\dfrac{50}{x}$ ➡ 일차함수가 아니다.

따라서 일차함수인 것은 ㉠, ㉡, ㉣이다.   답 ㉠, ㉡, ㉣

0807 전략 상수 a,b에 대하여 함수 $y=ax+b$가 x에 대한 일차함수가 되려면 $a\neq0$이어야 한다.

$y=mx+2(4-x)$에서 $y=(m-2)x+8$

이 함수가 일차함수가 되려면

$m-2\neq0$ $\therefore m\neq2$ 답 $m\neq2$

0808 전략 상수 a,b,c에 대하여 함수 $y=ax^2+bx+c$가 x에 대한 일차함수가 되려면 $a=0,\ b\neq0$이어야 한다.

$y=-3x(mx-2)+nx-4$에서

$y=-3mx^2+(n+6)x-4$

이 함수가 일차함수가 되려면

$-3m=0,\ n+6\neq0$ $\therefore m=0,\ n\neq-6$

      답 $m=0,\ n\neq-6$

0809 전략 $f(-2)=7$임을 이용하여 a의 값을 구한다.

$f(-2)=7$에서 $-2a+3=7,\ -2a=4$ $\therefore a=-2$

따라서 $f(x)=-2x+3$이므로

$f(1)=-2+3=1,\ f(3)=-2\times3+3=-3$

$\therefore f(1)+f(3)=1+(-3)=-2$ 답 -2

0810 $f(-3)=1$에서 $-(-3)+a=1$ $\therefore a=-2$

따라서 $f(x)=-x-2$이므로

$f(2)=-2-2=-4,\ f(-1)=-(-1)-2=-1$

$\therefore f(2)+f(-1)=-4+(-1)=-5$ 답 -5

0811 $f(2)=-2$에서 $2a-4=-2,\ 2a=2$ $\therefore a=1$

따라서 $f(x)=x-4$이므로

$f(b)=-5$에서 $b-4=-5$ $\therefore b=-1$

$\therefore a-b=1-(-1)=2$ 답 2

0812 $f(x+5)-f(x)=20$에서

$a(x+5)+b-(ax+b)=20$

$5a=20$ $\therefore a=4$

따라서 $f(x)=4x+b$에서 $f(-1)=2$이므로

$-4+b=2$ $\therefore b=6$

$\therefore a+b=4+6=10$ 답 10

0813 전략 $y=-2x+b$에 $x=-1,\ y=5$를 대입하여 b의 값을 구한다.

$y=-2x+b$에 $x=-1,\ y=5$를 대입하면

$5=2+b$ $\therefore b=3$

따라서 $y=-2x+3$에 $x=a,\ y=-1$을 대입하면

$-1=-2a+3,\ 2a=4$ $\therefore a=2$

$\therefore a+3b=2+3\times3=11$ 답 11

0814 $y=5x-3$에 $x=a,\ y=3-a$를 대입하면

$3-a=5a-3,\ -6a=-6$ $\therefore a=1$ 답 1

0815 $y=ax+3$에 $x=1,\ y=-2$를 대입하면

$-2=a+3$ $\therefore a=-5$ &nbs ⋯⋯ ㈎

$y=3x+b$에 $x=1$, $y=-2$를 대입하면

$-2=3+b$ ∴ $b=-5$ ······ ㈏

∴ $ab=-5\times(-5)=25$ ······ ㈐

답 25

채점 기준	비율
㈎ a의 값 구하기	40 %
㈏ b의 값 구하기	40 %
㈐ ab의 값 구하기	20 %

0816 $y=ax-5$에 $x=1$, $y=-3$을 대입하면

$-3=a-5$ ∴ $a=2$, 즉 $y=2x-5$

① $-10\neq2\times(-3)-5$ ② $7\neq2\times(-1)-5$

③ $9\neq2\times(-2)-5$ ④ $-1=2\times2-5$

⑤ $2\neq2\times3-5$

따라서 $y=2x-5$의 그래프 위의 점은 ④이다. **답** ④

0817 **전략** $y=ax+b$의 그래프를 y축의 방향으로 k만큼 평행이동한 그래프의 식은 $y=ax+b+k$이다.

$y=-\dfrac{1}{2}x-1$의 그래프를 y축의 방향으로 a만큼 평행이동한 그래프의 식은 $y=-\dfrac{1}{2}x-1+a$

이 식과 $y=-\dfrac{1}{2}x+5$가 같으므로

$-1+a=5$ ∴ $a=6$ **답** 6

0818 ① $y=3x+\dfrac{1}{2}$의 그래프는 $y=3x$의 그래프를 y축의 방향으로 $\dfrac{1}{2}$만큼 평행이동한 것이다.

② $y=3x+\dfrac{5}{7}$의 그래프는 $y=3x$의 그래프를 y축의 방향으로 $\dfrac{5}{7}$만큼 평행이동한 것이다.

③ $y=3(2-x)$, 즉 $y=-3x+6$의 그래프는 $y=-3x$의 그래프를 y축의 방향으로 6만큼 평행이동한 것이다.

④ $y=3(-2+x)$, 즉 $y=3x-6$의 그래프는 $y=3x$의 그래프를 y축의 방향으로 -6만큼 평행이동한 것이다.

⑤ $y=4(x+1)-x$, 즉 $y=3x+4$의 그래프는 $y=3x$의 그래프를 y축의 방향으로 4만큼 평행이동한 것이다.

따라서 $y=3x$의 그래프를 평행이동한 그래프와 포개지지 않는 것은 ③이다. **답** ③

0819 $y=-3x-4$의 그래프를 y축의 방향으로 b만큼 평행이동한 그래프의 식은 $y=-3x-4+b$ ······ ㈎

이 식과 $y=ax+1$이 같으므로

$-3=a$, $-4+b=1$에서 $a=-3$, $b=5$ ······ ㈏

∴ $a+b=-3+5=2$ ······ ㈐

답 2

채점 기준	비율
㈎ 조건에 따라 평행이동한 그래프의 식 구하기	40 %
㈏ a, b의 값 구하기	40 %
㈐ $a+b$의 값 구하기	20 %

0820 $y=-x+3$의 그래프를 y축의 방향으로 b만큼 평행이동한 그래프의 식은 $y=-x+3+b$ ······ ㉠

$y=\dfrac{3}{4}ax-5$의 그래프를 y축의 방향으로 -4만큼 평행이동한 그래프의 식은

$y=\dfrac{3}{4}ax-5-4$, 즉 $y=\dfrac{3}{4}ax-9$ ······ ㉡

이때 ㉠, ㉡이 같으므로

$-1=\dfrac{3}{4}a$, $3+b=-9$ ∴ $a=-\dfrac{4}{3}$, $b=-12$

∴ $ab=-\dfrac{4}{3}\times(-12)=16$ **답** 16

0821 **전략** 평행이동한 그래프의 식을 구한 후 그 식에 $x=1$, $y=a$를 대입한다.

$y=2x$의 그래프를 y축의 방향으로 -3만큼 평행이동한 그래프의 식은 $y=2x-3$

이 식에 $x=1$, $y=a$를 대입하면

$a=2-3=-1$ **답** -1

0822 $y=-\dfrac{1}{4}x$의 그래프를 y축의 방향으로 -7만큼 평행이동한 그래프의 식은 $y=-\dfrac{1}{4}x-7$

③ $-8\neq-\dfrac{1}{4}\times2-7$이므로 점 $(2, -8)$은 $y=-\dfrac{1}{4}x-7$의 그래프 위의 점이 아니다. **답** ③

0823 $y=2x-1$의 그래프를 y축의 방향으로 k만큼 평행이동한 그래프의 식은 $y=2x-1+k$

이 식에 $x=3$, $y=2$를 대입하면

$2=6-1+k$ ∴ $k=-3$ **답** -3

0824 $y=-x+a$의 그래프를 y축의 방향으로 -5만큼 평행이동한 그래프의 식은 $y=-x+a-5$

이 식에 $x=-3$, $y=1$을 대입하면

$1=3+a-5$ ∴ $a=3$ **답** 3

0825 **전략** 평행이동한 그래프의 식을 구한 후 그 식에 $x=1$, $y=6$을 대입하여 b의 값을 구한다.

$y=4x+b$의 그래프를 y축의 방향으로 3만큼 평행이동한 그래프의 식은 $y=4x+b+3$

이 식에 $x=1$, $y=6$을 대입하면

$6=4+b+3$ ∴ $b=-1$

따라서 $y=4x+2$에 $x=a$, $y=-2$를 대입하면
$-2=4a+2$, $-4a=4$ $\quad \therefore a=-1$
$\therefore ab=-1\times(-1)=1$ **답** 1

0826 $y=3x+b$의 그래프를 y축의 방향으로 -3만큼 평행이동한
그래프의 식은 $y=3x+b-3$ $\qquad$ ……… ㈎
이 식에 $x=-1$, $y=4$를 대입하면
$4=-3+b-3$ $\quad \therefore b=10$ $\qquad$ ……… ㈏
따라서 $y=3x+7$에 $x=2k$, $y=k+2$를 대입하면
$k+2=6k+7$, $-5k=5$
$\therefore k=-1$ $\qquad$ ……… ㈐
답 -1

채점 기준	비율
㈎ 조건에 따라 평행이동한 그래프의 식 구하기	30 %
㈏ b의 값 구하기	30 %
㈐ k의 값 구하기	40 %

0827 $y=ax-2$의 그래프를 y축의 방향으로 b만큼 평행이동한 그
래프의 식은 $y=ax-2+b$
이 식에 $x=0$, $y=-4$를 대입하면
$-4=-2+b$ $\quad \therefore b=-2$
따라서 $y=ax-4$에 $x=2$, $y=0$을 대입하면
$0=2a-4$ $\quad \therefore a=2$
$\therefore a-b=2-(-2)=4$ **답** 4

0828 **전략** 각 일차함수의 식에 $y=0$을 대입하여 x절편을 구한다.
① $y=x-2$에 $y=0$을 대입하면
$\quad 0=x-2$ $\quad \therefore x=2$, 즉 x절편은 2
② $y=2x-4$에 $y=0$을 대입하면
$\quad 0=2x-4$ $\quad \therefore x=2$, 즉 x절편은 2
③ $y=-3x+6$에 $y=0$을 대입하면
$\quad 0=-3x+6$ $\quad \therefore x=2$, 즉 x절편은 2
④ $y=\dfrac{1}{2}x-1$에 $y=0$을 대입하면
$\quad 0=\dfrac{1}{2}x-1$ $\quad \therefore x=2$, 즉 x절편은 2
⑤ $y=-\dfrac{1}{4}x+1$에 $y=0$을 대입하면
$\quad 0=-\dfrac{1}{4}x+1$ $\quad \therefore x=4$, 즉 x절편은 4
따라서 x절편이 나머지 넷과 다른 하나는 ⑤이다. **답** ⑤

0829 $y=\dfrac{2}{3}x+4$에 $y=0$을 대입하면
$0=\dfrac{2}{3}x+4$ $\quad \therefore x=-6$, 즉 $\mathrm{A}(-6,0)$
$y=\dfrac{2}{3}x+4$에 $x=0$을 대입하면
$y=4$, 즉 $\mathrm{B}(0,4)$ **답** $\mathrm{A}(-6,0)$, $\mathrm{B}(0,4)$

0830 $y=-2x$의 그래프를 y축의 방향으로 3만큼 평행이동한 그
래프의 식은 $y=-2x+3$
$y=-2x+3$에 $y=0$을 대입하면
$0=-2x+3$ $\quad \therefore x=\dfrac{3}{2}$
$y=-2x+3$에 $x=0$을 대입하면 $y=3$
따라서 x절편은 $\dfrac{3}{2}$, y절편은 3이다.
답 x절편: $\dfrac{3}{2}$, y절편: 3

0831 **전략** 두 일차함수의 그래프가 x축 위에서 만나려면 두 그래프
의 x절편이 같아야 한다.
$y=8x-4$의 그래프와 x축 위에서 만나려면 x절편이 같아
야 한다. $y=8x-4$의 그래프의 x절편은 $\dfrac{1}{2}$이고 각 일차함
수의 그래프의 x절편을 구해 보면 다음과 같다.
① $\dfrac{1}{2}$ $\quad$ ② 8 $\quad$ ③ 2 $\quad$ ④ -2 $\quad$ ⑤ 3
따라서 x축 위에서 만나는 것은 ①이다. **답** ①

0832 **전략** y절편이 -3임을 이용하여 k의 값을 구한다.
그래프의 y절편이 -3이므로 $k=-3$
$y=-\dfrac{3}{4}x-3$에 $y=0$을 대입하면
$0=-\dfrac{3}{4}x-3$ $\quad \therefore x=-4$
따라서 점 A의 좌표는 $(-4,0)$이다. **답** $\mathrm{A}(-4,0)$

0833 $y=\dfrac{2}{3}x$의 그래프를 y축의 방향으로 k만큼 평행이동한 그
래프의 식은 $y=\dfrac{2}{3}x+k$
이때 $y=\dfrac{2}{3}x+k$의 그래프의 y절편이 2이므로 $k=2$
$y=\dfrac{2}{3}x+2$에 $y=0$을 대입하면
$0=\dfrac{2}{3}x+2$ $\quad \therefore x=-3$
따라서 x절편은 -3이다. **답** -3

0834 $y=-5x-2$의 그래프의 y절편은 -2이므로 $y=ax+3$의
그래프의 x절편은 -2이다.
$y=ax+3$에 $x=-2$, $y=0$을 대입하면
$0=-2a+3$, $2a=3$ $\quad \therefore a=\dfrac{3}{2}$ **답** $\dfrac{3}{2}$

0835 $y=\dfrac{1}{2}x+2$의 그래프의 y절편은 2이므로 $y=ax+b$의 그래
프의 y절편도 2이다.
$\therefore b=2$, 즉 $y=ax+2$
$y=-3x-6$에 $y=0$을 대입하면
$0=-3x-6$ $\quad \therefore x=-2$

즉 $y=-3x-6$의 그래프의 x절편은 -2이므로 $y=ax+2$
의 그래프의 x절편도 -2이다.
따라서 $y=ax+2$에 $x=-2$, $y=0$을 대입하면
$0=-2a+2$ $\therefore a=1$
$\therefore a-b=1-2=-1$　　　　　　　　　　**답** -1

0836 전략 (기울기)$=\dfrac{(y\text{의 값의 증가량})}{(x\text{의 값의 증가량})}$임을 이용하여 상수 a의 값

을 구한다.

(기울기)$=\dfrac{-4}{2}=-2$이므로 $a=-2$

따라서 $y=-2x+1$에 $x=b$, $y=3$을 대입하면
$3=-2b+1$, $2b=-2$　　$\therefore b=-1$
$\therefore a+b=-2+(-1)=-3$　　　　　　**답** -3

0837 (기울기)$=\dfrac{(y\text{의 값의 증가량})}{1-(-5)}=-\dfrac{1}{3}$

$\therefore (y\text{의 값의 증가량})=-2$　　　　　　**답** -2

0838 $y=\dfrac{1}{2}x-\dfrac{3}{2}$의 그래프의 기울기는 $\dfrac{1}{2}$이고, 각 일차함수의 그

래프의 기울기를 구해 보면 다음과 같다.
① $\dfrac{2}{1}=2$　　　　② $\dfrac{-2}{1}=-2$　　　③ $\dfrac{1}{2}$
④ $\dfrac{-1}{2}=-\dfrac{1}{2}$　　⑤ $\dfrac{3}{2}$
따라서 기울기가 같은 것은 ③이다.　　　　　**답** ③

0839 $\dfrac{f(5)-f(2)}{5-2}=\dfrac{(y\text{의 값의 증가량})}{(x\text{의 값의 증가량})}$

$=(\text{기울기})=\dfrac{3}{2}$　　　　**답** $\dfrac{3}{2}$

0840 전략 두 점 (x_1, y_1), (x_2, y_2)를 지나는 직선의 기울기는

$\dfrac{y_2-y_1}{x_2-x_1}$임을 이용한다.

(기울기)$=\dfrac{-13-k}{-2-3}=2$에서 $-13-k=-10$

$\therefore k=-3$　　　　　　　　　　　　　　**답** -3

0841 네 점 A, B, C, D의 좌표는 각각 다음과 같다.
　A$(-3, 4)$, B$(-2, -2)$, C$(3, -1)$, D$(4, 2)$
① ($\overleftrightarrow{\text{AB}}$의 기울기)$=\dfrac{-2-4}{-2-(-3)}=-6$

② ($\overleftrightarrow{\text{AC}}$의 기울기)$=\dfrac{-1-4}{3-(-3)}=-\dfrac{5}{6}$

③ ($\overleftrightarrow{\text{BC}}$의 기울기)$=\dfrac{-1-(-2)}{3-(-2)}=\dfrac{1}{5}$

④ ($\overleftrightarrow{\text{BD}}$의 기울기)$=\dfrac{2-(-2)}{4-(-2)}=\dfrac{4}{6}=\dfrac{2}{3}$

⑤ ($\overleftrightarrow{\text{CD}}$의 기울기)$=\dfrac{2-(-1)}{4-3}=3$　　**답** ⑤

0842 ㉠은 두 점 $(0, 2)$, $(3, 0)$을 지나므로

(기울기)$=\dfrac{0-2}{3-0}=-\dfrac{2}{3}$

㉡은 두 점 $(-1, 0)$, $(0, -3)$을 지나므로

(기울기)$=\dfrac{-3-0}{0-(-1)}=-3$

㉢은 두 점 $(-1, 0)$, $(0, 2)$를 지나므로

(기울기)$=\dfrac{2-0}{0-(-1)}=2$

따라서 ㉠, ㉡, ㉢의 기울기의 합은

$-\dfrac{2}{3}+(-3)+2=-\dfrac{5}{3}$　　　　　**답** $-\dfrac{5}{3}$

0843 전략 세 점이 한 직선 위에 있으면 어느 두 점을 택하여 기울기
를 구해도 기울기는 항상 같다.
두 점 $(-1, 2)$, $(2, 11)$을 지나는 직선의 기울기는

$\dfrac{11-2}{2-(-1)}=\dfrac{9}{3}=3$

이때 두 점 $(2, 11)$, $(a, a+1)$을 지나는 직선의 기울기도 3
이므로

$\dfrac{(a+1)-11}{a-2}=3$, $a-10=3a-6$

$-2a=4$　　$\therefore a=-2$　　　　　　　**답** -2

0844 두 점 A$(-1, -6)$, B$(2, 0)$을 지나는 직선의 기울기는

$\dfrac{0-(-6)}{2-(-1)}=\dfrac{6}{3}=2$　　　　　　　　$\cdots\cdots$ ㉮

이때 두 점 B$(2, 0)$, C$(a, 4)$를 지나는 직선의 기울기도 2이
므로

$\dfrac{4-0}{a-2}=2$, $4=2a-4$

$-2a=-8$　　$\therefore a=4$　　　　　　　$\cdots\cdots$ ㉯

답 4

채점 기준	비율
㉮ 두 점 A, B를 지나는 직선의 기울기 구하기	40 %
㉯ a의 값 구하기	60 %

0845 전략 각 일차함수의 그래프를 좌표평면 위에 그려 본다.
각 일차함수의 그래프를 그려 보면 다음과 같다.

②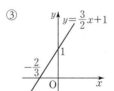

③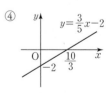

⑤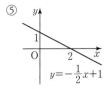

따라서 그래프가 제2사분면을 지나지 않는 것은 ④이다.

답 ④

0846 $y=3x+6$의 그래프는 x절편이 -2, y절편이 6이므로 두 점 $(-2,0)$, $(0,6)$을 지난다.

따라서 $y=3x+6$의 그래프는 ③이다. **답** ③

0847 $y=\dfrac{1}{3}x$의 그래프를 y축의 방향으로 -1만큼 평행이동한 그래프의 식은 $y=\dfrac{1}{3}x-1$

$y=\dfrac{1}{3}x-1$의 그래프는 x절편이 3, y절편이 -1이므로 두 점 $(3,0)$, $(0,-1)$을 지난다.

따라서 $y=\dfrac{1}{3}x-1$의 그래프는 ⑤이다. **답** ⑤

0848 $y=\dfrac{1}{2}x+6$의 그래프를 y축의 방향으로 -4만큼 평행이동한 그래프의 식은 $y=\dfrac{1}{2}x+6-4$, 즉 $y=\dfrac{1}{2}x+2$

$y=\dfrac{1}{2}x+2$의 그래프는 x절편이 -4, y절편이 2이므로 오른쪽 그림과 같다.

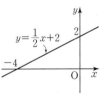

따라서 그래프는 제4사분면을 지나지 않는다.

답 제4사분면

0849 각 일차함수의 그래프를 그려 보면 오른쪽 그림과 같다. 따라서 주어진 그래프와 제2사분면에서 만나는 것은 ④이다.

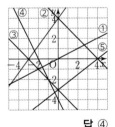

답 ④

0850 전략 $y=\dfrac{4}{3}x-8$의 그래프의 x절편, y절편을 각각 구한다.

$y=\dfrac{4}{3}x-8$의 그래프의 x절편은 6, y절편은 -8이므로 그래프를 그리면 오른쪽 그림과 같다.

따라서 구하는 넓이는

$\dfrac{1}{2}\times 6\times 8=24$

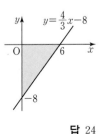

답 24

0851 $y=-\dfrac{3}{4}x+3$의 그래프의 x절편은 4, y절편은 3이므로

$A(4,0)$, $B(0,3)$

$\therefore$ (삼각형 BOA의 넓이)$=\dfrac{1}{2}\times 4\times 3=6$ **답** 6

0852 $y=x+6$의 그래프를 y축의 방향으로 -2만큼 평행이동한 그래프의 식은 $y=x+6-2$, 즉 $y=x+4$

$y=x+4$의 그래프의 x절편은 -4, y절편은 4이므로 그래프를 그리면 오른쪽 그림과 같다.

따라서 구하는 삼각형의 넓이는

$\dfrac{1}{2}\times 4\times 4=8$

답 8

0853 $y=ax-4$에서 $a<0$이므로 그래프를 그리면 오른쪽 그림과 같다. 이때 색칠한 부분의 넓이가 10이므로

$\dfrac{1}{2}\times\overline{OA}\times 4=10$ $\therefore \overline{OA}=5$

즉 점 A의 좌표가 $(-5,0)$이므로

$y=ax-4$에 $x=-5$, $y=0$을 대입하면

$0=-5a-4$ $\therefore a=-\dfrac{4}{5}$ **답** $-\dfrac{4}{5}$

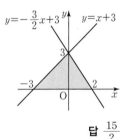

0854 전략 두 일차함수의 그래프를 각각 그려 본다.

$y=x+3$의 그래프의 x절편은 -3, y절편은 3이다.

또 $y=-\dfrac{3}{2}x+3$의 그래프의 x절편은 2, y절편은 3이다.

따라서 두 일차함수의 그래프를 그리면 오른쪽 그림과 같으므로 구하는 삼각형의 넓이는

$\dfrac{1}{2}\times 5\times 3=\dfrac{15}{2}$

답 $\dfrac{15}{2}$

0855 $y=\dfrac{1}{2}x-3$의 그래프의 x절편은 6, y절편은 -3이다.

또 $y=-x+6$의 그래프의 x절편은 6, y절편은 6이다.

따라서 두 일차함수의 그래프를 그리면 오른쪽 그림과 같으므로 구하는 도형의 넓이는

$\dfrac{1}{2}\times 9\times 6=27$

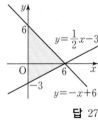

답 27

0856 두 점 A, B의 좌표를 각각 구하면 $A(0,8)$, $B(-4,0)$

삼각형 ABC의 넓이가 28이므로

$$\frac{1}{2} \times \overline{BC} \times 8 = 28 \qquad \therefore \overline{BC} = 7$$

즉 $\overline{OC} = \overline{BC} - \overline{OB} = 7 - 4 = 3$이므로 점 C의 좌표는 $(3, 0)$이다.

따라서 $y = ax + 8$에 $x = 3, y = 0$을 대입하면

$$0 = 3a + 8 \qquad \therefore a = -\frac{8}{3} \qquad \qquad \text{답} \ -\frac{8}{3}$$

STEP 3 내신 마스터
p.142 ~ p.145

0857 **전략** x의 값이 변함에 따라 y의 값이 하나씩 정해지는 것을 찾으면 y가 x의 함수인 것을 찾을 수 있다.

① $x = 3$일 때 3의 약수 y는 1, 3이므로 y는 x의 함수가 아니다.

② $x = 2$일 때 2보다 큰 홀수 y는 3, 5, 7, …이므로 y는 x의 함수가 아니다.

③ $x = 5$일 때 5보다 작은 소수 y는 2, 3이므로 y는 x의 함수가 아니다.

④ $x = 2$일 때 2와 서로소인 자연수 y는 1, 3, 5, 7, …이므로 y는 x의 함수가 아니다.

⑤ 자연수 x를 4로 나누면 나머지 y는 0, 1, 2, 3 중 하나로 정해지므로 y는 x의 함수이다.

따라서 y가 x의 함수인 것은 ⑤이다. **답** ⑤

0858 **전략** 주어진 함수의 식에 x의 값을 대입하여 함숫값을 구한다.

$$f(-2) = -\frac{1}{2} \times (-2) = 1$$

$$f(1) = -\frac{1}{2} \times 1 = -\frac{1}{2}$$

$$f(4) = -\frac{1}{2} \times 4 = -2$$

$$\therefore f(-2) + f(1) + f(4) = 1 - \frac{1}{2} - 2 = -\frac{3}{2} \qquad \text{답} \ ①$$

0859 **전략** 주어진 함수의 식에 x의 값을 대입하여 함숫값을 구한다. 이때 $\frac{8}{x} = 8 \div x$임을 이용한다.

① $f(-1) = \frac{8}{-1} = -8$

② $f(-2) = \frac{8}{-2} = -4$

③ $f(8) = \frac{8}{8} = 1$

④ $f\left(\frac{1}{2}\right) = 8 \div \frac{1}{2} = 8 \times 2 = 16$

⑤ $f\left(-\frac{1}{2}\right) = 8 \div \left(-\frac{1}{2}\right) = 8 \times (-2) = -16$

따라서 함숫값이 옳은 것은 ②이다. **답** ②

0860 **전략** 먼저 $f(1), f\left(-\frac{1}{3}\right)$의 값을 구한다.

$$f(1) = -3 \times 1 + 1 = -2$$

$$f\left(-\frac{1}{3}\right) = -3 \times \left(-\frac{1}{3}\right) + 1 = 2$$

$$\therefore 5f(1) + 4f\left(-\frac{1}{3}\right) = 5 \times (-2) + 4 \times 2$$
$$= -10 + 8 = -2 \qquad \text{답} \ ④$$

0861 **전략** 100, 125, 204를 9로 나누었을 때의 나머지를 각각 구한다.

$100 = 9 \times 11 + 1, 125 = 9 \times 13 + 8, 204 = 9 \times 22 + 6$이므로

$f(100) = 1, f(125) = 8, f(204) = 6$

$\therefore f(100) + f(125) - f(204) = 1 + 8 - 6 = 3$ **답** ③

0862 **전략** $f(-2) = -6$임을 이용하여 먼저 a의 값을 구한다.

$f(-2) = -6$이므로 $\dfrac{a}{-2} = -6$ $\therefore a = 12$

따라서 $f(x) = \dfrac{12}{x}$이므로

$f(-3) + f(6) = \dfrac{12}{-3} + \dfrac{12}{6} = -4 + 2 = -2$ **답** -2

0863 **전략** x, y 사이의 관계식을 구하고 $y = ax + b \, (a \neq 0)$의 꼴인 것을 찾는다.

㉠ $y = 2\pi x$ ➡ 일차함수이다.

㉡ $y = 200 + 3x$ ➡ 일차함수이다.

㉢ $y = \dfrac{10}{x}$ ➡ x가 분모에 있으므로 일차함수가 아니다.

㉣ $y = 2(3 + x)$, 즉 $y = 6 + 2x$ ➡ 일차함수이다.

따라서 일차함수인 것은 ㉠, ㉡, ㉣이다. **답** ㉠, ㉡, ㉣

0864 **전략** 상수 a, b에 대하여 함수 $y = ax + b$가 x에 대한 일차함수가 되려면 $a \neq 0$이어야 한다.

$y = -(1 + k)x + 3$이 일차함수가 되려면

$-(1 + k) \neq 0$ $\therefore k \neq -1$ **답** $k \neq -1$

0865 **전략** $f(-1) = 7$임을 이용하여 a의 값을 구한다.

$f(-1) = 7$에서 $-a + 5 = 7$ $\therefore a = -2$ ……㉮

따라서 $f(x) = -2x + 5$이므로

$f(2) = -2 \times 2 + 5 = 1, f(1) = -2 \times 1 + 5 = 3$

$\therefore 3f(2) - f(1) = 3 \times 1 - 3 = 0$ ……㉯

답 0

채점 기준	비율
㉮ a의 값 구하기	40 %
㉯ $3f(2) - f(1)$의 값 구하기	60 %

0866 **전략** $f(-1) = g(2)$임을 이용하여 a의 값을 구한다.

$f(-1) = -a - 2, g(2) = -2 \times 2 + 1 = -3$

$f(-1) = g(2)$에서 $-a - 2 = -3$ $\therefore a = 1$

즉 $f(x) = x - 2$이므로 $f(k) = k - 2, g(k) = -2k + 1$

따라서 $f(k) = g(k)$에서 $k - 2 = -2k + 1, 3k = 3$

$\therefore k = 1$ **답** ④

0867 전략 $y=ax-2$에 $x=1$, $y=2$를 대입한다.

$y=ax-2$에 $x=1$, $y=2$를 대입하면

$2=a-2$ $\therefore a=4$ 답 4

0868 전략 $y=ax+b$의 그래프를 y축의 방향으로 k만큼 평행이동한 그래프의 식은 $y=ax+b+k$이다.

$y=3x+1$의 그래프를 y축의 방향으로 -2만큼 평행이동한 그래프의 식은 $y=3x+1-2$, 즉 $y=3x-1$

따라서 $m=3$, $n=-1$이므로

$mn=3\times(-1)=-3$ 답 ②

Lecture
일차함수의 그래프는 평행이동하여도 기울기가 변하지 않는다.

0869 전략 평행이동한 그래프의 식을 구한 후 y절편을 이용하여 b의 값을 구한다.

$y=3x-1$의 그래프를 y축의 방향으로 b만큼 평행이동한 그래프의 식은 $y=3x-1+b$ ······ ㈎

이 그래프의 y절편이 2이므로

$-1+b=2$ $\therefore b=3$ ······ ㈏

따라서 $y=3x+2$에 $x=a$, $y=5$를 대입하면

$5=3a+2$, $-3a=-3$ $\therefore a=1$ ······ ㈐

$\therefore a+b=1+3=4$ ······ ㈑

답 4

채점 기준	비율
㈎ 평행이동한 그래프의 식 구하기	30 %
㈏ b의 값 구하기	30 %
㈐ a의 값 구하기	30 %
㈑ $a+b$의 값 구하기	10 %

0870 전략 일차함수의 식에 $y=0$을 대입하여 x절편을 구하고, $x=0$을 대입하여 y절편을 구한다.

$y=-\dfrac{3}{2}x+6$에 $y=0$을 대입하면

$0=-\dfrac{3}{2}x+6$ $\therefore x=4$

$y=-\dfrac{3}{2}x+6$에 $x=0$을 대입하면 $y=6$

따라서 $a=4$, $b=6$이므로

$a+b=4+6=10$ 답 ④

0871 전략 주어진 일차함수의 식에 $x=-\dfrac{6}{5}$, $y=0$을 대입한다.

$y=-5x+2(1-k)$에 $x=-\dfrac{6}{5}$, $y=0$을 대입하면

$0=-5\times\left(-\dfrac{6}{5}\right)+2(1-k)$, $0=6+2-2k$

$2k=8$ $\therefore k=4$ 답 ④

0872 전략 $y=-\dfrac{1}{4}x-5$의 그래프의 y절편은 -5임을 이용하여 b의 값을 구한다.

$y=-\dfrac{1}{4}x-5$의 그래프의 y절편은 -5이므로 $y=ax+b$의 그래프의 y절편도 -5이다.

$\therefore b=-5$, 즉 $y=ax-5$

$y=\dfrac{3}{2}x+2$의 그래프의 x절편은 $-\dfrac{4}{3}$이므로 $y=ax-5$의 그래프의 x절편도 $-\dfrac{4}{3}$이다.

따라서 $y=ax-5$에 $x=-\dfrac{4}{3}$, $y=0$을 대입하면

$0=-\dfrac{4}{3}a-5$ $\therefore a=-\dfrac{15}{4}$

$y=bx-a$, 즉 $y=-5x+\dfrac{15}{4}$에 $y=0$을 대입하면

$0=-5x+\dfrac{15}{4}$ $\therefore x=\dfrac{3}{4}$, 즉 x절편은 $\dfrac{3}{4}$ 답 ④

Lecture
① 두 일차함수의 그래프가 x축 위에서 만난다.
➡ 두 일차함수의 그래프의 x절편이 같다.
② 두 일차함수의 그래프가 y축 위에서 만난다.
➡ 두 일차함수의 그래프의 y절편이 같다.

0873 전략 두 점 (x_1, y_1), (x_2, y_2)를 지나는 일차함수의 그래프의 기울기는 $\dfrac{y_2-y_1}{x_2-x_1}$임을 이용한다.

$(기울기)=\dfrac{k-(-1)}{5-2}=\dfrac{4}{3}$에서 $\dfrac{k+1}{3}=\dfrac{4}{3}$

$k+1=4$ $\therefore k=3$ 답 ①

0874 전략 $(기울기)=\dfrac{(y의\ 값의\ 증가량)}{(x의\ 값의\ 증가량)}$임을 이용한다.

$(기울기)=\dfrac{2}{1-(-2)}=\dfrac{2}{3}$이므로 $a=\dfrac{2}{3}$ 답 ④

0875 전략 기울기가 양수인 것을 찾는다.

일차함수의 그래프에서 x의 값이 증가할 때 y의 값도 증가하면 기울기는 양수이다.

각 일차함수의 그래프의 기울기를 구해 보면

① 2 ② -1 ③ $\dfrac{3}{4}$ ④ $-\dfrac{2}{3}$ ⑤ -1

따라서 기울기가 양수인 것은 ①, ③이다.   답 ①, ③

Lecture
일차함수 $y=ax+b$의 그래프에서
① x의 값이 증가할 때, y의 값도 증가한다.
➡ 기울기가 양수, 즉 $a>0$
② x의 값이 증가할 때, y의 값은 감소한다.
➡ 기울기가 음수, 즉 $a<0$

0876 전략 $(기울기)=\dfrac{(높이)}{(수평\ 거리)}$임을 이용한다.

사다리가 올라간 높이를 x m라 하면

$(기울기)=\dfrac{(높이)}{(수평\ 거리)}$이므로

$\dfrac{5}{2}=\dfrac{x}{10}$ $\therefore x=25$

따라서 사다리가 올라간 높이는 25 m이다. 답 25 m

0877 전략 식에 주어진 수평 거리와 수직 거리를 대입한다.

$(경사도)=\dfrac{12}{200}\times 100=6\ (\%)$ 답 6 %

0878 전략 세 점이 한 직선 위에 있으면 어느 두 점을 택하여 기울기를 구해도 기울기는 항상 같다.

두 점 $(-1,4)$, $(2,-5)$를 지나는 직선의 기울기는

$\dfrac{-5-4}{2-(-1)}=\dfrac{-9}{3}=-3$

이때 두 점 $(2,-5)$, $(k,k+3)$을 지나는 직선의 기울기도 -3이므로

$\dfrac{k+3-(-5)}{k-2}=-3,\ k+8=-3k+6$

$4k=-2$ $\therefore k=-\dfrac{1}{2}$ 답 $-\dfrac{1}{2}$

0879 전략 평행이동한 그래프의 식을 먼저 구한다.

$y=-2x$의 그래프를 y축의 방향으로 4만큼 평행이동한 그래프의 식은 $y=-2x+4$

$y=-2x+4$의 그래프는 x절편이 2, y절편이 4이므로 두 점 $(2,0)$, $(0,4)$를 지난다.

따라서 $y=-2x+4$의 그래프는 ⑤이다. 답 ⑤

0880 전략 각 일차함수의 그래프를 좌표평면 위에 그려 본다.

각 일차함수의 그래프를 그려 보면 다음과 같다.

①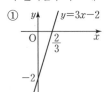
②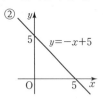
③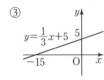
④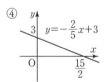
⑤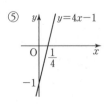

따라서 그래프가 제4사분면을 지나지 않는 것은 ③이다.

답 ③

0881 전략 $y=\dfrac{1}{3}x+4$의 그래프의 x절편, y절편을 각각 구한다.

$y=\dfrac{1}{3}x+4$의 그래프의 x절편은 -12, y절편은 4이므로

$A(-12,0)$, $B(0,4)$ ……㈎

따라서 $y=\dfrac{1}{3}x+4$의 그래프는 오른쪽 그림과 같다. ……㈏

$\therefore$ (삼각형 AOB의 넓이)

$=\dfrac{1}{2}\times 12\times 4=24$ ……㈐

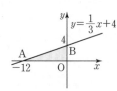

답 24

채점 기준	비율
㈎ 두 점 A, B의 좌표 구하기	40 %
㈏ 좌표평면 위에 $y=\dfrac{1}{3}x+4$의 그래프를 그리고 삼각형 AOB를 나타내기	30 %
㈐ 삼각형 AOB의 넓이 구하기	30 %

0882 전략 두 일차함수의 그래프를 각각 그려 본다.

$y=-2x-3$의 그래프의 x절편은 $-\dfrac{3}{2}$, y절편은 -3이다.

또 $y=2x+3$의 그래프의 x절편은 $-\dfrac{3}{2}$, y절편은 3이다.

따라서 두 일차함수의 그래프를 그리면 오른쪽 그림과 같으므로 구하는 삼각형의 넓이는

$\dfrac{1}{2}\times\dfrac{3}{2}\times 6=\dfrac{9}{2}$

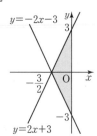

답 $\dfrac{9}{2}$

0883 전략 주어진 조건을 이용하여 a, b의 값을 각각 구한다.

윤아는 b의 값, 즉 y절편을 바르게 보았으므로 $b=2$

진영이는 a의 값, 즉 기울기를 바르게 보았으므로 $a=\dfrac{3}{4}$

$y=\dfrac{3}{4}x+2$에 $y=0$을 대입하면

$0=\dfrac{3}{4}x+2$ $\therefore x=-\dfrac{8}{3}$

따라서 구하는 x절편은 $-\dfrac{8}{3}$이다. 답 $-\dfrac{8}{3}$

Lecture

일차함수 $y=ax+b$의 그래프에서
① a의 값을 잘못 보았다. ➡ y절편 b의 값을 바르게 보았다.
② b의 값을 잘못 보았다. ➡ 기울기 a의 값을 바르게 보았다.

8 일차함수와 그래프 (2)

STEP **1** 개념 마스터   p.148~p.150

0884   **답** ○

0885   **답** ○

0886 y절편은 7이다.   **답** ×

0887 오른쪽 아래로 향하는 직선이다.   **답** ×

0888 일차함수 $y=-3x$의 그래프를 y축의 방향으로 7만큼 평행
이동한 것이다.   **답** ×

0889 $y=-3x+7$에 $x=-2$, $y=1$을 대입하면
$1 \neq -3 \times (-2)+7$
따라서 점 $(-2, 1)$을 지나지 않는다.   **답** ×

0890 오른쪽 아래로 향하는 직선이므로 $a<0$
y절편이 음수이므로 $b<0$ **답** $a<0$, $b<0$

0891 오른쪽 위로 향하는 직선이므로 $a>0$
y절편이 음수이므로 $b<0$ **답** $a>0$, $b<0$

0892 오른쪽 아래로 향하는 직선이므로 $a<0$
y절편이 양수이므로 $b>0$ **답** $a<0$, $b>0$

0893 오른쪽 위로 향하는 직선이므로 $a>0$
y절편이 양수이므로 $b>0$ **답** $a>0$, $b>0$

0894 기울기가 같고 y절편이 다른 두 일차함수의 그래프는 서로
평행하므로 ㉠과 ㉣, ㉢과 ㉪의 그래프는 서로 평행하다.
            답 ㉠과 ㉣, ㉢과 ㉪

0895 서로 평행한 두 일차함수의 그래프의 기울기는 같으므로
$a=3$ **답** 3

0896 일치하는 두 일차함수의 그래프는 기울기와 y절편이 각각
같으므로 $a=-2$, $b=1$ **답** $a=-2$, $b=1$

0897   **답** $y=-2x+5$

0898 기울기가 $\dfrac{5}{2}$이고 y절편이 -2이므로
$y=\dfrac{5}{2}x-2$ **답** $y=\dfrac{5}{2}x-2$

0899 기울기가 -1이고 y절편이 5이므로
$y=-x+5$ **답** $y=-x+5$

0900 $y=2x+b$로 놓고 $x=1$, $y=3$을 대입하면
$3=2+b$ $\therefore b=1$
따라서 구하는 일차함수의 식은 $y=2x+1$ **답** $y=2x+1$

0901 (기울기)$=\dfrac{1-6}{3-(-2)}=\dfrac{-5}{5}=-1$이므로
$y=-x+b$로 놓고 $x=3$, $y=1$을 대입하면
$1=-3+b$ $\therefore b=4$
따라서 구하는 일차함수의 식은 $y=-x+4$
                 답 $y=-x+4$

0902 (기울기)$=\dfrac{-5-(-2)}{-4-2}=\dfrac{-3}{-6}=\dfrac{1}{2}$이므로
$y=\dfrac{1}{2}x+b$로 놓고 $x=2$, $y=-2$를 대입하면
$-2=1+b$ $\therefore b=-3$
따라서 구하는 일차함수의 식은 $y=\dfrac{1}{2}x-3$
             답 $y=\dfrac{1}{2}x-3$

0903 두 점 $(1, 0)$, $(0, 3)$을 지나므로
(기울기)$=\dfrac{3-0}{0-1}=-3$
따라서 구하는 일차함수의 식은 $y=-3x+3$
               답 $y=-3x+3$

0904 두 점 $(2, 0)$, $(0, -3)$을 지나므로
(기울기)$=\dfrac{-3-0}{0-2}=\dfrac{3}{2}$
따라서 구하는 일차함수의 식은 $y=\dfrac{3}{2}x-3$
             답 $y=\dfrac{3}{2}x-3$

0905   **답** $6, 6x, 20+6x, 8$

0906 (1) 젤리를 x g 살 때 젤리의 가격은 $10x$원이므로 x와 y 사이
의 관계식은 $y=10000-10x$
(2) $y=10000-10x$에 $x=350$을 대입하면
$y=10000-10 \times 350=6500$
따라서 젤리를 350 g 샀을 때, 거스름돈은 6500원이다.
       답 (1) $y=10000-10x$ (2) 6500원

STEP **2** 유형 마스터   p.151~p.161

0907 **전략** 각 일차함수의 그래프의 기울기의 절댓값을 구하여 대소
를 비교한다.
기울기의 절댓값이 클수록 그래프는 y축에 가깝다.
이때 $\left| -\dfrac{1}{3} \right| < \left| \dfrac{1}{2} \right| < \left| \dfrac{3}{4} \right| < |-1| < \left| -\dfrac{4}{3} \right|$이므로 그래
프가 y축에 가장 가까운 것은 ④이다.   **답** ④

0908 기울기의 절댓값이 클수록 그래프는 y축에 가까우므로 기울기의 절댓값이 가장 큰 것은 ㉢이다. **답** ㉢

0909 기울기의 절댓값이 작을수록 그래프는 x축에 가깝다.

이때 $\left|\dfrac{1}{2}\right|<|-1|<\left|\dfrac{4}{3}\right|<\left|\dfrac{5}{2}\right|<|-3|$ 이므로 그래프가 x축에 가장 가까운 것은 ④이다. **답** ④

0910 **전략** 일차함수의 그래프가 제1, 2, 4사분면을 지날 때 기울기와 y절편의 부호를 파악한다.

$y=ax+b$의 그래프가 제1, 2, 4사분면을 지나므로
$a<0,\ b>0$

따라서 $y=bx+a$의 그래프는 오른쪽 위로 향하는 직선이고, y절편이 음수이므로 오른쪽 그림과 같다.

즉 제2사분면을 지나지 않는다.

답 제2사분면

0911 $a<0,\ b<0$이므로 $a+b<0,\ ab>0$

따라서 $y=(a+b)x+ab$의 그래프는 오른쪽 아래로 향하는 직선이고, y절편이 양수이므로 오른쪽 그림과 같다.

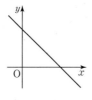

즉 제3사분면을 지나지 않는다.

답 제3사분면

0912 $ab<0$이므로 $a>0,\ b<0$ 또는 $a<0,\ b>0$
$bc<0$이므로 $b>0,\ c<0$ 또는 $b<0,\ c>0$

즉 $a>0,\ b<0,\ c>0$ 또는 $a<0,\ b>0,\ c<0$이므로
$-\dfrac{b}{a}>0,\ \dfrac{c}{a}>0$

따라서 $y=-\dfrac{b}{a}x+\dfrac{c}{a}$의 그래프는 오른쪽 위로 향하는 직선이고, y절편이 양수이므로 오른쪽 그림과 같다.

즉 제1, 2, 3사분면을 지난다.

답 제1, 2, 3사분면

0913 **전략** 직선의 방향과 y절편을 이용하여 $a,\ b$의 부호를 각각 구한다.
그래프가 오른쪽 아래로 향하는 직선이므로 $a<0$
y절편이 양수이므로 $-b>0$, 즉 $b<0$
따라서 $y=bx+a$의 그래프는 $b<0$이므로 오른쪽 아래로 향하는 직선이고, $a<0$이므로 y절편은 음수이다.
따라서 $y=bx+a$의 그래프로 알맞은 것은 ①이다.

답 ①

0914 그래프가 오른쪽 아래로 향하는 직선이므로 $ab<0$
y절편이 음수이므로 $b<0$
따라서 $ab<0,\ b<0$이므로 $a>0$ **답** $a>0,\ b<0$

0915 그래프가 오른쪽 위로 향하는 직선이므로 $-a>0$, 즉 $a<0$
y절편이 양수이므로 $b>0$

이때 $\dfrac{b}{a}<0,\ -b<0$이므로

$y=\dfrac{b}{a}x-b$의 그래프는 오른쪽 아래로 향하는 직선이고, y절편은 음수이다. 따라서 그래프는 오른쪽 그림과 같이 제2, 3, 4사분면을 지난다.

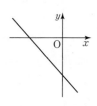

답 제2, 3, 4사분면

0916 그래프가 오른쪽 위로 향하는 직선이므로 $\dfrac{a}{b}>0$

y절편이 음수이므로 $-\dfrac{b}{c}<0$, 즉 $\dfrac{b}{c}>0$

이때 $\dfrac{a}{b}>0$에서 $a>0,\ b>0$ 또는 $a<0,\ b<0$

또 $\dfrac{b}{c}>0$에서 $b>0,\ c>0$ 또는 $b<0,\ c<0$

따라서 $a>0,\ b>0,\ c>0$ 또는 $a<0,\ b<0,\ c<0$이다.

답 ⑤

0917 **전략** 서로 평행한 두 직선의 기울기는 같다.
두 점 $(2,\ -1),\ (4,\ k)$를 지나는 직선의 기울기가 3이므로
$\dfrac{k-(-1)}{4-2}=3,\ k+1=6$ ∴ $k=5$ **답** 5

0918 $\dfrac{a}{3}=1$이므로 $a=3$ **답** 3

0919 (개)에서 $a=2$, (내)에서 $b=-4$

∴ $\dfrac{a}{b}=\dfrac{2}{-4}=-\dfrac{1}{2}$ **답** $-\dfrac{1}{2}$

0920 $y=ax+b$의 그래프가 $y=-3x+1$의 그래프와 평행하므로
$a=-3$
$y=ax+b$의 그래프가 $y=2x-3$의 그래프와 y축 위에서 만나므로 y절편이 같다. ∴ $b=-3$
∴ $a-b=-3-(-3)=0$ **답** 0

0921 $y=ax-2$의 그래프를 y축의 방향으로 -5만큼 평행이동한 그래프의 식은
$y=ax-2-5$, 즉 $y=ax-7$ ...... (개)

이때 $y=ax-7$의 그래프와 $y=\dfrac{3}{5}x+b$의 그래프가 일치하므로 $a=\dfrac{3}{5},\ b=-7$ ...... (내)

답 $a=\dfrac{3}{5},\ b=-7$

채점 기준	비율
(개) 평행이동한 그래프의 식 구하기	50 %
(내) $a,\ b$의 값 구하기	50 %

0922 [전략] $y=ax+b$의 그래프에서 a, b의 의미를 이해한다.

① $1=-\dfrac{1}{2}\times 4+3$이므로 점 $(4, 1)$을 지난다.

② $y=-\dfrac{1}{2}x+3$에 $y=0$을 대입하면

$0=-\dfrac{1}{2}x+3$ $\therefore x=6$, 즉 x절편은 6

③ 기울기가 음수, y절편이 양수이므로 그래프는 제1, 2, 4사분면을 지나고 제3사분면을 지나지 않는다.

④ 기울기가 같지 않으므로 평행하지 않다.

⑤ 기울기는 $-\dfrac{1}{2}$이므로 x의 값이 1만큼 증가하면 y의 값은 $\dfrac{1}{2}$만큼 감소한다.

따라서 옳지 않은 것은 ④이다. **답** ④

0923 ㉠ $2\neq\dfrac{2}{3}\times 3-6$이므로 점 $(3, 2)$를 지나지 않는다.

㉡ x의 값이 3만큼 증가하면 y의 값은 2만큼 증가한다.

㉢ y축과 점 $(0, -6)$에서 만난다.

㉣ 기울기가 양수이므로 오른쪽 위로 향하는 직선이다.

㉤ 기울기가 같고 y절편은 다르므로 평행하다.

따라서 옳은 것은 ㉣, ㉤이다. **답** ㉣, ㉤

0924 주어진 그래프의 기울기는 $-\dfrac{2}{5}$, x절편은 5, y절편은 2이다.

④ $y=-\dfrac{2}{5}x$의 그래프를 y축의 방향으로 2만큼 평행이동한 그래프이다.

⑤ $y=3x-15$의 그래프의 x절편도 5이므로 두 그래프의 x절편은 같다.

따라서 옳지 않은 것은 ④이다. **답** ④

0925 ① $4=a\times 0+4$이므로 점 $(0, 4)$를 지난다.

②, ④ 기울기는 a이고, $a>0$일 때 x의 값이 증가하면 y의 값도 증가한다.

③ 기울기가 같고 y절편은 다르므로 평행하다.

⑤ 기울기가 음수, y절편이 양수이므로 그래프는 제1, 2, 4사분면을 지나고 제3사분면을 지나지 않는다.

따라서 옳지 않은 것은 ⑤이다. **답** ⑤

0926 ① 점 $(1, a+b)$를 지난다.

③ 기울기가 같지 않으므로 평행하지 않다.

④ 그래프가 오른쪽 아래로 향하므로 $a<0$이고, y절편이 양수이므로 $b>0$이다.

⑤ 기울기가 a이므로 x의 값이 1만큼 증가할 때, y의 값은 a만큼 증가한다.

답 ②

0927 [전략] 기울기가 a, y절편이 b인 직선을 그래프로 하는 일차함수의 식은 $y=ax+b$이다.

기울기가 $\dfrac{1}{3}$이고 y절편이 5인 직선을 그래프로 하는 일차함수의 식은 $y=\dfrac{1}{3}x+5$

따라서 $y=\dfrac{1}{3}x+5$에 $x=a$, $y=2$를 대입하면

$2=\dfrac{1}{3}a+5$, $-\dfrac{1}{3}a=3$ $\therefore a=-9$ **답** -9

0928 기울기가 -4이고 y절편이 -5이므로 구하는 일차함수의 식은 $y=-4x-5$ **답** $y=-4x-5$

0929 (기울기)$=\dfrac{-4}{3}=-\dfrac{4}{3}$이고 y절편이 2이므로 구하는 일차함수의 식은 $y=-\dfrac{4}{3}x+2$ **답** $y=-\dfrac{4}{3}x+2$

0930 두 점 $(0, -1)$, $(1, 2)$를 지나는 일차함수의 그래프와 평행하므로 (기울기)$=\dfrac{2-(-1)}{1-0}=3$이다.

이때 y절편이 -4이므로 일차함수의 식은 $y=3x-4$

$y=3x-4$에 $y=0$을 대입하면

$0=3x-4$ $\therefore x=\dfrac{4}{3}$

따라서 x절편은 $\dfrac{4}{3}$이다. **답** $\dfrac{4}{3}$

0931 [전략] 기울기가 a이면 일차함수의 식을 $y=ax+b$로 놓는다.

주어진 일차함수의 그래프와 평행하므로 기울기는 $\dfrac{3}{2}$이다.

이때 x절편이 2이므로 $y=\dfrac{3}{2}x+b$로 놓고 $x=2$, $y=0$을 대입하면

$0=3+b$ $\therefore b=-3$

따라서 구하는 일차함수의 식은

$y=\dfrac{3}{2}x-3$ **답** $y=\dfrac{3}{2}x-3$

0932 $y=2x+b$로 놓고 $x=-1$, $y=2$를 대입하면

$2=-2+b$ $\therefore b=4$

따라서 구하는 일차함수의 식은

$y=2x+4$ **답** $y=2x+4$

0933 $y=3x+5$의 그래프와 평행하므로 기울기는 3이다.

$y=3x+b$로 놓고 $x=3$, $y=-2$를 대입하면

$-2=9+b$ $\therefore b=-11$

따라서 $y=3x-11$의 그래프의 y절편은 -11이다.

답 -11

0934 $y=-\dfrac{1}{3}x+4$의 그래프와 평행하므로 기울기는 $-\dfrac{1}{3}$이고, $y=\dfrac{3}{2}x-9$의 그래프와 x축 위에서 만나므로 x절편은 6이다.

$y=-\dfrac{1}{3}x+b$로 놓고 $x=6$, $y=0$을 대입하면

$0=-2+b$ $\quad\therefore b=2$

따라서 구하는 일차함수의 식은

$y=-\dfrac{1}{3}x+2$ **답** $y=-\dfrac{1}{3}x+2$

0935 [전략] 먼저 두 점을 지나는 직선의 기울기를 구한다.

(기울기)$=\dfrac{-3-1}{3-1}=\dfrac{-4}{2}=-2$이므로

$y=-2x+b$로 놓고 $x=1$, $y=1$을 대입하면

$1=-2+b$ $\quad\therefore b=3$

따라서 구하는 일차함수의 식은

$y=-2x+3$ **답** $y=-2x+3$

0936 (1) (기울기)$=\dfrac{-5-4}{2-(-1)}=\dfrac{-9}{3}=-3$ $\quad\cdots\cdots$ (가)

(2) $y=-3x+b$로 놓고 $x=-1$, $y=4$를 대입하면

$4=3+b$ $\quad\therefore b=1$

따라서 y절편은 1이다. $\quad\cdots\cdots$ (나)

(3) 기울기가 -3이고 y절편이 1이므로 구하는 일차함수의

식은 $y=-3x+1$이다. $\quad\cdots\cdots$ (다)

답 (1) -3 (2) 1 (3) $y=-3x+1$

채점 기준	비율
(가) 두 점 A, B를 지나는 직선의 기울기 구하기	40 %
(나) y절편 구하기	40 %
(다) 일차함수의 식 구하기	20 %

0937 (기울기)$=\dfrac{4-1}{3-(-2)}=\dfrac{3}{5}$이므로

$y=\dfrac{3}{5}x+b$로 놓고 $x=-2$, $y=1$을 대입하면

$1=-\dfrac{6}{5}+b$ $\quad\therefore b=\dfrac{11}{5}$

$y=\dfrac{3}{5}x+\dfrac{11}{5}$에 $y=0$을 대입하면

$0=\dfrac{3}{5}x+\dfrac{11}{5}$ $\quad\therefore x=-\dfrac{11}{3}$

따라서 x절편은 $-\dfrac{11}{3}$이다. **답** $-\dfrac{11}{3}$

0938 (기울기)$=\dfrac{-3-2}{-1-4}=\dfrac{-5}{-5}=1$이므로

$y=x+b$로 놓고 $x=4$, $y=2$를 대입하면

$2=4+b$ $\quad\therefore b=-2$

따라서 주어진 직선을 그래프로 하는 일차함수의 식은

$y=x-2$

① 기울기가 같지 않으므로 평행하지 않다.

② x절편은 2이다.

④ x의 값이 1만큼 증가할 때, y의 값도 1만큼 증가한다.

⑤ $1\ne-1-2$이므로 점 $(-1, 1)$을 지나지 않는다.

답 ③

0939 $y=-4x+1$의 그래프와 평행하므로 기울기는 -4이다.

(기울기)$=\dfrac{3-2k-k}{1-(-2)}=-4$에서 $\dfrac{3-3k}{3}=-4$

$3-3k=-12$, $-3k=-15$ $\quad\therefore k=5$

$y=-4x+b$로 놓고 $x=-2$, $y=5$를 대입하면

$5=8+b$ $\quad\therefore b=-3$

따라서 구하는 일차함수의 식은

$y=-4x-3$ **답** $y=-4x-3$

0940 $y=-2x+8$의 그래프와 x축 위에서 만나므로 x절편은 4이

다. 즉 두 점 $(1, -2)$, $(4, 0)$을 지나므로

(기울기)$=\dfrac{0-(-2)}{4-1}=\dfrac{2}{3}$

$y=\dfrac{2}{3}x+b$로 놓고 $x=4$, $y=0$을 대입하면

$0=\dfrac{8}{3}+b$ $\quad\therefore b=-\dfrac{8}{3}$

따라서 구하는 일차함수의 식은

$y=\dfrac{2}{3}x-\dfrac{8}{3}$ **답** $y=\dfrac{2}{3}x-\dfrac{8}{3}$

0941 $a=\dfrac{10-4}{2-(-1)}=\dfrac{6}{3}=2$

이때 두 점 $(-1, 4)$, $(2, 10)$을 지나므로

$y=2x+b$에 $x=-1$, $y=4$를 대입하면

$4=-2+b$ $\quad\therefore b=6$

$\therefore ab=2\times6=12$ **답** 12

0942 [전략] x절편이 m이고 y절편이 n이면 두 점 $(m, 0)$, $(0, n)$을

지난다.

두 점 $(3, 0)$, $(0, -2)$를 지나므로

(기울기)$=\dfrac{-2-0}{0-3}=\dfrac{2}{3}$

이때 y절편이 -2이므로 일차함수의 식은 $y=\dfrac{2}{3}x-2$

$y=\dfrac{2}{3}x-2$에 $x=a$, $y=4$를 대입하면

$4=\dfrac{2}{3}a-2$, $-\dfrac{2}{3}a=-6$ $\quad\therefore a=9$ **답** 9

0943 두 점 $(-4, 0)$, $(0, 3)$을 지나므로

(기울기)$=\dfrac{3-0}{0-(-4)}=\dfrac{3}{4}$

이때 y절편이 3이므로 구하는 일차함수의 식은

$y=\dfrac{3}{4}x+3$ **답** $y=\dfrac{3}{4}x+3$

0944 두 점 $(1, 0)$, $(0, 1)$을 지나므로

(기울기)$=\dfrac{1-0}{0-1}=-1$

이때 y절편이 1이므로 일차함수의 식은 $y=-x+1$

① $3 \neq -(-3)+1$이므로 점 $(-3, 3)$은 $y=-x+1$의 그래프 위에 있지 않다. **답** ①

0945 $y=\dfrac{1}{2}x+1$의 그래프와 x축 위에서 만나므로 x절편은 -2,

$y=-\dfrac{2}{3}x-4$의 그래프와 y축 위에서 만나므로 y절편은 -4

이다. 즉 두 점 $(-2, 0)$, $(0, -4)$를 지나므로

$(기울기)=\dfrac{-4-0}{0-(-2)}=-2$

이때 y절편이 -4이므로 일차함수의 식은 $y=-2x-4$

$y=-2x-4$에 $x=-3$, $y=a$를 대입하면

$a=6-4=2$ **답** 2

0946 전략 기온이 x ℃ 올랐을 때 소리의 속력은 초속 $0.6x$ m만큼 증가한다.

기온이 x ℃ 오르면 소리의 속력은 초속 $0.6x$ m만큼 증가하므로 기온이 x ℃일 때의 소리의 속력을 초속 y m라 하면

$y=331+0.6x$

$y=331+0.6x$에 $y=343$을 대입하면

$343=331+0.6x$, $-0.6x=-12$ $\therefore x=20$

따라서 소리의 속력이 초속 343 m일 때의 기온은 20 ℃이다. **답** 20 ℃

0947 전략 100 m$=0.1$ km이다.

100 m$(=0.1$ km$)$ 높아질 때마다 기온이 0.6 ℃씩 내려가므로 1 km 높아질 때마다 기온이 6 ℃씩 내려간다.

즉 높이가 x km 높아지면 기온은 $6x$ ℃만큼 내려가므로 지면으로부터의 높이가 x km인 지점의 기온을 y ℃라 하면

$y=25-6x$

$y=25-6x$에 $x=5$를 대입하면

$y=25-6\times5=25-30=-5$

따라서 지면으로부터의 높이가 5 km인 지점의 기온은 -5 ℃이다. **답** -5 ℃

0948 (1) 물의 온도가 10 ℃ 올라갈 때마다 물에 녹는 약품의 최대량이 5 g씩 증가하므로 물의 온도가 1 ℃ 올라갈 때마다 물에 녹는 약품의 최대량은 0.5 g씩 증가한다.

물의 온도가 0 ℃일 때, 물에 녹는 약품의 최대량은 30 g 이므로 $y=30+0.5x$ ⋯⋯ ㈎

(2) $y=30+0.5x$에 $x=12$를 대입하면

$y=30+0.5\times12=30+6=36$

따라서 물의 온도가 12 ℃일 때, 물에 녹는 약품의 최대량은 36 g이다. ⋯⋯ ㈏

(3) $y=30+0.5x$에 $y=42$를 대입하면

$42=30+0.5x$, $-0.5x=-12$ $\therefore x=24$

따라서 물에 녹는 약품의 최대량이 42 g일 때, 물의 온도는 24 ℃이다. ⋯⋯ ㈐

답 (1) $y=30+0.5x$ (2) 36 g (3) 24 ℃

채점 기준	비율
㈎ x와 y 사이의 관계식 구하기	40 %
㈏ 물의 온도가 12 ℃일 때, 물에 녹는 약품의 최대량 구하기	30 %
㈐ 물에 녹는 약품의 최대량이 42 g일 때, 물의 온도 구하기	30 %

0949 전략 리트머스 종이는 x초마다 $0.5x$ cm씩 젖는다.

리트머스 종이는 10초마다 5 cm씩 젖으므로 1초마다 0.5 cm씩 젖는다.

즉 x초마다 $0.5x$ cm씩 젖으므로 한쪽 끝을 물에 담근 지 x 초 후에 젖지 않은 리트머스 종이의 길이를 y cm라 하면

$y=25-0.5x$

$y=25-0.5x$에 $y=13$을 대입하면

$13=25-0.5x$, $0.5x=12$ $\therefore x=24$

따라서 젖지 않은 리트머스 종이의 길이가 13 cm가 되는 것은 한쪽 끝을 물에 담근 지 24초 후이다. **답** 24초 후

0950 무게가 5 g인 물건을 달 때마다 용수철의 길이가 1 cm씩 늘어나므로 무게가 1 g인 물건을 달 때마다 용수철의 길이는 $\dfrac{1}{5}$ cm씩 늘어난다.

즉 무게가 x g인 물건을 달면 용수철의 길이는 $\dfrac{1}{5}x$ cm만큼

늘어나므로 $y=20+\dfrac{1}{5}x$ **답** $y=20+\dfrac{1}{5}x$

0951 ① 양초의 길이가 10분마다 3 cm씩 짧아지므로 1분마다 0.3 cm씩 짧아진다.

즉 불을 붙인 지 x분 후에는 길이가 $0.3x$ cm만큼 짧아지므로 $y=27-0.3x$

② $y=27-0.3x$에 $x=20$을 대입하면

$y=27-0.3\times20=27-6=21$ (cm)

③ $y=27-0.3x$에 $y=15$를 대입하면

$15=27-0.3x$, $0.3x=12$ $\therefore x=40$(분)

④ $y=27-0.3x$에 $x=10$을 대입하면

$y=27-0.3\times10=27-3=24$ (cm)

⑤ 양초가 다 타버리면 양초의 길이는 0 cm이므로

$y=27-0.3x$에 $y=0$을 대입하면

$0=27-0.3x$, $0.3x=27$ $\therefore x=90$(분)

따라서 양초가 다 타는 데 걸리는 시간은 1시간 30분이다.

답 ②

0952 전략 x분 동안 흘러나가는 물의 양은 $3x$ L이다.

3분마다 9 L의 비율로 물이 흘러나가므로 1분마다 3 L의 물이 흘러나간다.

즉 x분 동안 흘러나가는 물의 양이 $3x$ L이므로 물이 흘러나가기 시작한 지 x분 후에 물통에 남아 있는 물의 양을 y L라 하면

$y=150-3x$

$y=150-3x$에 $y=75$를 대입하면

$75=150-3x,\ 3x=75$ $\therefore x=25$

따라서 물통에 물이 75 L가 남아 있는 때는 물이 흘러나가기 시작한 지 25분 후이다. **답** 25분 후

0953 x분 동안 높아진 수면의 높이는 $4x$ cm이므로 물을 넣기 시작한 지 x분 후의 수면의 높이를 y cm라 하면

$y=10+4x$

$y=10+4x$에 $y=26$을 대입하면

$26=10+4x,\ -4x=-16$ $\therefore x=4$

따라서 수면의 높이가 26 cm가 되는 것은 물을 더 넣기 시작한 지 4분 후이다. **답** 4분 후

0954 (1) 20 km를 달리는 데 1 L의 휘발유가 필요하므로 1 km를 달리는 데 필요한 휘발유의 양은 $\dfrac{1}{20}$ L이다.

즉 x km를 달릴 때 필요한 휘발유의 양은 $\dfrac{1}{20}x$ L이므로

$y=35-\dfrac{1}{20}x$ ······ ㈎

(2) $y=35-\dfrac{1}{20}x$에 $x=360$을 대입하면

$y=35-\dfrac{1}{20}\times360=35-18=17$

따라서 360 km를 달린 후에 남아 있는 휘발유의 양은 17 L이다. ······ ㈏

답 (1) $y=35-\dfrac{1}{20}x$ (2) 17 L

채점 기준	비율
㈎ x와 y 사이의 관계식 구하기	50 %
㈏ 360 km를 달린 후에 남아 있는 휘발유의 양 구하기	50 %

0955 전략 엘리베이터는 x초 동안 $3x$ m만큼 내려온다.

엘리베이터가 x초 동안 $3x$ m만큼 내려오므로 출발한 지 x초 후에 지면으로부터 엘리베이터의 높이를 y m라 하면

$y=60-3x$

$y=60-3x$에 $x=5$를 대입하면

$y=60-3\times5=60-15=45$

따라서 출발한 지 5초 후에 지면으로부터 엘리베이터의 높이는 45 m이다. **답** 45 m

0956 1시간($=60$분)에 60 km를 달리므로 1분 동안 1 km를 달린다. 즉 x분 동안 x km를 달리므로

$y=200-x$ **답** $y=200-x$

0957 지훈이는 1분에 150 m($=0.15$ km)를 달리므로 x분 동안 달린 거리는 $0.15x$ km이다.

지훈이가 출발한 지 x분 후에 지훈이의 위치에서 결승점까지의 거리를 y km라 하면

$y=5-0.15x$

$y=5-0.15x$에 $y=2$를 대입하면

$2=5-0.15x,\ 0.15x=3$ $\therefore x=20$

따라서 지훈이의 위치에서 결승점까지의 거리가 2 km가 되는 것은 지훈이가 출발한 지 20분 후이다. **답** 20분 후

0958 전략 점 P가 점 B를 출발한 지 x초 후의 $\overline{BP}$의 길이를 x에 대한 식으로 나타낸다.

점 P가 점 B를 출발한 지 x초 후의 삼각형 ABP의 넓이를 y cm²라 하면 $\overline{BP}=x$ cm이므로

$y=\dfrac{1}{2}\times x\times4$

즉 $y=2x$

$y=2x$에 $y=10$을 대입하면

$10=2x$ $\therefore x=5$

따라서 삼각형 ABP의 넓이가 10 cm²가 되는 것은 점 P가 점 B를 출발한 지 5초 후이다. **답** 5초 후

0959 점 P가 점 B를 출발한 지 x초 후의 사각형 ABPD의 넓이를 y cm²라 하면 $\overline{BP}=0.5x$ cm이므로

$y=\dfrac{1}{2}\times(10+0.5x)\times6$

즉 $y=30+1.5x$

$y=30+1.5x$에 $y=45$를 대입하면

$45=30+1.5x,\ -1.5x=-15$ $\therefore x=10$

따라서 사각형 ABPD의 넓이가 45 cm²가 되는 것은 점 P가 점 B를 출발한 지 10초 후이다. **답** 10초 후

0960 점 P가 점 A를 출발한 지 x초 후의 직각삼각형 CAP와 직각삼각형 DPB의 넓이의 합을 y cm²라 하면 $\overline{AP}=x$ cm, $\overline{BP}=(20-x)$ cm이므로

$y=\dfrac{1}{2}\times x\times5+\dfrac{1}{2}\times(20-x)\times10$

$=\dfrac{5}{2}x+100-5x$

$=100-\dfrac{5}{2}x$

$y=100-\dfrac{5}{2}x$에 $y=55$를 대입하면

$55=100-\dfrac{5}{2}x,\ \dfrac{5}{2}x=45$ $\therefore x=18$

따라서 직각삼각형 CAP와 직각삼각형 DPB의 넓이의 합이 55 cm²가 되는 것은 점 P가 점 A를 출발한 지 18초 후이다. **답** 18초 후

0961 [전략] 기울기와 y절편을 이용하여 일차함수의 식을 구한다.

그래프의 기울기가 -5, y절편이 20이므로

$y=-5x+20$

$y=-5x+20$에 $x=1$을 대입하면

$y=-5\times1+20=15$

따라서 불을 붙인 지 1시간 후에 남은 양초의 길이는 $15\ \text{cm}$이다.

답 $15\ \text{cm}$

0962 그래프의 기울기가 -25, y절편이 200이므로

$y=-25x+200$

$y=-25x+200$에 $x=3$을 대입하면

$y=-25\times3+200=-75+200=125$

따라서 물이 흘러나가기 시작한 지 3시간 후에 물통에 남아 있는 물의 양은 $125\ \text{L}$이다.

답 $125\ \text{L}$

0963 그래프의 기울기가 $-\dfrac{3}{5}$, y절편이 60이므로

$y=-\dfrac{3}{5}x+60$

$y=-\dfrac{3}{5}x+60$에 $y=27$을 대입하면

$27=-\dfrac{3}{5}x+60$, $\dfrac{3}{5}x=33$ $\therefore x=55$

따라서 물의 온도가 $27\ ^{\circ}\text{C}$가 되는 데 걸린 시간은 55분이다.

답 55분

0964 [전략] 직선 $y=ax-1$은 항상 점 $(0,-1)$을 지나므로 이 점을 기준으로 그래프를 움직여 본다.

직선 $y=ax-1$은 y절편이 -1이므로 항상 점 $(0,-1)$을 지난다.

(i) 점 $\text{A}(1,5)$를 지날 때

$5=a-1$ $\therefore a=6$

(ii) 점 $\text{B}(4,1)$을 지날 때

$1=4a-1$, $-4a=-2$

$\therefore a=\dfrac{1}{2}$

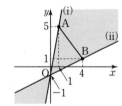

(i), (ii)에서 $\dfrac{1}{2}\leq a\leq6$

답 $\dfrac{1}{2}\leq a\leq6$

0965 직선 $y=ax-3$은 y절편이 -3이므로 항상 점 $(0,-3)$을 지난다.

(i) 점 $\text{A}(2,3)$을 지날 때

$3=2a-3$, $-2a=-6$

$\therefore a=3$

(ii) 점 $\text{B}(3,-1)$을 지날 때

$-1=3a-3$, $-3a=-2$

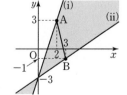

$\therefore a=\dfrac{2}{3}$

(i), (ii)에서 $\dfrac{2}{3}\leq a\leq3$

답 $\dfrac{2}{3}\leq a\leq3$

0966 직선 $y=ax+5$는 y절편이 5이므로 항상 점 $(0,5)$를 지난다.

(i) 점 $\text{A}(1,2)$를 지날 때

$2=a+5$ $\therefore a=-3$

(ii) 점 $\text{B}(4,1)$을 지날 때

$1=4a+5$, $-4a=4$

$\therefore a=-1$

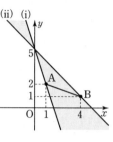

(i), (ii)에서 $-3\leq a\leq-1$이므로

$m=-3$, $n=-1$

$\therefore m+n=-3+(-1)=-4$

답 -4

0967 [전략] 점 $(0,2)$를 지나고 사각형의 각 꼭짓점을 지나는 직선 중 기울기가 가장 큰 것과 가장 작은 것을 찾는다.

직선 $y=ax+2$는 y절편이 2이므로 항상 점 $(0,2)$를 지난다.

(i) 점 $\text{A}(1,8)$을 지날 때

$8=a+2$ $\therefore a=6$

(ii) 점 $\text{C}(4,3)$을 지날 때

$3=4a+2$, $-4a=-1$

$\therefore a=\dfrac{1}{4}$

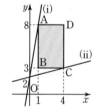

(i), (ii)에서 $\dfrac{1}{4}\leq a\leq6$

답 $\dfrac{1}{4}\leq a\leq6$

0968 직선 $y=ax-2$는 y절편이 -2이므로 항상 점 $(0,-2)$를 지난다.

(i) 점 $\text{A}(2,3)$을 지날 때

$3=2a-2$, $-2a=-5$

$\therefore a=\dfrac{5}{2}$

(ii) 점 $\text{B}(3,-1)$을 지날 때

$-1=3a-2$, $-3a=-1$

$\therefore a=\dfrac{1}{3}$

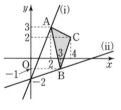

(i), (ii)에서 $\dfrac{1}{3}\leq a\leq\dfrac{5}{2}$

답 $\dfrac{1}{3}\leq a\leq\dfrac{5}{2}$

0969 (1) 직선 $y=2x+k$가

(i) 점 $\text{A}(4,6)$을 지날 때

$6=8+k$ $\therefore k=-2$ ······ ㈎

(ii) 점 $\text{B}(1,4)$를 지날 때

$4=2+k$ $\therefore k=2$ ······ ㈏

(iii) 점 C$(6, 1)$을 지날 때

$1 = 12 + k$ ∴ $k = -11$ ...... (다)

(2) (1)에서 k의 최댓값이 2, 최솟값이 -11이므로

$-11 \leq k \leq 2$ ...... (라)

답 (1) $-2, 2, -11$ (2) $-11 \leq k \leq 2$

채점 기준	비율
(가) 직선 $y = 2x + k$가 점 A를 지날 때, k의 값 구하기	25 %
(나) 직선 $y = 2x + k$가 점 B를 지날 때, k의 값 구하기	25 %
(다) 직선 $y = 2x + k$가 점 C를 지날 때, k의 값 구하기	25 %
(라) k의 값의 범위 구하기	25 %

0970 전략 두 일차함수의 그래프의 x절편을 각각 구한다.

(1) $y = -\dfrac{1}{3}x - 2$의 그래프와 $y = ax + b$의 그래프가 서로

평행하므로 $a = -\dfrac{1}{3}$

(2) $y = -\dfrac{1}{3}x - 2$의 그래프의 x절편이 -6이므로

P$(-6, 0)$

$y = -\dfrac{1}{3}x + b$의 그래프의 x절편이 $3b$이므로

Q$(3b, 0)$

이때 $\overline{PQ} = 8$이므로 $|3b - (-6)| = 8$에서

$3b + 6 = 8$ 또는 $3b + 6 = -8$

∴ $b = \dfrac{2}{3}$ 또는 $b = -\dfrac{14}{3}$

답 (1) $-\dfrac{1}{3}$ (2) $\dfrac{2}{3}, -\dfrac{14}{3}$

0971 $y = 3x + 6$의 그래프와 $y = ax + b$의 그래프가 서로 평행하

므로 $a = 3$

$y = 3x + 6$의 그래프의 x절편이 -2이므로 A$(-2, 0)$

$y = 3x + b$의 그래프의 x절편이 $-\dfrac{b}{3}$이므로 B$\left(-\dfrac{b}{3}, 0\right)$

이때 $\overline{AB} = 4$이므로 $\left|-\dfrac{b}{3} - (-2)\right| = 4$에서

$-\dfrac{b}{3} + 2 = 4$ 또는 $-\dfrac{b}{3} + 2 = -4$

∴ $b = -6$ 또는 $b = 18$

그런데 $b < 0$이므로 $b = -6$

∴ $a + b = 3 + (-6) = -3$ **답** -3

0972 $y = 2x + 6$의 그래프의 x절편이 -3이므로 A$(-3, 0)$

$y = -\dfrac{1}{3}x + a$의 그래프의 x절편이 $3a$이므로 B$(3a, 0)$

이때 $\overline{AB} = 6$이므로 $|3a - (-3)| = 6$에서

$3a + 3 = 6$ 또는 $3a + 3 = -6$

∴ $a = 1$ 또는 $a = -3$

따라서 모든 상수 a의 값의 곱은

$1 \times (-3) = -3$ **답** -3

STEP 3 내신 마스터 p.162 ~ p.165

0973 전략 각 일차함수의 그래프의 기울기의 절댓값을 구하여 대소
를 비교한다.

기울기의 절댓값이 작을수록 그래프는 x축에 가깝다.

이때 $\left|\dfrac{1}{2}\right| < \left|\dfrac{2}{3}\right| < \left|\dfrac{4}{5}\right| < |-1| < \left|-\dfrac{12}{5}\right|$이므로 그래

프가 x축에 가장 가까운 것은 ③이다. **답** ③

> **Lecture**
> 일차함수 $y = ax + b$의 그래프는
> (1) $|a|$가 클수록 y축에 가깝다.
> (2) $|a|$가 작을수록 x축에 가깝다.

0974 전략 일차함수의 그래프가 제1, 3, 4사분면을 지날 때의 기울기
와 y절편의 부호를 파악한다.

$y = ax + b$의 그래프가 제1, 3, 4사분면을 지나므로

$a > 0, b < 0$

즉 $-\dfrac{1}{b} > 0, a > 0$

따라서 $y = -\dfrac{1}{b}x + a$의 그래프는 오

른쪽 위로 향하는 직선이고, y절편이

양수이므로 오른쪽 그림과 같다.

즉 제4사분면을 지나지 않는다.

답 제4사분면

0975 전략 직선의 방향과 y절편을 이용하여 a, b의 부호를 각각 구한다.

그래프가 오른쪽 아래로 향하는 직선이므로 $a < 0$

y절편이 양수이므로 $b > 0$

따라서 $y = bx + a$의 그래프는 $b > 0$이므로 오른쪽 위로 향

하는 직선이고, $a < 0$이므로 y절편은 음수이다. **답** ③

> **Lecture**
> 일차함수 $y = ax + b$의 그래프가
> (1) 오른쪽 위로 향하는 직선이면 ➡ $a > 0$
> 오른쪽 아래로 향하는 직선이면 ➡ $a < 0$
> (2) y절편이 양수이면 ➡ $b > 0$
> y절편이 음수이면 ➡ $b < 0$
> 원점을 지나면 ➡ $b = 0$

0976 전략 $ab < 0, ac > 0$임을 이용하여 $\dfrac{b}{a}, -\dfrac{c}{a}$의 부호를 각각 구한
다.

$y = \dfrac{b}{a}x - \dfrac{c}{a}$의 그래프는 $\dfrac{b}{a} < 0$이므로 오른쪽 아래로 향

하는 직선이고, $-\dfrac{c}{a} < 0$이므로 y절편은 음수이다.

따라서 $y=\dfrac{b}{a}x-\dfrac{c}{a}$의 그래프는
제2, 3, 4사분면을 지나고 제1사
분면은 지나지 않는다.

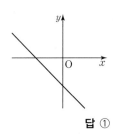

답 ①

0977 전략 평행한 두 직선의 기울기는 같다.
주어진 일차함수의 그래프의 기울기는

$$\frac{4-3}{1-(-1)}=\frac{1}{2}$$

따라서 주어진 일차함수의 그래프와 평행한 직선을 그래프
로 하는 일차함수의 식은 ⑤이다.   답 ⑤

0978 전략 두 일차함수의 그래프가 일치하면 기울기와 y절편이 각각
같다.
$y=-3ax+2$의 그래프를 y축의 방향으로 3만큼 평행이동
한 그래프의 식은
$y=-3ax+2+3$, 즉 $y=-3ax+5$
이때 $y=-3ax+5$의 그래프와 $y=6x+2b$의 그래프가 일
치하므로
$-3a=6$, $5=2b$

$$\therefore a=-2, b=\frac{5}{2}$$

$$\therefore ab=-2\times\frac{5}{2}=-5 \qquad\qquad\text{답 } -5$$

> **✏ Lecture**
>
> 두 일차함수 $y=ax+b$, $y=cx+d$의 그래프가
> (1) 평행 ➡ $a=c$, $b\neq d$
> (2) 일치 ➡ $a=c$, $b=d$

0979 전략 $y=ax+b$의 그래프에서 a, b의 의미를 이해한다.
② (기울기) $=-\dfrac{5}{2}<0$이므로 오른쪽 아래로 향하는 직선이
다.   답 ②

0980 전략 기울기가 a, y절편이 b인 직선을 그래프로 하는 일차함수
의 식은 $y=ax+b$이다.
$y=-3x+6$의 그래프와 평행하므로 기울기는 -3이다.
이때 y절편이 k이므로 일차함수의 식은
$y=-3x+k$ ...... ㈎
$y=-3x+k$에 $x=1$, $y=-4$를 대입하면
$-4=-3+k$ $\therefore k=-1$ ...... ㈏
답 -1

채점 기준	비율
㈎ 일차함수의 식 구하기	50 %
㈏ k의 값 구하기	50 %

0981 전략 기울기가 a이면 일차함수의 식을 $y=ax+b$로 놓고 지나
는 한 점의 좌표를 대입한다.
(기울기) $=\dfrac{4}{2}=2$이므로 $y=2x+b$로 놓고
$x=1$, $y=-3$을 대입하면
$-3=2+b$ $\therefore b=-5$
따라서 구하는 일차함수의 식은 $y=2x-5$ 답 ③

0982 전략 상수 a, b의 값을 각각 구하여 일차함수 $y=bx-a$의 그래
프를 그려 본다.
기울기가 3이고 y절편이 6인 직선을 그래프로 하는 일차함
수의 식은
$y=3x+6$
$\therefore a=3$, $b=6$
따라서 $y=bx-a$, 즉 $y=6x-3$의 그
래프는 오른쪽 그림과 같으므로 구하는
도형의 넓이는

$$\frac{1}{2}\times\frac{1}{2}\times 3=\frac{3}{4}$$

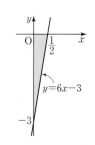

답 $\dfrac{3}{4}$

0983 전략 일차함수의 그래프의 기울기와 x절편을 각각 구한다.
$y=-4x+1$의 그래프와 평행하므로 기울기는 -4이다.
        ...... ㈎
또 $y=\dfrac{2}{5}x-2$의 그래프와 x축 위에서 만나므로 x절편은
5이다.   ...... ㈏
$y=-4x+b$로 놓고 $x=5$, $y=0$을 대입하면
$0=-20+b$ $\therefore b=20$
따라서 구하는 일차함수의 식은
$y=-4x+20$ ...... ㈐
답 $y=-4x+20$

채점 기준	비율
㈎ 일차함수의 그래프의 기울기 구하기	40 %
㈏ 일차함수의 그래프의 x절편 구하기	40 %
㈐ 일차함수의 식 구하기	20 %

0984 전략 먼저 두 점을 지나는 직선의 기울기를 구한다.

$$a=\frac{-2-4}{3-1}=\frac{-6}{2}=-3$$

$y=-3x+b$에 $x=1$, $y=4$를 대입하면

$4=-3+b$ ∴ $b=7$

∴ $a-b=-3-7=-10$ **답** -10

0985 전략 먼저 두 점을 지나는 그래프의 식을 구한다.

① (기울기)$=\dfrac{-2-2}{3-1}=\dfrac{-4}{2}=-2$이므로

$y=-2x+b$로 놓고 $x=1$, $y=2$를 대입하면

$2=-2+b$ ∴ $b=4$

따라서 일차함수의 식은 $y=-2x+4$

④ 기울기가 음수이고 y절편이 양수이므로 제1, 2, 4사분면을 지나고 제3사분면을 지나지 않는다.

따라서 옳지 않은 것은 ④이다.   **답** ④

0986 전략 x절편이 m, y절편이 n이면 두 점 $(m, 0)$, $(0, n)$을 지난다.

두 점 $(3, 0)$, $(0, -4)$를 지나므로

(기울기)$=\dfrac{-4-0}{0-3}=\dfrac{4}{3}$

이때 y절편이 -4이므로 일차함수의 식은

$y=\dfrac{4}{3}x-4$

① $-1 \neq \dfrac{4}{3} \times 1-4$이므로 점 $(1, -1)$을 지나지 않는다.

② 기울기가 양수이고 y절편이 음수이므로 제1, 3, 4사분면을 지난다.

③ x의 값이 증가하면 y의 값도 증가한다.

④ $y=-2x+1$의 그래프와 기울기가 같지 않으므로 평행하지 않다.   **답** ⑤

0987 전략 일차함수 $y=-3x+1$의 그래프와 y축 위에서 만나므로 y절편이 같다.

$y=-3x+1$의 그래프와 y축 위에서 만나므로 y절편은 1이다.

두 점 $(2, 0)$, $(0, 1)$을 지나는 직선이므로

(기울기)$=\dfrac{1-0}{0-2}=-\dfrac{1}{2}$

이때 y절편은 1이므로 일차함수의 식은

$y=-\dfrac{1}{2}x+1$ **답** ③

0988 전략 두 일차함수의 그래프가 x축 위에서 만나면 x절편이 같고, y축 위에서 만나면 y절편이 같다.

$y=\dfrac{1}{2}x-1$의 그래프와 x축 위에서 만나므로 x절편은 2,

$y=-2x+8$의 그래프와 y축 위에서 만나므로 y절편은 8이다.

즉 두 점 $(2, 0)$, $(0, 8)$을 지나므로

(기울기)$=\dfrac{8-0}{0-2}=-4$

이때 y절편이 8이므로 $y=-4x+8$

따라서 $a=-4$, $b=8$이므로

$a-b=-4-8=-12$ **답** ①

0989 전략 희원이는 y절편을 바르게 보았고, 수경이는 기울기를 바르게 보았다.

희원이는 y절편을 바르게 보았으므로 그래프 ㉠에서 y절편은 -5이다.

수경이는 기울기를 바르게 보았으므로 두 점 $(0, 7)$, $(3, 0)$을 지나는 그래프 ㉡에서

(기울기)$=\dfrac{0-7}{3-0}=-\dfrac{7}{3}$

따라서 처음 일차함수의 식은 $y=-\dfrac{7}{3}x-5$

답 $y=-\dfrac{7}{3}x-5$

0990 전략 일차함수 $y=ax-2$의 그래프는 항상 $(0, -2)$를 지나므로 이 점을 기준으로 그래프를 움직여 본다.

일차함수 $y=ax-2$의 그래프의 y절편은 -2이므로 항상 점 $(0, -2)$를 지난다.

(ⅰ) 점 $A(1, 2)$를 지날 때

$2=a-2$ ∴ $a=4$

(ⅱ) 점 $B(3, -1)$을 지날 때

$-1=3a-2$

$-3a=-1$ ∴ $a=\dfrac{1}{3}$

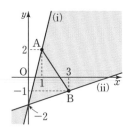

(ⅰ), (ⅱ)에서 $\dfrac{1}{3} \leq a \leq 4$

답 $\dfrac{1}{3} \leq a \leq 4$

0991 전략 x km를 달릴 때 필요한 경유의 양은 $\dfrac{1}{15}x$ L이다.

(1) 15 km를 달리는 데 1 L의 경유가 필요하므로 1 km를 달리는 데 필요한 경유의 양은 $\dfrac{1}{15}$ L이다.

즉 x km를 달릴 때 필요한 경유의 양은 $\dfrac{1}{15}x$ L이므로

$y=60-\dfrac{1}{15}x$ ……㉮

(2) $y=60-\dfrac{1}{15}x$에 $y=10$을 대입하면

$10=60-\dfrac{1}{15}x$, $\dfrac{1}{15}x=50$ ∴ $x=750$

따라서 남은 경유의 양이 10 L일 때, 자동차가 달린 거리는 750 km이다.   ……㉯

답 (1) $y=60-\dfrac{1}{15}x$ (2) 750 km

채점 기준	비율
㉮ x와 y 사이의 관계식 구하기	50 %
㉯ 남은 경유의 양이 10 L일 때, 자동차가 달린 거리 구하기	50 %

0992 〔전략〕 주어진 표를 이용하여 x와 y 사이의 관계식을 구한다.

양초의 길이가 10분마다 2 cm씩 짧아지므로 1분에 $\dfrac{1}{5}$ cm 씩 짧아진다. (①)

따라서 x와 y 사이의 관계식은 $y=30-\dfrac{1}{5}x$ (②)

③ $y=30-\dfrac{1}{5}x$에 $x=120$을 대입하면

$y=30-\dfrac{1}{5}\times120=30-24=6$

따라서 2시간 후의 양초의 길이는 6 cm이다.

④ $y=30-\dfrac{1}{5}x$에 $y=19$를 대입하면

$19=30-\dfrac{1}{5}x,\ \dfrac{1}{5}x=11$ ∴ $x=55$

따라서 양초의 길이가 19 cm가 되는 것은 불을 붙인 지 55분 후이다.

⑤ 양초가 다 타버리면 양초의 길이는 0 cm이므로

$y=30-\dfrac{1}{5}x$에 $y=0$을 대입하면

$0=30-\dfrac{1}{5}x,\ \dfrac{1}{5}x=30$ ∴ $x=150$

따라서 양초가 다 타는 데 걸리는 시간은 2시간 30분이다.

답 ②

0993 〔전략〕 점 P가 점 B를 출발한 지 x초 후의 $\overline{PC}$의 길이를 x의 식으로 나타낸다.

점 P가 점 B를 출발한 지 x초 후의 사다리꼴 APCD의 넓이를 y cm²라 하면

$\overline{BP}=2x$ cm, $\overline{PC}=(16-2x)$ cm이므로

$y=\dfrac{1}{2}\times\{16+(16-2x)\}\times12$

즉 $y=192-12x$

$y=192-12x$에 $y=168$을 대입하면

$168=192-12x,\ 12x=24$ ∴ $x=2$

따라서 사다리꼴 APCD의 넓이가 168 cm²가 되는 것은 점 P가 점 B를 출발한 지 2초 후이다.

답 2초 후

0994 〔전략〕 정오각형이 1개 늘어날 때마다 필요한 성냥개비의 개수를 구한다.

(1) 정오각형이 1개 늘어날 때마다 성냥개비가 4개씩 더 필요하므로

㉠$=13$, ㉡$=21$

(2) x와 y 사이의 관계식은 $y=5+4(x-1)$, 즉 $y=4x+1$이므로

$a=4$, $b=1$

답 (1) ㉠$=13$, ㉡$=21$ (2) $a=4$, $b=1$

0995 〔전략〕 직선이 지나는 두 점의 좌표를 구한다.

(1) 두 점 $(0, 100)$, $(1000, 150)$을 지나므로

$(기울기)=\dfrac{150-100}{1000-0}=\dfrac{50}{1000}=\dfrac{1}{20}$

이때 y절편이 100이므로 x와 y 사이의 관계식은

$y=\dfrac{1}{20}x+100$

(2) $y=\dfrac{1}{20}x+100$에 $y=500$을 대입하면

$500=\dfrac{1}{20}x+100,\ -\dfrac{1}{20}x=-400$

∴ $x=8000$

따라서 추가로 8000원을 더 내야 한다.

답 (1) $y=\dfrac{1}{20}x+100$ (2) 8000원

STEP 1 개념 마스터   p.168~p.170

0996   답 $y=-x+3$

0997   답 $y=2x+4$

0998   답 $y=\dfrac{3}{4}x$

0999   답 $y=2x-3$

1000 $x+2y-1=0$에서 y를 x의 식으로 나타내면 $y=-\dfrac{1}{2}x+\dfrac{1}{2}$

x의 값이 6만큼 증가할 때, y의 값은 a만큼 증가한다고 하면

(기울기)$=\dfrac{(y\text{의 값의 증가량})}{(x\text{의 값의 증가량})}=\dfrac{a}{6}=-\dfrac{1}{2}$

$\therefore a=-3$

따라서 x의 값이 6만큼 증가할 때, y의 값은 3만큼 감소한다.

답 3

1001 $y=-\dfrac{1}{2}x+\dfrac{1}{2}$에 $y=0$을 대입하면

$0=-\dfrac{1}{2}x+\dfrac{1}{2}$ $\therefore x=1$

따라서 x절편은 1, y절편은 $\dfrac{1}{2}$이다.   답 $1,\dfrac{1}{2}$

1002 $3x-9y=1$에서 y를 x의 식으로 나타내면 $y=\dfrac{1}{3}x-\dfrac{1}{9}$

$y=\dfrac{1}{3}x-\dfrac{1}{9}$에 $y=0$을 대입하면 $0=\dfrac{1}{3}x-\dfrac{1}{9}$ $\therefore x=\dfrac{1}{3}$

따라서 기울기는 $\dfrac{1}{3}$, x절편은 $\dfrac{1}{3}$, y절편은 $-\dfrac{1}{9}$이다.

답 기울기 : $\dfrac{1}{3}$, x절편 : $\dfrac{1}{3}$, y절편 : $-\dfrac{1}{9}$

1003 $-x+5y+4=0$에서 y를 x의 식으로 나타내면 $y=\dfrac{1}{5}x-\dfrac{4}{5}$

$y=\dfrac{1}{5}x-\dfrac{4}{5}$에 $y=0$을 대입하면 $0=\dfrac{1}{5}x-\dfrac{4}{5}$ $\therefore x=4$

따라서 기울기는 $\dfrac{1}{5}$, x절편은 4, y절편은 $-\dfrac{4}{5}$이다.

답 기울기 : $\dfrac{1}{5}$, x절편 : 4, y절편 : $-\dfrac{4}{5}$

1004 $\dfrac{x}{2}-\dfrac{y}{3}=1$에서 y를 x의 식으로 나타내면 $y=\dfrac{3}{2}x-3$

$y=\dfrac{3}{2}x-3$에 $y=0$을 대입하면 $0=\dfrac{3}{2}x-3$ $\therefore x=2$

따라서 기울기는 $\dfrac{3}{2}$, x절편은 2, y절편은 -3이다.

답 기울기 : $\dfrac{3}{2}$, x절편 : 2, y절편 : -3

1005 $-x+3y-6=0$에서 y를 x의 식으로 나타내면 $y=\dfrac{1}{3}x+2$

답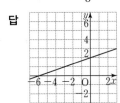

1006 $2x+y=4$에서 y를 x의 식으로 나타내면 $y=-2x+4$

답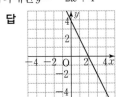

1007   ㉠ $y=x-2$ ㉡ $y=2x+3$

㉢ $y=-2x+3$ ㉣ $y=-2x-3$

이 중에서 기울기가 음수인 것은 ㉢, ㉣이다.   답 ㉢, ㉣

1008   기울기가 양수인 것은 ㉠, ㉡이다.   답 ㉠, ㉡

1009   기울기가 같은 것은 ㉢과 ㉣이다.   답 ㉢과 ㉣

1010   답 $y=3$

1011   답 $x=-2$

1012   답 $x=-4$

1013   답 $y=-1$

1014   두 점의 y좌표가 -3으로 같으므로 두 점을 지나는 직선은 x축에 평행한 직선이다.

$\therefore y=-3$ 답 $y=-3$

1015   두 점의 x좌표가 5로 같으므로 두 점을 지나는 직선은 y축에 평행한 직선이다.

$\therefore x=5$ 답 $x=5$

1016   답 $x=4,y=2$

1017   답 $x=-2,y=3$

1018   두 일차방정식의 그래프의 교점의 좌표가 $(-2,\ 1)$이므로 연립방정식의 해는 $x=-2,\ y=1$ 답 $x=-2,y=1$

1019   두 일차방정식의 그래프의 교점의 좌표가 $(0,\ -2)$이므로 연립방정식의 해는 $x=0,\ y=-2$ 답 $x=0,y=-2$

1020 오른쪽 그림과 같이 두 일차방 정식의 그래프의 교점의 좌표 가 $(1, 2)$이므로 연립방정식의 해는 $x=1, y=2$이다.

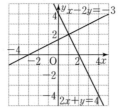

답 $x=1, y=2$

1021 오른쪽 그림과 같이 두 일차방정 식의 그래프의 교점의 좌표가 $(-1, -2)$이므로 연립방정식 의 해는 $x=-1, y=-2$이다.

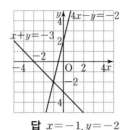

답 $x=-1, y=-2$

1022 두 일차방정식의 그래프의 교점의 좌표가 $(-1, 3)$이므로 연립방정식의 해는 $x=-1, y=3$이다.

답 $x=-1, y=3$

1023 $3x-y=m$에 $x=-1, y=3$을 대입하면
$-3-3=m$ $\therefore m=-6$

답 -6

1024 $nx+y=1$에 $x=-1, y=3$을 대입하면
$-n+3=1$ $\therefore n=2$

답 2

1025 ㉠ $\begin{cases} y=-2x-2 \\ y=-2x-2 \end{cases}$ ㉡ $\begin{cases} y=2x-1 \\ y=2x-\frac{3}{2} \end{cases}$

㉢ $\begin{cases} y=x+3 \\ y=\frac{1}{2}x-\frac{1}{4} \end{cases}$ ㉣ $\begin{cases} y=2x+2 \\ y=2x-3 \end{cases}$

연립방정식의 해가 한 쌍인 것은 두 일차방정식의 그래프가 한 점에서 만나야 하므로 기울기가 다른 ㉢이다. **답** ㉢

1026 연립방정식의 해가 없는 것은 두 일차방정식의 그래프가 서로 평행해야 하므로 기울기가 같고 y절편이 다른 ㉡, ㉣이다.

답 ㉡, ㉣

1027 연립방정식의 해가 무수히 많은 것은 두 일차방정식의 그래프가 일치해야 하므로 기울기와 y절편이 각각 같은 ㉠이다.

답 ㉠

STEP 2 유형 마스터   p.171 ~ p.180

1028 전략 주어진 일차방정식을 $y=(x$의 식)으로 나타낸다.
$2x-3y+4=0$에서 y를 x의 식으로 나타내면 $y=\frac{2}{3}x+\frac{4}{3}$

따라서 $a=\frac{2}{3}, b=\frac{4}{3}$이므로

$a+b=\frac{2}{3}+\frac{4}{3}=2$ **답** 2

1029 $x+2y-4=0$에서 y를 x의 식으로 나타내면
$y=-\frac{1}{2}x+2$ **답** ②

1030 $3x+2y=12$에서 y를 x의 식으로 나타내면 $y=-\frac{3}{2}x+6$

$y=-\frac{3}{2}x+6$의 그래프는 x절편이 4, y절편이 6인 직선이 므로 그래프는 ①이다.   **답** ①

1031 $2x+y=8$에서 y를 x의 식으로 나타내면 $y=-2x+8$
④ 기울기가 -2이므로 x의 값이 2만큼 증가할 때, y의 값은 4만큼 감소한다.   **답** ④

1032 $x+ay+1=0$에서 y를 x의 식으로 나타내면 $y=-\frac{1}{a}x-\frac{1}{a}$
이때 기울기가 2이므로
$-\frac{1}{a}=2$ $\therefore a=-\frac{1}{2}$

$y=ax+a-1$, 즉 $y=-\frac{1}{2}x-\frac{3}{2}$에 $y=0$을 대입하면

$0=-\frac{1}{2}x-\frac{3}{2}$ $\therefore x=-3$

따라서 x절편은 -3이다.   **답** -3

1033 $3x-2y+6=0$에 $y=0$을 대입하면
$3x+6=0$ $\therefore x=-2$, 즉 x절편은 -2
$2x-3y-6=0$에 $x=0$을 대입하면
$-3y-6=0$ $\therefore y=-2$, 즉 y절편은 -2
따라서 직선은 두 점 $(-2, 0)$, $(0, -2)$를 지나므로

$(기울기)=\frac{-2-0}{0-(-2)}=-1$

따라서 구하는 직선의 방정식은
$y=-x-2$, 즉 $x+y+2=0$ **답** ④

1034 전략 그래프가 지나는 점의 좌표를 주어진 일차방정식에 대입 하여 a의 값을 구한다.
$3x+2y=-2$에 $x=a+1, y=a$를 대입하면
$3(a+1)+2a=-2, 5a=-5$ $\therefore a=-1$ **답** -1

1035 ⑤ $2x+y=6$에 $x=5, y=-6$을 대입하면
$2\times5+(-6)\neq6$
따라서 점 $(5, -6)$은 $2x+y=6$의 그래프 위의 점이 아니 다.   **답** ⑤

1036 $5x+ay+1=0$에 $x=-2, y=3$을 대입하면
$-10+3a+1=0, 3a=9$ $\therefore a=3$ **답** 3

1037 $ax-2by+6=0$의 그래프가 두 점 $(2, 0)$, $(0, 3)$을 지나므로
$ax-2by+6=0$에 $x=2, y=0$을 대입하면

$2a+6=0$ $\therefore a=-3$ ······ (가)

$ax-2by+6=0$에 $x=0$, $y=3$을 대입하면

$-6b+6=0$ $\therefore b=1$ ······ (나)

$\therefore a+b=-3+1=-2$ ······ (다)

답 -2

채점 기준	비율
(가) a의 값 구하기	40 %
(나) b의 값 구하기	40 %
(다) $a+b$의 값 구하기	20 %

1038 전략 주어진 일차방정식을 $x=p$ (p는 상수) 꼴로 나타낸다.

주어진 그래프는 점 $(3, 0)$을 지나고 y축에 평행하므로 직선의 방정식은 $x=3$

이때 $2x+1=a$를 x에 대하여 풀면 $x=\dfrac{a-1}{2}$이므로

$\dfrac{a-1}{2}=3$, $a-1=6$ $\therefore a=7$ 답 7

1039 점 $(3, -1)$을 지나고 x축에 평행한 직선의 방정식은

$y=-1$ 답 $y=-1$

1040 $-3y=9$에서 $y=-3$

ㄱ. x축에 평행한 직선이다.

ㄹ. 제3, 4사분면을 지난다.

ㅁ. 점 $(0, 9)$를 지나지 않는다. 답 ㄴ, ㄷ

1041 x축에 수직인 직선은 y축에 평행하므로 직선 위의 모든 점의 x좌표가 같다.

즉 $a-3=2-4a$이므로 $5a=5$ $\therefore a=1$ 답 1

1042 전략 직선의 방정식을 $x=p$, $y=q$의 꼴로 고친 후 네 직선을 좌표평면 위에 나타내어 본다.

$x-1=0$에서 $x=1$

$2x+8=0$에서 $x=-4$

$y+3=0$에서 $y=-3$

따라서 네 직선을 좌표평면 위에 나타내면 오른쪽 그림과 같으므로 구하는 넓이는 $5\times5=25$

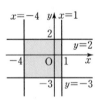

답 25

1043 $2x+10=0$에서 $x=-5$

$y-6=0$에서 $y=6$

따라서 네 직선을 좌표평면 위에 나타내면 오른쪽 그림과 같으므로 구하는 넓이는

$5\times6=30$

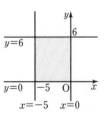

답 30

1044 네 직선을 좌표평면 위에 나타내면 오른쪽 그림과 같으므로

$(m-2)\times8=40$

$\therefore m=7$

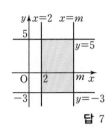

답 7

1045 전략 주어진 그래프를 보고 기울기와 y절편의 부호를 각각 파악한다.

$ax+by+c=0$에서 y를 x의 식으로 나타내면 $y=-\dfrac{a}{b}x-\dfrac{c}{b}$

그래프가 오른쪽 아래로 향하는 직선이므로

$-\dfrac{a}{b}<0$, 즉 $\dfrac{a}{b}>0$ ······ ㉠

y절편이 양수이므로 $-\dfrac{c}{b}>0$, 즉 $\dfrac{c}{b}<0$ ······ ㉡

㉠에서 a와 b의 부호는 서로 같고, ㉡에서 b와 c의 부호는 서로 다르므로 $a>0$이면 $b>0$, $c<0$이고, $a<0$이면 $b<0$, $c>0$이다. 답 ①, ④

1046 $ax+y+c=0$에서 y를 x의 식으로 나타내면 $y=-ax-c$

그래프가 오른쪽 위로 향하는 직선이고, y절편이 양수이므로

$-a>0$, $-c>0$ $\therefore a<0$, $c<0$ 답 $a<0$, $c<0$

1047 전략 y축에 평행한 직선은 $x=p$ (p는 상수) 꼴이다.

$ax+by-4=0$의 그래프가 y축에 평행하므로 $a\neq0$, $b=0$

$ax-4=0$ $\therefore x=\dfrac{4}{a}$

이때 그래프가 제1, 4사분면을 지나려면 $\dfrac{4}{a}>0$이어야 하므로 $a>0$ 답 $a>0$, $b=0$

1048 $ax+by+1=0$에서 y를 x의 식으로 나타내면 $y=-\dfrac{a}{b}x-\dfrac{1}{b}$

이때 $a<0$, $b>0$이므로 $-\dfrac{a}{b}>0$, $-\dfrac{1}{b}<0$

따라서 그래프는 오른쪽 위로 향하는 직선이고, y절편이 음수이므로 ③이다. 답 ③

1049 $ax+by+c=0$에서 y를 x의 식으로 나타내면 $y=-\dfrac{a}{b}x-\dfrac{c}{b}$

$ac>0$, $bc<0$이므로 a와 c의 부호는 서로 같고, b와 c의 부호는 서로 다르다. 즉 a와 b의 부호는 서로 다르므로

$-\dfrac{a}{b}>0$, $-\dfrac{c}{b}>0$

따라서 그래프는 오른쪽 위로 향하는 직선이고, y절편이 양수이므로 오른쪽 그림과 같다. 즉 제4사분면을 지나지 않는다.

답 제4사분면

1050 $ax-by-c=0$에서 y를 x의 식으로 나타내면 $y=\dfrac{a}{b}x-\dfrac{c}{b}$

그래프가 오른쪽 아래로 향하는 직선이므로 $\dfrac{a}{b}<0$ ...... ㉠

y절편이 음수이므로 $-\dfrac{c}{b}<0$ ...... ㉡

$cx+by-a=0$을 y에 대하여 풀면 $y=-\dfrac{c}{b}x+\dfrac{a}{b}$

㉠, ㉡에서 $-\dfrac{c}{b}<0$, $\dfrac{a}{b}<0$

따라서 그래프는 오른쪽 아래로 향하는 직선이고, y절편이 음수이므로 ②이다. **답** ②

1051 [전략] 두 직선의 교점의 좌표는 연립방정식의 해와 같다.

연립방정식 $\begin{cases} x+y=5 \\ 3x-y=4 \end{cases}$ 를 풀면 $x=\dfrac{9}{4}, y=\dfrac{11}{4}$

따라서 두 직선의 교점의 좌표는 $\left(\dfrac{9}{4}, \dfrac{11}{4}\right)$이므로

$m=\dfrac{9}{4}, n=\dfrac{11}{4}$

$\therefore m-n=\dfrac{9}{4}-\dfrac{11}{4}=-\dfrac{1}{2}$ **답** $-\dfrac{1}{2}$

1052 교점의 좌표가 $(3, 2)$이므로 연립방정식의 해는

$x=3, y=2$ **답** $x=3, y=2$

1053 연립방정식 $\begin{cases} 5x-y=1 \\ 4x+3y=16 \end{cases}$ 을 풀면 $x=1, y=4$

따라서 교점의 좌표는 $(1, 4)$이다. **답** $(1, 4)$

1054 두 점 $(-1, 6), (3, -2)$를 지나는 직선의 방정식은

$(\text{기울기})=\dfrac{-2-6}{3-(-1)}=\dfrac{-8}{4}=-2$이므로

$y=-2x+b$로 놓고 $x=-1, y=6$을 대입하면

$6=2+b$ $\therefore b=4$

$\therefore y=-2x+4$

연립방정식 $\begin{cases} y=-2x+4 \\ y=3x-6 \end{cases}$ 을 풀면 $x=2, y=0$

따라서 교점의 좌표는 $(2, 0)$이다. **답** $(2, 0)$

1055 [전략] 두 일차방정식의 그래프의 교점의 좌표는 연립방정식의 해와 같다.

두 직선의 교점의 좌표가 $(3, 2)$이므로 연립방정식의 해는

$x=3, y=2$이다.

$ax-y=-5$에 $x=3, y=2$를 대입하면

$3a-2=-5, 3a=-3$ $\therefore a=-1$

$2x-by=4$에 $x=3, y=2$를 대입하면

$6-2b=4, -2b=-2$ $\therefore b=1$

$\therefore a+b=-1+1=0$ **답** 0

1056 두 직선의 교점의 좌표가 $(2, 3)$이므로 연립방정식의 해는

$x=2, y=3$이다.

$x+2y=2a$에 $x=2, y=3$을 대입하면

$2+6=2a, -2a=-8$ $\therefore a=4$ **답** 4

1057 $x-2y-3=0$에 $y=0$을 대입하면

$x-3=0$ $\therefore x=3$, 즉 x절편은 3 ...... (가)

즉 두 직선은 점 $(3, 0)$에서 만나므로

$ax-y+9=0$에 $x=3, y=0$을 대입하면

$3a+9=0$ $\therefore a=-3$ ...... (나)

답 -3

채점 기준	비율
(가) 직선 $x-2y-3=0$의 x절편 구하기	50 %
(나) a의 값 구하기	50 %

1058 $ax+by=11$에 $x=1, y=3$을 대입하면

$a+3b=11$ ...... ㉠

$bx+ay=9$에 $x=1, y=3$을 대입하면

$b+3a=9$ ...... ㉡

㉠, ㉡을 연립하여 풀면 $a=2, b=3$

$\therefore ab=2\times3=6$ **답** 6

1059 [전략] 두 직선의 교점의 좌표는 두 직선의 방정식을 연립하여 풀어서 구한다.

연립방정식 $\begin{cases} 2x+3y-3=0 \\ x-y+1=0 \end{cases}$ 을 풀면 $x=0, y=1$

즉 두 직선의 교점의 좌표는 $(0, 1)$이다.

이때 $2x-y=3$, 즉 $y=2x-3$의 그래프와 평행하므로 기울기는 2이다.

따라서 구하는 직선의 방정식을 $y=2x+b$로 놓고

$x=0, y=1$을 대입하면 $b=1$

$\therefore y=2x+1$ **답** $y=2x+1$

1060 연립방정식 $\begin{cases} x+2y=1 \\ 2x-y=3 \end{cases}$ 을 풀면 $x=\dfrac{7}{5}, y=-\dfrac{1}{5}$

즉 두 직선의 교점의 좌표는 $\left(\dfrac{7}{5}, -\dfrac{1}{5}\right)$이다.

따라서 점 $\left(\dfrac{7}{5}, -\dfrac{1}{5}\right)$을 지나고 y축에 평행한 직선의 방정식은 $x=\dfrac{7}{5}$ **답** $x=\dfrac{7}{5}$

1061 연립방정식 $\begin{cases} y=-5x-3 \\ y=3x+13 \end{cases}$ 을 풀면 $x=-2, y=7$

즉 두 직선의 교점의 좌표는 $(-2, 7)$이다.

두 점 $(-2, 7)$, $(2, -5)$를 지나는 직선의 방정식은

$(기울기) = \dfrac{-5-7}{2-(-2)} = -3$이므로

$y = -3x+b$로 놓고 $x=2$, $y=-5$를 대입하면

$-5 = -6+b$ $\therefore b=1$

따라서 구하는 직선의 방정식은 $y=-3x+1$

답 $y=-3x+1$

1062 **전략** 미지수를 포함하지 않는 두 직선의 교점의 좌표를 구하여 그 교점의 좌표를 미지수를 포함한 직선의 방정식에 대입한다.

연립방정식 $\begin{cases} 2x-y=3 \\ x+3y=-2 \end{cases}$를 풀면 $x=1$, $y=-1$

즉 세 직선의 교점의 좌표는 $(1, -1)$이므로

$ax+y=1$에 $x=1$, $y=-1$을 대입하면

$a-1=1$ $\therefore a=2$ **답** 2

1063 연립방정식 $\begin{cases} 2x-5y=-1 \\ x+y=3 \end{cases}$을 풀면 $x=2$, $y=1$

즉 두 직선의 교점의 좌표는 $(2, 1)$이므로

$ax+5y=7$에 $x=2$, $y=1$을 대입하면

$2a+5=7$, $2a=2$ $\therefore a=1$ **답** 1

1064 연립방정식 $\begin{cases} x-3y=-1 \\ 3x+y=2 \end{cases}$를 풀면 $x=\dfrac{1}{2}$, $y=\dfrac{1}{2}$

즉 세 직선의 교점의 좌표는 $\left(\dfrac{1}{2}, \dfrac{1}{2}\right)$이므로

$(a-2)x+2ay=5$에 $x=\dfrac{1}{2}$, $y=\dfrac{1}{2}$을 대입하면

$(a-2) \times \dfrac{1}{2}+a=5$, $\dfrac{3}{2}a=6$ $\therefore a=4$

따라서 $(a-2)x+2ay=5$, 즉 $2x+8y=5$에 주어진 점의 좌표를 각각 대입하여 등식이 성립하는 것을 찾으면

⑤ $2 \times \dfrac{13}{2}+8 \times (-1)=5$ **답** ⑤

1065 **전략** 연립방정식의 해가 없으려면 두 직선의 기울기가 같고 y절편이 달라야 한다.

두 일차방정식을 각각 y를 x의 식으로 나타내면

$y=2x-3$, $y=-\dfrac{a}{3}x-\dfrac{11}{3}$

연립방정식의 해가 없으려면 두 직선 $y=2x-3$,

$y=-\dfrac{a}{3}x-\dfrac{11}{3}$의 기울기가 같고 y절편이 달라야 한다.

즉 $2=-\dfrac{a}{3}$이므로 $a=-6$ **답** $a=-6$

1066 ① $\begin{cases} y=-x+3 \\ y=-2x+3 \end{cases}$ ② $\begin{cases} y=\dfrac{1}{2}x-\dfrac{1}{2} \\ y=2x-2 \end{cases}$

③ $\begin{cases} y=2x+4 \\ y=2x+4 \end{cases}$ ④ $\begin{cases} y=2x+1 \\ y=-2x+1 \end{cases}$

⑤ $\begin{cases} y=\dfrac{1}{2}x-\dfrac{3}{2} \\ y=\dfrac{1}{2}x+\dfrac{3}{4} \end{cases}$

연립방정식의 해가 무수히 많으려면 두 직선이 일치해야 하므로 기울기와 y절편이 각각 같은 ③이다.   **답** ③

1067 두 일차방정식을 각각 y를 x의 식으로 나타내면

$y=ax-3$, $y=2x-\dfrac{b}{2}$

연립방정식의 해가 무수히 많으려면 두 직선 $y=ax-3$,

$y=2x-\dfrac{b}{2}$가 일치해야 하므로 기울기와 y절편이 각각 같아야 한다. 즉 $a=2$, $-3=-\dfrac{b}{2}$이므로 $a=2$, $b=6$

$\therefore a+b=2+6=8$ **답** 8

1068 $\begin{cases} 2x-y-a=0 \\ bx+2y+1=0 \end{cases}$에서 $\begin{cases} y=2x-a \\ y=-\dfrac{b}{2}x-\dfrac{1}{2} \end{cases}$

① $b \ne -4$이면 $-\dfrac{b}{2} \ne 2$이므로 해가 오직 한 쌍뿐이다.

② $\begin{cases} y=2x+1 \\ y=-x-\dfrac{1}{2} \end{cases}$ $\therefore$ 해가 오직 한 쌍뿐이다.

③ $\begin{cases} y=2x-\dfrac{1}{2} \\ y=2x-\dfrac{1}{2} \end{cases}$ $\therefore$ 해가 무수히 많다.

④ $\begin{cases} y=2x-1 \\ y=-2x-\dfrac{1}{2} \end{cases}$ $\therefore$ 해가 오직 한 쌍뿐이다.

⑤ $\begin{cases} y=2x-4 \\ y=2x-\dfrac{1}{2} \end{cases}$ $\therefore$ 해가 없다.   **답** ①

1069 **전략** 연립방정식을 풀어 두 직선의 교점의 좌표를 구한다.

연립방정식 $\begin{cases} 2x-6y=-6 \\ 2x+3y=12 \end{cases}$를 풀면 $x=3$, $y=2$

즉 두 직선의 교점 A의 좌표는 $(3, 2)$이다.

$2x-6y=-6$에 $y=0$을 대입하면

$2x=-6$ $\therefore x=-3$, 즉 $B(-3, 0)$

$2x+3y=12$에 $y=0$을 대입하면

$2x=12$ $\therefore x=6$, 즉 $C(6, 0)$

따라서 구하는 삼각형 ABC의 넓이는

$\dfrac{1}{2} \times (3+6) \times 2=9$ **답** 9

1070 $3x+4y-12=0$에서 y를 x의 식으로 나타내면

$y=-\dfrac{3}{4}x+3$

$y=-\dfrac{3}{4}x+3$의 그래프의 x절편은

4, y절편은 3이므로 그래프를 그리면 오른쪽 그림과 같다.

따라서 구하는 넓이는

$\dfrac{1}{2}\times4\times3=6$

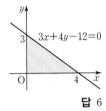

답 6

1071 $ax-3y-6=0$에서 y를 x의 식으로 나타내면 $y=\dfrac{a}{3}x-2$

$y=\dfrac{a}{3}x-2$의 그래프의 x절편은

$\dfrac{6}{a}$, y절편은 -2이므로 그래프를 그리면 오른쪽 그림과 같다.

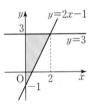

따라서 $\dfrac{1}{2}\times\left(-\dfrac{6}{a}\right)\times2=10$이므로

$a=-\dfrac{3}{5}$

답 $-\dfrac{3}{5}$

1072 $2x-1=3$에서 $2x=4$ ∴ $x=2$

즉 두 직선 $y=2x-1$, $y=3$의 교점의 좌표는 $(2,3)$이고 직선 $y=2x-1$의 y절편은 -1이므로 그래프를 그리면 오른쪽 그림과 같다.

따라서 구하는 넓이는 $\dfrac{1}{2}\times(3+1)\times2=4$ **답** 4

1073 (1) 연립방정식 $\begin{cases}y=x+6\\y=-2x+4\end{cases}$ 를 풀면 $x=-\dfrac{2}{3}$, $y=\dfrac{16}{3}$

즉 점 A의 좌표는 $\left(-\dfrac{2}{3},\dfrac{16}{3}\right)$이다. ······ ㈎

(2) $y=x+6$에 $y=0$을 대입하면

$0=x+6$ ∴ $x=-6$, 즉 B$(-6,0)$

$y=-2x+4$에 $y=0$을 대입하면

$0=-2x+4$ ∴ $x=2$, 즉 C$(2,0)$ ······ ㈏

(3) (삼각형 ABC의 넓이)$=\dfrac{1}{2}\times(6+2)\times\dfrac{16}{3}=\dfrac{64}{3}$

······ ㈐

답 (1) A$\left(-\dfrac{2}{3},\dfrac{16}{3}\right)$ (2) B$(-6,0)$, C$(2,0)$ (3) $\dfrac{64}{3}$

채점 기준	비율
㈎ 점 A의 좌표 구하기	30 %
㈏ 두 점 B, C의 좌표 구하기	30 %
㈐ 삼각형 ABC의 넓이 구하기	40 %

1074 두 직선 $x-2=0$, $y-5=0$의 교점의 좌표는 $(2,5)$,

두 직선 $y-5=0$, $2x+y-5=0$의 교점의 좌표는 $(0,5)$,

두 직선 $x-2=0$, $2x+y-5=0$의 교점의 좌표는 $(2,1)$

이므로 그래프를 그리면 오른쪽 그림과 같다.

따라서 구하는 넓이는

$\dfrac{1}{2}\times2\times(5-1)=4$

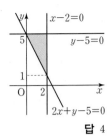

답 4

1075 두 직선 $x-y=0$, $y-3=0$의 교점의 좌표는 $(3,3)$,

두 직선 $x-y=0$, $3x-y-2=0$의 교점의 좌표는 $(1,1)$,

두 직선 $y-3=0$, $3x-y-2=0$의 교점의 좌표는 $\left(\dfrac{5}{3},3\right)$

이므로 그래프를 그리면 오른쪽 그림과 같다.

따라서 구하는 넓이는

$\dfrac{1}{2}\times\left(3-\dfrac{5}{3}\right)\times(3-1)=\dfrac{4}{3}$

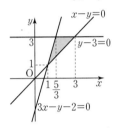

답 $\dfrac{4}{3}$

1076 직선 $3x+5y=30$의 x절편이 10, y절편이 6이므로

A$(10,0)$, B$(0,6)$

점 C의 좌표를 $(k,0)$이라 하면

(삼각형 ABC의 넓이)$=\dfrac{1}{2}\times(10-k)\times6=15$에서

$30-3k=15$, $-3k=-15$

∴ $k=5$, 즉 C$(5,0)$

따라서 직선 BC는 기울기가 $-\dfrac{6}{5}$, y절편이 6이므로 직선 BC의 방정식은

$y=-\dfrac{6}{5}x+6$ **답** $y=-\dfrac{6}{5}x+6$

1077 **전략** (삼각형 COB의 넓이)$=\dfrac{1}{2}\times$(삼각형 AOB의 넓이)임을 이용하여 점 C의 좌표를 구한다.

직선 $y=-\dfrac{2}{3}x+4$의 x절편은 6, y절편은 4이므로

A$(0,4)$, B$(6,0)$

(삼각형 COB의 넓이)$=\dfrac{1}{2}\times$(삼각형 AOB의 넓이)이므로

점 C의 y좌표는 $\dfrac{1}{2}\times4=2$

$y=-\dfrac{2}{3}x+4$에 $y=2$를 대입하면

$2=-\dfrac{2}{3}x+4$, $\dfrac{2}{3}x=2$ ∴ $x=3$, 즉 점 C$(3,2)$

따라서 $y=mx$에 $x=3$, $y=2$를 대입하면

$2=3m$ ∴ $m=\dfrac{2}{3}$ **답** $\dfrac{2}{3}$

1078 직선 $3x-y+12=0$의 x절편은 -4, y절편은 12이므로

$A(-4, 0)$, $B(0, 12)$

(삼각형 AOC의 넓이)$=\dfrac{1}{2}\times$(삼각형 AOB의 넓이)이므로

점 C의 y좌표는 $\dfrac{1}{2}\times 12=6$

$3x-y+12=0$에 $y=6$을 대입하면

$3x-6+12=0$, $3x=-6$ ∴ $x=-2$, 즉 $C(-2, 6)$

$y=mx$에 $x=-2$, $y=6$을 대입하면

$6=-2m$ ∴ $m=-3$ **답** -3

1079 연립방정식 $\begin{cases} y=3x \\ y=-x+8 \end{cases}$ 을 풀면 $x=2$, $y=6$

즉 두 직선의 교점 A의 좌표는 $(2, 6)$이다.

직선 $y=-x+8$의 x절편은 8이므로 $B(8, 0)$

(삼각형 AOC의 넓이)$=\dfrac{1}{2}\times$(삼각형 AOB의 넓이)이므로

점 C의 x좌표는 $\dfrac{1}{2}\times 8=4$ ∴ $C(4, 0)$

따라서 직선 $y=ax+b$는 두 점 $A(2, 6)$, $C(4, 0)$을 지난다.

(기울기)$=\dfrac{0-6}{4-2}=\dfrac{-6}{2}=-3$이므로 $a=-3$

$y=-3x+b$에 $x=4$, $y=0$을 대입하면

$0=-12+b$ ∴ $b=12$

∴ $a+b=-3+12=9$ **답** 9

1080 **전략** 세 직선에 의하여 삼각형이 만들어지지 않는 경우는 세 직선 중 어느 두 직선이 평행하거나 세 직선이 한 점에서 만나는 경우이다.

(ⅰ) 세 직선 중 어느 두 직선이 평행한 경우

두 직선 $y=-2x+5$, $y=ax$가 평행하면 $a=-2$

두 직선 $y=3x+10$, $y=ax$가 평행하면 $a=3$

(ⅱ) 세 직선이 한 점에서 만나는 경우

두 직선 $y=-2x+5$, $y=3x+10$의 교점의 좌표가 $(-1, 7)$이므로 $y=ax$에 $x=-1$, $y=7$을 대입하면

$7=-a$ ∴ $a=-7$

따라서 모든 상수 a의 값의 합은

$-2+3+(-7)=-6$ **답** -6

1081 세 직선의 방정식을 각각 y를 x의 식으로 나타내면

$y=\dfrac{1}{3}x+\dfrac{8}{3}$, $y=-2x+5$, $y=ax+6$

(ⅰ) 세 직선 중 어느 두 직선이 평행한 경우

두 직선 $y=\dfrac{1}{3}x+\dfrac{8}{3}$, $y=ax+6$이 평행하면 $a=\dfrac{1}{3}$

두 직선 $y=-2x+5$, $y=ax+6$이 평행하면 $a=-2$

(ⅱ) 세 직선이 한 점에서 만나는 경우

두 직선 $y=\dfrac{1}{3}x+\dfrac{8}{3}$, $y=-2x+5$의 교점의 좌표가

$(1, 3)$이므로 $y=ax+6$에 $x=1$, $y=3$을 대입하면

$3=a+6$ ∴ $a=-3$

따라서 모든 상수 a의 값의 합은

$\dfrac{1}{3}+(-2)+(-3)=-\dfrac{14}{3}$ **답** $-\dfrac{14}{3}$

1082 세 직선의 방정식을 각각 y를 x의 식으로 나타내면

$y=-\dfrac{1}{2}x+\dfrac{3}{2}$, $y=-\dfrac{2}{3}x+1$, $y=3x-a$

세 직선 중 어느 두 직선도 평행하지 않으므로 세 직선이 한 점에서 만나는 경우 삼각형이 만들어지지 않는다.

이때 두 직선 $y=-\dfrac{1}{2}x+\dfrac{3}{2}$, $y=-\dfrac{2}{3}x+1$의 교점의 좌표가 $(-3, 3)$이므로

$y=3x-a$에 $x=-3$, $y=3$을 대입하면

$3=-9-a$ ∴ $a=-12$ **답** -12

1083 **전략** 직선이 지나는 두 점을 이용하여 x와 y 사이의 관계를 식으로 나타낸다.

① 형은 동생보다 5분 늦게 출발하였다.

② 형 : $y=100x-500$, 동생 : $y=50x$

두 식을 연립하여 풀면 $x=10$, $y=500$

따라서 형과 동생은 동생이 출발한 지 10분 후에 만났다.

③ $y=50x$에 $x=10$을 대입하면 $y=500$

즉 10분 동안 동생이 이동한 거리는 500 m이다.

⑤ 동생이 형보다 10분 늦게 도서관에 도착하였다.

답 ④

1084 A 양초 : $y=-\dfrac{4}{5}x+24$, B 양초 : $y=-\dfrac{1}{2}x+20$

① A 양초의 처음 길이는 24 cm이다.

② $y=-\dfrac{4}{5}x+24$에 $x=10$을 대입하면 $y=16$

즉 10분 후에 A 양초의 길이는 16 cm이다.

③ $y=-\dfrac{4}{5}x+24$에 $x=20$을 대입하면 $y=8$

$y=-\dfrac{1}{2}x+20$에 $x=20$을 대입하면 $y=10$

즉 20분 후에 남은 양초의 길이는 B 양초가 더 길다.

④ B 양초가 모두 타는 데 걸리는 시간은 40분이다.

⑤ 두 직선의 방정식을 연립하여 풀면 $x=\dfrac{40}{3}$, $y=\dfrac{40}{3}$

즉 두 양초의 길이가 같아지는 것은 $\dfrac{40}{3}$분 후이다.

답 ⑤

1085 $ax-y-6=0$의 그래프가 점 $(3, 0)$을 지나므로

$3a-6=0$, $3a=6$ ∴ $a=2$

$2x-y-2=0$, 즉 $y=2x-2$의 그래프의 x절편은 1, y절편은 -2이므로 구하는 사다리꼴의 넓이는

$\dfrac{1}{2}\times 6\times 3-\dfrac{1}{2}\times 2\times 1=8$ **답** 8

1086 (사각형 OABC의 넓이)$=3\times5=15$이므로

(사각형 POAQ의 넓이)$=\dfrac{3}{5}\times$(사각형 OABC의 넓이)

$$=\dfrac{3}{5}\times15=9$$

점 P는 직선 $y=\dfrac{2}{3}x+k$가 y축과 만나는 점이므로 점 P의

좌표는 $(0,k)$이다.

점 Q는 직선 $y=\dfrac{2}{3}x+k$ 위의 점이므로 점 Q의 좌표는

$(3,2+k)$이다.

(사각형 POAQ의 넓이)$=\dfrac{1}{2}\times(\overline{OP}+\overline{AQ})\times\overline{OA}$이므로

$$9=\dfrac{1}{2}\times\{k+(2+k)\}\times3$$

$$9=3k+3,\ -3k=-6$$

$$\therefore k=2 \qquad\qquad\qquad\text{답 } 2$$

1087 문제의 조건에서

(사다리꼴 AOCD의 넓이)

$=(\triangle ADB$의 넓이$)+(\triangle DCE$의 넓이$)$ $\qquad$……㉠

한편

(사다리꼴 AOCD의 넓이)

$=($사각형 AOCB의 넓이$)-(\triangle ADB$의 넓이$)$ $\qquad$……㉡

㉠, ㉡에서

$(\triangle DCE$의 넓이$)$

$=($사각형 AOCB의 넓이$)-2\times(\triangle ADB$의 넓이$)$

점 D의 좌표를 $(12,a)$라 하면

$$\dfrac{1}{2}\times a\times\overline{CE}=12\times10-2\times\dfrac{1}{2}\times12\times(10-a)$$

$$\dfrac{1}{2}\times a\times\overline{CE}=12a \qquad \therefore \overline{CE}=24, \text{ 즉 } E(36,0)$$

따라서 두 점 $A(0,10)$, $E(36,0)$을 지나는 직선의 방정식

은 $y=-\dfrac{5}{18}x+10$, 즉 $5x+18y=180$ $\qquad\qquad$ 답 ①

1088 $y=-\dfrac{1}{2}x-\dfrac{5}{2}$의 그래프의 x절편은 -5이므로 $A(-5,0)$

$y=-2x+2$의 그래프의 x절편은 1이므로 $B(1,0)$

연립방정식 $\begin{cases} y=-\dfrac{1}{2}x-\dfrac{5}{2} \\ y=-2x+2 \end{cases}$ 의 해가 $x=3,y=-4$이므로

$C(3,-4) \qquad \therefore H(3,0)$

따라서 $\triangle ACB$를 x축을 회전축으
로 하여 1회전하여 얻은 입체도형
은 오른쪽 그림과 같다.

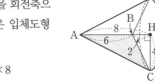

$\therefore$ (부피)$=\dfrac{1}{3}\times\pi\times4^2\times8$

$\qquad\qquad -\dfrac{1}{3}\times\pi\times4^2\times2$

$\qquad\quad =\dfrac{128}{3}\pi-\dfrac{32}{3}\pi=32\pi$ $\qquad$ 답 32π

1089 연립방정식 $\begin{cases} x-y+2=0 \\ 2x+y-8=0 \end{cases}$ 의 해는 $x=2,y=4$이므로

점 C의 좌표는 $(2,4)$이다.

이때 $A(-2,0)$, $B(4,0)$이므로

$(\triangle ABC$의 넓이$)=\dfrac{1}{2}\times(2+4)\times4=12$

직선 l이 x축과 만나는 점을 $D(p,0)$이라 하면

$(\triangle ADC$의 넓이$)=\dfrac{1}{2}\times(p+2)\times4=6$에서

$2p+4=6, 2p=2 \qquad \therefore p=1$

따라서 두 점 $D(1,0), C(2,4)$를 지나는 직선의 방정식은

$y=4x-4$ $\qquad\qquad\qquad$ 답 $y=4x-4$

1090 세 일차방정식을 각각 y를 x의 식으로 나타내면

$$y=\dfrac{1}{2}x-1, y=-4x+8, y=-x+8$$

$\begin{cases} y=\dfrac{1}{2}x-1 \\ y=-x+8 \end{cases}$ 을 풀면 $x=6,y=2$, 즉 $C(6,2)$

이때 $A(0,8), B(2,0), D(8,0)$이므로

$S_2=\dfrac{1}{2}\times(8-2)\times2=6$

$S_1=(\triangle ABD$의 넓이$)-S_2=\dfrac{1}{2}\times6\times8-6=18$

$\therefore S_1:S_2=18:6=3:1$ $\qquad\qquad$ 답 ②

STEP 3 내신 마스터 $\qquad$ p.181~p.183

1091 **전략** 주어진 일차방정식을 $y=(x$의 식$)$으로 나타낸다.

$3x+2y-10=0$에서 y를 x의 식으로 나타내면

$$y=-\dfrac{3}{2}x+5$$

따라서 $a=-\dfrac{3}{2}, b=5$이므로

$a+b=-\dfrac{3}{2}+5=\dfrac{7}{2}$ $\qquad\qquad$ 답 $\dfrac{7}{2}$

> **Lecture**
>
> 일차방정식 $ax+by+c=0\ (a,b,c$는 상수, $a\ne0, b\ne0)$의 그래프는 일차함수 $y=-\dfrac{a}{b}x-\dfrac{c}{b}$의 그래프와 같다.

1092 **전략** 주어진 일차방정식을 $y=(x$의 식$)$으로 나타낸다.

$x+3y-1=0$에서 y를 x의 식으로 나타내면

$$y=-\dfrac{1}{3}x+\dfrac{1}{3}$$

① x절편은 1이다.

② $1\ne-\dfrac{1}{3}\times0+\dfrac{1}{3}$이므로 점 $(0,1)$을 지나지 않는다.

③ 제1, 2, 4사분면을 지나고 제3사분면을 지나지 않는다.

④ 기울기가 음수이므로 x의 값이 증가할 때, y의 값은 감소한다.

⑤ $y=-\dfrac{1}{3}x$의 그래프와 평행하다. **답** ④

1093 전략 그래프가 지나는 점의 좌표를 주어진 일차방정식에 대입하여 a의 값을 구한다.

$ax+3y-2=0$에 $x=1,\ y=-1$을 대입하면

$a-3-2=0$ $\therefore a=5$ **답** ⑤

1094 전략 y축에 평행한 직선의 방정식은 $x=p\,(p$는 상수$)$ 꼴이고, x축에 평행한 직선의 방정식은 $y=q\,(q$는 상수$)$ 꼴이다.

(1) $4x-3y-7=0$에서 y를 x의 식으로 나타내면

$$y=\dfrac{4}{3}x-\dfrac{7}{3}$$

즉 기울기가 $\dfrac{4}{3}$이고 y절편이 1인 직선의 방정식은

$$y=\dfrac{4}{3}x+1$$

(3) 두 점의 x좌표가 -5로 같으므로 두 점을 지나는 직선은 y축에 평행한 직선이다.

따라서 구하는 직선의 방정식은 $x=-5$

답 (1) $y=\dfrac{4}{3}x+1$ (2) $y=2$ (3) $x=-5$

1095 전략 y축에 평행한 직선의 방정식은 $x=p\,(p$는 상수$)$ 꼴이다.

주어진 그래프는 점 $(-4,0)$을 지나고 y축에 평행하므로 직선의 방정식은 $x=-4$

따라서 $3x+ay-b=2$에서 $a=0$이므로

$3x-b=2$ $\therefore x=\dfrac{b+2}{3}$

이때 $\dfrac{b+2}{3}=-4$이므로 $b+2=-12$

$\therefore b=-14$ **답** ②

1096 전략 y축에 수직인 직선은 x축에 평행하다.

y축에 수직인 직선은 x축에 평행하므로 직선 위의 모든 점의 y좌표가 같다.

즉 $3a=-2a+15$이므로 $5a=15$ $\therefore a=3$ **답** ③

Lecture

(1) x축에 평행한 직선 ➡ 직선 위의 모든 점의 y좌표가 같다.

(2) y축에 평행한 직선 ➡ 직선 위의 모든 점의 x좌표가 같다.

1097 전략 네 직선을 좌표평면 위에 나타내어 본다.

네 직선을 좌표평면 위에 나타내면 오른쪽 그림과 같으므로

$2a\times6=24$

$\therefore a=2$

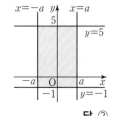

답 ②

1098 전략 주어진 그래프를 보고 a,b의 부호를 각각 파악한다.

$y=ax+b$의 그래프가 오른쪽 아래로 향하는 직선이고, y절편이 양수이므로 $a<0,\ b>0$

$ax+by+1=0$에서 y를 x의 식으로 나타내면

$$y=-\dfrac{a}{b}x-\dfrac{1}{b}$$

$a<0,\ b>0$이므로 $-\dfrac{a}{b}>0,\ -\dfrac{1}{b}<0$

따라서 그래프는 오른쪽 위로 향하는 직선이고, y절편이 음수이므로 ⑤이다. **답** ⑤

1099 전략 두 일차방정식의 그래프의 교점의 좌표는 연립방정식의 해와 같다.

두 직선의 교점의 좌표가 $(2,4)$이므로 연립방정식의 해는 $x=2,\ y=4$이다.

$x+ay=6$에 $x=2,\ y=4$를 대입하면

$2+4a=6,\ 4a=4$ $\therefore a=1$ ……㉮

$bx-3y=2$에 $x=2,\ y=4$를 대입하면

$2b-12=2,\ 2b=14$ $\therefore b=7$ ……㉯

$\therefore a+b=1+7=8$ ……㉰

답 8

채점 기준	비율
㉮ a의 값 구하기	40 %
㉯ b의 값 구하기	40 %
㉰ $a+b$의 값 구하기	20 %

1100 전략 먼저 두 직선의 교점의 좌표를 구한다.

연립방정식 $\begin{cases} 2x-y=4 \\ x+y=5 \end{cases}$ 를 풀면 $x=3,\ y=2$

즉 두 직선의 교점의 좌표는 $(3,2)$이다.

따라서 점 $(3,2)$를 지나고 x축에 평행한 직선의 방정식은 $y=2$ **답** ④

1101 전략 미지수를 포함하지 않는 두 직선의 교점의 좌표를 구하여 그 교점의 좌표를 미지수를 포함한 직선의 방정식에 대입한다.

연립방정식 $\begin{cases} x-y+3=0 \\ 2x+y-9=0 \end{cases}$ 을 풀면 $x=2,\ y=5$ ……㉮

즉 세 직선의 교점의 좌표는 $(2,5)$이므로

$ax-y-3=0$에 $x=2,\ y=5$를 대입하면

$2a-5-3=0,\ 2a=8$ $\therefore a=4$ ……㉯

답 4

채점 기준	비율
㉮ 미지수를 포함하지 않는 두 직선의 교점의 좌표 구하기	50 %
㉯ a의 값 구하기	50 %

1102 〖전략〗 연립방정식의 해가 없으려면 두 직선이 서로 평행해야 한다.

두 일차방정식을 각각 y를 x의 식으로 나타내면

$y=\dfrac{a-5}{2}x+\dfrac{1}{2}$, $y=\dfrac{3}{4}ax+\dfrac{b}{4}$

연립방정식의 해가 없으려면 두 직선이 서로 평행해야 하므로 기울기가 같고 y절편이 달라야 한다.

즉 $\dfrac{a-5}{2}=\dfrac{3}{4}a$, $\dfrac{1}{2}\neq\dfrac{b}{4}$

$\therefore a=-10$, $b\neq2$ 　　　　　　　　　　　　　**답** ③

📖 Lecture

연립방정식 $\begin{cases} ax+by+c=0 \\ a'x+b'y+c'=0 \end{cases}$, 즉 $\begin{cases} y=-\dfrac{a}{b}x-\dfrac{c}{b} \\ y=-\dfrac{a'}{b'}x-\dfrac{c'}{b'} \end{cases}$ 에서

(1) 해가 오직 한 쌍뿐이다. ➡ 두 직선이 한 점에서 만난다.

　　➡ $-\dfrac{a}{b}\neq-\dfrac{a'}{b'}$

(2) 해가 없다. ➡ 두 직선이 서로 평행하다.

　　➡ $-\dfrac{a}{b}=-\dfrac{a'}{b'}$, $-\dfrac{c}{b}\neq-\dfrac{c'}{b'}$

(3) 해가 무수히 많다. ➡ 두 직선이 일치한다.

　　➡ $-\dfrac{a}{b}=-\dfrac{a'}{b'}$, $-\dfrac{c}{b}=-\dfrac{c'}{b'}$

1103 〖전략〗 점 C의 좌표를 구한 후 삼각형의 넓이를 이용하여 점 B의 좌표를 구한다.

직선 $x+y=2$의 x절편이 2이므로 점 C의 좌표는 $(2, 0)$이다. 　　…… ㈎

점 B의 좌표를 $(k, 0)(k<0)$이라 하면

(삼각형 ABC의 넓이)$=\dfrac{1}{2}\times(2-k)\times3=9$

$\therefore k=-4$

즉 점 B의 좌표는 $(-4, 0)$이다. 　　…… ㈏

따라서 두 점 $A(-1, 3)$, $B(-4, 0)$을 지나는 직선 l의 방정식은 (기울기)$=\dfrac{0-3}{-4-(-1)}=\dfrac{-3}{-3}=1$이므로

$y=x+b$로 놓고 $x=-4$, $y=0$을 대입하면

$0=-4+b$ 　$\therefore b=4$

따라서 직선 l의 방정식은 $y=x+4$ 　　…… ㈐

답 $y=x+4$

채점 기준	비율
㈎ 점 C의 좌표 구하기	20 %
㈏ 점 B의 좌표 구하기	40 %
㈐ 직선 l의 방정식 구하기	40 %

1104 〖전략〗 세 점 A, B, C의 좌표를 각각 구한다.

점 A의 x좌표가 2이므로 $y=-2x+6$에 $x=2$를 대입하면

$y=-4+6=2$ 　$\therefore A(2, 2)$

직선 $y=-2x+6$의 x절편은 3이므로 $C(3, 0)$

$\therefore$ (사각형 ABOC의 넓이)

　$=\dfrac{1}{2}\times(1+2)\times2+\dfrac{1}{2}\times1\times2=4$ 　　　**답** ④

1105 직선 $y=-\dfrac{1}{2}x+1$이 x축, y축과 만나는 점을 각각 A, B라 하면 직선 $y=-\dfrac{1}{2}x+1$의 x절편은 2, y절편은 1이므로 $A(2, 0)$, $B(0, 1)$

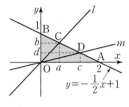

또 두 직선 l, m과 직선 $y=-\dfrac{1}{2}x+1$의 교점을 각각 $C(a, b)$, $D(c, d)$라 하면 두 직선 l, m이 삼각형 BOA의 넓이를 3등분 하므로

($\triangle$BOC의 넓이)$=\dfrac{1}{3}\times$($\triangle$BOA의 넓이)에서

$\dfrac{1}{2}\times1\times a=\dfrac{1}{3}\times\left(\dfrac{1}{2}\times2\times1\right)$ 　$\therefore a=\dfrac{2}{3}$

($\triangle$DOA의 넓이)$=\dfrac{1}{3}\times$($\triangle$BOA의 넓이)에서

$\dfrac{1}{2}\times2\times d=\dfrac{1}{3}\times\left(\dfrac{1}{2}\times2\times1\right)$ 　$\therefore d=\dfrac{1}{3}$

이때 두 점 $C\left(\dfrac{2}{3}, b\right)$, $D\left(c, \dfrac{1}{3}\right)$은 직선 $y=-\dfrac{1}{2}x+1$ 위의 점이므로

$b=-\dfrac{1}{2}\times\dfrac{2}{3}+1$에서 $b=\dfrac{2}{3}$, 즉 $C\left(\dfrac{2}{3}, \dfrac{2}{3}\right)$

$\dfrac{1}{3}=-\dfrac{1}{2}c+1$에서 $\dfrac{1}{2}c=\dfrac{2}{3}$ 　$\therefore c=\dfrac{4}{3}$, 즉 $D\left(\dfrac{4}{3}, \dfrac{1}{3}\right)$

따라서 직선 l의 방정식은 $y=x$, 직선 m의 방정식은 $y=\dfrac{1}{4}x$이므로 구하는 기울기의 곱은

$1\times\dfrac{1}{4}=\dfrac{1}{4}$ 　　　　　　　　　　　　　**답** $\dfrac{1}{4}$

1106 〖전략〗 ($\triangle$ABD의 넓이)$=\dfrac{2}{5}\times$($\triangle$ABC의 넓이)임을 이용한다.

연립방정식 $\begin{cases} y=2x+12 \\ y=-\dfrac{1}{2}x+2 \end{cases}$를 풀면 $x=-4$, $y=4$

즉 두 직선의 교점 A의 좌표는 $(-4, 4)$이다.

직선 $y=2x+12$의 x절편은 -6이므로 $B(-6, 0)$

직선 $y=-\dfrac{1}{2}x+2$의 x절편은 4이므로 $C(4, 0)$

$\therefore$ ($\triangle$ABC의 넓이)$=\dfrac{1}{2}\times10\times4=20$

점 D의 좌표를 $(p, 0)$이라 하면

($\triangle$ABD의 넓이)$=\dfrac{2}{5}\times$($\triangle$ABC의 넓이)이므로

$\dfrac{1}{2}\times\{p-(-6)\}\times4=\dfrac{2}{5}\times20$

$2p+12=8, 2p=-4$ $\therefore p=-2$

따라서 두 점 $A(-4, 4), D(-2, 0)$을 지나는 직선 AD의

방정식은 (기울기)$=\dfrac{0-4}{-2-(-4)}=\dfrac{-4}{2}=-2$이므로

$y=-2x+b$로 놓고 $x=-2, y=0$을 대입하면

$0=4+b$ $\therefore b=-4$

따라서 직선 AD의 방정식은 $y=-2x-4$

답 $y=-2x-4$

1107 **전략** (월급)=(기본급)+(수당)임을 이용하여 x와 y 사이의 관계를 식으로 나타낸다.

(1) A 회사 : $y=50+\dfrac{10}{100}x$, 즉 $y=50+\dfrac{1}{10}x$

B 회사 : $y=80+\dfrac{6}{100}x$, 즉 $y=80+\dfrac{3}{50}x$

따라서 x와 y 사이의 관계를 그래프로 각각 나타내면 다음 그림과 같다.

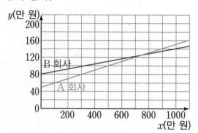

(2) 연립방정식 $\begin{cases} y=50+\dfrac{1}{10}x \\ y=80+\dfrac{3}{50}x \end{cases}$ 를 풀면 $x=750, y=125$

따라서 두 직선의 교점의 좌표가 $(750, 125)$이므로 영업 사원의 판매액이 750만 원을 초과할 때, A 회사를 선택하는 것이 유리하다.

답 (1) 풀이 참조 (2) 750만 원

유형 해결의 법칙

중학 수학 2-1

정답과 해설

단기간 고득점을 위한 2주

전략 질주

중학 전략

내신 전략 시리즈
국어/영어/수학/사회/과학

필수 개념을 꽉~ 잡아 주는 초단기 내신 대비서!

일등전략 시리즈
국어/영어/수학/사회/과학 (국어는 3주 1권 완성)

철저한 기출 분석으로 상위권 도약을 돕는 고득점 전략서!